睢宁县水利志

睢宁县水利局编

主　修　刘清明
主　编　王保乾
编　辑　黄　辉
　　　　张洪说
助　理　李祥会

中国矿业大学出版社

《睢宁县水利志》编纂领导小组

组　长　刘清明

副组长　武献云

成　员　陈庆仪　张新昌

《睢宁县水利志》编写分工名单

篇　名	标　题	编写人	参与人
地　图		张新昌	
图　片		陆裕祥	
概　述		王保乾	
大事记		王保乾	张洪说
第一篇	自然概况	黄　辉	武献云
第二篇	古今水利略述	王保乾	王行泰　张洪说
第三篇	河流	黄　辉	王行泰　张洪说
第四篇	闸　站　涵　桥　库	王保乾	宋　文　张翠銮 黄　辉　张洪说
第五篇	农田水利	王保乾	张新昌
第六篇	打井灌溉	王保乾	韩修路
第七篇	防汛抗旱　工程管理	王保乾	吕振家　梁化林
第八篇	水利投人与水利经济	王保乾　魏奎华	徐清波
第九篇	水利机构	张洪说	陈　兵　相秉成 郑　雪
附　录		张洪说	王保乾
后　记		王保乾	
文字校对		张洪说	李祥会
技术资料收集		相秉成　卢建华	郑　雪

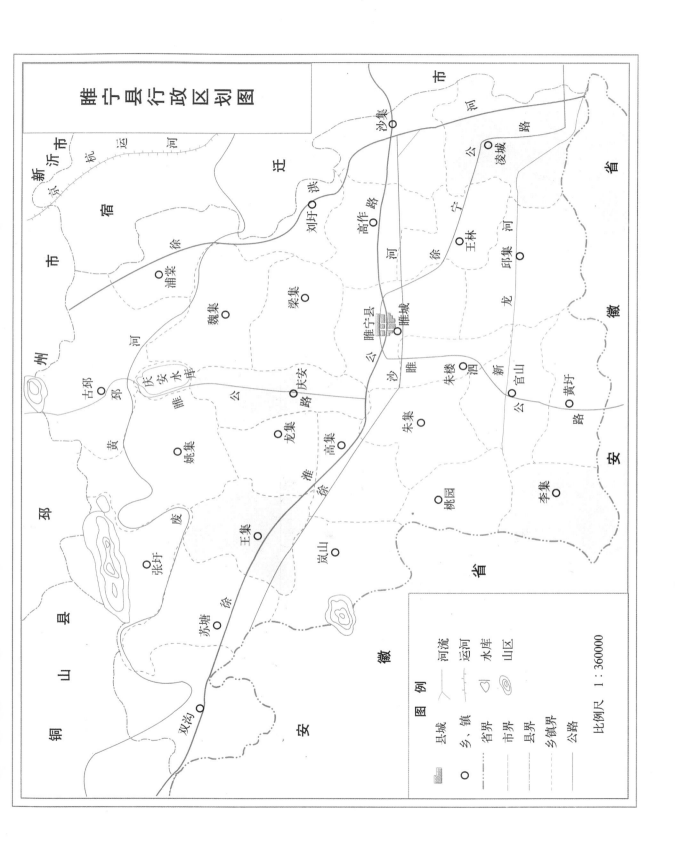

睢宁县行政区划图

▲ 县水利局门景

▲ 县水利局院景之一

▲ 县水利局院景之二

▲ 县水利工程处门景

▲ 乡水利站成立大会

▲ 工程技术人员讨论水利规划

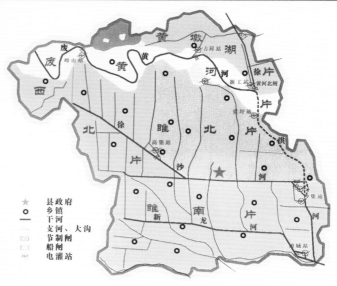

睢宁县梯级河网规划

▲ 水利工程设计

◄ 县防汛抗旱办公室卫星云图终端接收系统

▼ 1995 年 1 月参加市水利经济工作会议

▲ 凌城节制闸

▲ 凌城抽水站

▲ 凌城抽水站出水池

▲ 沙集节制闸

▲ 沙集抽水站

◀ 古邳抽水站

▼ 高集抽水站全景

▲ 民便河船闸全景

◀ 庆安水库

◀ 徐洪河

▲ 人工挖河

▲ 黑夜加班挖土方

▲ 河工测量

▲ 泥浆泵水冲挖河之一

▲ 泥浆泵水冲挖河之二

▲ 机械挖河

▲ 铲运机

▲ 挖掘机取土开挖基塘

▲ 挖泥机船清理水下坝埂

▲ 搅吸式挖泥船清淤

◀ 吊车安装混凝土预制构件

▲ 悬索吊装

▲ 抽水站施工

▲ 城北片平田整地

▲ 庆安水库灌区航拍图

▶ 旱改水

▶ 凌城镇凌北电灌站

◀ 凌城镇丁楼电灌站

▶ 李集镇李北大沟夕照

▲ 大口井钻头

▲ 打捞工具

▲ 钻机打农业井

◀ 钻机打工业井

◀ 井房

▼ 机井出水

井灌防渗渠道

高集抽水站养鸡场外景

浦棠乡水利站机械制管

高集抽水站丝瓜长廊

凌城镇水利站制管机

沙集抽水站养猪

水库捕捞

县机井队卷管机

▲ 国务委员陈俊生（右一）视察废黄河治理工程

▲ 水利部部长汪恕诚（前左）在省水利厅厅长翟浩辉（后中）、市水利局局长祖振华（前右）陪同下视察黄墩湖地区

▲ 省长顾秀莲（左）视察废黄河开发工程

▼ 省委副书记曹鸿鸣（右一）视察废黄河治理工程

▲ 省水利厅厅长孙龙(左三)陪同省政府领导视察徐洪河

▲ 副省长凌启鸿(右二)、省水利厅副厅长戴玉凯
(右一)考察黄淮海开发项目

▲ 副省长姜永荣(左一)在水利工地

▲ 原副省长陈克天(左三)视察高集抽水站引水工程

▲ 淮委农水处副处长杨孝信(左)在沙集抽水站

▲ 省农委主任王恒山(左一)视察庆安水库

▲ 省水利厅副厅长戴玉凯(右四)视察徐红河

▲ 省水利厅厅长王首强(右)听取废黄河开发
工程汇报

▲ 省水利厅副厅长戴玉凯(右三)视察水利工程

▲ 省水利厅农水处处长张戴纯(中)在沙集抽水站

▲ 徐州市委书记孙家正(右三)视察废黄河治理工程

▲ 徐州市委书记李仰珍 (右四)视察徐洪河工程

▲ 徐州市市长王希龙 (前左)、市水利局局长
韩发举 (前中)视察徐洪河工地

▼ 市委副书记吴伟峻 (右四)视察废黄河
开发工程

▲ 市人大副主任刘步生(前右二)视察水利工程管理

▲ 原地、县两级水利战线老领导于沙集抽水站观看徐洪河工程

▲ 原县领导在治黄工地

▲ 省水利厅副厅长戴澄东(左三)陪同世界银行安东尼(右四)等观看徐洪河

▲ 副县长胡居辰(左一)接见世界银行考察人员

▲ 世界银行考察人员和县水利局技术人员讨论
睢宁水利规划

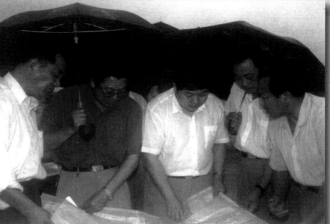

▲ 县委书记王玉柱(左二)、县长张赴宁(左三)
视察黄墩湖防洪工程

▲ 县委副书记贾宏芝(左二)参加省、市水利评比检查

▲ 县委书记、县武装部政委孙昌武(左一)
在水利工地劳动

▲ 县部分水利老领导在沙集抽水站观看徐洪河

刘玉奎
1949.10-1953.5
建设科科长

张茂芬
1953.5-1955.11
农林水利科长

戴洪鼎
1955.1-1958.5
水利科副科长
水利局副局长

朱廷鹤
1958.5-1959.7
水利局局长

邱治平
1959.10-1965.7
水利局局长

王 晋
1966-1972
水利局局长

胡干卿
1972
水电局负责人

仲建华
1975.5-1978.7
水电局局长
水利局局长

王维甫
19978.7-1982.5
水利局局长

丁玉德
1973-1975.5
主持水电局工作
1982.5-1984.3
水利局局长

王保乾
1984.3-1997.4
水利农机局局长
水利局局长

刘清明
1997.4-
水利局局长

▲ 县水利局领导班子在讨论工作

▲ 1997 年至志书出版时，先后在县水利局行政、党委领导班子任职人员

▲ 本书编纂领导组成员

▲ 参加睢宁县水利志稿评审会议人员

▲《睢宁县水利志》编写人员

序

　　兴修水利是治国安邦之本。水形成的利与害,直接影响社会经济的兴和衰。睢宁县历史悠久,早在公元前206年西汉时期始建县。时北有泗水,南有睢水,因河取名"睢陵县"。以后历经两千多年,睢宁县的建制虽多次变换,但睢宁地区社会经济之发展,与水系变化、水利事业的兴衰始终密切相关。

　　公元1194年黄河大规模侵泗夺淮,是睢宁地区水系变化的一次大转折。黄水量大势猛,夹带大量泥沙沉积,河床淤高,堤身经常溃决,洪水横流时有发生。公元1218年(即金宣宗兴定二年),睢陵县易名为"睢宁县",可见当时的睢宁人民多么企盼一个安宁的局面。然而事与愿违,睢宁地区恰恰是遭遇了六七百年的洪水之灾。清朝咸丰年间,黄河虽改道北迁,但睢宁的水系已经混乱不堪,洪水没有通畅的出路,洪涝灾害仍十分频繁。建国初期睢宁的水利设施几乎是白纸一张。建国后中国共产党和人民政府带领全县广大人民群众大干水利,艰苦奋斗五十年,睢宁的水利建设经历了三个时期、十个阶段,先后系统地制定过四次水利规划,掀起了五次水利建设高潮。深、网、平的梯级河网建成了,连贯"三湖"的徐洪河贯通了,一个"大排、大引、大蓄、大调度"的网络实现了。五十年的拼搏,五十年的血汗,造就了今天的辉煌,从而迎来了真正的安宁局面。

　　书写水利千秋大业的丰功伟绩,像水利建设一样,这一任务落到了现代人的身上。80年代后期,国家水利部、省水利厅、市水利局,先后作了编修水利志的部署。编写《睢宁县水利志》,王保乾同志作主编,可谓最合适的人选。他于1961年秋自水利专业学校毕业后即分配到县水利局工作。1964年参与整理了建国后15年文书、技术档案,系统地了解了50年代的水利建设。60年代后一直在水利局工作,从勘察测量、规划设计、工程施工,到走上领导岗位从事行政管理工作,他是五十年水利建设比较系统的见证人。原县水利局副局长王行泰,是建国后长期从事水利工作的老领导。张洪说同志始终参加了水利志编写工作。他们二人,十多年来为水利志编写,曾不辞劳苦,到有关单位摘抄历史档案,组织老水利工作人员座谈回忆,整理口碑资料。《睢宁县水利志》是睢宁第一本水利专业志，也许做不到尽善尽美，但是由于编纂人员占有大量的第一手资料，编写过程中严肃、认真，能够纵观历史，总揽全局，在浩繁的史料中精选、提炼，因而本书仍不失为一本有价值的、珍贵的资料。本书成稿后，市水利局组织水利专家座谈，市、县地方志专业部门组织了评估。他们对《睢宁县水利志》总体上予以肯定。"它容涵睢宁县水利及其相关的大量资料，比较科学地、系统地记述了睢宁县水利演变、治理效益等情况。详实地反映了睢宁人民在中国共产党和人民政府领导下战天斗地所取得的巨大成绩。实事求是地反映成败得失、经验教训和存在问题。志稿观点正确，行文规范，体例完备。"

《睢宁县水利志》历经十多年的酝酿，两次编写，数易其稿，终于出版面世，这是编写人员的辛勤劳动和水利系统广大职工共同努力的结晶。水利是国民经济基础产业，本书既是一部睢宁水利建设史，又是睢宁县国民经济建设的发展史。本书是睢宁水利的真实记录，但愿今人知古，不忘过去；后人知今，发扬艰苦创业精神。

祝愿睢宁水利建设事业更加兴旺发达，前途更加美好。

王德奎

1999 年 12 月

前　言

　　《睢宁县水利志》经过多年酝酿，数易其稿，终于撰写完成。这是睢宁县水利建设史上的一件大事，也是睢宁第一次形成的水利专业志。它的出版问世，可告慰古人、激励今人、启迪后人，对睢宁县水利事业的发展必将产生深远的影响。

　　纵观睢宁水利发展历史，这是全县人民战天斗地、与水旱灾害作顽强斗争的奋斗史。

　　古代睢宁，北有泗水，南有睢水，尚属洪水安流，虽有雨涝，但不足为患。公元1194年，黄河侵泗夺淮，从此，睢宁人民陷入洪涝灾害的苦难深渊。黄河流经睢宁661年，其间因河堤频繁决口，造成地形大幅度变化，肥沃土地大量被淹没。每遇决口，百姓死伤众多，存者流离失所，无家可归。在这600多年中，维护和保卫黄河大堤、封堵大堤决口，成为睢宁人民长期的、沉重的负担。据旧县志记载，历史上一些有识之士，为抗"黄灾"出谋划策，有的为抗洪抢险而英勇献身。1855年，黄河虽再度北迁，睢宁仍旧灾害频繁。人们虽竭尽全力，终未能根除水患灾害。

　　中华人民共和国成立后，在中国共产党和人民政府领导下，睢宁和全国一样，兴利除弊、改造山河。统一规划山、水、田、林、路，统一安排桥、涵、闸、站、井，进行了系统的、长期的、波澜壮阔的治水工程建设。建国50年来，经过几代人的艰苦努力，兴办了大量的水利工程，水利面貌发生了翻天覆地的变化。如今睢宁大地河渠纵横，田块成方，土地平整。水工建筑星罗棋布，排水、引水可以南、北调度，抗洪、排涝、引水已形成完整的体系。旧时"易旱易涝，涝渍干旱交替为害，致使农业产量低而不稳"的局面已经改观。现在遇涝排水，超过五年一遇标准。遇旱引水，保证灌溉的面积超过全县总耕地面积的50％，其中水稻面积已达50万亩，约占总耕地面积的二分之一。20世纪80年代中期以后，农业高产稳产局面逐步形成。改革开放以来，水利事业向更高层次发展，治水手段和服务功能不断增强，水利建设由人力趋向机械化，水利工程管理由"薄弱环节"趋向专业化，水利服务功能由单一的为农业服务趋向社会化。一个建设、管理、经营、服务一条龙的新格局已经形成。

治水是长期的、系统的工程，其发展是永无止境的。回顾过去，成绩卓著，展望未来，任重道远。《睢宁县水利志》记录了古往今来的水利发展过程，特别是详细记载了建国后的水利发展历程，有经验，也有教训。愿今人和后人能从中得到启发，继续发扬大禹治水的精神，不断开拓前进。

编史修志是一项科学的系统工程，本县水利志是第一次编写的水利专业志，没有参考模式，亦无章可循。更由于编写人员水平所限，很难尽如人意，疏漏和说误在所难免，敬请各界人士赐教，以利再版时更正。

刘青明

1999 年 12 月

再版前言

　　民以食为天,人以水为先。当我们站在两个百年奋斗目标的交汇点上,有一个切身的体会:经济社会发展过程中,水的问题解决的程度、作出的贡献、奠定的基础,决定也反映了发展的质量、速度和效益,同时也为各行各业树立了榜样。作为水利从业者,认真贯彻落实"节水优先、空间均衡、系统治理、两手发力"新时期治水思路,坚持"以水定城、以水定地、以水定人、以水定产"原则要求,总结经验,乘势而上,坚定走绿色、可持续的高质量发展之路,更需历史担当。

　　干一行、钻一行,精一行、爱一行。首要的是以史为鉴,处理好历史沿革与传承发展的关系,奋力开创未来,水利行业尤为突出。在前人的经验积累和成就基础上,适应新时代发展要求,更好地服务于人民、服务于发展,落实好县委苏伟书记"五水引领"实现"沟沟清""全域无积水""全域消除黑臭水体"构建生态水美睢宁工作要求,为实现"全域美丽"新睢宁做出应有的贡献,水利人责无旁贷。

　　《睢宁县水利志》付梓成书 22 年来,"纵观睢宁水利发展全过程、横现各项水利事业面貌",提供了翔实的资料、科学的经验、工作的启迪。特别是对于中华人民共和国成立以来睢宁治水过程的记述,让几代水利人筚路蓝缕、以启山林的艰辛付出和辛勤汗水跃然纸上,铭刻于心。欲知睢水安宁的现状和之所由来,尽在其中。叙述之扼要、行文之浅显,思虑之周全,足以深切感受到从主编王保乾老局长至参与诸君于水利事业的深厚情怀、寄托的谆谆厚望。

　　新时代"五水引领"的生态文明彰显,摆在面前、扛在肩上,需要实实在在的担当。"观今宜鉴古,无古不成今。"回望过往、展望未来,更需要一本反映历来睢宁治水的规律之书。廿二年来,所印之书已不足实务之需,形势发展也凸显承继之必然。值"十四五"开局之年,睢宁县委、县政府擘画"五水引领"生态水美睢宁的"全域美丽"之路,续写新的篇章,我们同祝美好!

王甫报

辛丑年七月初六

睢宁县水务局局长

凡 例

一、全志坚持历史唯物主义和辩证唯物主义的观点，以马列主义、毛泽东思想和邓小平理论为指导，贯彻"求实存真"的方针，力求思想性、科学性、知识性和资料性之统一。

二、全志记述按照详今略古原则，除第二篇"古今水利略述"和第七篇"防汛抗旱工程管理"从事物发端记载历史上（即中华人民共和国成立前）的水利工程发展和河防、灾害外，其余各篇均只记述建国后至1997年底的水事活动（"大事记"记述到1999年）。

三、全志采用述、记、志、图、表、录等体裁，以志为主。设篇、章、节三个层次。大事记以编年体为主，辅以记事本末。志前列概述、大事记，后有后记。正文分九篇，均以属性分类，每篇围绕一个主题详加记述。

四、本志采用语体文、记述体，简化字按国家统一规定使用。

五、全志采用公元纪年。建国前所用历史纪年，均加注公元纪年。年、月、日，建国前用汉字码，建国后均使用阿拉伯字码。凡文中提到"××年代"而未提"××世纪"者均指20世纪。

六、计量单位，建国前沿用旧制，建国后采用国家法定计量单位。如土方量用"立方米"，建国初期多用"方"或"公方"，志中已改成法定计量单位。但个别录用原文的，为保持历史原貌，没有修正。

七、各项数据，以县统计部门年报为准。统计部门缺失部分，则采用本局或有关单位提供的数据。

八、全志资料主要来源于新、旧县志和本局档案资料，同时也选录了有关资料，如《行水金鉴》、《水经注》、《淮系年表》、同治《徐州府志》、《徐州旧志》、《邳州志补》、《灵璧县志》、《江苏省近两千年洪涝旱潮灾害年表》、《徐州自然灾害史》等，也有部分当事人回忆和口碑资料。志中一般不注明出处。

九、各种名称，多用简称。如"建国前、后"指"中华人民共和国成立前、后"。"中国共产党睢宁县委员会"简称"县委"，"睢宁县人民政府"简称"县政府"。

十、志中"废黄河"指黄河遗留下来的故道，志中因录用原文，其"废黄河"和"故黄河"提法通用，不统一修改。

十一、志中使用的高程，均指相对于废黄河零点的高程。

十二、建国后周边县曾更改过名称，如"邳县"改为"邳州市"，"宿迁县"改为"宿迁市""宿豫县"等，志中所使用的新、旧名称，以当时所使用的名称为准。

目　录

概　　述

一

　　睢宁县地处徐州市东南,位于东经117°31′~118°10,北纬33°40′34°10′。东邻宿迁,南部、西部与安徽省泗县、灵璧县接壤,西北接铜山县,北部与邳州毗连。地形大体由西北向东南倾斜,西北最高,东北、西南略高,中间沿白塘河一线低洼,东南最低。境内除北部、西部零星分布低山残丘外,其余均为黄泛冲积平原,为平原缓坡地区。

　　全县总面积1773平方公里,自然地形分为三大块。废黄河以北160平方公里,属于沂、沭、泗骆马湖水系;废黄河滩地204平方公里,原为独立水系,现纳入徐洪河水系;废黄河以南1409平方公里,其中西北双沟南部45.6平方公里属濉唐河水系,其余1363.4平方公里属徐洪河水系(原为濉安河水系)。

　　多年平均降雨量近900毫米,时空分布不均,汛期雨量集中,拦蓄能力不足,水资源利用率低,大量地面径流废泄。地下水主要靠降水补给,含水量分布不均。所以,全县水资源严重不足。平水年缺水1.32亿立方米,中枯年缺水1.61亿立方米,特枯年缺水2.68亿立方米。

明 天启六年睢宁县图

(引自旧睢宁县志,未作加工处理)

二

　　纵观睢宁古代水系之变迁，与黄河侵泗夺淮紧密相关。自古以来，睢宁河道，"泗水为大，睢水次之，潼水又次之，诸河之水皆注入淮河"。北有泗水，在下邳（今古邳）有沂水、武水注入。南有睢水，有乌慈水、潼水注入。当时淮河宽广，泗、睢、潼畅流，虽有涝年，即使成灾尚不为患。纵有漫溢，对田园庐舍，不构成大的威胁。从1194年黄河夺泗始，至1855年再度北徙止，黄河途经睢宁661年，其间经常泛滥成灾，给睢宁人民带来了深重的灾难。黄河在县境内累计较大决口67次，另有上游决口危及睢宁13次。古代睢宁有山有水，有河有湖，土地肥沃。由于黄河频繁决口，每决一次口形成一个冲积扇，久而久之，冲积扇相互重叠，形成了"西北高东南低"的缓坡地面。一些地区排水流向本来是向北流水被迫改向南流，

睢宁县山川集社全图（每方十里）

（根据光绪年间睢宁县图缩编）

大片沃土变成了泡沙盐碱土。水冲沙淤,大量的民房甚至县城墙被埋入土中,民众死伤无数,存者流离失所,睢宁人民苦不堪言。黄河北徙改道后,至1949年,历时94年。其间有局部治理,无系统的根治措施,加之战乱频繁,国无宁日,水利不兴,睢宁人民仍深受水害之苦。

由于长期水利不兴,睢宁一直是多灾低产县,洪、涝最重,干旱次之。建国前就有"旱死怕涝"之说。"旱"往往使农业严重减产,但绝收者少。涝时往往一场大雨,便可全部淹没,草籽不见,甚至房屋倒塌,人、畜伤亡。黄河冲积土,泡沙盐碱地。涝时易包浆,俗称包浆土。雨后易板结,农作物受渍枯瘦发黄。旱时一片白茫茫,常伴有风、沙灾害。"易旱易涝,涝渍、干旱交替为害,致使农业产量长期低而不稳。"这是对睢宁长期水旱灾害的高度概括。灾害频繁,群众生活极苦。"小雨小灾,大雨大灾,无雨旱灾。""满天日光,遍地汪洋,蛤蟆撒尿,庄稼淹光。""五天一小旱,十天一大旱,半月不下雨,庄稼就难看。""七个月山芋,三个月南瓜,两个月粮食节节巴巴。"这些都是建国前的真实写照,当时在社会上也广为流传。

三

建国初期历史上遗留下来16条河,都是黄河冲决而成,是长条形低洼地,或无明显的河泓、河堤,或河床狭窄,曲折迁田。名曰为"河",标准似沟,长年无水。几天不降雨,河中干枯,遇旱则风沙飞扬。涝时河水猛涨,两岸漫溢,泛滥成灾。除县内诸河道混乱不堪外,向境外排水出路也十分狭窄。废黄河南大面积属安河流域,该河地处两省、四县交界,长期难以

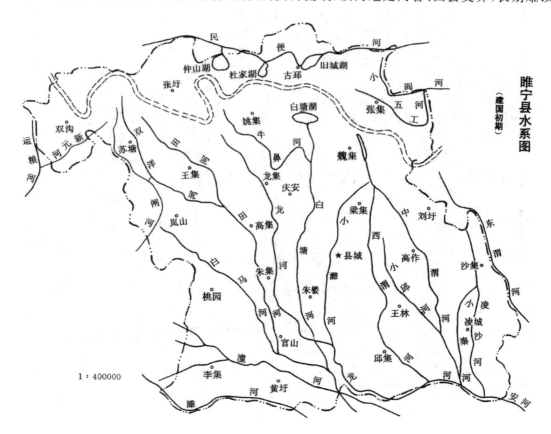

治理,口门狭小,排水经常受阻。废黄河以北黄墩湖洼地,需经宿豫县境内向运河排水,长期受高水顶托,排水速度相当缓慢。建国时的水利事业是支离破碎的烂摊子,恰似一张白纸,水利建设必须从头做起。

建国后近半个世纪,在中国共产党和人民政府的领导下,全县人民前仆后继与水旱灾害作了长期的、艰苦的斗争,开展了系统的规模巨大的水利建设,迎来了翻天覆地的变化。回顾近50年的光辉历程,水利工程建设经历了三个时期、十个阶段,系统地制定过四次水利规划,掀起了五次水利建设高潮。

在治水指导思想上,从"以排为主",经过"以灌溉为主",到实行梯级河网,"排、灌综合治理",三个时期的治理效果十分明显。

四次水利规划前后连贯。50年代第一次水利规划:以徐洪运河为纲,以原有沟渠河道为网,纲网成系,排灌分开。以庆安水库为头,以凌城、沙集节制闸为尾,首尾相顾,调度自如,达到大引、大蓄、大排、大调度。1977年第四次制定的梯级河网规划,以"三横一竖"为骨干,建成四组控制工程,五个梯级,七个灌区,八十二条引水大沟。以徐洪河一竖为总动脉,以新龙河、徐沙河、废黄河为骨干组成大骨架。建立凌城、沙集、高集、袁圩四组控制工程。两次规划的内涵,如纲目网络、首尾工程、深沟密网、平底梯级等设想是一致的、连贯的,只是愈向后愈具体、愈完善。50年代规划出了大题目,1963年、1970年、1977年三次规划补充完善,经过近半个世纪兴办各种水利工程,规划图纸上的项目一个一个地都落实在睢宁大地上。如今网络形成,沟渠纵横,密如蛛网;水工建筑,星罗棋布。

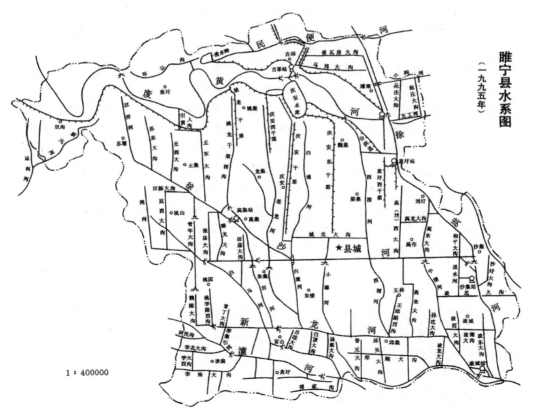

睢宁县水系图
(一九九五年)

1:400000

建国后年年挖河做土方工程,共49年,全县进行有组织的挖河75次,其中出县境做工程13次。乡、村兴办的农田水利和平田整地土方工程更是面广量大,难以计数。建国后全县累计挖土方6.3亿立方米,建成相应配套水工建筑物5300余座,完成砌石方83.56万立方米,混凝土22万立方米;建中、小型水库11座,兴办机电抽水站470余座,累计打机井8019眼,完成水利建设总投资2.356亿元,其中国家投资1.431亿元。与50年前相对比,这些工程的建设使水利面貌发生了根本性的变化。一是"大排",由原来的洪水横流,到排水归槽,除县周边零星地区外,全县大部可抗五年一遇的降雨。1976年起开挖徐洪河,将安河标准扩大,从而彻底打开了排、引水的总口门。二是"大引",原来无引水能力,如今县办抽水站可提水78.8立方米每秒,其中可提境外水67.3立方米每秒。加上部分乡管站提外水,全县共有提外水能力107.6立方米每秒。三是"大蓄",原来无蓄水工程,现在水库总有效库容8136万立方米。梯级河网一般年份可蓄水400万至600万立方米,并且有抽水站可提水补河、补库,引水扎根"两湖",通过调度可以举一反三。建国初期河中长年干涸,现所有干、支河和75条大沟长年有水。四是"大调度",可以跨流域调度排水。如黄墩湖洼地过去向东排水出路不好,常积水成灾,现在可通过徐洪河向南排水入洪泽湖。可跨流域调度引水,如通过两级提水,可将洪泽湖之水引到西北片高亢地区。骆马湖之水可通过民便河、徐洪河、徐沙河等调到县内使用,引水一直可送到西南片李集、黄圩等地。

水利事业的发展,首先促进了农业的发展。水利设施逐渐增多,农业产量也不断提高。建国初期全县粮食总产量为1.8亿斤左右,到1977年粮食总产量达5.076亿斤。1977年建设梯级河网以后,粮食总产量大幅度上升,80年代中期以后粮食总产量稳定在13亿斤左右。虽有旱有涝,粮食总产量没有大起大落。建国49年来,挖了6.3亿立方米土方,占用了29万亩土地,粮食总产量翻了将近三番。50～60年代"大灾大减产,小灾小减产,风调雨顺增点产"的局面已一去不返了。"易旱易涝"变成了"遇涝排水,遇旱有水"。"农业产量低而不稳"变成了"高产稳产"。水利事业的发展,还促进了整个国民经济的发展。一是带动了农村电气化。全县机电排灌站和井灌架设输电线路2000余公里,抽水采用季节性用电,其余时间为农村各项用电提供了方便。二是促进林、牧、副、渔的发展。河、沟、渠挖压占用土地76%可以利用,主要是种植林、果、桑、条。结合水利开挖渔塘4.42万亩,农村汪塘减少,鱼塘增加。三是水利给交通、航运事业的发展提供了方便。沟、渠、路统一布置,建成交通路2605公里。16条干、支河,75条大沟,共544公里长年有水,给通航、通农船创造了条件。四是水利促进了城镇建设。城镇内河治理和河网工程相通,可引水向城镇、厂矿供水,可排积水、冲污水。

四

据记载,建国后49年,睢宁县受涝灾28年,其中大涝7年;旱灾21年,其中大旱3年;有涝有旱11年,不涝不旱11年;遭受风灾20次,雹灾16次,蝗灾4次。每次发生灾害,县委和县政府都积极组织群众抗灾救灾,做了大量的艰苦细致的工作,把灾害减少到最低限度。建国后县里每年都成立防汛防旱指挥部,由县负责人做指挥,各有关部门参加,并订立防汛抢险岗位责任制,特别注重落实防汛抗灾措施,做到"汛前防,汛中抗,汛后补"。随着水利事业的发展,防汛抗灾手段不断增加,能力不断增强,灾害逐渐减轻。50年代水利建设刚刚起步,水利设施很少,防汛工作往往处于被动应付局面。60～70年代排水工程增多,增加了防汛、抗汛的主动权。80～90年代工程趋于完善,防汛手段多种多样,抗大汛重在管理、调度,特别是工程管理工作走上了正轨,其表现一是分级管理、责任明确。县、乡所管工程,都设管理机构,都有专人负责;二是依法管理,有章可循。国家颁布了《水法》、《河道管理条例》;省人大颁布了《江苏省水利工程管理条例》;睢宁县政府颁发了《睢宁县水利工程管理实施办法》。这些工作使水利工程发挥出了应有的作用。

五

睢宁的广大干部和群众在县委和县政府领导下,在近50年的时间里,开展了波澜壮阔的治水斗争,规模之大,发展之快,成效之显著,是史无前例的。特别是50年代,生活条件差,工具比较原始,仅靠两只手,实行肩挑、人抬、土车推,都是在寒冷冬天施工的。“天寒地冻雪花飘,意志坚决不动摇”,这是几十年挖河的战斗口号。建国后水利发展的光辉历史,是由睢宁劳动人民创造的。他们出力、流汗,甚至流血、受伤、致残,有的还献出了宝贵的生命。建国初期涌现的治水模范,如鲁八方、刘盛恩等,曾名扬县内外,他们是睢宁治水的带头人,是当之无愧的时代英雄。

睢宁县水利局是睢宁水利建设的重要参谋部门和主管单位,水利事业不断发展壮大,部门服务功能不断增强,技术力量、技术工种、施工机械日趋配套完善。水利系统广大干部、工人,为水利事业的发展,默默地做出了应有贡献。

改造自然是没有止境的,治水是长期的斗争。近半个世纪,睢宁县水利工作取得了惊人的成就,仔细回味也有失误,如工程管理出现两次波折,工程建设、运转也出现三次失误,值得吸取教训。回顾过去,山河巨变,展望未来,任重道远。睢宁水利已经有了坚实的基础,在改革、开放大潮的推动下,睢宁的水利事业必将迎来更美好的未来。

大 事 记

（1949～1999）

1949 年

春季 共疏浚干河 8 条,支河 12 条,长 275 公里。动员民工 50636 人,发给以工代赈粮 26 万斤。此次工程由宿县专署批准,因没有经验,虽以工代赈,民工仍感口粮不足,工程做得马虎。

10 月 睢宁县政府设立建设科,并分管水利。科长刘玉奎。

12 月 20 日 经宿县专署批准,疏浚龙河、白马河下游。修堤清障,解决排水问题。

1950 年

3 月 3 日 苏北导沂司令部召开总队长、政委会议,决定黄墩湖、骆马湖筑水库、打护堆、筑堤坝。睢宁出工 11000 人,由彭瑞人副县长带队,负责运河北堤杨河滩筑堤。

3 月 13 日 县导沂总队部领导干部和劳动模范代表在沭阳县城参加苏北导沂司令部举行的导沂工程第一阶段庆功大会。县劳动模范代表刘盛恩等登台相互挑战。

3 月 16 日 苏北导沂司令部在工地召开工程科长会议。睢宁县戴洪鼎出席。

5 月 21 日 新沂河和嶂山切岭工程完工。新沂河工程,睢宁工段长 7 公里。嶂山切岭工段长 1840 米,两工程同时竣工。

当年水利工作主要还有:

(1)导沂:主要是嶂山切岭,搬运石头筑运河堤坝,开挖六塘河。

(2)疏浚县内 8 条河道,如龙河改道、西沙河、中渭河等。

1951 年

3 月 全县 23000 名民工在新沂河工程沭阳工段完成复堤土方 673202 立方米,偏洪土方 523139 立方米,堵口土方 14838 立方米,碱工 10908 立方米。

7 月 17 日 睢宁县防汛总队部获专署批准成立,彭瑞人兼总队长,总队副刘玉奎,纪凤来兼政委,政治处主任宋国良。

9 月 26 日 建设科组织测量队,从 7 月初到 9 月 26 日测量西渭河、白塘河。

冬 田河疏浚。以工代赈疏浚中渭河,铲除河障,下游修堤。

1952 年

春季 完成龙河和西渭河疏浚工程。

6 月 20 日 县建立防汛指挥部,县长彭瑞人任主任,人武部副部长夏云、农林科长王茂芬、建设科长刘玉奎任副主任。

7 月 23 日 睢宁县政府根据苏北行署水利局通知,设立高塘桥、魏大桥、南庙、二郎庙四个水位站,同时撤销岚山牛角闸、官山区张山、凌城区找沟三个水位站。

10 月 7 日 下午出现狂风拔树,暴雨如注,夹带冰雹,全县大部分地区受灾。

11月20日　苏北行政公署批给我县打井经费6600万元(旧币)。

1953 年

3月8日　组建"睢宁县高良涧施工总队",到洪泽湖承担高良涧上游引河工程。

4月中旬　华东局水利部副部长钱正英到睢宁县视察工作。

5月28日　牛鼻河疏浚工程施工。

6月21日　夜降暴雨104毫米。

8月7日　黄墩湖夜降雨92毫米,积水无法排除。

8～9月　伏旱。

9月22日　突降大暴雨238毫米。

11月11日　民便河疏浚工程施工。

1954 年

4月22日　县政府召开各区区长、生产干事会议,布置在农田水利工程中,贯彻"多受益多负担,少受益少负担,不受益不负担"的政策。如必须动员邻乡、邻区协助,应严格执行记工还账的办法,动员率不能超过4%。

6月　小滩河下游从龙河口至武楼一段进行捞底。

汛期　雨量大,是大涝之年。

11月　县政府改农林科为农林水利科,科长王茂芬,副科长戴洪鼎、邱治平、朱保坤。

1955 年

6月12日　田河疏浚工程竣工。

是年省际边界水利纠纷较多,特别是睢宁县和安徽省灵璧县边界长达70.5公里,边界矛盾时有发生,为协商解决办法,双方接触比较频繁。

8月1日　降大雨,低洼地区积水。

9月10日　成立"睢宁县农田水利试点工作组",副县长王学俭任组长。下分两个专业组,一是井灌组,一是沟渠畦田组。岗头乡和平农业社为井灌工作基点,兴仁农业社为沟渠畦田基点。

11月24日　县人民委员会下文,根据省人委编制方案,将原"农林水利科"分为农林、水利两科,水利科名曰"睢宁县人民委员会水利科"。

冬季　疏浚民便河。

1956 年

春季　突出抓打井工作。

4月　县政府将水利科改为水利局。

6月5日　安河疏浚工程暂告一段落。由县安河施工总队负责,6月份治理白塘河。

8月10日　经专区治淮指挥部批准,孙传益、王行瑞、李传厚、周保清、朱绍保、房以彩、董守银7人为先进生产者和县出席专区首届先进生产者代表会议的代表。

9月17日　为搞好井灌、沟渠圩田试点工作,县政府在濉河区召开岗头、兴仁两乡水利委员会成员会议,明确凡500户以上的大社配一名专职干部,待遇同副主任一样。

10月10日　县扒河模范鲁八方代表他的小队在专区扒河骨干代表会上作典型经验介绍。

冬季　安河工程继续施工。

12月25日　清水畔水库建成。

1957 年

5月10日　安河各支流,如龙河上游,西渭河、中渭河、凌沙河等治理工程完成。

6月7日　县人委成立防汛防旱总队部,刘步义为总队长,刘庆文为总队政委,戴洪鼎为副总队长。

7月中旬　黄墩湖滞洪。

7月20日　韩坝水库建成。

9月22日　睢宁县水利工程总队成立,刘庆文任政委,林雅萍任总队长,贾石华任总队副兼政治部主任,夏云任总队副。

11月5日至9日　徐州专署水利局在县召开沟渠圩田专业会议,参观了朱楼沟渠圩田现场。专署副专员梁公甫、局长吴振亚参加会议并讲话。

12月31日　潼河、白马河疏浚工程竣工。

1958 年

1月　中共睢宁县委决定:鼓足干劲,大跳一步,力争提前实现"一年四百斤,三年五百斤,五年四改制,十年千斤县;苦干两年,实现水利化,基本消灭旱、涝灾害"。

1月29日　江苏省平原坡地水利会议在睢宁召开,2月4日《新华日报》作了报道。参加会议的领导人有:省委书记刘顺元,水利厅副厅长熊梯云,徐州地委第一书记胡宏,徐州专区水利局长吴振亚等。与会人员参观了常青的河网化、朱楼的沟洫圩田。

3月至6月　县参加中运河西堤退建工程,徐州地区组织施工。

6月10日　跃进河竣工。

6月28日　全县连降大暴雨三天。

8月中旬　庆安水库建成。从工程前期工作到主体工程建成,历时半年左右。

8月　县任命朱廷鹤为水利局局长。

10月3日　朱楼圩高标准河网化工程开工。

10月18日　徐州地委在睢宁县召开负责水利工作的县委书记和有木、铁匠参加的,以工具改革为中心的水利现场会,历时2天。

10月21日　县委明确韩坝、清水畔两水库划归"庆安水库灌溉管理所"管辖。同时县成立"睢宁县庆安水库灌区工程指挥部"，李玉环、王维典任政委，张玉彩任指挥。

冬季　徐州专区水利工程指挥部"水利运动简报"多次报道、表彰睢宁县大搞水利、不断"大放土方卫星"，以 11 月 15 日、11 月 20 日、11 月 28 日、12 月 3 日、12 月 9 日、12 月 18 日 6 次报道最为突出。

11 月 26 日　山东、辽宁、吉林、黑龙江等 6 省河网化施工参观团来县参观。11 月下旬，江苏省水利高速度施工现场会共 400 余人在徐州参观，其中参观了睢宁县河网化工程和施工先进工具。

冬季　徐埛河睢宁地段全线施工，由于下游宿迁没有施工，在徐州称为徐睢宿运河。

11 月 30 日　在大运河和徐埛运河工地分别召开庆功颁奖大会。县委、县人委、水利兵团司令部联合发出慰问信。以王凯如副县长为首组织慰问团赴大运河睢宁工段慰问。

12 月 8 日　找沟闸破土动工（后改名为凌城闸）。

12 月 22 日　县水利兵团司令部发出"关于发射第五次特大土方卫星上天"的命令。

冬季　参加京杭大运河不牢河段施工。

1959 年

2 月 28 日　省水利厅和徐州运河指挥部分配给睢宁县大运河工程土方任务为 342.24 万立方米，该任务直到 1960 年 5 月 31 日才全面完成。

3 月 21 日　"睢宁县水利科学研究委员会"成立，王维甫任主任委员，王茂芬任副主任委员，戴洪鼎、曹士忠、路遥为委员。

4 月 18 日　庆安灌区配套工程竣工。

上半年大旱。

7 月 3 日　睢、邳两县协商解决边界纠纷，订立了"邳睢两县水利纠纷协议书"。对省、地提出的徐洪河工程规划，邳县方面已从南北方向开挖，而睢宁县提出异议，没有动工，因而形成矛盾。协商结果只有水走原系。

7 月 28 日　睢、灵两县商谈边界纠纷，订立了"安徽省灵璧县与江苏省睢宁县边境水利纠纷协议书"，对李集、桃园、王集、双沟等边界有关纠纷予以明确。

8 月 5 日　苏皖两省边界纠纷紧张。为此国务院副秘书长赵宋攻和国家水电部办公厅主任杨文汉来徐州，主持协商解决苏皖边界水利纠纷，后来两省达成了协议。

10 月 1 日　为迎接 10 年大庆，睢宁县水利局编制成《睢宁县水利十年汇编》，约 6 万余字。

10 月 24 日　县制定 1959 年至 1962 年三年水利规划。

冬季　新龙河、老龙河疏浚和徐沙河开挖三项工程施工。

12 月 31 日　在废黄河南侧，刘圩公社建成袁圩水库。

1960 年

1 月 1 日　县成立"睢宁县技术革新委员会"，县委第一书记王恒山任主任，县委书记处书记周庭章任副主任，副县长刘步义任副主任。下设办公室，朱化南任主任，戴洪鼎、邱治平任副主任。

2月8日　县委发出"关于迅速开展打机井运动"的指示。

春季　新龙河、老龙河工程同时竣工。

5月3日　县委决定组建"常备民兵师"进行水利建设,按整半劳力50%,动员20岁到45岁男性青壮年共14800人组成,既搞水利建设又结合民兵训练。6月21日地委予以批准。

5月31日　从1958年冬至1960年春,县承担的京杭大运河土方和建港工程,睢宁全部完成任务,至此告一段落。

6月11日　县委召开抗旱会议。

7月9日　县人委通知撤销"睢宁县水利兵团司令部找沟闸工程处",批准成立"睢宁县凌城节制闸管理所"。

8月17日至18日　普降大雨,遍地积水。

冬季　出县两项工程竣工。其中:京杭大运河工程于1960年11月1日开工,至1961年2月1日竣工。嶂山切岭工程(位于宿迁、新沂交界,骆马湖排水出口嶂山闸一带)于冬季开工,1961年春季完成。

1961 年

2月23日　古邳扬水站工程开工。

4月15日　新龙河第二次工程竣工。

4月29日　全县遭大风袭击。

5月9日　王集、苏塘、双沟、张圩、姚集等公社遭冰雹袭击。

5月26日　县人委通知,县防汛防旱总队部恢复办公,县长丁汉臻任政委,刘步义、王茂芬任正、副总队长,邱治平、王行泰分别任办公室正、副主任。

8月　朱楼电灌站建成。

当年汛期少雨,秋季降大雨,先旱后涝。

10月　凌城闸竣工。

冬季　田河上段和老龙河上段疏浚。

1962 年

2月8日　县委对春季农田水利建设发出指示,要求进一步贯彻"三主"方针,认真执行合理负担政策。

春季　疏浚跃进河一段。

7月8日　降大雨。

7月23日　县长丁汉臻主持召开防汛任务较重的官山等17个公社社长会议,布置挖沟清障,团结治水,共同抗御自然灾害。

8月31日　凌城公社降大暴雨,新、老龙河滩面行洪。

1963 年

3月底　白马河疏浚工程竣工。

4月4日　县水利局《睢宁县水利工程实施简则》(草案)编制完成。

汛期　大雨大灾,是建国后降雨最多的年份。

6月14日　徐州地监委郑忠民和专署水利局范本豫来县配合县督委胡居德、县水利局王行敏共4人,对5月28日大雨凌城闸开闸失误进行调查,并向徐州地委和睢宁县委写了专题报告。

7月24日　县水利局第一次颁发《睢宁县水利工程管理试行条例》。

8月2日　成立"睢宁县黄墩湖防洪指挥部",指挥部设在古邳公社吕集。副县长刘步义坐镇,李昌芝任指挥,朱化南任副指挥。

8月21日　县人委任命许文成为水利局副局长。

9月15日夜　庆安灌区一闸地下涵洞倒塌。

9月　县人委组织县、社、队三级干部500余人到灌云、赣榆两县参观水利工程。

10月31日　县批准成立"睢宁县机电排灌管理所",副局长戴洪鼎兼所长。并批准在黄墩湖地区设陈平楼、蔡桥两座固定排灌站。

冬季　嶂山切岭工程施工。

1964 年

3月17日　未经省厅批准,也未经双方协议,睢宁县单方面在边界10公里以内兴办工程,为此,县水利局向水利厅作书面检查报告。

春季　小阎河疏浚工程施工。

4月17日　为贯彻1963年8月苏皖两省于徐州会商达成的解决边界水利纠纷的协议,县委第一书记李川和副县长刘步义分别在西片和西南片公社党委书记会议上传达贯彻。副县长林雅萍专门召开公社负责人会议,先后4次检查边界工程行动情况,以解决水利纠纷。

4月22日　县委决定建立县防汛防旱指挥部,副书记谭德宽任政委,副县长刘步义、林雅萍任正、副指挥,吴达坪、邱治平任办公室正、副主任。

7月17日　徐州专署水利局批准睢宁县在黄墩湖地区陈平楼、赵庄设立两座机排站。

8月25日　徐州专区"防指"同意县水利局8月19日报告,将庆安水库控制水位由26.5米提高到27米。

1965 年

1月　吕骏任县水利局副局长。

1月23日　民便河疏浚工程竣工。

4月25日　安河治理工程竣工。

7 月 1 日至 27 日　连续降雨。

8 月 4 日　全县降大暴雨,雨后遍地汪洋。

9 月　高本新任县水利局副局长。

12 月 15 日　新龙河疏浚工程竣工。

1966 年

3 月　睢城闸竣工。

4 月 9 日　边界工程利民沟、戴李沟竣工。

4 月 20 日　潼河干流乌鸦岭段疏浚工程竣工。

5 月 3 日　潼河、白马河疏浚工程竣工。

6 月 28 日　降雨,局部洼地积水。

夏季　建立水利工程队、机井队。水利工程队由水利局副局长戴洪鼎分管,科员陈先明具体负责。9 月成立机井队,由水利局局长王晋负责组建,井灌办公室副主任杨兰田分工领导,水利局科员张玉庆具体负责。

冬季　小滩河疏浚工程竣工。

1967 年

4 月下旬　田河疏浚工程竣工。

8 月　古邳黄河闸建成。

1968 年

12 月 20 日　老龙河、牛鼻河、小薛河疏浚工程竣工。

冬季　在古邳扬水站处修建临时电站,第二年开始向黄河中泓和庆安水库补水。

1969 年

12 月 20 日　田河全线疏浚工程竣工。

1970 年

自 1969 年全国掀起"农业学大寨"高潮,县大搞旱改水,实行"南水、北水、井水"三结合的水利规划。南部建凌城抽水站,疏浚安河。北部兴建古邳、新工、清水畔三座抽水站,分别向庆安、袁圩、清水畔三水库补水,同时疏浚民便河,开挖张集引河,兴建民便河船闸,是年按此计划全面实施。

围绕兴建民便河船闸,县革委会副主任吴学志带领王晋等人做了大量前期工作。曾派员与宿迁、邳县协商多次。11 月 24 日,徐州专区水电局下文通知睢宁在邳县地上建造民便河船闸。11月28日正式开工。

6月8日　江苏省革委会在睢宁县召开井灌工作会议。

6月13日　姚集、张圩、古邳、魏集四个公社遭雹灾。

8月8日　全县普降暴雨。

10月27日　北部引水工程开工。古邳、新工、清水畔三电站、民便河疏浚、张集引河开挖、古邳站引河开挖等工程全面施工。

冬季　凌城抽水站、安河疏浚工程开工。

1971 年

6月21日　全县普降大雨。

7月　新工抽水站建成并投入运行。为新工抽水站配套,在废黄河南、袁圩水库西侧修筑新工干渠。

8月10日　古邳、张圩、姚集等地大暴雨。

9月　民便河船闸竣工。

12月　年底统计:南水、北水、井水三结合的格局初步形成。是年新建电站17座,机站122座。机井累计已有4557眼,配套2958眼,其中电动机776台,7598千瓦,柴油机2182台,33118马力。可供稻改面积从60年代不足万亩扩大到30万亩左右。当年全县水利投资428万元,其中国家拨款220万元,县自筹208万元。

1972 年

1月15日　民便河疏浚工程竣工。

1月25日　县革委会同意设立"睢宁县革委会水电局"。

2月7日　县革委会同意成立"睢宁县船闸管理所"(民便河船闸),共占地23.42亩,这是第一次在县境外设立水利工程管理机构。

6月　凌城抽水站建成,6台机组先后投入运行。

12月　年度统计:贯彻省提出的"续建、配套、打井"的治水方针,当年农田水利配套土方完成2000万立方米,深翻土地12万亩,平整土地12万亩。从1966年累计打井5158眼,配套4523眼,其中电井768眼,3975.4千瓦;机井2365眼,25729马力;人畜力井1390眼。当年打井842眼,打井经费近40万元。

1973 年

3月13日至16日　省水电局派梅众明来解决睢宁东南边界和宿迁水利纠纷。

3月中旬至4月中旬　根据省、市统一安排,县局组织几十人进行全县水利大检查,形成资料汇编。

4月30日　降雨120毫米,古邳公社达180毫米,是历史上少见的桃汛,县革委会副主任王培基到邱集察看灾情。

5月21日　中共睢宁县革委会生产指挥组党的核心小组同意改建水电局党支部,书记刘步义(兼),副书记胡干卿、仲建华,委员有丁玉德、魏维贤、薛庆祥、王树林。

5月　古邳抽水站西站安装完毕。自此,古邳站有东、西站两部分。

6月22日　县革委会下文成立古邳、新工、清水畔、凌城4个抽水站革命领导组,四站施工全告结束,开始正常运行管理。

7月23日中午　县南部地区降雨,伴有冰雹。

8月30日夜　全县降暴雨。

12月20日　田河上段改道工程竣工。

冬季　疏浚小阎河,因与邻近的宿迁发生纠纷,施工很不顺利。

1973年打井形成高潮,最多时上到72盘井架(人力大锅锥打井)和10台钻机。全年打井664眼,配套434眼。

1974 年

1月15日　县委书记、武装部政委孙昌武和副书记、武装部长王克年到凌城节制闸,对该闸维修作了全面安排,决定由凌城、邱集两公社组织民工600人进行施工。

7月25日　县嶂山切岭工程团完成上级交办的年度工程任务。

汛期　雨量大,灾害严重。8月中旬,县委、县革委会负责人孙昌武、王克年、朱心源、刘步义、史介魁和县水电局负责人丁玉德等,为抢救在田作物和积在水中的化肥、食盐、粮食等日夜调度排水。

9月3日　县召开水利工作会议,各公社分管水利负责人、工程员和搞样板点的大队负责人参加。根据汛期暴露出来的问题,提出治理措施,制定1975年水利工程计划。

10月21日　县革委会政工组介绍袁学振为县水利局负责人之一。

1975 年

3月1日　睢宁县革命委员会发布"关于禁止破坏水库、闸坝等工程管理"布告。

4月15日　徐沙河东段除涝工程竣工。

6月5日　年度嶂山切岭工程竣工。

7月3日　根据地区革委会通知精神,成立"睢宁县革命委员会治淮工程团"。

8月13日　睢宁县革委会又发出"关于加强水库、闸坝管理"的通告。

8月18日　县委通知成立"中共睢宁县水利局总支"。

9月27日　成立"睢宁县革命委员会抗旱排涝队",县革委会组织组介绍赵永康任抽水队队长。

11月7日　县成立"废黄河治理工程指挥部",冬季在姚集东北治理一段废黄河,县委常委在工地劳动,吃住都在姚集高党大队。

11月29日　县革委会组织组介绍任士凡为县水利局负责人之一。

本年度完成深翻土地3.33万亩,平田整地15.32万亩,造田2万亩。

1976 年

本年,由局负责人王树林分管,组织城北片指挥部,经过两年努力,城北 10 万亩大连片格局形成。

4 月　白塘河地下涵洞竣工。

6 月 21 日至 23 日　县召开防汛会议,县革委会副主任王培基部署当年防汛工作。

7 月 18 日　嶂山切岭 1976 年度工程竣工。

10 月 5 日　县革委会下发灌溉用水收取水费的通知。

10 月 15 日　徐洪河第一期工程施工。由徐州地委统一组织,邳县、铜山、睢宁三县出工。

本年全年完成土方 5011 万立方米,其中平田整地 1653 万立方米。平整土地 29 万亩,深翻土地 2.5 万亩,造田 0.11 万亩。完成建筑物 513 座。完成机站 1080 台套,15890 马力;电站 258 台套,3060 千瓦。打井 216 眼。

1977 年

2 月 28 日　中共睢宁县委介绍吴允成为县水利局负责人之一。

7 月 30 日　大雨。

夏季　徐洪河工程开挖后,为适应新的形势需要,局组织工程股全体技术干部,从夏天起到年底,搞梯级河网规划和相应的建筑物定型设计。

11 月 17 日　徐洪河第二期工程开工,下游从七咀上游到徐沙河共 17 公里。

本年,中央提出"要把农田基本建设当作一项伟大的社会主义事业来办",县农田水利建设取得了新进展。年度土方完成 3600 万立方米,新增旱涝保收田 13.7 万亩,累计达到 84.1 万亩(完全符合标准的一类田 36.5 万亩)。建筑物完成 658 座。新打机井 808 眼,配套 1044 眼(其中机井 824 眼,9888 马力;电井 220 眼,1326 千瓦)。新增喷灌机械 87 台,喷灌面积 1.7 万亩。建成机电站 13 座 21 台套,其中电站 9 座,17 台,720 千瓦;机站 4 座,4 台,150 马力。

1978 年

1 月 1 日　县革委会将县水电局更名为"睢宁县革委会水利局"。

1 月 5 日　县委、县革委会召开徐洪河第二期工程表彰大会,县委副书记郭凤华发表讲话。

2 月 3 日　徐洪河第二期工程竣工。

2 月 21 日　中共睢宁县委任命吕骏、李广田为水利局副局长。

3 月 21 日　中共睢宁县委任命仲建华兼任水利工程团政委、团长,李广田为副政委、副团长。

6 月 4 日　国家"南水北调"工程初审会议来睢宁查看徐洪河,水利部副部长张季农,省水利局局长熊梯云,以及国家计委、建委、一机部、交通部、军委总后勤部和 5 个省、市等一行共 150 人。

7 月　县水利局从县委大院迁至县城西关办公。

8 月 6 日　县委组织部决定,王行泰任井灌办公室主任。

8 月 23 日　省水利局通知地区治淮指挥部和县革委会,将嶂山切岭工程回收的机械设备调拨给睢宁县,成立机械化施工队伍。12 月 29 日,县革委会批准成立"睢宁县半机械化工程团"。

11 月 5 日　中共睢宁县委批准成立"水利局党委会",由王维甫任书记,吕骏、魏维贤、任士凡、李广田、汪玉璜为委员。

11 月 25 日　县革委会批复同意王行泰兼任"睢宁县刘场水利农业科研站"站长。

12 月 5 日　省水利局副局长李子健和农水处处长戴玉凯来县检查农田水利工程,重点考查凌城河网化工程。

12 月 5 日　徐洪河第三期工程开工。

12 月 22 日　县委组织部介绍孙佩侠任水利局党委副书记、副局长。

本年大旱,夏旱后伏旱,洪泽湖水位降低,徐洪河断流,凌城抽水站抽不到水,是建国后降雨最少的一年。

1979 年

2 月　小阎河、马帮大沟、崔瓦房大沟工程竣工。

2 月 11 日　县委组织部明确王行泰为水利局副局长。

3 月 18 日　庆安水库东坝、南坝加筑戗台竣工。

5 月　新沙集闸建成。

6 月 5 日　县防汛防旱指挥部恢复办公。沙玉芹任指挥,徐广庆、王维甫任副指挥,汪玉璞任办公室主任。

6 月　徐洪河第三期工程竣工。经过三期开挖徐洪河,徐沙河以南、废黄河以北两头已通,中间从沙集至废黄河一段 22 公里尚未开挖。

7 月 9 日　7 月 15 日　7 月 24 日　全县普降大雨。

8 月　利用嶂山切岭工程团退下来的卡车,成立水利局车队(以后改成水利工程二队)。

9 月 12 日至 16 日　降雨,秋熟作物受灾。

12 月底　小阎河地下涵洞竣工。

1980 年

2 月 4 日　西渭河上段疏浚工程竣工。

3 月 2 日　县委任命王维甫任县水利局局长。

3 月 3 日　县委组织部介绍刘一民任水利工程团团长,参加县水利局党委活动。

5 月 13 日 3 时 30 分　庆安水库西放水涵洞倒塌。

7 月 7 日　县委常委召开扩大会议,传达地委"关于积极做好黄墩湖滞洪区的准备工作"的会议精神,成立"睢宁县黄墩湖滞洪前线指挥部",县委书记高茂森任指挥。

7月25日　县成立围垦指挥部,徐广庆任指挥,姚海述、王行泰、沙辉任副指挥。副局长王行泰分管这项工作。

11月11日　以威廉姆·史密斯为组长的世界银行盐碱地改良项目准备小组来睢宁进行盐碱地改良项目的可行性考察。世界银行考察小组对县水利规划未提出异议。

12月中旬　江苏省水利局局长熊梯云和徐州专署副专员朱群来县视察徐洪河和农田水利配套工程。

12月底　新龙河疏浚工程竣工,凌城灌区规模形成。

1981 年

1月　张圩公社在清水畔水库北侧山坡造田工程开工。由于水库占用土地,当地群众人均土地少,在蛟龙山南坡造田 50 亩,每亩用土 350 立方米。

4月18日　国家淮委来睢宁查勘徐洪河并进行座谈。地区水利局副局长吴启炘、科长管霖系统汇报。

6月20日　县编委批复水利局设人秘股、工程技术股、井灌股、财会股、工程管理股、机电股、总务股。

7月7日　县政府批转县防汛指挥部《1981 年防汛工作意见》,并决定成立县防汛防旱指挥部,沙玉琴任指挥,周开诚、王维甫任副指挥,汪玉璞任办公室主任。

7月11日　成立睢宁县水利学会。理事长王维甫,副理事长王行泰、汪玉璜、王保乾。

7月27日　县政府根据徐州专署通知精神,发通知给各公社,要求公社建立"水利站"。

10月19日　徐州专署水利局对县庆安水库西涵洞倒塌事故在全区范围内通报批评,并转报省水利厅。

10月31日　县委副书记徐广庆,县农委主任柴元太、副主任陈会平,计委全林德,农业局长姚梦九等来水利局共同讨论水利规划。

11月17日　徐州地区水利局沈立昌副局长来县检查工作。

12月14日　副县长周开诚在庆安水库管理所主持召开水库联防管理会议。

12月29日　县水利局向各公社水利站发出通知,第一批批准 14 个公社设立水利站,任命 15 位副站长。

1982 年

1月9日　县水利局下文第二批批准 7 个公社设立水利站,任命 9 位副站长。

2月18日　县政府任命王保乾为水利局副局长。

2月25日　县水利局下文第三批批准 3 个公社设立水利站,任命 3 位副站长。

2月26日　县政府常务副县长周开诚主持召开春季农田水利工作会议。

5月18日　省水利厅批复同意,庆安水库兴利水位从 27.5 米提高到 28.5 米,汛期水位从 27 米提高到 27.5 米。

6月17日 下午6时至7时,废黄河沿线遭飓风、暴雨、冰雹袭击。

7月19日 县委组织部通知,丁玉德任水利局党委书记。

7月21日20时至22日21时 全县普降大暴雨。

8月1日 徐州地委副书记吴伟峻来睢宁查看灾情,并作重要指示。

8月4日 徐州地区水利局副局长范本豫陪同水利部淮委李主任等来县视察徐洪河。

8月19日 省围垦指挥部指挥梅众明来县检查垦荒工程。

8月30日 水利部苏副部长来县视察徐洪河工程。徐州专署副专员朱群、徐州地区水利局科长管霖作了详细汇报。

11月17日 县委组织部介绍李玉清任水利局副局长,参加党委活动。

12月底 徐沙河疏浚工程竣工。

1983 年

1月 白塘河疏浚工程竣工。

1月底 中渭河疏浚工程竣工。

3月14日 水利部淮委朱院长来睢宁查看徐洪河和梯级河网规划。

4月25日 河南省周口地区客人来县参观农业和水利工程。

6月30日 县政府决定防汛防旱指挥部恢复办公,代县长曹邦伦任指挥,副县长王炳章、水利局长丁玉德任副指挥,副局长汪玉璞任办公室主任。

7月12日 省围垦指挥部杨处长等来县检查垦荒工程,副局长王行泰等汇报年度围垦计划。

7月18日至24日 全县普降暴雨。

9月5日 县政府副县长李魁元主持召开秋播和田间工程现场会。

10月17日 在江都召开全省水利会议,会上副县长周开诚会同地区水利局局长韩发举等一起,向副省长凌启鸿、水利厅厅长王守强等汇报要求兴建沙集抽水站,会间省领导研究后同意兴建。

冬季 沙集抽水站工程开工。

冬季 完成地区分配的京杭运河不牢河段土方工程,由副县长徐家学和王维甫等人带队。由于庆安、姚集两乡尾工较难,全县从后方各乡组织专业队前往突击,水中捞石,场面感人,终于在春节前两天,即1984年1月29日全部完成。

1984 年

1月8日 省政府副省长凌启鸿、原副省长陈克天、省人大副主任戴为然等来睢宁检查工作,现场查看水利工程。

3月15日 省水利厅副厅长高鉴、计划处处长薛其昌来县检查水利工作。

3月 县里搞机构改革,将县水利局、农机局合并为"睢宁县水利农机局"。原两局共有11个股,合并后设6个股。

3月17日 县人大常委会任命王保乾为县水利农机局局长。

5月8日　县委组织部介绍王德奎为水利农机局副局长。

5月　由县政府副县长徐家学主持,县委书记李振奎参加,召开各乡党委书记会,专题研究水费问题。从此水费收缴工作走上正常轨道。

6月8日　徐州市农机局辛局长等来睢宁,督促检查四夏期间的农机服务工作。当时全县农机保有量:大、中型拖拉机450台(2.22万马力),小拖拉机9800台(11.78万马力),柴油机4586台(5.98万马力),电动机3503台(4.12万千瓦),水泵5607台,农用汽车98台,大、中型拖车319部,小型拖车4322部,机动脱粒机4719部,扬场机891部,灭火器3583台,各种农机具13334台件,拖拉机驾驶员14150人,其中发证7050人。

7月12日　中共睢宁县农林水委员会给局总支委员会批复:王保乾、汪玉璞、金继华、刘保杰、孙伯宏五人组成总支委员会,王保乾任书记,汪玉璞任副书记。

7月18日　遵照县统一安排,局召开行政、总支两套班子会议,王保乾、汪玉璞、李玉清、刘爱波、王德奎、金继华、孙伯宏、刘保杰8人参加,研究局体改工作。

10月1日　沙集抽水站竣工剪彩。副县长徐家学主持剪彩仪式,县委书记李振奎剪彩。

11月2日至3日　局召开有各乡水利站四大员、乡农机站长和局属18个单位负责人、局全体人员共225人参加的工作会议,局长王保乾作"认清形势,提高认识,立志改革,开创新路"的动员报告,强调水利要转轨变型,把水利综合经营提到议事日程上来。

冬季　组织高作、沙集、王林等乡施工,开挖皂河抽水站引水河土方。

冬季　城南涵洞施工。洞址就在老县志记载的"王祥履墓"处。

冬季　第一期废黄河治理工程施工,以后每年冬季一期,共五期搞完。

1985 年

1月20日　省农委主任王恒山带领省围垦指挥部彭局长等来睢宁检查废黄河开发利用工程。徐州市水利局副局长鲁宝宏、科长潘齐德汇报全市废黄河开发情况。

3月　局组织全县河道查勘统计,计算河、堤、渠综合利用价值,于3月份汇总。据当年统计:全县干、支河15条,大沟95条,中沟631条,小沟4487条,合计5228条,总长度687.82公里,总挖压土地面积27.75万亩,其中植树、植条、植草等可综合利用面积21.171万亩,利用率76.3%。

4月8日　县政府任命郑胜安为水利农机局副局长。

5月17日　县政府调整县防汛防旱指挥部成员,指挥魏本忠,副指挥徐平、王炳章,委员靳玉美、王保乾,办公室主任李玉清。

5月22日　省水利厅原厅长熊梯云、原副厅长李子健来睢宁视察沙集抽水站和废黄河等水利工程,留诗两首,赞扬睢宁水利建设取得很大成就。

6月15日至16日　省围垦指挥部指挥梅众明来县检查垦荒工程。

7月27日　省水利厅厅长王守强、副厅长戴澄东来县检查水利工作。

冬季　第二期废黄河治理工程施工。

当年井灌工作以高亢地区用水和山区饮水为重点,完成配套井142眼,冲洗修复旧井378眼,兴建混凝土地下管道3000米,解决5.4万人饮水和3000头大牲畜用水问题。

1986 年

年初　县委、县政府加强对庆安、清水畔两水库渔业管理。两水库水面多年荒置，1984年体改后，分别以不同形式承包养鱼，到1986年初初见成效。因年关将近，库周围部分人员强行到库内捕捞。2月3日，清水畔水库少数人操纵哄抢，造成"清水畔事件"。

1月21日　省水利厅厅长王守强来县检查工作。

1月31日　县委组织部介绍刘向东任水利农机局副局长。

2月初　老龙河和牛鼻河疏浚工程竣工。

春季　全省农田水利检查评比，睢宁县获得第一名，奖给锦旗一面。省奖励给工程费12万元，市奖励2万元，合计得奖14万元。

3月17日　县委、县政府召开总结表彰会，对1985年做出成绩的给予表彰，水利局为先进单位，先进党支部1个，记功1人，优秀党员2人，先进个人22名。

4月19日　持续春旱，局派员到邳县水利局协商向睢宁县送水，将房亭河水从土山涵洞经瞧邦路西沟、房南河引人民便河。

4月25日　县水利局与县广播电视局联合，将多年来水利成就系统汇成一盘录像带。8月，专题片《睢宁水利》定稿，于秋季录制完成。

5月6日　原徐州专署副专员汤海南、朱群，原地区水利局副局长吴启炘、范本豫等来县视察水利工程。副县长魏本忠等陪同查看废黄河开发和徐洪河工程。

5月10日　局成立工会，刘向东当选为工会主席，相秉成任专职副主席。

6月2日　省政府副省长凌启鸿、徐州市政府副市长孙龙、顾问蔡崇明等来县检查抗旱工作。

7月18日　全县普降大雨，潼河流域超标准。县长郑声荣、副县长何仙珍分别到李集、黄圩查看水灾。

7月24日至25日　全县暴雨。

8月6日、8月10日　睢宁两次遭龙卷风、暴雨、冰雹袭击。

10月9日至11日　水利部淮委农水处杨处长来睢宁查看徐洪河和凌城、邱集等边界工程。

10月　民便河节制闸竣工。

冬季　古邳站东站改造工程施工。

11月10日　原省水利厅农水处处长张德纯来睢宁，视察梁集、凌城等水利工程。

12月10日　省水利厅厅长王守强来县视察梁集、王集小型水利配套和双沟废黄河开发工程。

冬季　第三期废黄河工程施工，上游双沟一段至铜山温庄闸17.5公里。

1987 年

1月　全省1987年度农田水利大检查，睢宁县获得二等奖，奖励9万元。

2月　县委、县政府召开总结表彰会，对1986年做出成绩的给予表彰。局及下属单位被评为先进集体 7 个,记功 1 人,先进个人 20 名,优秀党员 1 名。

4 月 30 日　县政府将县第九届人大常委会第 22 次会议通过的《睢宁县水利工程管理实施办法》予以颁布,发至村民委员会。

4 月　省水利厅召开水利工程管理表彰会,县凌城抽水站管理所和李集镇水利站被评为先进单位,梁集水利站站长马修义为先进个人。

5 月 8 日　市政府副市长孙龙、市水利局副局长高志军等来县黄墩湖地区查看防洪路工程。

5 月 14 日　省农科院院长江枫带领赵守仁等来县王集召开改碱工作会议。

6 月 5 日　县政府同意水利局成立"睢宁县建筑安装总公司水利工程建筑安装分公司"。当年春季,该分公司到浙江省宁波市承包宁波栎社机场砂桩和宁慈公路等项目。

6 月 22 日　县召开防汛会议,县委副书记胡康亚作防汛工作报告。

8 月　伏旱。

8 月 14 日　8 月 23 日　水利局办公楼后 35 米高铁塔两次遭雷击,损坏局内部电话总机、高频电话机等。1988 年 7 月 14 日第三次遭雷击。经县供电局技术人员计算,系接地铁件短造成雷击,后加长接地装置即避免了雷击。

9 月 3 日　县政府任命王德奎、刘向东、李玉清、郑盛安为水利农机局副局长。

9 月 4 日　县人大常委会任命王保乾为水利农机局局长。

11 月 3 日　水利局王保乾等到灵璧县水利局,和陈、刘、耿三位局长商谈疏浚新源河问题。

11 月 17 日　省、市人大代表来县查看对水利工程管理条例执行情况,强调以法治水,以法管水。

12 月 15 日　古邳抽水站东站改建工程竣工,县委书记李振奎、县长郑声荣到古邳站剪彩,试车抽水。

冬季　第四期废黄河治理工程施工,开挖魏集一段。

1988 年

2 月 12 日　春旱,县召开抗旱电话会议,布置突击三麦冬灌。

2 月　全省 1988 年度农田水利工程大检查,睢宁县获三等奖,省奖给 6 万元。

3 月 10 日　县委、县政府召开表彰会,对 1987 年做出成绩的给予表彰。水利局被评为先进单位,局下属单位先进集体 7 个,记功 1 人,先进个人 34 名,优秀党员 1 名。

3 月 20 日　徐州市市长许仲林等来县查看徐洪河工程。

春季　沙集节制闸维修。

4 月 2 日　县编委同意我局设立"审计股"。同时,县编委同意我局设立"睢宁县水利综合经营管理站"。

4 月 22 日　省政府副省长凌启鸿带领省计经委、水利厅、农林厅等 17 人来睢宁县考察黄淮海农业综合开发项目,视察徐洪河、沙集抽水站、凌城抽水站、废黄河开发利用等工程,并集体查勘了高集抽水站站址。

4 月　从下旬开始,由王树林带领局施工队伍去唐山承建工程。

夏旱　伏旱　6月12日,县委书记赵玉柱、副县长何仙珍等到民便河船闸、邳南房亭河等地查看水情。7月7日,副县长胡居辰白天检查古邳站抽水,夜间去沙集站、凌城站检查抽水。

7月27日　刘保忠任水利农机局副局长。

9月15日　县在梁集乡召开水利工程定权发证会,副县长何仙珍作工作报告。

9月22日至23日　水利部淮委农水处杨处长在省厅计财处周清龙陪同下,来睢宁县邱集、黄圩边界查看潼河、老龙河工程。

10月16日　县委书记赵玉柱、副书记王大庆、吕永信,带水利局人员到省水利厅。当晚向厅长王守强、副厅长戴玉凯汇报黄淮海农业开发项目和高集抽水站工程。

10月底　冬季工程开工。县里组织搞"两河一站"骨干工程,即徐沙河疏浚、第五期废黄河和高集抽水站施工。

11月29日　水利局局长办公会研究水利站四大员(工程员、机电员、井灌员、会计员)招聘转正问题。按上级分配指标,站长转为招聘干部13人,其余转为招聘工人59人。后逐年分批全部解决。

1989 年

1月13日　废黄河中泓峰山橡胶坝建成。

1月　县决定水利农机局分为水利局和农机局。1月24日县人大任命王保乾为水利局局长,1月21日县政府决定刘向东、王德奎、刘保忠为水利局副局长。

2月21日　局帮助水利工程队安排工作,1989年外出在建项目有宁波工程、唐山工程、徐州建房。工程队还在岚山开辟采石厂。

2月23日　水利局召开全系统年度工作大会,局长王保乾作《深化改革,振奋精神,为把我县水利工作提到更高更新的水平而努力奋斗》的报告。

春季　完成徐洪河余圩段清淤。

3月　全省1989年度农田水利大检查,睢宁县获第三名,省奖给6万元。

3月7日　市局金中华副局长、张尧义科长来县高集站工地检查工作。

3月25日　县政府任命孔庆峰、黄辉二人为水利局副局长。

4月7日　国家、省、市有关单位来县检查黄淮海农业开发工程项目执行情况。

5月10日　县成立防汛抗旱工程指挥部和城区防汛指挥部,县指挥部胡居辰任指挥,李光芹、贾宏芝、王保乾任副指挥。县城区指挥部李光芹任指挥,叶宜德、苗兴全、刘保忠任副指挥。

5月15日　省委副书记曹鸿鸣等来县检查工作,视察徐沙河、高集站等工地和姚集段黄河开发。

5月30日　副县长赵继先带领县计委、供电局、水利局有关人员到民便河船闸和古邳抽水站等地,协调供电抽水。

7月6日至12日　全县普遍降雨。

7月10日　副县长何仙珍在古邳扬水站主持召开古邳、浦棠两乡黄墩湖地区滞洪准备工作会议。

8月22日　省厅计划处朱其尤来县研究世界银行贷款项目。

8月31日至9月1日　世界银行安东尼·奥等6人来县考查水利工程项目,先后到凌城、沙集抽水站和高集站施工工地视察。

10月13日　中共睢宁县委决定由王保乾担任中共睢宁县水利局委员会书记。

10月13日　中共睢宁县委决定由朱守斌任中共睢宁县水利局纪律检查委员会书记。

下半年干旱。

11月1日　徐州市市长王武龙来县岚山检查抗旱。

11月3日　徐州市委书记郑良玉来县张圩、岚山检查旱情。

11月8日　县召开徐沙河上段疏浚和开挖青年大沟施工会。11月23日正式上工。

11月17日　世界银行侍巴斯(能源专家)来县沙集抽水站考查。

11月底　高集抽水站主体工程竣工。

12月6日　由县政府牵头,水利局参与,到徐州南郊宾馆,与世界银行安东尼·奥和郑先生等商谈贷款项目。

12月31日　有水利局参加的县土地资源调查工作结束。

1990 年

2月12日　局召开全系统年度工作大会,局长王保乾作《统一思想,增强信心,努力做好1990年的水利工作》的报告。

2月13日　县委、县政府召开表彰会,对1989年做出成绩的予以表彰,水利局为先进单位,奖励晋升一级1人。

2月15日　县委书记赵玉柱召开县物资、供销、供电、水利等部门会议,要求赞助修建便民桥。因有些村组由于大河阻隔种地不便,部门赞助修桥,名曰便民桥,当年全县落实10座。

3月4日　县四套班子到高集抽水站栽树绿化。

3月20日　副市长汪为群等来县查看徐洪河放样线路。

5月18日　省水利厅厅长孙龙等来县查看徐洪河线路。

6月22日　县召开防汛防旱工作会议,副县长郑之高对全县防汛防旱工作作具体部署。

7月5日至12日　县人大副主任李魁元到唐山慰问水利局在唐海工地施工人员,当时水利局承包冀东油田油气分离厂土建工程。

7月16日　县人大常委会任命王保乾为水利局局长。

8月2日至4日　全县降雨。

8月6日　县召开13个乡防汛会议。

8月8日　副市长汪为群到双沟、王集视察汛情、灾情。

9月3日至5日　县委书记赵玉柱带领各乡镇党委书记参观高邮、江都等地水利工程和吨粮田建设。

9月15日　县召开沙集、高作、刘圩三乡会议,宣布徐洪河拆迁方案。

11月6日　水利部副部长侯杰、淮委总工姚帮义等在省厅厅长孙龙陪同下来县视察徐洪河和沙集抽水站工程。

11月17日　县委书记赵玉柱等在浦棠乡王圩村废黄河中泓召开徐洪河切滩工程施工动员会。市委副书记胡振龙、市政府副市长汪为群等到会讲话。

1991 年

1月19日至21日　局召开水利系统年度工作大会。局长王保乾作《坚定信心,深化改革,为90年代水利事业兴旺发达而努力奋斗》的报告。

1月26日　县政府召开计划工作会议,与水利局签订责任书,确定1991年产值目标555万元。

4月18日至19日　副县长申桂书陪同市水利局局长韩发举等,查看即将施工的徐洪河工程。

5月22日　市水利局向各县下达徐洪河任务,其中分配睢宁县250万工日。

5月24日夜　陡降大雨,高集乡郭楼坝倒塌。

6月2日夜　县委书记徐毅英、副县长申桂书到浦棠乡查看雨情、水情。

6月4日　市水利局局长韩发举到浦棠乡,选定黄河北闸闸址。县提出在闸南建2米两孔五工河涵洞,韩局长表示同意。

6月9日　省厅副处长曹维仁、市局副局长高志军等来县检查水利工程。

6月14日　县编委批复同意水利局设立"睢宁县堤防管理所"。

6月16日至17日凌晨　全县普降大雨。

6月18日　县政府调整"睢宁县防汛防旱指挥部"组成人员,指挥申桂书,副指挥李光芹、郑之高、王瑞芹、张威、王保乾。

上半年　水利局建安公司继续在新疆吐哈油田承包工程。

6月29日凌晨1点至4点　遭受历史上罕见的龙卷风、暴雨、冰雹袭击。

6月30日　市政府市长王希龙带领市有关人员来县查看灾情。

7月17日　副县长申桂书带领水利局人员查看废黄河沿线险工地段。

7月25日　新沂县遭水灾。睢宁县支援8万个编织袋、2.2万个草包。夜间装车,并直接送到新沂县险工地段。

8月6日　市召开徐洪河施工会。会后睢宁县徐洪河指挥部分成两条线:一是县政府副县长申挂书、县人大常委会副主任周端明等负责协调工作;二是副县长郑之高、县政协副主席王炳章、县人武部政委张炬等负责工程施工。

8月底至9月初　为满足徐洪河沛县施工需要,沿线铲除玉米、水稻、棉花等在田作物5000余亩。

10月6日　世界银行分项目贷款负责人郑兰生等一行9人来县考查徐洪河和沙集站工程。

10月21日　省政府副省长凌启鸿、市委副书记胡振龙来徐洪河工地检查工作。

12月4日　省水利厅厅长孙龙来县检查徐洪河工程施工和查看沙集大站地址。

12月17日　魏工分洪道土方工程和顺堤河工程完工,市指挥部验收合格。

12月18日　县徐洪河切滩工程完工,验收合格。

12月20日　县徐洪河指挥部在刘圩召开李集、黄圩、官山、朱楼、邱集、古邳6个乡施工会，突击开挖前袁桥、赵庙桥桥下土方。时值寒冬，24日降大雪，27日至28日气温在零下17摄氏度，道路积雪泥泞，粮煤无法正常供给，工地干部、群众在恶劣环境中坚持施工，终于在1992年1月19日完成。

1992 年

1月4日　水利局为沙集夹河庄垫宅基。因省里建沙集抽水站，将夹河庄迁移到沙集闸上居住，推平闸上右堤为其建房。

2月15日　县委、县政府召开表彰会，水利局为文明单位，水利工程一队为先进单位，水利工程二队（机械化施工队）为徐洪河续建二期工程的先进集体。个人升级1名，记大功2名，记功1名，先进个人26名。同期表彰徐洪河续建工程先进个人38人。

2月21日　省重点工程指挥部副指挥戴澄东陪淮委赵主任来县查看黄墩湖工程。

3月16日　国家、省、市有关部门验收黄淮海农业开发项目高集抽水站。

3月20日　省厅农水处唐处长、刘复新、朱永康到王集、李集检查小型农田水利工程。

4月1日　副县长申桂书、郑之高在刘圩召开徐洪河配套、绿化会议。

5月5日　全县普降大雨。

5月12日　省政府副省长俞兴德、省水利厅厅长孙龙、副厅长戴澄东、市政府副市长汪为群、市水利局局长韩发举视察徐洪河和高集抽水站，并在高集站听取县里的汇报。

5月21日　河海大学李书记等来到县局，座谈水利规划。

5月25日　县政府印发《徐洪河睢宁段河道绿化工程管理办法》。

6月10日　袁圩抽水站建成，送电试机抽水成功。

夏旱　6、7月份高温少雨。

7月14日　省水利厅副厅长沈之毅等到睢宁，查看江水北调工程。

7月底8月初　局组织丈量各闸管所可利用种养殖土地面积。

8月11日　西北片陡降大雨，约1个多小时，郭楼坝第二次倒塌。高集西红旗桥冲坏。

10月8日　陈庆仪任水利局副局长（正局级）。

冬季　县安排徐淮路、徐宁路、睢邳路3条公路，按一级路要求，加宽路基。

12月下旬　县委任命汤荣业为中共睢宁县水利局委员会书记。

1993 年

2月初　局召开全系统年度工作大会，副县长郑之高到会作重要讲话，局长王保乾作《抓住机遇，加快发展，积极推进我县水利基础产业建设》的报告。

春季　完成市安排的徐洪河袁圩水库段护坡工程。

3月5日上午　水利局西渭河八里码头建成，副县长申桂书带领县直有关单位人员举行庆祝活动并为码头剪彩。

4月14日　县在凌城召开水费改革工作会议，副县长郑之高作《适应社会主义市场经济新形势，加大水费工作改革力度》的动员报告。实行春季订供水合同计划，分月预交，提倡水利站自收水费。

5月 城北沟配套工程完工。

5月5日 县政府下文宣布县防汛防旱指挥部成员。指挥韩振美,副指挥郑之高、倪承泰、王瑞芹、张威、王保乾。城区防汛工作由倪承泰负责。

5月16日 春旱、夏旱。县委副书记李光芹等到古邳抽水站安排加班加点抽水。

5月25日下午 县西部遭冰雹、暴风雨袭击。

6月5日 省管沙集抽水站建成试机抽水。单机1600千瓦,10立方米每秒,计装机5台。闸站结合,站两侧各设3孔6米节制闸,可强迫行洪400立方米每秒。

6月27日 县政府召开全县防汛工作会议,安排参观梁集田间工程现场。

7月至8月 县委、县政府组织县直有关部门和庆安水库邻近有关乡,加大水库养鱼和库周管理的力度。7月2日县政府发布《关于加强庆安水库管理的通告》。8月14日县体改委下文《关于同意成立睢宁县庆安水库综合开发公司的批复》。8月16日县在古邳镇召开庆安水库综合开发动员大会。

8月4日 全县普降大暴雨。

7、8月份 局属水利工程一队外出承包工程,在河南省潢川承包京九铁路土方、桥梁工程。

11月初 县分配局机场路(睢宁至徐州一级公路)建桥任务。

1994 年

3月 县委、县政府召开表彰会,对在1993年取得优异成绩的予以表彰。水利局为先进单位,记功1人。

3月29日 局召开全系统年度工作大会,局长王保乾作《加快改革,加速发展,努力把我县水利工作推向一个新阶段》的工作报告。

4月4日 县委书记吕永信带领县水利局负责人到省水利厅汇报扶贫项目情况。

春季 机场路6座桥经过紧张施工,均在5月底前竣工通车,满足了6月2日全线剪彩的要求。

5月9日至10日 省委副书记曹鸿鸣来县召开扶贫会,省水利厅副厅长沈之毅同来,安排县扶贫乡水利工程项目。

夏旱 伏旱 全年偏旱 5月31日,副县长田忠恩到北部袁圩电站、黄河北闸、皂河闸、皂河站、民便河船闸、民便河节制闸、古邳抽水站、庆安水库等地查看、调度北部水源。

6月3日 副县长鲍洪俊召开有关部门会议,协调抽水供电问题。

6月18日 县政府下文调整县防汛防旱指挥部成员,指挥韩振美,副指挥田忠恩、倪承泰、王瑞芹、张威、王保乾。

6月20日 市政府副市长汪为群、市水利局局长祖振华到省管沙集抽水站研究调度抽水问题。

7月6日 市水利局副书记魏贤胜、工管处主任滕雅元来县检查防汛工作。

7月31日 市政府副市长汪为群陪省农林厅厅长俞敬忠来县检查抗旱工作。

8月14日 县长韩振美在双沟镇召开县直有关部门会议,研究观音机场拆迁和水系调整问题。后水利局多次派员会同乡水利站调整水利规划。

9月7日　局承建徐沙河沙集船闸工程,在沙集抽水站签订协议书,周鹏飞代表市航管处、王保乾代表县水利局在协议上签字。9月10日,该船闸工程正式动工。

9月14日　副县长田忠恩带领水利局有关人员查勘高作北引水河工程。

12月18日　县委组织部介绍吕庆安任水利局工会主席,周鹏强任中共水利局纪律检查委员会书记。

12月　武献云任水利局副局长。

1995 年

春季　完成县政府交给的徐洪河沙集船闸下游引河土方任务。

2月28日　局召开全系统年度工作大会,局长王保乾作《加大力度,发展水利经济,团结奋斗,尽快壮大行业实力》的工作报告。

4月11日　徐州市多管局张兆柏来局帮助沙集站等工管单位搞养猪项目。

4月19日　县委在县农工部开会研究庆安水库带村问题。

5月13日和15日　县长仲琨主持政府常务会议,两次研究庆安水库带村体制问题,将"白塘湖养殖场"定名为"庆安水库养殖场"。

5月下旬　睢邳路黄河闸下邳北桥建成。

6月1日　副县长贾宏芝在庆安水库召开古邳、魏集两乡管政工的副书记会议,宣布县关于庆安水库场管村的决议。县委决定任命陈忠为水利局副局长、庆安水库养殖场场长、庆安水库管理所所长。

6月中旬　沙集船闸基本完工。徐沙河一线栽插水稻严重缺水,挖开船闸施工坝引徐洪河水。

6月12日　县政府下文调整县防汛防旱指挥部成员。指挥仲琨,副指挥田忠恩、倪承泰、张炬、陈凡、王保乾。

6月下旬　水利局全体总动员,集中技术人员、技术工人、施工机械,冒酷暑炎热,突击县城东环岛工程。环岛工程于8月27日凌晨竣工。

6月26日　省水利厅原副厅长吴连彩、省委农工部陈处长来睢宁,考查县水利规划和中低产田改造项目。

7月13日　省重点工程指挥部副指挥戴澄东来县检查工作。

7月25日　下午5点多,桃园乡遭龙卷风袭击。

8月8日　省水利厅副厅长蒋传丰、徐永仁来县检查工程管理和防汛工作。

10月17日　局和庆安水库有关人员到蚌埠,向水利部治淮委员会任百洲高级工程师请教水库养殖问题。任工于11月10日来水库实地考查,经副县长张威同意,聘请任工为县水库养殖顾问。

11月20日　刘培义任水利局副局长、局党委副书记,李树仁任水利局副局长。

11月28日　县安排水利局参与城河治理。副县长倪承泰、县建委原副主任杜长春在水利局研究城河治理方案。

冬季　农田水利工程陆续开工。邱集、睢城、王林3乡对西渭河下段进行清淤。

12月5日　因睢邳路庆安段西坡塌陷较多,县安排水利局提出治理意见。后批准土方修整、格埂护坡方案。

12月26日　县委副书记贾宏芝在庆安乡召开8个乡庆安干渠西沟护坡施工会。次年2月上旬,庆安渠西沟护坡工程竣工。

12月28日　按县政府安排,王保乾、吕立化到武进县滆湖参观学习水库养殖和水面管理。当时吕立化任水利局副局长、庆安水库养殖场场长、庆安水库管理所所长。

1996 年

1月3日　县委书记韩振美、县长仲琨带领水利局负责人到省水利厅汇报扶贫工程和古邳抽水站扩建项目,省水利厅厅长瞿浩辉接见。

2月初　根据市水利会议传达省会议精神,水利局酝酿成立监察大队。

2月11日晚　县政府研究水资源管理。县长仲琨决定,以1993年底编制为准,将县建委管属的县节水办整建制划归水利局。县政府于2月13日正式宣布。

2月15日　城河清淤土方工程竣工。

3月22日　县召开纪念"世界水日"暨水资源管理工作会议,局长王保乾作一年来节水工作总结,副县长张威宣布表彰1995年度水资源管理工作先进单位、先进个人的决定,并作重要讲话。

3月28日　省水利厅厅长瞿浩辉等全体党组成员于邳州开会后,在市局局长祖振华陪同下路过睢宁,听取县水利工作情况汇报。

4月11日　县委副书记贾宏芝、县人大副主任周端明、县政协副主席洪寿根,到民便河船闸、那州刘集地下涵洞检查北部水源。

4月29日　城河护坡工程竣工。

5月8日　市水利局副局长马骏骥、科长宋冠川,在副县长李守义陪同下,检查县农田水利工程。

5月24日　市水利局副局长高志军到古邳民便河陈老庄处,检查处理睢、邳两县地方群众在河滩采沙破坏堤防问题。

5月28日　县委副书记贾宏芝、县政府副县长王德奎、县人大副主任周端明、县政协副主席王炳章、县委农工部部长李超、县农委主任刘清明到水利局研究年度水利工作。

5月29日　淮委杨副主任、省厅蒋副厅长、市局高副局长等到古邳检查黄墩湖滞洪工程和滞洪预案。

6月9日　经县委组织部批准,张新昌任水利局局长助理。

6月16日至7月21日　全县9次集中降大雨,并有零星小雨。抗洪抢险,排涝降渍,工作十分紧张。1996年梅雨季节早,时间长,雨量大,属历史上罕见。

6月22日　市政府副市长唐朝双、市水利局副局长高志军等到县交待睢邳路防洪堤标准。

7月4日　县委书记韩振美带领宣传部长郑安华、组织部长王洪云等到西北片和黄河沿线检查抗洪抢险情况。

7月5日　清水畔水库犬坝产生纵向裂缝,下午,姚集乡袁书记带领民工加做土方。

7月6日市局工管处主任滕雅元、副主任时丙武到清水畔水库分析裂缝原因。

7月11日　市委书记王希龙、市长张桂生、副市长唐朝双、市水利局局长祖振华冒雨视察古邳防洪堤工程。

7月17日　市军分区参谋长吕昌运、市防汛办公室主任高志军带领徐州市泉山、云龙、九里区人武部长到浦棠、古邳检查滞洪准备工作,冒雨涉水入村,入组查看群众自制摆渡木筏。

7月下旬　古邳防洪堤工程经过堤边取土、到山上借土、群众早晨上工时带土,完成了任务。7月27日市水利局副局长高志军陪淮委有关人员验收黄墩湖工程。

夏季　突击完成县委交给的徐宁路王林、凌城段9座桥扩建任务。

11月28日　省厅农水处副处长刘有勇等到县检查中低产田改造工程。

12月12日　省厅农水处处长周长全到睢宁检查中低产田改造工程。

12月29日　省政府组织水利大检查,由省计经委副主任王稳卿带队,省水利厅陈茂满、刘复新、陆永泉等人到县检查中低产田改造和双洋河疏浚等工程

1997 年

1月26日　市委统战部与庆安水库养殖场顾庄村挂钩扶贫,市统战部部长周维宇、田副部长入村入户访贫问苦。

1月底　冬季河工土方工程基本完成(原计划的双苏大沟、双洋河上游东西段暂不开挖)。

3月15日　局召开全系统年度工作大会,局长王保乾作《解放思想,发奋图强,全面推进我县水利工作再上新台阶》的工作报告。

春季　古邳民便河南堤和民便河挡洪涵洞施工。

3月22日　县召开纪念"世界水日"暨水资源管理工作会议,县政府办公室副主任戴斌主持,局长王保乾作年度节水工作总结,副县长王德奎宣布表彰1996年度水资源管理工作先进单位、先进个人的决定,并作重要讲话。

4月2日　局宣布水利工程一队、工程二队合并为水利工程处,吴以军任主任。

4月4日　省水利厅农水处刘复新、蔡勇等领导到县检查中低产田改造和古邳扬水站扩建工程。

4月26日　县机关体制改革,任命刘清明为水利局局长,陈庆宜任副局长。

6月6日　古邳抽水站扩建工程竣工。市委副书记李为健在县长仲琨、副书记胡守军、副县长王德奎等陪同下,到古邳站按动电钮,开机试车抽水。

6月12日　市水利局工程科长杨勇、设计院院长许明德等到县考察徐沙河工程。

春旱　夏旱　自5月上旬干旱少雨,县管5座抽水站昼夜开机补水。

7月17日至18日　全县普降大暴雨。

7月中旬　县委书记王玉柱、代县长张赴宁、副县长王德奎,在水利局局长刘清明、副局长武献云陪同下,检查黄墩湖滞洪区工程设施。

9月2日　县召开水利系统工作会议,局长刘清明作工作报告,县委副书记贾宏芝、县政府副县长王德奎、县人大副主任周端明、县政协副主席胡康亚到会讲话。

秋旱 大部分地区土壤处于干旱或严重干旱状态,三麦播种困难,出苗不齐。

11月30日 睢宁县在水稻控制灌溉推广中成绩显著,被评为徐州市先进单位。

12月1日 县于沙集抽水站召开徐洪河下段清淤工程施工会。

12月23日上午 市政府副市长唐朝双、副秘书长王大勤、市水利局局长祖振华到县水利工地检查工作。

1998 年

1月9日 省水利厅农水处处长周长全、市水利局副局长马骏骥到县检查中低产田改造工程。

2月7日 吕立化任水利局纪检委书记。

2月 王秀章任水利局副局长兼庆安水库管理所所长。

8月 大雨,平均月降雨410毫米,睢城雨量453毫米,最大雨量在高作,为534毫米。月降雨日数为17天。中旬雨量大,从13日23时至14日23时,县城雨量244.1毫米,为50年一遇的暴雨。

8月14日 县委书记王玉柱、县长张赴宁、副县长王德奎、水利局局长刘清明等到西南片查看水情灾情。桃园乡后台村王甄庄被淹。友谊大沟东堤形势紧张,市防指调拨3只橡皮船抢险。是夜友谊大沟东堤失守。

8月15日 以高级工程师黄荣华为主的省水利厅专家组抵达睢宁,检查汛情。

8月16日 市委书记王希龙、市长于广洲到睢宁查看水情灾情。8月16日夜,省政府姜副秘书长、省水利厅副厅长徐永仁到睢宁检查防汛抗灾工作。

8月18日 县委副书记贾宏芝召开潼河陈集堵口协调会。次日下午封堵决口成功。

8月19日 水利局局长刘清明在清水畔水库组织大坝抢险。

9月2日 省、市水利部门到睢宁灾区慰问,省水利厅捐款10万元,市水利局捐款5万元。

冬季 睢宁境内潼河全部疏浚。河道标准:除涝五年一遇,防洪二十年一遇。河底宽30～10米,河底高程14.08～16.66米,滩面宽15～10米,土方310万立方米。配套建筑物41座,其中维修干河节制闸2座,改建干河桥12座,重建穿堤涵洞22座,机电站5座。省、市各补助经费500万元,县筹200万元。11月5日开工,上工18个乡镇,7万人,机械2600台套。12月15日土方工程竣工。

11月8日 县四套班子领导王玉柱、张赴宁、贾宏芝、余良瑞等在潼河工地义务劳动。

11月12日 县委书记王玉柱徒步21.3公里查看潼河工程。

1999 年

1月12日 省水利厅副厅长徐俊仁到县检查中低产田改造工程和潼河疏浚工程。

3月1日 县编委批准将"睢宁县水资源管理办公室"更名为"睢宁县节约用水办公室"。

3月1日 县编委批准成立"睢宁县水利工程水费管理所",和县节约用水办公室一套班子,两块牌子。

3月1日　县编委批准成立徐洪河、废黄河、徐沙河、新龙河、潼河5个堤防管理站,全民股级事业单位,隶属县堤防管理所领导。

3月15日　县政府任命张新昌任水利局副局长。

5月10日　县政府任命郑之高任水利局副局长。

本年干旱。1至8月降雨514.8毫米,比同期多年平均降雨量少286.2毫米。7、8月份持续56天高温无雨,相当于五十年一遇的大旱。9座中小型水库有7座干涸。庆安、清水畔两水库,均低于枯水位。县管4座抽水站因河道无水可抽于8月16日全部停机。

本年工程管理防汛维修任务较重,这些任务有:

(1)小型水库消险。徐水管(1999)37号文件批准睢宁县列入消险的水库有:清水畔水库、锅山水库、土山水库、孙庄水库、二堡水库、大寺水库、梁山水库等。总经费470.1万元,其中省、市补助214万余元,县配套256万元。截至9月份完成土方14.5万立方米,石方5158立方米,混凝土2589立方米。

(2)黄墩湖滞洪区安全建设。省水利工程建设局苏水建工(1999)50号文批准睢宁县黄墩湖区撤退道路3条,相应配套建筑物36座。总经费417万元,其中国家一次性补助139万元(中央债券),省级一次性补助139万元(省级债券),市一次性补助55.6万元,县自筹83.4万元。共完成土方11万立方米,石方14642立方米,混凝土1292立方米。

(3)防汛应急工程。

①沙集抽水站水毁工程。市批准经费30万元,县配套10万元。维修内容是挡洪堤加固和前池维修。挡洪堤由江苏省第一工业设计院岩土公司承担施工,采用粉喷桩和高压摆喷。完成粉喷桩70米,有效桩长2540.1米,高压摆喷帷幕372.65平方米。沿粉喷桩两侧灌浆,共灌注40余眼。

②沙集闸、凌城闸度汛应急维修工程。省补经费25万元,县配套25万元。主要维修启闭机、低压线路、护坡、桥面等工程。

③黄墩湖滞洪区古邳安全圩东门立交桥闸工程。共完成土方1000立方米,石方413立方米,混凝土63立方米,工程造价19.2万元。

夏季　水利局进行废黄河疏浚工程测量、土质钻探、技术设计。计划将黄河闸至王塘一段10.6公里疏浚加深。河底高程24.5米,河底宽100米。计划土方280万立方米,配套建筑21座,工程预算经费1231万元。

9月下旬至10月中旬　连续阴雨,影响水稻收割,三麦播种推迟。

冬　庆安水库管理所所属戴楼、顾庄两村,划归古邳镇。

12月上旬　废黄河疏浚工程开工,东从黄河西闸开始,西至房湾止,长7.1公里,土方205万立方米。21个乡镇施工,上工10万人。

第一篇
自 然 概 况

第一章　地理环境

第一节　位置面积

睢宁县地处徐州市东南,位于东经117°31′～118°10′,北纬33°40′～34°10′,东接宿迁市宿豫县,北邻铜山县、邳州市,西、南分别同安徽灵璧县、泗县接壤,全县总面积1773平方公里。境内徐淮公路、宁徐公路横穿东西,104国道、邳睢公路纵贯南北,位于双沟镇境内的徐州观音机场现已通航,徐洪河南北贯通,沙集两座船闸已经建成,水路运输已经起步,境内交通十分方便。

全县共辖18个乡、9个镇、11个国营场圃、643个村、5313个村民小组、291488户、1221243人(其中男性626176人,女性595067人),非农业人口98211人,农业人口1123032人,农业劳动力574360人。

全县土地总面积265.95万亩,其中可耕地面积149.43万亩,农业人均耕地1.33亩,农业劳动力人均负担2.6亩。人口密度每平方公里688人。

第二节　地形地貌

睢宁县总的地势是西北高东南低(见下页等高线图),从西北向东南徐缓倾斜,境内除西北部、西部、西南部有零星分布的低山残丘外,其余均为黄泛冲积平原。黄河故道横贯东西,成为县境内南北的天然分水脊。全县低山残丘主要分布在北部张圩乡、古邳镇西部、岚山乡及西南官山乡等地,除岠山最高峰为204.2米外,其余高程均在200米以下,坡度平缓,面积44.15平方公里,占总面积的2.5%。平原地区平均高程为22.0米,一般在18.0～24.5米之间。废黄河滩地高程在30.0米以上,西北部最高为37.2米。废黄河河底高于两侧地面2.5～4米。黄墩湖地区在我县有古邳、浦棠大部分辖区及姚集、张圩部分辖区,面积160平方公里,占总面积的9.0%,该地区地势低洼,地面高程在19～23米之间。

第三节　水文地质

根据省地质勘探及县内打井土层资料分析,县内98%以上平原区,广为结构松散的第四纪土层覆盖,属黄泛冲积平原。仅在我县西北、西南地带,有局部基岩裸露而成的低山丘陵,山体一般由震旦纪灰岩、硅质灰岩、白云质灰岩及页岩等组成。

由于县东部沂、沭河冲积,冲积物被废黄河泛滥物覆盖、沉积,给县内地下水的富集和储存提供了有利条件。本县东部高作以东至宿迁马陵山以西处于郯庐断裂带的穿越地区,该断裂带自太古代末期形成以来,一直未中断活动。另外,在睢宁县和邳州市之间,还存在着"睢邳隆起"地质构造,以及县南的"睢南断陷"等。因此,睢宁县地质构造十分复杂,这些复

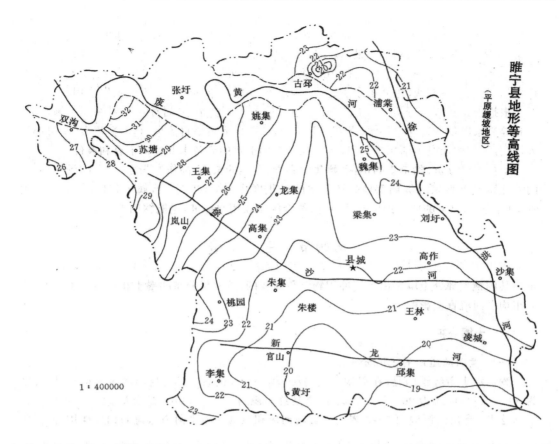

杂的地质构造,却提供了有利于开发地下水资源的水文地质条件,特别是在基岩以上,县内开发了三个承压含水层。

根据钻孔资料及专门抽水试验成果分析,县内广大富水区可划分为三个承压含水层和一个无压含水层。

1. 无压含水层 此层水一般离地面3~4米,水量小,水质差,无开采价值。

2. 承压含水层 为20世纪60年代以来主要开采对象,三个承压含水层分别为:

(1)第一承压含水层——此层水为井灌区主要开采对象,一般埋藏层位离地面25~30米,县北埋深20~40米,县南延深至50米左右。岩性由石英质中粗砂含物组成,层厚变化10~20米,县城北较厚,县城南较薄。该含水层顶板由粘土及砂质粘土组成,底板由砂质粘土夹钙质结构物组成。此层水位一般从地面向下3~6米,动水位一般为10~15米,水量大小直接受砂层厚度控制,单井出水量为50立方米/小时。其水质根据专门水样分析,一般矿化度为1克/升,pH值为7~8,为近中性水。该层水质类型属HCO_3-Na-K-Ca-Mg水,水温一般在16℃左右,该层水分布广泛,埋藏较浅,水量较大,水质良好,适合工农业用水及作为生活用水。

(2)第二承压含水层——主要分布在县中、东部,该层水埋藏层位离地面50~70米,单井出水量达30~40立方米/小时,水质良好,适合于工农业及生活用水。该含水层的顶板、底板多由粘土层组成,也是目前开采层之一。

(3)第三承压含水层——埋藏层位离地面100米左右,此层水主要分布在高作、睢城、高集、梁集、魏集、浦棠、刘圩一带，该层岩性由中细砂粒组成，此层砂在高作一带层厚最大达60米左右，至高集变薄为5米左右，由此延伸到王集而尖灭，该层静水位为2～9米，县北埋藏较深，县南埋藏较浅，单井出水量达50立方米/小时。水质适于工农业及生活用水。

根据省钻孔资料分析，县内基岩以下地质构造十分复杂，基岩存在灰岩裂隙溶洞水、断层破碎带水以及砂岩含水层水，尤其是张圩、官山山区有古墩自流泉、赵山自流泉，水量都较大，适合于工农业及生活用水，为远景开采岩石构造水的后备水源提供了有利条件。

根据水样分析，除李集的镇区、姚集的高党、龙集的梁庙、高作的张庄、官山的汤集、刘圩的龙庄以及苏塘果园等局部地带地下水的矿化度达到1.63克/升，属于超标，不适合饮用外，其余90％以上的广大地区水质良好，符合国家饮用水标准，也能够用于灌溉。

第四节 土 壤

县内绝大部分土壤是由黄泛冲积物沉积而成的，除零星分布的褐土和沙礓黑土外，土壤分布均受河流直接影响。

一、土壤分布

（一）黄河故道内的土壤分布

废黄河上游经铜山县，在双沟镇大白村进入睢宁，至浦棠卢营村出境流入宿豫县，长度为69.5公里，面积为204平方公里，占全县总面积的11.5％，由于泥沙大量沉积，形成了宽3～8公里、高出两侧地面5～6米的废黄河河床和滩地。由于河道水流的扫移作用，使河床曲折多弯，水流的曲折流向又增强了水流对土粒的分选作用，形成了不同的土壤类型，在近河床的两侧及河流陡弯后迎水面，因水流揣急，不利于土壤细颗粒的沉积，形成质地粗的飞泡沙土和沙土；在平缓的河漫滩上及河弯滩地的背水面，因水流平缓，有利于颗粒的沉积而形成了淤土。

（二）废黄河以北的土壤分布

废黄河北岸由于青羊山决口，基本决定了古邳、浦棠（黄墩湖地区）的土壤形成和分布。从西部姚集乡的杜湖、古邳镇的望山开始，直至东部的浦棠乡蔡桥止，形成真高24～21米，比降万分之一点三的微倾斜低平原。土壤质地以砂壤至中壤为主，东部有少量粘质土壤，含有轻重不同的盐碱，是县内花碱土主要分布区。

（三）废黄河以南的土壤分布

废黄河以南由于双沟可怜庄、鲤鱼山、峰山、辛安、郭家房、魏家庄、朱家海等处多次决口，决口点的沉积物及濉河、闸河泛滥冲积物相互重叠覆盖，既决定了现在的地面景观，也决定了废黄河以南土壤的形成和分布。构成了西北高东南低，比降为万分之一点八的微倾平原。西北最高点在苏塘北部峰山和双沟方林一带，真高为31米左右，东南最低点在黄圩傅圩、凌城七咀一带，真高为18.5～19.5米。

废黄河南侧飞泡沙土即分布在上述决口点近处所形成的冲积扇的扇顶。双沟东部、苏塘北部和王集北部的田河和双洋河上游，是县内最大的飞泡沙土地区，这主要是双沟、峰山四次决口冲积而成；姚集北部飞泡沙土是辛安、郭家房两次决口冲积而成；魏集东北部和梁集北部的西渭河上游的飞泡沙土是魏工决口冲积而成。

睢宁县废黄河两岸土壤分布示意图

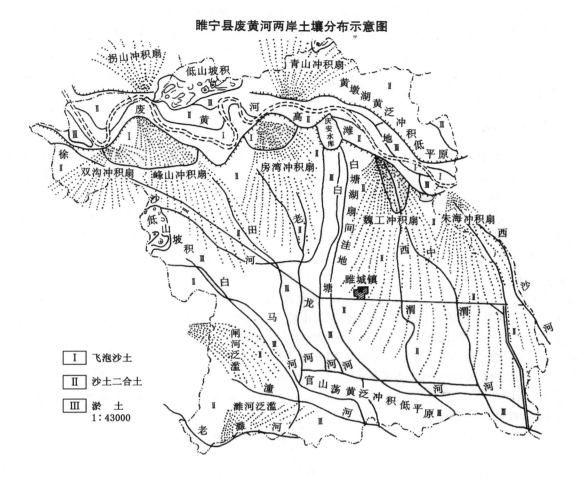

在上述飞泡沙土以下,即冲积扇的中部,是沙土、二合土和花碱土相间分布区,大致可分为三大片:(1) 双沟、峰山和辛安、房湾决口所形成的两大冲积扇相互重叠,是西北部花碱土、沙土、二合土分布区。所及范围南到徐沙河、东到庆安干渠的广大三角地带,真高24～30米;(2) 魏工决口和朱海决口所形成的两大冲积扇在中渭河一线相重叠。所及范围,西到白塘河,南到新龙河,东部和宿迁市宿豫县相接壤,是东部花碱土、沙土分布区,真高20～25米;(3) 濉河和闸河泛滥,形成了西南稍高、东北稍低的两个小冲积扇,是县内西南部的沙土分布区。所及范围,西部和安徽接壤,东部至白马河以西直至黄圩西部一线,真高21～24米。

在以上三大片沙土、花碱土的过渡地带分布着二合土。县内七大冲积扇及西南部的两个小冲积扇的扇缘是废黄河南侧淤土的集中分布区,即白塘河两侧、徐沙河和白马河之间并向东延伸直至新龙河以南和安徽接壤,形成了白塘湖、官山荡大面积淤土分布区。分布区地势低洼,新龙河至安徽接壤处真高19.5～20.0米;白塘湖地区真高20～23米,比两侧沙土、花碱土地区相对低1米左右。

（四）低山残丘的土壤分布

在张圩北部、岚山西部、古邳北部和官山、李集等地,有真高50150米的裸石山丘。除古邳北部的岠山、半戈山和羊山等有石英沙岩露头外,其余都是石灰岩。这些山丘的共同特点是上部岩石裸露,仅在石缝间有少量泥土,山麓受河流冲积物覆盖,尚存下来的土壤面积极少,况且分布地带很窄,故山红土、山黄土难以区分。仅张圩山区北部、岚山西部在小山丘环绕的山间谷地形成少量山淤土。山地土壤真高为35～55米(详见睢宁县废黄河两岸土壤分布示意图)。

二、土壤类型

县内土壤类型划分为3个土类、5个亚类、12个土属、37个土种。其中黄潮土亚类分为飞泡沙土、沙土、二合土和淤土4个土属,下分16个土种。飞泡沙土集中分布在废黄河滩地和废黄河的近代决口地点附近,面积101468亩,占总面积的4.04%;沙土是本县面积最大的土壤,基本遍及全县,面积714874亩,占总面积的28.75%;二合土面积468181亩,占总面积的18.81%;淤土面积477936亩,占总面积的19.22%。盐碱化潮土亚类,根据土壤含盐量和土壤酸碱度的高低等因素分为脱盐碱土,轻、中、重盐碱土4个土属、12个土种。脱盐碱土面积580632亩,占总面积的23.34%;轻盐碱土面积77514亩,占总面积的3.11%;中盐碱土面积23232亩,占总面积的0.93%;重盐碱土面积9003亩,占总面积的0.35%。淋溶褐土5类,主要分布在张圩北部、岚山西部的山丘地带,古邳、李集、官山也有少量分布,分为山红土、山黄土2个土属,2个土种,其中山红土15159亩,占总面积的0.61%;山黄土895亩,占总面积的0.036%。潮褐土亚类,主要分布在山脚和山谷地。分为山淤土1个土属,6个土种。山淤土面积16847亩,占总面积的0.683%。砂礓黑土亚类因处地形部位低,受地下潜水的影响较大,故划归湖黑土土属,而且面积小,土体构型少,砂礓埋藏深,只定下位砂礓黑土1个土种,面积2318亩,占总面积的0.093%。

睢宁县土壤的具体情况详见"睢宁县土壤分类表"。

睢宁县土壤分类表

土类	亚类	土属	土　种	土壤面积		主　要　分　布　区　域
				亩	所占比例/%	
潮土	黄潮土	飞泡沙土	飞泡沙土	90428	3.6	双沟、张圩、古邳、浦棠的废黄河滩地和黄河故道中泓两侧,苏塘、姚集、魏集、梁集的北部、沙集北部和黄圩西部也有零星分布
			粘心飞泡沙土	2235	0.09	零星分布在姚集北部和浦棠的废黄河滩地上
			粘底飞泡沙土	8805	0.35	主要分布在姚集的金武、二堡和双沟东南部的吴井,古邳、王集也有零星分布
		沙土	沙土	436769	17.55	全县每个乡镇都有分布,面积较大的有徐淮路两侧的沙集、高作、睢城、梁集、王集、苏塘等乡镇,张圩、魏集、桃园亦有较大面积分布
			青沙土(变种)	13520	0.56	相间分布在沙土地区

续表

土类	亚类	土属	土 种	土壤面积		主 要 分 布 区 域
				亩	所占比例/%	
潮土	黄潮土	沙土	粘心沙土	109609	4.41	主要分布在睢城、李集、梁集、姚集、桃园、岚山、苏塘等乡镇
			粘底沙土	154976	6.23	主要分布在睢城、李集、黄圩、凌城、梁集、姚集、桃园、朱楼等乡镇
		二合土	二合土	16683	0.67	面积小,零星分布
			沙心二合土	92247	3.7	魏集、高集、岚山等乡分布较多
			沙底二合土	90476	3.64	主要分布在邱集、李集、魏集、姚集、张圩、高集、朱集、岚山等乡镇
			厚沙底二合土	84928	3.41	主要分布在李集、沙集、高作、古邳、张圩、高集等乡镇
			粘心二合土	108899	4.38	
			粘底二合土	74948	3.01	主要分布在凌城、龙集、魏集、王集、桃园、岚山等乡镇
		淤土	淤土	135624	5.46	主要分布在官山、黄圩、邱集、凌城、朱集、高集、庆安、桃园、浦棠等乡镇
			沙心淤土	72140	2.90	主要分布在官山、邱集、魏集、桃园、朱集、岚山等乡镇
			沙底淤土	228723	9.19	主要分布在官山、李集、黄圩、高集、朱集、朱楼、庆安、双沟等乡镇
			厚沙底淤土	41449	1.67	主要分布在李集、浦棠、庆安、高作等乡镇
褐土	盐碱化潮土	脱盐碱土	脱盐碱土	392761	15.79	主要分布在邱集、王林、凌城、刘圩、高作、魏集、庆安、王集、双沟、古邳等乡镇
			粘心脱盐碱土	82821	3.33	主要分布在王林、刘圩、高作、庆安、龙集、双沟等乡镇
			粘底脱盐碱土	105050	4.22	主要分布在凌城、王林、邱集、龙集、双沟等乡镇
		轻盐碱土	轻盐碱土	38684	1.55	主要分布在浦棠、魏集、古邳、姚集、双沟、朱集等乡镇
			粘心轻盐碱土	19233	0.77	主要分布在浦棠、魏集、姚集、古邳、双沟等乡镇
			粘底轻盐碱土	19597	0.79	主要分布在刘圩、高作、古邳、姚集、朱集、朱楼等乡镇
		中盐碱土	中盐碱土	11296	0.45	主要分布在浦棠、古邳、姚集、苏塘等乡镇
			粘心中盐碱土	8161	0.33	主要分布在浦棠、古邳、朱集、双沟等乡镇
			粘底中盐碱土	3775	0.15	主要分布在浦棠、古邳等乡镇
		重盐碱土	重盐碱土	4862	0.19	主要分布在古邳、姚集、苏塘等乡镇
			粘心重盐碱土	3327	0.13	主要分布在浦棠、古邳、苏塘等乡镇
			粘底重盐碱土	814	0.03	主要分布在古邳、浦棠等乡镇
	淋溶褐土	山红土	山红土	15159	0.61	分布在张圩、岚山两个乡
		山黄土	山黄土	895	0.036	分布在张圩、姚集两个乡

续表

| 土类 | 亚类 | 土属 | 土　种 | 土壤面积 | | 主要分布区域 |
				亩	所占比例/%	
褐土	潮褐土	山淤土	山淤土	8653	0.35	分布在张圩、岚山两个乡
			沙底山淤土	72	0.003	分布在张圩大同村
			白淌土	1899	0.08	分布在坡堤下段
			涝泉土	2758	0.11	分布在地形低洼处,常年受地下水浸渍
			黑淤土	494	0.02	分布在山脚地段
			黑黄土	2971	0.12	分布在山麓地段
砂礓黑土	砂礓黑土	湖黑土	下位砂礓黑土	2318	0.093	分布在张圩山丘北麓

第五节　气　候

　　睢宁县地处暖温带南缘,季风显著,雨热同季,光照充足,气候温和,雨水充沛,四季分明。由于季风气候的影响,全县春季日暖风和,气温回升较快;夏季天气炎热,雨水集中;秋季天高气爽,转凉较早;冬季寒冷干燥,雨雪偏少。因降水与温度年季变化差异明显,常有涝、渍、旱、冻、雪、雹等自然灾害发生。根据1955年到1996年42年间的气象资料分析,有关气象情况分述如下:

　　1. 多年平均气温14 ℃,1月平均气温-0.1 ℃,7月份平均为26.9 ℃。极端最高气温为40.3 ℃,出现于1955年6月19日;极端最低气温为-22.9 ℃,出现于1969年2月5日。

　　2. 全县平均日照2265.6小时,最多的是1962年,年日照2719.4小时,最少的是1990年,年日照1944.9小时。

　　3. 初霜日最早为1981年10月9日,终霜日最晚为1961年5月4日,霜期初终间日数最长为1982年10月20日开始,到1983年4月9日结束,时间达183天。据1955年至1996年42年资料分析,县内全年平均无霜期为208.4天,全年平均有霜期为78.5天。

　　4. 全县多年平均降水量为895.1毫米。年降雨量最多的是1963年,为1348.5毫米;最少的是1978年,年降雨量为588.4毫米。雨季一般在6月至9月,占全年降雨量的66.7%。日降雨量最大的是1974年8月13日,日降雨量为233.5毫米。

1955～1996年备月降水量表 单位:毫米

月份＼年份	一	二	三	四	五	六	七	八	九	十	十一	十二	全年
1955	6.6	13.8	44.4	10.1	17.8	76.9	185.5	383.1	71.5	19.5	4.6	11.9	845.7
1956	8.8	2.9	74.0	113.5	60.1	243.5	173.9	228.6	138.2	24.4	2.3	2.5	1072.7
1957	58.6	27.1	7.1	57.8	37.1	140.0	259.5	131.5	4.6	32.1	29.6	33.3	861.4
1958	32.5	7.9	26.2	89.7	21.8	154.9	259.5	266.7	43.9	70.0	54.1	13.3	1040.5

月份年份	一	二	三	四	五	六	七	八	九	十	十一	十二	全年
1959	19.1	31.3	57.8	28.0	19.4	185.3	80.4	128.7	118.2	14.4	68.8	48.2	899.6
1960	7.5	0.1	76.9	20.4	66.6	99.2	188.9	106.8	111.7	25.9	43.6	3.6	751.2
1961	13.1	3.8	38.6	34.1	89.4	103.1	115.1	75.7	212.7	14.6	50.7	22.4	773.3
1962	0.6	8.1	7.2	37.3	11.6	159.0	298.0	183.0	198.1	69.4	65.3	22.1	1059.7
1963	0.1	0.2	55.2	66.7	352.4	16.2	531.8	168.8	134.7	3.7	11.7	7.0	1348.5
1964	43.1	60.9	26.7	135.2	63.1	43.4	266.6	116.5	124.7	67.1	3.1	5.1	955.5
1965	23.2	13.5	8.3	85.8	30.9	42.8	703.2	300.3	6.2	31.4	25.7	8.9	1280.2
1966	12.5	19.1	145.2	32.8	21.0	165.0	205.1	4.4	20.6	10.8	16.3	22.1	674.9
1967	12.5	24.4	53.9	64.2	16.1	129.5	98.9	101.8	83.9	14.5	85.3	0.1	685.1
1968	9.9	0.0	12.1	22.0	26.2	55.5	350.7	59.5	58.4	29.5	12.1	60.7	696.6
1969	37.6	34.5	18.4	65.1	115.7	54.4	250.1	72.1	206.5	30.6	8.1	9.3	902.4
1970	0.4	56.5	7.9	44.3	41.8	78.8	437.8	185.6	161.5	37.8	3.0	11.5	1066.9
1971	20.1	29.9	46.9	35.5	51.6	413.7	160.3	171.1	122.2	8.4	13.2	12.9	1085.8
1972	18.1	18.9	83.7	19.9	62.8	153.3	255.3	98.9	72.5	76.9	63.0	6.8	930.1
1973	33.6	38.8	31.3	178.2	37.7	24.5	247.6	55.4	46.0	24.1	0.4	0.0	717.6
1974	5.6	43.2	38.9	188.6	139.4	58.9	235.9	422.2	16.4	44.6	7.2	61.8	1262.7
1975	0.9	38.1	35.3	103.9	10.7	52.1	276.7	126.9	96.3	68.0	27.9	22.9	859.7
1976	0.0	65.1	6.2	72.9	59.3	76.6	129.6	160.1	76.7	8.9	26.5	8.1	690.0
1977	3.2	o.5	46.4	136.2	49.3	96.5	362.1	41.8	152.3	31.5	27.0	23.8	970.6
1978	0.9	21.5	29.1	8.1	24.0	60.8	100.9	204.0	67.5	32.7	27.6	11.3	588.4
1979	33.2	33.0	60.6	69.3	34.3	173.9	389.2	122.6	185.9	0.9	8.2	28.6	1139.7
1980	17.7	3.8	55.2	49.5	148.6	163.5	72.3	181.2	15.4	93.6	8.3	6.1	815.2
1981	20.6	40.4	13.1	13.0	27.1	149.9	255.7	107.1	109.6	78.4	38.5	4.6	858.0
1982	12.6	21.3	22.0	44.0	96.5	58.2	373.6	80.9	52.4	33.5	62.0	4.1	861.2
1983	16.6	12.6	47.4	10.6	14.6	84.7	372.3	18.9	68.0	134.6	8.3	2.4	791.0
1984	7.7	4.0	14.3	23.2	62.4	69.5	144.3	95.7	191.0	76.0	46.5	23.0	757.6
1985	15.6	27.7	37.5	66.1	82.5	12.5	138.6	139.3	115.8	96.6	17.9	21.3	771.4
1986	12.5	8.5	22.1	9.5	31.2	113.0	450.0	120.8	105.1	44.4	6.3	27.5	950.9
1987	48.9	50.6	58.0	35.6	22.0	96.0	128.8	191.1	22.3	109.4	38.9		801.6
1988	2.0	11.2	89.8	13.0	152.7	29.8	184.2	52.2	60.5	49.2	0.3	5.6	650.6
1989	66.3	45.0	24.5	121.0	22.9	159.6	215.5	80.9	10.0	2.6	49.0	7.3	804.6
1990	31.3	56.1	49.8	43.4	74.5	194.3	285.4	158.6	96.0	2.8	57.2	8.1	1057.5
1991	40.7	40.6	132.1	21.8	183.1	132.9	163.6	58.4	73.3	o.2	9.1	33.2	889.0
1992	16.0	9.4	54.2	15.3	132.8	49.0	136.8	232.0	120.6	53.0	13.8	17.4	850.3
1993	51.2	40.2	15.3	9.3	81.0	35.2	190.3	213.5	54.6	30.5	89.6	7.4	818.1

月份 年份	一	二	三	四	五	六	七	八	九	十	十一	十二	全年
1994	3.5	31.5	19.8	61.3	25.0	69.2	95.7	66.2	59.4	109.9	22.8	41.7	606.0
1995	4.1	13.1	22.1	62.0	76.5	79.7	362.6	136.0	26.4	44.1		0.5	827
1996	8.7	12.7	48.7	98.9	8.6	456.9	344.8	83.0	80.6	74.8	106.8	2.4	1326.9
合计	777.7	1021.8	1764.2	2417.1	2802.1	4811.8	10520.2	5931.9	3792.2	1825.3	1260.6	670.8	37595.7
年均	18.5	24.3	42.0	57.6	66.7	]14.6	250.5	141.2	90.3	43.4	30.0	16.0	895.1

第六节　河流水系(排水系统)

全县总面积 1773 平方公里,均属淮河流域,以废黄河为界又划分为三大水系:

1. 废黄河以北黄墩湖地区属沂、沭、泗骆马湖水系,流域面积 160 平方公里,占总面积的 9%,境内以民便河、小阎河为排水干河,经宿豫县境内排入皂河闸下,进入中运河。其中民便河流域面积为 105 平方公里,小阎河流域面积为 55 平方公里。

2. 废黄河自身为独立水系,全长 69.5 公里,流域面积 204 平方公里,占总面积的 11.5%。

3. 废黄河以南除西北双沟南部 45.6 平方公里的面积,占总面积的 2.6%(其中新源河流域面积 34.9 平方公里,运料河流域面积 10.7 平方公里),属濉唐河水系外,其余 1363.4 平方公里面积均属徐洪河水系,占总面积的 76.9%。

徐洪河水系在县境内又分为徐沙河、龙河、潼河及徐洪河本身四个小流域:

(1) 徐沙河流域面积 501.4 平方公里,占总面积的 28.3%。流域范围主要是徐沙河以北废黄河以南,支河、大沟水全部汇入徐沙河,经沙集闸排入徐洪河。由于徐沙河下游标准偏低,高集闸上水还是经田河排入跃进河,跃进河在龙南建闸控制,分流 100 立方米每秒,进入新龙河,余下流入潼河,所以现有徐沙河流域面积为 310 平方公里,占总面积的 17.5%。

(2) 龙河流域包括新龙河及老龙河下段,流域面积 536 平方公里,占总面积的 30.2%。其中新龙河流域面积 462 平方公里,占总面积的 26.1%,流域范围主要是徐沙河以南、新龙河以北,西到田河,东至凌东大沟,境内所有支河、大沟排水入新龙河,经凌城闸下泄入徐洪河;老龙河下段流域范围主要是新龙河以南凌城、邱集南部地区,面积 74 平方公里,占总面积的 4.1%。该片排水主要经老龙河排入凌城闸下泄进入徐洪河。

(3) 潼河流域面积 434.8 平方公里,占总面积的 24.5%。境内主要是因、白马河两条排水干河,今后徐沙河统一全面整治后,徐沙河以北来水可以全部入徐沙河,这样潼河流域面积将来只有 243.4 平方公里,占总面积的 13.7%,主要解决白马河下段、田河下段及潼河本身的排水问题。

(4) 徐洪河本身包括徐洪河以东、徐洪河以西、凌城凌东大沟以东等排水面积共有 82.6 平方公里,占总面积的 4.7%,其中大部分直接排入徐洪河,徐洪河以东沙集有部分地区排水入东沙河。

第二章 水 资 源

1996 年 7 月县水利局编发的《江苏省睢宁县水资源开发利用现状分析报告》中,摘录"水资源开发利用现状调查分析"。

全县总面积 1773 平方公里,分为五大片,其中:Ⅰ片,黄墩湖洼地片面积 160 平方公里,片内水域面积 20.68 平方公里;Ⅱ片,废黄河高滩片面积 204 平方公里,片内水域面积 62.26 平方公里;Ⅲ片,西北高亢片面积 329 平方公里,片内水域面积 37.56 平方公里;Ⅳ片,睢北片面积 453 平方公里,片内水域面积 65.4 平方公里;Ⅴ片,睢南片面积 627 平方公里,片内水域面积 113.9 平方公里。

第一节 各种典型年水资源总量分析

根据睢宁县 1952 年至 1990 年雨量统计计算结果:以典型年 1976 年(P＝50％)为平水年、1989 年(P＝75％)为中枯年、1988 年(P＝95％)为特枯年、1990 年(P＝27％)为现状年,由典型年及全县五大片面积进行水资源总量分析。

一、地表水资源

根据县气象站多年降雨观测资料和全县五大片各片面积及水域面积进行调查分析,并参照《江苏省水文手册》、上《江苏省睢宁县水资源开发利用现状分析报告》等有关资料综合分析,得出各片不同年型地表径流量,如下表所示:

睢宁县各片不同年型地表径流量成果表 单位:万立方米

片 流量 年型	P＝95％	P＝75％	P＝50％	现状年	备 注
Ⅰ	2065.45	2646.67	3655.16	6623.91	
Ⅱ	4448.73	5772.87	7384.81	12646.61	
Ⅲ	3376.84	5781.23	5679.55	14741.30	
Ⅳ	7828.67	9502.25	10243.26	17790.36	
Ⅴ	13997.45	15137.78	15670.98	24225.65	
合 计	31717.14	38840.80	42633.76	76027.83	

二、地下水资源

地下水资源包括浅层地下水和深层地下水两部分。针对县内具体情况,工业、生活用水全部采用地下水。全县共有城镇深井 90 眼,有浅井 6669 眼,主要分布在农村,用于农业、乡镇工业及生活用水。根据县内地下水分布,浅层地下水补给,包括降雨入渗补给、坑塘湖库

补给、河流侧渗补给、灌溉回归等及实际开采量分析计算,得出各片不同年型地下水资源总量。结果如下表所示:

睢宁县各片不同年型地下水资源成果表　　　　　　单位:亿立方米/年

水量 年型 片	P=95%	P=75%	P=50%	现状年	备　注
I	0.2931	0.2922	0.3448	0.4240	
II	0.3701	0.4777	0.5438	0.5918	
III	0.4619	0.5833	0.6575	0.8426	
IV	0.7567	0.9633	1.0561	1.3265	
V	1.0176	1.2940	1.4429	1.8052	
合　计	2.8994	3.6105	4.0451	4.9901	

三、各种典型年水资源总量

根据县内地表水及地下水资源分析计算,得出各种典型年水资源总量。考虑到地表水与地下水的转换关系,存在着一定量的重复计算水量,故应在总量中予以扣除,全县重复水量按地表水与地下水之和的11%扣除,即得出不同保证率水资源总量。同时考虑到凌城、沙集、袁圩、古邳等抽水大站及徐洪河沿线与黄墩湖地区小型机电站直接抽引徐洪河外水,根据统计资料分析即可得出不同年型抽引外水补给水量。结果见下表:

睢宁县水资源总量　　　　　　单位:亿立方米/年

水量 年型 类别	P=95%	P=75%	P=50%	现状年	备　注
地表水	3.17	3.88	4.25	7.60	
地下水	2.88	3.59	4.02	4.99	P=50%典型年因沙集站未建,故外水补给量少
重复水	−0.66	−0.82	−0.91	−1.38	
小　计	5.39	6.65	7.36	11.20	
外水补给	2.05	1.77	0.17	2.05	
合　计	7.45	8.44	7.57	13.26	

第二节　现状用水量调查分析

用水量包括农业用水、工业用水、生活用水及其他用水等。现状年1990年全县用水量66870.85万立方米,其中农业用水量46626.99万立方米,占用水总量的69.7%;工业用水量1172.83万立方米,占用水总量的1.8%;生活用水量1684.69万立方米,占用水总量的2.5%;其他用水量17386.34万立方米,占用水总量的26%。

睢宁县 1990 年用水总量表（现状年）　　　　　　　单位:万立方米

全县年 用水量	农 业 用水量	%	工 业 用水量	%	生 活 用水量	%	其 他 用水量	%
66870.85	46626.99	69.7	1172.831	1.8	1684.69	2.5	17386.34	26

一、农业用水量分析

全县总耕地面积为 152.92 万亩,其中小麦种植面积 100.2 万亩,水稻种植面积 42 万亩(1990 年统计资料)。根据全县各片作物种植面积及作物灌溉定额,得出各片不同年型灌溉水量,从而得出各片不同典型年农业灌溉用水量。结果见下表:

睢宁县各片不同典型年农业灌溉用水量表　　　　　单位:万立方米

水量片 年型	Ⅰ	Ⅱ	Ⅲ	Ⅳ	Ⅴ	全县
P＝95％	6384.26	6686.85	6410.31	17415.02	33154.92	70051.36
P＝75％	5638.04	6767.60	5082.25	14415.55	29649.48	61552.92
P＝50％	4660.82	5112.74	3604.26	13554.77	30098.65	57031.24
现状年	4065.19	4002.67	3096.31	10874.67	24588.15	46626.99

二、工业用水分析

工业用水主要集中在城区,各乡镇工业欠发达,用水量小,工业用水各种典型年均采用现状年调查资料确定。由于地表水严重污染,城区用水主要靠地下水,根据县节水办公室提供的资料,1990 年城区工业用水为 1053.45 万立方米。各片用水量,根据水利局取水登记,结果列表如下:

现状年(1990 年)各片工业用水量表　　　　　　　单位:万立方米

水量片 年型	Ⅰ	Ⅱ	Ⅲ	Ⅳ	Ⅴ	全县
现状年 (1990 年)	18	6.65	7.64	1117.82	22.72	1172.83

三、生活用水

城镇生活用水定额为 92.8 公升/(人·日),农村生活用水人均定额 25 公升/(人·日),畜牧用水,牛、马、驴、骡等大牲畜用水定额 36 公升/(头·日),猪、羊等小牲畜用水定额 14 公升/(头·日)。根据用水定额计算得出各片生活用水量。列表如下:

现状年（1990年）各片生活用水量表

水量 年型　片	Ⅰ	Ⅱ	Ⅲ	Ⅳ	Ⅴ	全县
现状年 （1990年）	103.94	165.85	264.04	567.04	583.82	1684.69

四、其他用水

其他用水主要指水面蒸发损耗。根据不同典型年各片水面面积及梁集试验站各种典型年的实测蒸发资料计算而得，结果见下表：

睢宁县各片不同典型年水面蒸发损耗量成果表　　　　单位：万立方米

水量 年型　片	Ⅰ	Ⅱ	Ⅲ	Ⅳ	Ⅴ	全县
P=95%	1244.32	3965.96	2361.40	4156.82	7149.50	18878.0
P=75%	1249.69	3682.70	2207.78	3946.89	6876.14	17963.20
P=50%	1403.14	4224.34	2586.01	4434.77	7659.77	20308.03
现状年	1212.67	3612.95	2133.41	3810.86	6616.45	17368.34

五、各种年型总用水量

各种年型总用水量包括农业、工业、生活及其他用水量。见下表：

各种年型总用水量　　　　单位：万立方米

水量 年型　片	Ⅰ	Ⅱ	Ⅲ	Ⅳ	Ⅴ	全县
P=95%	7750.52	10825.31	9043.39	23256.70	40910.96	91786.88
P=75%	7009.67	10622.80	7561.71	20047.30	37132.16	82373.64
P=50%	6185.90	9509.58	6461.95	19674.40	38364.96	80196.79
现状年	5399.80	7788.12	5501.40	16370.39	31811.14	66870.85

第三节　水资源供需平衡

水资源供需平衡是在现有工程条件、现有管理水平和用水量及现有工农业、人口布局等情况下，遇到不同保证率的雨情、水情、旱情时，对可能的水资源供需所作的分析。进行水资源供需平衡的目的是研究并解决在国民经济发展过程中可能出现的水资源供需矛盾。

一、各片现状水平不同典型年可利用水资源的确定

根据睢宁县的具体情况,可利用水资源是指在旱地径流、水田排水、水面径流、地下水开采、引用外来水、各种回归水等水量共同存在,并通过各片水利工程进行调节的情况下,所能达到的最大可供水量。详见下表:

全县分片现状水平可利用水资源量统计表

P=27%　　　　　　　　　　　（现状年 1990 年）　　　　　　　　　　　单位:万立方米

片	I	II	III	IV	V	全县
地表水	6253.71	12256.35	13263.61	16600.64	22276.91	70651.22
地下水	405.00	1039.00	1531.00	7070.00	2803.00	12848.00
翻引水	1090.00	1238.00	4919.00	5746.00	7512.00	20505.00
回归水	406.52	400.27	309.63	1087.47	2458.82	4662.71
合计	8155.23	14933.62	20023.24	30504.11	35050.73	108666.93

P=50%　　　　　　　　　　　（平水年 1976 年）　　　　　　　　　　　单位:万立方米

片	I	II	III	IV	V	全县
地表水	3353.82	7198.03	5676.46	9215.35	14467.59	39911.25
地下水	405.00	1039.00	1531.00	7070.00	2803.00	12848.00
翻引水	1090.00	1238.00	4919.00	5746.00	7512.00	20505.00
回归水	466.08	511.27	360.43	1355.48	3009.90	5703.13
合计	5314.90	9986.30	12486.89	23386.83	27792.46	78967.38

P=75%　　　　　　　　　　　（中枯年 1989 年）　　　　　　　　　　　单位:万立方米

片	I	II	III	IV	V	全县
地表水	2456.53	5716.68	5769.30	8950.27	14275.84	37168.62
地下水	405.00	1039.00	1531.00	7070.00	2803.00	12848.00
翻引水	1090.00	1238.00	4919.00	5746.00	7512.00	20505.00
回归水	563.80	676.76	508.23	1441.56	2964.95	6155.30
合计	4515.33	8670.44	12727.53	23207.83	27555.79	76676.92

P=95%　　　　　　　　　　　（特枯年 1988 年）　　　　　　　　　　　单位:万立方米

片	I	II	III	IV	V	全县
地表水	2026.40	4424.49	3375.84	7513.82	13254.38	30594.93
地下水	405.00	1039.00	1531.00	7070.00	2803.00	12848.00
翻引水	1090.00	1238.00	4919.00	5746.00	7512.00	20505.00
回归水	638.43	668.69	641.03	1741.50	3315.49	7005.14
合计	4159.83	7370.18	10466.87	22071.32	26884.87	70953.07

二、现状水平不同典型年的水量供需平衡

睢宁极少有过境水量。全县三大水系泾渭分明,水资源供需平衡可分水系进行。

　　沂沭泗水系：即Ⅰ片，黄墩湖低洼区。为相对独立的供需水系统。

　　废黄河水系：即Ⅱ片，废黄河高滩区。为相对独立的供需水系统。

　　徐洪河水系：即Ⅲ、Ⅳ、Ⅴ片，同属洪泽湖水系，这三片余缺水可以通过现有水利工程相互调配。

　　1.通过不同典型年分水系进行时段演算，即主要考虑河网调蓄及可利用水量和用水量的年内分配等因素，按实际演算，结果列表如下：

分水系　现状年（1990 年）P＝27％供需平衡成果表　　单位：万立方米

水系名称	片	可利用量	用水量	废泄量	余缺量	结果
沂沭泗	Ⅰ	8155.23	5399.80	2585.91	−803.36	缺
废黄河	Ⅱ	14933.62	7788.12	4235.92	−1059.86	缺
徐洪河	Ⅲ、Ⅳ、Ⅴ	85578.08	53682.93	24937.54	−8297.44	缺
合计		108666.93	66870.85	31759.37	−10160.66	缺

分水系　平水年（1976 年）P＝50％供需平衡成果表　　单位：万立方米

水系名称	片	可利用量	用水量	废泄量	余缺量	结果
沂沭泗	Ⅰ	5314.90	6185.90	979.13	−1932.07	缺
废黄河	Ⅱ	9986.30	9509.58	1603.89	−2330.93	缺
徐洪河	Ⅲ、Ⅳ、Ⅴ	63666.18	64501.31	9442.34	−15128.76	缺
合计		78967.38	80196.79	12025.35	−19391.76	缺

分水系　中枯年（1989 年）P＝75％供需平衡成果表　　单位：万立方米

水系名称	片	可利用量	用水量	废泄量	余缺量	结果
沂沭泗	Ⅰ	4515.33	7009.67	852.09	−3346.43	缺
废黄河	Ⅱ	8670.44	10622.80	1395.78	−3348.14	缺
徐洪河	Ⅲ、Ⅳ、Ⅴ	63491.15	64741.17	8217.19	−15927.18	缺
合计		76676.92	82373.64	10465.06	−22621.61	缺

分水系　特枯年（1988 年）P＝95％供需平衡成果表　　单位：万立方米

水系名称	片	可利用量	用水量	废泄量	余缺量	结果
沂沭泗	Ⅰ	4159.83	7750.52	484.04	−4077.73	缺
废黄河	Ⅱ	7370.18	10825.31	792.90	−4248.04	缺
徐洪河	Ⅲ、Ⅳ、Ⅴ	59423.06	73211.05	4667.90	−18553.18	缺
合计		70953.07	91786.88	5944.84	−26879.10	缺

　　演算后的供需结果显示，各种年型均缺水。

　　现状年（P＝27％）　　　　全县缺水 10160.66 万立方米

　　平水年（P＝50％）　　　　全县缺水 19391.76 万立方米

中枯年(P＝75％)　　　　全县缺水 22621.61 万立方米

特枯年(P＝95％)　　　　全县缺水 26879.10 万立方米

2. 不考虑可利用量和用水量的年内分配情况进行计算,不同保证率典型年分水系水量平衡见下表:

分水系不同保证率年平衡水量余缺成果表　　　　　　单位:万立方米

水量 水系 保证率	沂沭泗水系		废黄河水系		徐洪河水系		全　　县	
	年平衡 年用水量	结果	年平衡 年用水量	结果	年平衡 年用水量	结果	年平衡 年用水量	结果
P＝27％ (现状年)	－169.52 5399.80	平	＋2909.58 7788.12	余	＋6957.61 53682.93	余	＋10036.71 66870.85	余
P＝50％ (平水年)	－1850.13 6185.90	缺	－1127.17 9509.58	缺	－10277.47 64501.31	缺	－13254.76 80196.79	缺
P＝75％ (中枯年)	－3346.43 7009.67	缺	－3348.14 10622.80	缺	－9467.21 64741.17	缺	－16161.78 82373.64	缺
P＝95％ (特枯年)	－4077.73 7750.52	缺	－4248.04 10825.31	缺	－18455.89 73211.05	缺	－26778.65 91786.88	缺

第二篇
古今水利略述

第一章　历代治理

　　睢宁建县始于西汉(公元前 206 年),因睢水流经县城北,故名睢陵县,取"睢水经过"之意。金宣宗兴定二年(公元 1218 年)取"睢水安宁"之意,改为睢宁县。建县之初便以河起名,可见睢宁之发展与水利密切相关。

　　从建县始至 1949 年,历经 2155 年。年代久远,社会变革频繁,县内水系多次大幅度变迁。历代封建王朝从维护统治阶级利益出发,对水旱灾害,也曾带领广大劳动人民奋起抗争。其间也有疏于理政,水利不兴,酿成大面积的洪水灾害的时候。

第一节　古代和近代水系变迁

　　纵观睢宁河道之变迁,中华人民共和国建国前大体可以分三个时期:一是 1194 年之前,全县属泗水水系。北有沂、武交流于下邳会于泗。南有睢河(或称"睢水")有潼水、乌慈水入睢。睢河东流宿迁后仍入泗。二是从 1194 年黄河夺泗始,至 1855 年河决铜瓦厢(河南兰考县北)黄河再度北徙止,共 661 年,黄河流经睢宁。此间是水系、地形大幅度变化阶段。三是从 1855 年至 1949 年,94 年间,全县分三个水系。由于黄河多年多次决口,冲决成 10 余条支河。黄河夺泗以后,睢河南移至汴河下段入洪泽湖,东侧故道形成安河。河南之支河多南北走向,由安河入洪泽湖。河北支河东西走向入运河。黄河高亢,自身形成独立水系。此三水系从第二时期开始逐渐演变而来。

　　自古以来,睢宁河道,泗水为大,睢水次之,潼水又次之,诸河之水皆注入淮河。当时淮河宽广,泗、睢、潼畅流,虽有涝年也不致成灾。黄河夺泗入淮后,睢宁之河遂变,经常泛滥成灾,人民长期苦不堪言。黄河夺泗对睢宁而言是长期的灾难深重的一次大变化,其变化表现为:

　　第一,排水标准大大降低。黄河夺泗河水猛涨,使各支河之水排水机会减少,直到根本无法排水。排水受阻,积水成灾。

　　第二,长期形不成新的洪水出路。黄河屡次决口,夹带大量泥沙,将睢、潼河流淤平,造成水无出路。县志载,明天启二年(1622 年)、崇祯二年(1629 年),黄河冲决,睢水淤为平地。从黄河夺泗到睢水淤平,历经 435 年。河北之水入运河,常受运河高水顶托,形成黄墩湖低洼地区,经常积水。河南虽冲决成几条小河,但汇于东南必须经安河(宿迁称罗家河)入洪泽湖。安河从睢宁县境至洪泽湖 55 公里,排水口门狭小,疏浚土方量大,一县之力难以胜任。安河又处数县交界地区(建国后是两省四县交界,即江苏省睢宁、宿迁、泗洪三县,安徽省泗县),上游想疏浚并提高排水标准,而下游害怕增加洪水压力,往往予以阻挠,甚至形成纠纷。据载,古代的一些知县多次疏浚安河,均难以奏效。1976 年冬,徐洪河第一期工程提高安河标准,排水口门才真正打开。1991 年冬,徐洪河全线挖成,黄河以北之水可以向南分流,才基本解决了河北黄墩湖地区排水出路问题。从 1629 年睢水淤平,至徐洪河全线开通,历时 362 年。

　　第三,地形地貌变化,肥沃土变成泡沙盐碱土。古之睢宁有山有水,有河流有湖泊,地形是复杂的。古代没有显示高程的县地形图,但在北有泗水南有睢水的年代里,睢宁广大平原地区地面高低总的趋势应是"西高东低"、"南高北低"(或者至多在泗水与睢水之间有一条分水线)。水往低处流,汛期排水南半部入睢,北半部入泗。沂水、武水发源于山东省,于下邳入泗,足以说明泗水一线地势是低的。睢水南侧,东有潼水,西有乌慈水,皆自南而北入睢水,可见睢水一线也较低。黄河夺泗后,河床逐年淤高,形成高于两侧地面的悬河。而后又是决口频繁,每决一次口形成一个冲积扇,久而久之,冲积扇相互重叠,地面逐渐抬高,形成现代的地形:县内故黄河南大片地区,是"西北高东南低"、"北高南低"。睢宁黄土地的厚度,北部黄河一线最厚,愈向南愈薄,到凌城、邱集、官山之南部沙土地消失。按高程推算,南部粘土地区,邱集地面真高 19.5 米,官山东部地面真高 20 米。北部位于黄河沿线的黄土地区,魏集地面真高 24 米,姚集地面真高 25 米。据打井土层记录分析,黄河沿线沙土层厚度8~10 米(西北部沙土厚度超过 10 米),魏集、姚集等地去掉沙土层,其高程均低于南部的邱集、官山的地面高程。1991 年冬季开挖徐洪河,在高作乡北部张皮桥下,高程约 16 米处挖出数口棺材,据此推算地面高程亦低于南部邱集、官山一带地面。现在的土地约百分之六十以上为沙性土质,这种沙土易旱易涝,土质瘠薄。旱时常伴有风、沙灾,作物易枯死。涝时易包浆(俗称包浆土),雨后易板结,作物受溃枯瘦发黄。水利不兴,盐碱地特别多,建国初期全县耕地 178.6 万亩,其中重碱地 42.6 万亩。建国后近 50 年的水利发展史,实际就是治水改土的奋斗史。而这种劣质土的来源便是黄河夺泗形成的。

第四,洪水肆虐,长期制约睢宁经济发展。黄河流经睢宁 661 年间,随着河床的淤积,决口的频率愈来愈高,其灾害数不胜数。每决一次口,形成一片冲积扇,沙淹大片良田。水冲、沙淹,当年不能耕种,要若干年后才能复垦。明初全县共有耕地 45.75 万亩,这只相当于应有可耕地的三分之一或四分之一。至崇祯二年(629 年),河决大水破城,民居官舍漂没一空。这样田园大面积荒芜的重复局面,历史上何止一次、两次。由于水患直接死亡、大水后的次生灾害(如瘟疫等)死亡和外逃谋生,全县多次人口大减。一个土地反复被淹没、人口数次大幅度减少的县,根本谈不上发展经济了。

第二节　泗水水系

古有汶、济、泗、荷、汴、睢、沂、沭八水相通之道。流经睢境的有睢、沂、泗。泗为八水之干川。大禹导淮会泗、沂人海为最古,但非今道。夏时建邳为薛都时(归属徐州),北就有沂水,西有武水,南有泗水,故古时有"沂武交流泗水通"之诗句。泗水是造福徐、邳一带的大河。泗水经过之地,从不为患,且清流贯注,荡刷宽深。纵有漫溢,与田畴庐舍,尚不为灾。为邳志补作序的窦□圆(原文如此,编者注)、鲁通甫二位先生说:"下邳北控齐、鲁,南蔽江淮,东俯胸海,西走梁、宋,水陆之要冲南北之喉襟也。"明朝尚书朱衡曾奏言:徐邳为粮运之正道也!

睢宁南部,古有潼水、乌慈水,还有睢水绕城北往东而流,沟通了南北交通。睢城西北二里,有庙湾古渡,南来北往,渡者纷然。古人有诗曰:古渡相传秋复春,行人何处问通津,往来多少英雄客,曾记当年郑惠人。

一、泗水

康熙五十七年(1718 年)县志载:泗水治西北七十里,源有四泉故名。出山东泗水县,过彭城合沂水,历睢治,经下邳入淮。省水利志(1998年12月修改稿)载:泗水源于山东省沂蒙山区,古为淮河支流。泗水经山东省曲阜、兖州南流至徐州,西会古卞水,至下邳东会沂水,至宿迁西纳睢水,至淮阴杨庄汇入淮河。

二、沂水

《水经注》载:源、出山东泰山盖县临乐子山,南至下邳入泗水。沂水南过梁城县西又南过下邳县西南入于泗。沂水于县北分为二:一水于城北(城指下邳)西南入泗,谓之大沂水。一水经城东,屈从县南,亦注泗,谓之小沂水。

三、武水与武源水

《汉书·地理志》载:泰山南武阳冠石山治水所出南至下邳入泗应曰武水。《水经注》曰:武原水出武原县西北,南迳其城西,又南合武水谓之咖水,南迳刚亭城又南至下邳入泗谓之武源、水口。

四、睢水(亦有称"睢河")

上源是河南省陈留县西浪荡渠(开封东南),经睢州(睢县)北,商丘南,永城县南,宿州北,从灵璧北入孟山湖,至睢宁界后,历孟山、潼郡(现灵璧县高楼东),至子仙,经岗头,过庙湾,绕县治后向东,再东抵高作、耿车于宿迁南入泗。黄河夺泗以后,明天启二年(1622年)及崇祯二年(1629年),黄河决溢"淤为平陆,故道随湮"。后小河(睢河又名小河)自孟山东下经县南界,由找沟而东南,入祠堂湖口(现今入洪泽湖)。现称"老濉河"。

五、潼水

《水经注》载:睢水又东与潼水会,旧上承潼县西南潼陂,东北流迳潼县故城北,又东北迳睢陵县下会睢。

六、乌慈水

《水经注》载:睢水又东合乌慈水。水出取虑县西南乌慈渚,东北流与长直故渎合,又东迳取虑县南,又东屈迳其城东而北流注睢。

第三节　黄河变迁和睢宁河防

睢宁县古代水利工程管理、防汛抢险,旧志多记述黄河的塞决变迁。黄水之河防,足以能体现睢宁劳动人民千百年来与洪水作斗争的献身精神。

一、河道由来

据史书记载和沿黄史志考证,黄河侵淮始于汉,公元前168年(汉文帝十二年十二月),河决酸枣,东溃金堤,河溢通泗。公元前132年(汉武帝元光三年)夏,河决瓠子复通于泗,至公元前109年而塞,始复故道。

1128年(南宋建炎二年或金天会六年),东京(今开封)留守"杜充决黄河自泗入淮以阻金兵"。决口地点在李固渡(河南滑县沙店集南)以西,自鱼台以北入泗水,在沛县北进入江苏南下,经徐州、邳州(今古邳)、宿迁、淮阴、安东,从云梯关入海。黄河大规模南泛,长期侵泗夺淮入海,始于1194年(南宋绍熙五年),黄河大决于阳武(今河南省原阳县境),主流循道凶猛南下,由封丘至徐州入泗水,自淮阴以下全面侵占淮河入海水道。其后又经过多次变动,直到明代后期,经白昂、刘大夏、潘季驯主持治理,河道才基本上固定下来。逐步形成从丰、砀交界二坝,东行入徐州市区折而东南,穿越铜山、睢宁、宿迁、泗阳、淮阴、淮安、涟水、阜宁,经响水、滨海到大淤尖以东注入黄海。1855年(清咸丰五年)河决河南省兰阳铜瓦厢(今河南兰考县北)再度北徙,经山东利津入渤海。自此黄淮分离,原东流遗留的河槽即成为今天的废黄河。

从1194年黄河侵泗夺淮入海,到1855年黄河铜瓦厢决口北行的661年间,其上、下游河道均有变迁,而徐州东之铜、睢、宿段基本稳定在现有河床上,其河水全流于徐淮段。南京师范大学地理系教授单树模在《江苏黄河故道历史地理考证》一文中写道:明代后期从正德初年到崇祯末年(1506年~1644年),徐州上游段河道变化特征是分支多流的局面逐渐趋向结束。1546年(明嘉靖二十五年)以后,南流故道始尽塞。全河尽出徐、邳夺泗入淮。以后虽然仍有决徙,但经潘季驯治理,到1616年(明万历四十四年)逐渐稳定在今地图的废黄河流路上。

明成祖永乐九年(1411年),为了迁都北京,成祖命人修通了元代一度开凿的会通河。此后约四百年间江南漕粮,即经江南运河、淮扬诸湖、黄河(苏北徐淮段)、会通河而至通州。因此至明后期潘季驯整理河槽时,为了确保漕运,采取"塞决筑堤,束水攻沙"的策略,在徐、睢、邳、宿段,大筑缕堤(近河口堤)、遥堤(离河较远)、格堤(缕遥之间横格)、月堤和减水坝(缕堤边月堤)。遥堤约拦水势,取其易守。而遥堤之内复筑格堤,盖虑决水顺遥堤而下,即可成河,而欲遇格即止也。缕堤约束河流取其冲刷,而缕堤之外复筑月堤,是恐缕逼河流,难免冲刷,使其遇月即止。盖缕堤既不可恃,万一决缕而出,横流遇格而止,可免泛滥。水退,本格之水复归槽,淤留地高,最为适宜。按此,潘季驯于万历六年(1578年)大筑两岸堤工。北岸遥堤自徐州吕梁起至邳州直河止,除山岗间断共长9464丈。南岸遥堤自徐州三山起至宿迁县李字铺止,计长28557丈(三山约在徐州东南十里,李字铺约在直河口对岸之迄下)。潘季驯又于万历十七年(1589年)初筑徐州以下南岸格堤共七处(徐州之房村,灵璧之单家口、双沟,睢宁之马家浅、辛安,邳州之羊山,宿迁之丰山)。万历十九年(1591年)冬潘季驯以邳州直河以西地势低洼,故放淤以固永久,修固遥堤,将缕堤开缺放水淤平内地。据《河防杂志》云:邳州北岸堤工,因有险汛相隔,分至五段。第一段上自徐州界起,下至鲤鱼山止,长830丈;第二段上自鲤鱼山起,下至塘池险工止,长3670丈;第三段上自塘池险埽工迤东新堤头起,下至董家塘埽工西头止,长570丈;第四段上自董家塘埽工东格堤起,下至五工头埽工西头止,长990丈;第五段上自五工头埽工东头起,历青墩营至宿迁界止,长4230丈,皆康熙十七、十八(1678年、1679年)两年,靳铺治河时新筑堤。康熙十九年(1680年)以前大河去堤甚远,至康熙二十年(1681年)河泓突然北徙,直冲堤根,况其中地势甚洼,半为钟山之区,乘风撞击,设或破堤而过,则黄河随蹑其后,为害不可胜言。又于徐州界起至庙山止,绵山起至拐山止,各筑格堤一道。此两处皆山涧深沟,涉或缕堤有失,则建领之势,北泻勘虞也。又于羊山寺东至西筑遥堤一道,防其北流羊山寺,南筑格堤一道,障其东注,如此不惟邳州民舍可安,而邳、宿运河可保无虞。

据《河南黄河志》记载:明清筑堤"必择坚实好土,毋用浮杂泥沙,必干湿得宜,燥则每层须用水湿润",土壤过湿"须取起晒晾,候稍干方加夯杵",取土必于数十步外,平取尺许,毋深取成坑,致防耕种,毋近堤成沟,致水漫浸。坯头宜薄,明时每高五寸即夯杵二三遍,"用铁锥筒探之,或间一掘试","清时每坯一尺三寸,硪后一尺,并以锥锥孔,孔中注水,视浸水快慢,以定筑堤之虚实"。从现存堤堰看,先人筑堤是坚实的。

二、黄河防汛

在明、清年间,大筑遥缕堤以保堤防漕运安全,并健全防汛体系。据《河防一览》记载:明万历十八年(1590年),潘季驯治河时期,河堤上每三里设一堡,建好堡房。县内河南岸从代楼到辛安汛段,计有代、门、徐、戚、岁、藏、吕、刚、相、云十字堡。河北岸设许、何、尤、秦、朱、相、韩、沈八字堡。上段铜、睢界,河南岸有金、雷、为、结、露、雨六字堡。北岸有严、曹、孔、张、施、吕六字堡。邳、睢界北岸有梁、光、夏、儒、烈、关、难、号、钏九字堡。南岸有窦、水、柏、玉、邹、谢六字堡。每堡看管一人,初期外地招募,后改以当地人充任,每夫划地分管,专管修堤植柳,此即民守。据《睢宁县光绪志备考》说明:按睢宁沿河一带岁修处所,各有定号,自灵璧而东,如焦、段、武、朱四营皆属邳地,而睢宁岁为防修。自邳州东南水、玉二堡,皆属睢地,而邳州岁岁防修,分工清数,详载碑记,历有余年未改。顺治十六年(1659年)水、玉二堡,河流冲扫堤口将决,邳之士民借口睢地,具呈河治,妄报睢宁暂为协修。知县王加瑞率领士民不避威严,洒涕痛陈,当蒙监察,忘报情弊,仍批邳州照旧例防修。《河防一览》刊载:黄河北岸自蒋字号起至严字号止,南岸自藏字号起金字号止,两岸分属睢宁防汛。北岸接严字起豆字号止,南岸接金字号起梁字号止,两岸分属邳州防汛。此从来定制也。近因邳州民具呈以却城建河北,北岸自徐州界以下,俱改属邳州工程。睢宁城建河南,南岸自宿迁界以上,俱改成睢宁工程。但北岸睢宁自鲤鱼山以下,至青羊山绵拐山40余里,以山为堤。南岸自宿迁界以上至睢宁旧界60余里,寸寸遥缕夹筑,且有代家楼韩庄二险工,是睢宁以长山40里易邳州大工40里也。由此可见,睢邳为黄河防洪岁修常有争议。

据《睢宁县志》记载,由于以上纠纷在明后期,邳、睢段黄河防汛明确分工为:设邳北厅和睢南厅分工防守。邳北厅设通判一员,守备一员,管辖黄河北岸工程,上至铜沛厅大坝汛界起,下至宿北厅皂河汛止,堤长10952丈。下设董家塘汛(地属睢宁县),汛设州判一员,千总一员,协防一员,保护堤防民夫24名(住堡看守),驻防兵231名,汛界从铜沛大坝起至五工头汛宋湾止,堤长5202丈。五工头汛下至皂河汛,堤长5750丈,设州判一员,千总一员,协防一员,民夫25人,兵240人。睢南厅设同知一员,管理南岸堤防工程,上自铜沛厅小店汛起,下至宿南厅周家楼汛界止,堤长20904丈。睢南厅下设王家塘汛和代家楼汛:王塘汛设灵璧主簿一人(当时双沟一带属灵璧县),睢宁县丞一人,把总一人,协防二人,民夫66人,驻防兵218人,管辖从小店汛到代家楼汛,堤长12173丈。代楼汛设主簿一员,协防二员(嘉庆二十年,即1815年又增加一员),民夫38人,兵225人,汛界从王家塘到宿南厅周家楼汛止,长8731丈。通过科学分工和严格防守以减少黄汛灾害。

明隆庆年间,仿飞报边情事,摆设塘马,上自潼关,下至宿迁,每三十里为一节,一日夜驰五百里,传递水情(摘自《河南黄河志》)。为减轻水势,在河南岸建减水闸。清靳铺治河,江苏境内减水闸30余处,其中康熙二十四年(1685年)在睢宁县西北65里峰山西南,左有虎山,右有龙山,因山建减水石闸四座,以减黄合睢入淮。头闸在西,依次而东,视徐州城北门志桩为准,决定开闸时间和开闸孔数。减水闸下有"闸河"。

闸河从峰山向南,经曲头庄,过邳州营地,经朱家圩东,乔山西,丁字山西,土山东,刘湖山东,张家圩营西入灵璧境达睢河。据《灵璧县志》记载:康熙三十九年(1700年)以后,河底渐深,水不过闸,到乾隆三年(1738年)(有资料为四年),总河高斌复于峰山闸下开引河一道,由马家浅、焦官营西南至灵璧枕头山入渔沟归孟山湖达滩河下注洪泽湖,全长11980.7丈,闸河西堰从闸下起至魏家桥止长9403丈,皆是乾隆三十七年(1772年)创筑。闸河堰工历次淤垫刷残随时培浚,皆系民办民守,乾隆四十二年(1777年)督河院议设堰长,修守寻防。此河自康熙时历年开闸,田禾一空,沿河钱粮豁免。咸丰五年0855年),黄河北迁,闸坝不开,数十里闸河,顿成熟田,农民又开始交纳钱粮。

在黄河两侧险工地段,为确保河堤安全,在1855年铜瓦厢改道之前,在遥缕堤外复筑月堰,为险工二道防线。河北岸有新工险段的新工月堰,五工头险段的苗集月堰,董塘险段的马帮月堰,洪大庙险段的高台堪。河南岸有位庄险段的位工圩堰、韩坝月堰,二堡堰牛角月堰,石碑圩堪和双沟的尚坝月堰。这些月堰当时修筑与遥堤质规相同,高程有的基本齐平(如位工圩建国后还和遥堤相同),由于河水改道,月堰逐年退落,被当地群众用土建房,平田整地,现依稀有迹可寻。

三、黄河决口和滩地平原形成

现有黄河滩地是自潘季驯采用"束水攻沙,放淤固堤"的治黄策略以后,经过明清两代不断实践逐渐形成的。《淮系年表》记载,康熙二十六年(1687年),河总靳铺复创行黄河放淤之法,固获堤根。在邳州南董家塘(今象山以北)建设涵洞放淤灌注月堤,亦设涵洞以出清水,不久内塘淤高,堤根永固,即成现在的"象山"北片滩地。而河水流向由象山北改流象山南(即今之河床),同时避免董家塘段险汛,以保古邳之安全。

黄河堤内高滩之形成,黄河在夺淮入海的几百年时间内,河水由黄土高原带来大量泥沙,在区内沉积而形成了今天的黄河故道。

古黄河是有名的多沙性河流,西汉时已有"河水重浊,号为一石六斗泥"的记载(《汉书·沟洫志》)。明代黄河在枯水期"沙居其六",伏汛时"则水居其二"(《河防一览》卷二)。清代时"黄河斗水,沙居其七"(《续行水金鉴》)。建国后的河南黄河实测:黄水含沙量为38公斤/立方米/秒,洪水期达70公斤/立方米/秒,年输沙量达16亿吨左右。每当汛期,水位猛增,在一般河堤薄弱工段,如防汛不力,就容易发生溃决。据黄河下游段的历史记载,从公元前602年(周定王五年)到1919年的2500多年中,黄河决溢泛滥计1593次,较大的改道26次。其中秦汉时期平均26年决溢一次,三国至五代平均每10年决溢一次,"北宋时则迅速增长成一年一次,明、清代则进而增至平均四个月至七个月一次,在上游北洋军阀和国民党统治时期为三个月一次"。在苏北段黄河决口扇群有十三处,睢宁段即有三处。一是睢西决口扇群。决口地点主要发生在马浅(马浅、曲头集、王家口)、双沟镇和可怜庄等,是一个多决口地,相互叠置覆盖的决口扇群,其前缘进入安徽省灵璧县境的赵楼乡。二是睢宿决口扇群。主要决口地点在白浪浅(今庆安水库)、位家庄(今魏集)和朱家海(和睢宁近邻的宿迁朱海)等地。前缘进入宿迁境内,扇顶至扇缘平均距离25公里,延伸较短,也是个多次相互迭复的决口扇群。三是古邳决口扇群。决口地点在古邳镇附近。古邳原为沂、武河入泗水的河口地带,地处凹岸部位。夏季时洪水猛涨,沂水大量注入,常易决口,形成古邳决口扇。扇形地向东北延伸较长,其前缘已投入骆马湖(以上摘自《南京师范大学学报》中"决口扇微地貌"一文)。其次还有武官营、朱营、王塘、房湾等中部决口扇群,蔓延到睢宁中部地区,其前缘达新龙河北岸的大部分地区,为相互迭复的决口扇群。

大堤决口,因黄河堤内河床高悬,河床与坦荡平原地面间高差大,决口水流在平原上冲出决口泛道,即形成河流。如:位家庄决口形成的沈家河(今中、西渭河),朱海决口形成的东渭河,马浅决口形成的田河,白浪浅决口形成的白塘河等。每处决口,以舌状或扇形四散漫流,水流由厚趋薄乃至尖灭,以"急沙漫淤"的规律在堤外平原上堆积、淤高。加上迭复决口,高注激中漫淤,经过先后300余年,在原状土上堆高3~5米(东薄西厚,西北苏塘等地堆高10米以上),即成为今日的平原沙碱土地。土质是近沙远淤,其高程是西高东低(双沟、苏塘一带32~30米,中部25~22米,古邳为23~21米),形成万分之一的平原坡地。至今决口扇形地面积仍占全县总耕地面积的60%左右。

黄河经常决口,河泓极不稳定,因而河防极端困难。北宋、南宋320年中睢宁遭受重大黄灾6次。及至元代更甚于宋朝,元朝89年,睢宁被洪水淹没5次。明、清两代灾害更加频繁,有记载的影响重大的决口,明代15次,清代14次(至咸丰五年,即1855年黄河北迁止)。每次决口都有前因后果和不堪回首的一段痛苦过程。下面仅举三例。

其一,明隆庆三、四、五年,决口多,堵塞难。据《邳州志》记载:明世宗嘉靖三十一年(1552年)九月,河决新安(今张圩东南),运道淤阻五十里,河总曹钧上治河方略,筑沂河(今古邳)诸处堤工。穆宗隆庆三年(1569年)河决漕船阻境内不能进。隆庆四年0570年)九月复决自白浪浅至宿迁小河口,淤百八十里。隆庆五年(1571年)四月灵璧双沟南北决十一口,支流散溢下睢宁出小河(即睢城北之睢河),而匙头弯(今宿迁南)八十里正河悉淤。河总潘季驯役丁夫五万塞十一口,浚匙头弯筑缕堤,故道已复(节录明副使冯敏功《开复邳河记》)。隆庆庚午(1570年)秋九月,河决睢宁之白浪浅、青羊浅(今古邳西青山、羊山一带),河溢分裂溃决,睢宁平地为湖,漂没军民田庐无算,正河故道自曹家口至邳之直河几十里,胥为平陆,淤运艘九百三十支,粮四十万石,官民船又数百艘。于是启大中丞归安潘公(潘季驯当时归休在家)俾治之。时议多以为故道不可复,有欲因决势而利导之。潘公谓:河水挟泥沙,急则沙随水滚,少缓则水漫沙停,沙垫底高,容受渐少,每一泛溢,辄便为患。务开小渠引水冲刷,两堤夹束使不散漫,到水势归槽,淤浅渐去,河身自可复归。否则伏秋水至徐邳之间,仍为鱼鳖。议决于隆庆五年(1571年)正月役至,二月筑成,纵水归渠,淤沙渐刷,河流乃通。翌日风雨骤作,水复大溢,又决阎家口东西凡四十处,群情大骇。公扶慰劳,昼夜率堵,诸口渐合,而缕水之堤亦渐成。四月七日狂风挟水势,复冲决阎家口之西及半戈山左右(黄河古绕半山北转向东南,明崇祯末,改流半山之南)。公督率益励,至六月诸工咸毕。于是两岸屹然,河流受束,浚刷淤沙,深度如旧,四十万漕粮飞帆直上。凡公经理之地,安流如故。

其二,1668年河决花山坝,地震后的下邳又遭洪水淹没。黄河在县西北的鲤鱼山,下至小河口,塌泛溢,睢人甚受其害。清初顺治年间,自鲤鱼山南,逼射武官营,塌民田三十余里,横冲遥月等堤一十八道。康熙二年(1663年)河复决武官营。三年(1664年)复决朱官营,猖獗奔溃,有冲城夺漕之势。岁费银粮数千,劳民夫近万,官民受累二十余年。知县冯庆鳞修筑月堤二道,水患稍平。康熙三年(1664年)知县史之玫建议自陈油坊(今张圩)前开浚引河545丈,顺流东下,复归故道,南徙之流近将淤塞,睢民因稍舒。但又造成康熙七年花山坝之决。1668年,6月17日下邳地震,7月12日河决花山,邳州城陷。时水积为巨浸,庐舍尽漂，田地淹没，人民四散，仅存一二百家，栖息护城堤上（即现在的御袋桥一带）。自康熙十八年（1679 年）西堵花山决口，于是州城附近方四五十里，约有田数千顷，皆可耕种。

其三，清乾隆后期河决，夺睢入湖（洪泽湖）。乾隆四十六年（1781 年）元月，河决睢宁南岸魏家庄（即现在的魏工圩），水入洪泽湖，十月塞。魏工决口将归仁堤（是防黄水、睢水南流入淮之堤，并设闸为归仁闸），冲塌淤没。乾隆五十四年（1789 年）元月，河决睢宁南岸周家楼（在袁圩水库内），冲塌归仁堤下南水堤。同时魏工抢险，康吉田随扫入水，救护得生，抢救平稳（魏家庄在周家楼漫口上游十五六里，若魏工不守，睢宁县城正当顶冲）。十月周家楼决亦塞。

黄河流经睢宁 600 多年，累计先后在县境内较大迭复式决口 67 道，另有上游决口 13 道危及睢宁较大的迭复式决口。南岸从双沟到朱海约 15 处，北岸从绵拐山、塘池到古邳左右常决口 10 处，次数之多，为害之深，为苏北段全河之首。每一决口，包括坝、格堤拦淤，即逐渐形成今日之河泓道和大块黄河滩地。据南师大黄河故道考察报告定点分析：①县内魏集河床内，沉积物堆积厚度：高河漫滩厚度为 5.5 米，标高 29.6 米，低河漫滩厚度 4.25 米，标高 27.2 米。魏集比其他点沉积厚度稍薄，因受郯庐断裂带阶梯状断裂影响之故。②弯曲形河道，如耿河（双沟北）至魏集东弯曲系数达 1.91，河道蔓延曲折，似"九曲回肠"，俗有"一道黄河九道弯"之称。其弯道名称从西向东有：苏山弯、庙山弯、马浅弯、宋弯、葫芦弯（刘集）、王塘弯、马帮弯、魏工弯、新工弯。弯曲河道段在横向环流作用下，凹岸侵蚀，凸岸堆积现象十分明显，河床两侧的漫滩平原不对称，宽窄悬殊大。如双沟北高漫滩凸岸宽（河北）5100米，凹岸宽 750 米，高程约 33 米，低漫滩凸岸 230 米，凹岸 154 米，高程 32.1 米。弯曲河段两堤间最大宽度达 6.5 公里，最窄宽度只有近 3 公里（古称南岸到北岸十里半，指华里）。③ 废弃河道多牛轭湖和决口形成的深潭深塘，如黄汉营、房弯、小陈庄、峰山前，均有废弃河道遗迹，但经过数百年耕种，有的轮廓已不清楚。决口处深塘深潭很明显，多是溃堤决口时直接冲决或横向环流挖蚀而成。如县境内之白浪浅湖（白塘湖），房弯前的金潭、银潭，双沟的西大弯，魏集姚村的深水潭等，均有明显冲决遗迹。

黄河内大块滩地均为明清时采用大筑堤坝、约拦水势、束水攻沙、放淤固堤的措施所形成的。根据现有的以坝为地名和古坝址分析：① 双沟的盘王滩地，东有双沟坝，西有上坝。② 河北张楼滩地下有庙山坝。③ 陈王峰山西滩地下有峰山、鲤鱼山和马浅坝。④ 张圩滩地下有花山坝。⑤ 刘集滩地为河泓弯曲形成的葫芦弯。⑥ 刘店滩地下有青山坝。⑦ 象山北滩地下有塘池坝。⑧ 叶场滩地下有韩坝。⑨ 张庄滩地下有袁坝。⑩ 张铺滩地、高党滩地、王圩滩地和宋弯滩地均为黄河弯道保护险工，放淤固堤所形成的。每块滩地均有东粘土西沙土的分布，因为下粘土淤积坚固，不易冲刷，上积沙土漫淤。全河 13 块滩地约 20 余万亩，为古之膏腴之田，富庶之乡。

四、黄河灾害

（一）因黄灾耕地大幅度减少

据光绪十二年县志记载，睢治逼处黄河，田地冲决无常。明初在册行粮地仅 343238 亩，至万历十年（1582 年）知县申其学设立官庄，给民牛、种，开垦成熟地，计开 114300 亩，合计有地 457538 亩。明万历十七年（1589 年）春夏亢旱，六月初五黄水大发，合睢水注县城，平地丈许。明天启六年（1626 年）七月初九，黄河决口围绕睢城荡然，沟壑芦舍淹没，数月方减。至崇祯二年(1629 年)河决大水破城,没及女墙,民居官舍,漂没一空,地荒民逃,原额复减。明崇祯十年(1637 年)知县高其凤,多方经理仍复旧额。清顺治十六年(1659 年)春大旱,睢邑境内,五湖七港尽行干涸。按院委府县括总查丈,山角湖底升科地 413356 亩,因秋涝,新生地仍成湖港。民粮包赔无措,节、年外逃日多,几成废治。

(二)因黄灾人口剧减

在明嘉靖三十一年(1552 年)是 4279 户,62676 人。到嘉靖四十一年(1562 年)户数是 4624 户,人口只有 8648 人。主要是黄河为患,人口大减。到康熙五十五年(1716 年)知县刘如宴经过 45 日自朝至暮,按户清查,审定人口是 9508 人,共编造御银 3136 两 1 钱 5 分,作为定额。另外又清查出增加人口 211665 人,奉皇帝诏书指示,永不加赋。到同治、光绪年间人口即上升到 42 万左右,此时黄河已北迁。由此可见,人口剧减皆是黄灾、重赋造成的。

第四节　废黄河两侧各支河

本节记述黄河夺泗后历次冲决,于 1855 年之后遗留下的排水河流,有的是冲决后经过人工疏浚成河的。

一、支河

(一)田河

明隆庆四年(1570 年)河水暴涨,自徐砀以下悉成巨浸,从曲头集、王家口、马家浅及峰山闸等决口而成。从大王集北向东南流经田家河庄、邢家圩西、小王集东、朱家集西二里范庄(有曰范家河),向南经魏家圩西,又向东南经龙头山西、官山集西,经集南又流向东南,经武家圩东南入泗县境,共长六十余里。此河从官山集南以下,于道光二年(1822 年)间沙淤渐平,夏秋时水大散漫成灾。

(二)龙河(老龙河)

发源于龙集西北藕池,从龙家集南流,经过小王集东五里永宁桥,从朱家集东三里袁家店西边,向东南流经龙头山东北,到南家庙白塘河从北来注入。又东经汤家集北,转向东南经朱大开庄、王尔庄南边,到邱家集南八里,王家前林圩南五里处沈家河自北来注入。到找沟集北边,观音沟水自北来注入,东流入宿迁境,全长九十余里。

此河从汤家集开始,奎河之水注入,夏秋水涨,须将下游宿迁罗家河一并开宽加深,使洪水顺利流入洪泽湖,本县才能免除水灾。乾隆二十三年(1758 年),知县陈筠开凿一次。道光十八年(1838 年)知县左辉春动工整修一次。光绪二年(1876 年),县内有魏惟准等人士请求整修,未能成功。出口不畅,每年汛期河水泛滥,两岸受灾。

(三)白塘河

清道光年间呈请从白塘湖南边开此河以泄湖水。流经李家楼圩东边,小李集东边(有民开水沟自西来注之),官路口庄东边,王家圩后,高家堂西边,毛竹岗圩西边,金家洼、袁家店东边,土山北边,邱家圩西边,到南家庙入龙河,全长五十余里。

(四)沈家河

是魏工决口所冲之河。从魏工南,流经沈家湖,再向南流经戚姬院西边,八里店西边,王家林西边,邱家集东北,南流入龙河。此河又名"林子河"(建国后叫西渭河),全长六十余里。

据县志载：县东积水，全靠此河渲泄，因日久不修，辛兴、方廓、芹沟、五分各社的田地总被淹没。乾隆二十二年(1757年)，侍郎梦龄等曾上表请求开凿此河。以后开挖者甚少。

（五）涸沙河

自沈家湖分东南行，经高作集东，又经毛家洼庄东南，入找沟集北龙河，又名"观音沟"，共长五十余里（建国后称中渭河）。

（六）沙河

雍正三年(1725年)六月，黄河决朱家海所冲之河。自朱家海东南行，承瓜蒌社之水，经王官房集西南，九城庄东，再东南入宿迁，至沙家集东复入县境东南行，经丁家圩西分支东南行，一经全家店北，一经全家店南，都入宿境。日久淤塞。史称"沙河"，建国后宿迁称"西沙河"，睢宁称"东渭河"。

（七）白山河

乾隆二十二年(1757年)，动用国库资金开凿此河以泄白山湖众山之积水。从牛肺山东起，东经龙泉山、石匣山南，白山、甘山北，茅墩山南，半戈山北，向东南流入木社店旧州湖，共长三十余里。由邳州旧城河导入民便闸注入运河。同治九年(1870年)、光绪十年(1884年)两次准备开挖，因与邳州发生争执未能进行。该河与建国后民便河之线路相近。

（八）旧城河

首受旧城湖水，东北至刘家口，距窑湾砦南十里支渠南，出为阎家河。旧城河自东北入宿迁。

（九）白马河

自白马湖北，花山湖北，经花山西，英公山北，寿鹿山北，再向东（杨家湖水自南来注入）经黄山北，马鞍山北，湖山北，再向东（仙庄湖水自南来注入）经小山北，占城集北，东入邳州境，共长三十余里。建国后此河已不在睢宁县境之内。

二、排水沟

除了支河以外，尚有一些排水沟，多系民挑以泄洼地积水，相当于建国后的大沟或中沟工程，因年代久远变化很大，现择录部分如下：

（一）光绪十二年(1886年)六修县志之前记载

1. 自子仙庄北，南行经旧朱集圩东南岳家店北，官山西，张山北，东南经武家圩北东入泗境，共长40余里（与建国后白马河线路相近）。

2. 自赵耳山南起，东经豆山后黄圩北，武家圩南入泗境，共长20余里。

3. 自大李集南行，经李家圩东南入睢河，共长6里余。

4. 自小黄山北起，东经何家圩北，邢家圩西，入田家河，共长5里有余。

5. 自小李集东起入白塘河，共长3里许。

（二）光绪十一年(1885年)所开之沟

1. 自白马湖挑挖7里到沈家桥，宽1丈5尺，深6尺。又由杨家湖挑挖3里，入白马河，宽8尺，深3至4尺不等（建国后此处划归铜山、邳县）。

2. 自傅家楼挑挖经小王庄入白塘河，宽2至3尺，深2至3尺不等，长6至7里。

3. 自小王集后挑挖，由王家塘入龙河，宽8尺，深3至4尺不等，共长15里。

4. 自王家油坊大桥沟上至张家庙，约8里，下至彭万山，约7里，南到窦家山入河，由汤家集入龙河,宽 1 丈,深 3 至 4 尺不等。

（三）光绪十二年（1886 年）所开之沟

牛鼻子沟,自陈庄起弯环 30 余里入龙河,宽 1 丈 2 尺,深 6 尺,专泻姚家集一带之水。

以上介绍的各条河流,是以清光绪十二年（1886 年）六修县志为蓝本的。清以后的民国年间,水利不兴,无记载可考。至建国时（1949 年）,睢宁所存的支河流有:双沟决口形成的运料河;双沟东可怜庄决口形成的新源河;峰山四闸溢洪形成的闸河;因闸河淤高在闸河下游东堤决口流向东南方的白马河、潼河;马浅决口形成的田河、双洋河;武营、朱官营决口形成的龙河;王塘决口形成的牛鼻河;白浪浅决口形成的白塘河;魏工决口形成的西渭河、中渭河、小邱河、小灘河（系县内部南北方向的排水河道,从魏集东开始,经梁集西部、县城西,至汤集。不是指明崇祯二年前的"睢水",亦不是县境南界东西方向的"老灘河"）;朱海决口形成的东渭河（宿迁称西沙河）。黄河以北有绵拐山决口的白山河,下入民便河,民便河、小阁河统入中运河。

第五节　湖泊

古代睢宁湖泊甚多（县志载大河以南,有九湖十二沟,今多湮没）,由于黄河冲决,建国前已全部淤为平地或洼地。建国后经过多年治理,一部分已成为良田。也有些湖地建国后划归他县,如白马湖、花山湖属铜山县,白山湖属邳县等。

现将旧志所载共十六湖,分列如下:

1. 白塘湖。在庆安集东南,道光年间县请准开挑白塘河以泄湖水。

2. 白马湖。在段逆山南,牛肺山西,汇集诸山之积水而成湖。

3. 花山湖。在花山之南,地跨睢、铜两县境,东通白马湖,西流转北叫白马河。

4. 杨家湖。在寿鹿山东,积黄山、龙泉山、英公山、寿鹿山之水而成。湖有水口,北通白马河。

5. 白山湖。在白山北,龙泉山南,源起于周山头。自疏通白山河,白山社等处遂无积水之患。

6. 仲山湖。在蛟龙山东,已沙淤渐平。

7. 沈家湖。在魏集东南,已沙淤平。

8. 仙庄湖。在黄山东,遇涝则积诸山之水成湖,水涨则北流入白马河。

9. 姬山湖。在姬山南,九顶山北,聚朱山、独山、九顶山之水而成湖,西南有水口入灵璧境。

10. 湖山湖。旧志五龙湖,在湖山东,遇涝则积水难泄。

11. 找沟湖。在池山西。

12. 芹沟湖。在芹沟社,遇涝方有积水。

13. 峰山湖。旧志周十二里,明万历中河臣潘季驯筑双沟遥堤,恐河涨入湖分流旁决,因筑羊山横堤以备之。

14. 合湖。一名葛湖,流合沂水,南入大河。

15. 潼河湖。县东南四十里,于找沟入小河。

16. 泥沟湖。县西三十里流入小河。

第六节　闸 涵 桥

古代水工建筑物记载较少,建国后已不复存在,现就旧志记载摘录如下。

一、闸、涵

黄河北黄墩湖地区排水入运,易受高水顶托,建闸、涵控制。长期以来,黄河南的主要矛盾是寻找洪水出路,不急需建闸,只有峰山石闸,使用170年,作用显著。

（一）黄墩湖地区

民便闸:雍正十年（1732年）建,嘉庆年间废。道光三年（1823年）改建双孔涵洞。力家沟涵洞:乾隆二十五年（1760年）建,泄黄墩湖水,又挑引河六百八丈,今湮。皂河石闸:康熙十八年（1679年）建,今废。

雍正十年（1732年）分黄墩湖水由民便闸入运。乾隆二十三年（1758年）分黄墩湖挑行渠四百九十丈,由安家闸入运,又名蔡家河水口。

（二）峰山石闸

康熙二十四年（1685年）建,就山开凿,以泄河涨,本无启闭。迨后河身渐高,乃于闸外筑坝,以时启闭。乾隆二十二年（1757年）奏请确定以徐城北门志桩为准,长水至一丈一尺,开放头闸,水再加长再依次启发。乾隆五十五年（1790年）黄水过大,头四闸久闭不启,峰泰两山间约长六十余丈,就势作滚坝,水由坝下注达二、三两闸。嘉庆二十四年（1819年）建,南北宽二十五丈为坝口,东西长八十六丈为坝身,名曰峰泰滚坝。

二、桥、渡

据旧县志五修本（1718年）载,共11座桥,黄河上有8个渡口。1981年睢宁县编史修志办公室《睢宁旧志选译》载35项,共55座桥,黄河渡口仍是8个,只是与五修本个别渡口名称不同而已。建国前的桥梁多系木质桥,或石砌（单孔或双孔）小型拱桥,所记位置只有方位、里数,很不详细,且年代久远,都已不复存在。路多桥少,多以舟代桥,但许多渡口均无记载,故本节对古之桥、渡不再复述。

睢宁早有桥梁建筑历史,可惜有文字可查的为数太少。现有根据的二桥是:

（一）古邳（即古下邳）圯桥

据载"临淮郡之下邳（古邳镇）有古圯桥一座,为汉少傅留侯张良纳履受书之地"。该桥虽年代久远,建国后尚存。1970年开挖古邳抽水站引水河时扒掉,遂在桥东侧建闸一座,取名为"圯桥闸",并立碑纪念。近年来古邳镇恢复历史景观,在闸东建"圯园",以此留传后世。

（二）通济桥

1984年开挖沙集抽水站送水河时在凌（城）沙（集）路西侧挖出"通济桥"旧址,并有碑文,文中记述余庄西是古沙河,"河经路纬",因"河阔潭深,水陆无常",于清雍正乙巳年（1725年）由"马从道集众建桥"。益经二十年,因水势冲凌,倾颓过半。至乾隆乙丑年（1745年）,复由岳宾路等好义之士"捐资募化,督众建桥"。现该处建一座新桥,取名为"通济新桥",并立碑纪念。现新、老通济桥石碑均立新桥东北角。

第二章　当代治理

　　建国后近半个世纪,在中国共产党和人民政府的领导下,全县人民前赴后继与水旱灾害作了长期的、艰苦的斗争,开展了规模巨大的水利建设,掀起了一次又一次的治水高潮。近50年的水利建设先后经历了三个时期、十个阶段,经过四次重大水利规划,掀起五次水利建设高潮,睢宁县的水利工程发生了翻天覆地的变化。

第一节　发展阶段

　　按治水指导思想和所要达到的目的要求,建国后睢宁的水利建设可分为三个时期,即以排为主、以灌为主、综合治理三个时期。按工程内容和工作侧重点,第一时期又可分四个阶段,第二、三时期各分三个阶段,计十个阶段。每个时期、每个阶段的工程内容有穿插,相互之间的时间界限不是截然分开,但发展的总趋势是非常明显的。由低到高,循序渐进,这是建国后水利事业发展的总潮流。

　　第一个时期　从建国初至1966年,计18年,以治涝为主。这一时期水利的发展可分为四个阶段。

　　第一阶段　从1949年至1957年,计9年,是建国后水利发展的起步阶段。建国前社会长期动荡不安,水利建设处于停滞状态。建国初期百废待兴,国家在三年经济恢复之后,开始实行第一个五年计划,水利建设从无到有。

　　1. 按上级统一部署,参加流域性治理工程。从1950年春到1953年春,县组织民工参与导沂工程、整沭复堤工程、嶂山切岭工程和洪泽湖高良涧引河工程。治水先从大流域着手,解决根本问题。

　　2. 县内各支河开始整治。从1949年春到1957年冬,先后疏浚河道19段次。分段疏浚河道,清理障碍,加固堤防,堵复缺口。建国初的河道,河床狭窄,曲折迂回,标准似沟。枯汛悬殊大,几天不雨干枯,一遇暴雨两岸漫溢,常泛滥成灾。当时的治水方针是"固堤、泄洪、减灾"。1955年后开始对河道拓宽加深,提高标准,适当裁弯取直。建国后治水"以排为主"坚持时间较长,甚至贯彻治水始终。开挖和疏浚河道是解决排水的主要手段,根治一条河的策略是上游蓄、中游缓、下游抢。在下游各入河排水口建涵洞,在上游洪水到来之前抢排入河,洪水到来后关闭涵洞闸门防止倒灌。河道中游的标准要适度,不宜超标。上游多建库蓄水,争取排水时间错峰,不给下游带来高度集中的排水压力。建国初有"旱死怕涝"之说,"旱"是收多收少的问题,绝收者少,而"涝"时一场大雨,便可全部淹没,草籽不见。所以建国初期便组织群众挖河,以后几十年,年年挖河,群众一度把有丰富内涵的"水利"二字单纯理解为水利就是扒河,这就客观说明建国后的睢宁水利建设,挖河是基本功。

　　3. 治水典范——彭艾山(现在朱集乡境内),这是建国初期产生的农田水利建设的典型。该处地势低洼,是十年九淹的老灾区。1952年流经当地的白马河改道疏浚工程竣工,1955年8月办农业合作社时开始搞内部水利配套。迎水开沟,背水筑堤,开挖大沟1条,小沟39条,筑圩堤1条,建小型排水涵洞7座,将1500亩土地分割成10片。这是简单的分级,实行内外分开,形成了系统的排水工程。1956年遇到涝灾,1957年先涝后旱,当地农业都获得了丰收。这标志着睢宁县搞农田水利建设、建立排水系统迈出了第一步。

4. 打井抗旱。睢宁打砖石井较早,1952年苏北行署批给睢宁打井经费6600万元(旧币),用于打井抗旱。旧井改造,打善井、横管井、子母井,当时是出名的。出水量虽小,只能局部抗旱保苗,但它是灌溉工程的起步。

5. 1957年7月15日黄墩湖地区带洪。县接通知后连夜抽调200名机关干部,组织6000名民工,连续5昼夜搬出1129户,3984人,以及大批牲畜、粮食、农具和其他资财。临时筑堤挡水,计三处32华里,缩小滞洪区,保住5万亩秋熟作物。

第二阶段　从1958年至1960年,计3年,此段时间是大干的三年。中共中央制定"鼓足干劲,力争上游,多快好省地建设社会主义"的总路线,全国掀起工农业大跃进的热潮,水利工作一马当先,被摆上重要位置。1958年大、中、小工程全面施工,找沟闸(即凌城闸)开工,25孔,流量800立方米每秒,是睢宁县控制面积最大的节制闸,历经3年完工。为从官山水运石料供找沟闸施工使用,于3月至6月,平地开挖9.6公里长的跃进河。修建庆安水库,从2月份开始做勘测等前期工作,到8月中旬完成,历时半年。其中,从3月10日开始,历时100天,完成240万方土的大坝主体工程,而且当年蓄上了水。按国家标准,庆安水库属中型水库,是江苏省最大的一座平原水库。朱楼圩高标准河网化工程施工,调动全县23个公社民工,集中大兵团作战。工程标准是直、平、深、齐,实行大破大立。在9000亩地范围内,中沟间距1000米,小沟间距200米,一律直线开挖。中沟深5.5米,小沟深2米,统一规格。10月初开工,历时2个月,完成中沟3条,小沟25条。沟渠路相结合,筑成干渠2条,支渠3条,斗渠25条。共挖土方153万立方米。为了搞好水土保持,实行林、草、条结合,高矮搭配,分层密植,中沟植树16行,小沟植树7行。1958年除了施工完整的一闸、一库、一片高标准配套工程外,还开工三项大工程,一是按省规划的线路开挖徐埮河(徐州至埮子口,未形成,后县内开成的一段称徐沙河),从沙集至双沟120华里长,冬季全面开工(1959年冬停工,半成品)。二是冬季参加徐州地区举办的京杭大运河不牢河段施工,工段长10公里,上工2.4万人。三是1958年以后两年,先后开挖了新龙河(平地开挖25公里),疏浚了老龙河。大干的势头一直延续到1961年上半年。

三年干了几项大工程,为睢宁水利的发展铺垫了坚实的基础,成效显著,影响深远。但由于对治水客观规律认识不足,夸大了主观意志的作用,急于求成,脱离了当时的经济基础,产生了一些负面影响。其主要表现有:

1. 高指标,助长浮夸风。当年省里提出的要求是"一年不雨保灌溉,日雨五百公厘不成灾,千年洪水不出险,普植林带防台风,水力、风力、水面都利用,县、市、乡社通车船"。据此,县里提出:鼓足干劲,大跳一步,力争提前实现"一年四百斤,三年五百斤,五年四改制,十年千斤县;苦干两年实现水利化,基本消灭旱、涝灾害"。这些指标有的干了几十年以后才实现,有的甚至到今天还不能实现。急于求成产生了急躁冒进,高指标必然要求高工效,高工效必然要改革工具,改革工具必然要有一定的物质基础。如当时提出:"人人是木匠,队队是工厂,苦战十昼夜,完成列车四万部,轨道280万公尺。"为解决工具用料问题,发动全县人民献出木料50773棵,铁61万多斤。集中织布机3662台和一些农用耙用来做列车轨道,并集中3500多名铁木工赶制工具。据载,睢城公社某大队党支部书记为了搞跃进车,亲自指挥

16 个木匠,见树就伐,两天一夜伐树 397 棵。很显然,这些做法既挫伤了农民治水的积极性,又造成了严重的浪费。1958 年挖土方,发射了五次土方卫星(即五次大挖土方高潮),其中报道日工效时说:"全县平均工效达 16 方,涌现出 40 方的团,50 至 60 方的营,119 方的班与个人。"浮夸之风显而易见。

2. 盲目上马,一些项目违背客观规律。徐埒河系省规划,上游铜山、下游宿迁均没开工,睢宁一个县单独施工是没有作用的,况且工程太大,1958 年办了这么多事,最后再开这个新摊子,力不从心。两个冬季没完成,只能是半拉子工程。再如徐淮路两侧挖一些 200 米间距的小沟和一些台田,上、下级沟没开挖,不配套,不成系统,形成断头沟。像这些"欲速则不达"的例子各公社都可举出一二。

第三阶段　从 1961 年至 1962 年,计 2 年,水利建设相对处于低潮。由于天灾和人祸,国家处于困难时期,开始实行"调整、巩固、充实、提高"八字方针。1961 年初,贯彻中共中央十二条指示和学习《关于农村人民公社当前政策问题》的紧急指示信,强调必须"休养生息",这在当时所处的环境下是非常必要的。水利建设相应提出"小型为主,配套为主,社队自办为主"的"三主"方针。正在进行的新龙河续建,古邳扬水站、新工扬水站和大大小小的河网化工程都被迫停工。这两年水利没有全部下马,而是缩短战线,集中力量干些力所能及的工程。如建成睢宁县第一座电灌站——朱楼北站。兴建庆安灌区二闸地下涵洞,疏浚了田河、老龙河上游等。由于大跃进三年的负面影响,一部分人思想认识上产生了错觉,从一个极端走向另一个极端,一时造成了水利事业发展的困难局面。其主要论点有:

1. "水利必须下马"。为纠正"左"的思潮影响,提出反"五风",即"一平二调共产风"、"浮夸风气"强迫命令风"……因工农业大跃进由水利带头,造成的错觉是搞水利带来的刮"五风",认为搞水利是五风的风源,以偏概全。一时出现了"水利不能再搞"、"水利必须下马"等议论。在提倡"十边"种植解决临时困难的号召下,到处扒渠平沟,水利工程遭到一次大破坏。后 1963 年一场大暴雨造成涝灾。严重的灾害过后,这部分人对发展水利事业才有了新的认识。

2. "睢宁县不能挖河"。早在 50 年代就有"烧香引鬼,扒河引水"之谬论,那是封建迷信作怪,没有形成大的风浪。到了 60 年代初,有人提出:睢宁土质差,流沙土多,一年一淤,常扒常淤,挖不成河,挖河是"劳民伤财","劳而无功"。似乎睢宁永远只能是旧面貌。土质差是客观存在,说明睢宁县挖河较一般地区更为困难。后来注意保护植被、搞水土保持,有的采取一次挖河二次巩固,有的挖深河拿底部粘土护坡,有的增加跌水和下水道,有的放缓坡度和增做子埝等,问题都解决了。无论什么土质都能挖成河,只是需要在措施上下功夫。

3. "睢宁县不能发展灌溉"。持这一观点的人认为睢宁县土质差,灌溉会加剧土壤盐碱化。还担心睢宁河、库蓄不住水,汛期虽有水,经过土壤跑水,闸门漏水,到遇旱用水时,水早消耗光了。在这些思想的指导下,要求扒开水库退水还耕的呼声很高。睢宁县千百年来没有灌溉工程,建国后发展灌溉工程是新生事物,思想上要完全接受它必须有个实践过程。1970 年以后发展引水灌溉工程,这些问题都逐步解决了,种种非议也就自然消失。农作物的灌水讲究合理的灌溉制度,掌握好便是"利",否则便是"害",利害相关,只是方法问题。对水库问题虽然争议很大,除清水畔水库一度退水还耕外,其余水库,包括岚山、张圩等山区小水库群基本都保存下来,发挥了蓄洪和灌溉的作用。

第四阶段　从 1963 年至 1966 年,计 4 年,发展"以排为主"的系统工程。排水工程大发展,明确提出"以排为主,配套为主,社队自办为主"的"三主"方针。1963年5月28日至29日,全县普降大雨250～300毫米(苏皖北部大面积降雨),成熟的三麦被淹,水中捞麦,损失很大。以后阴雨连绵三个月有余,其中7月份又有四次大暴雨。是年降雨量最多,农业总产量最低。全年降雨1348.5毫米,是建国后降雨最多的年份。全县粮食总产量只有1.1亿斤,是建国后最低的一年。重灾之年,农民受苦受难。大灾以后的深刻反思,促进了水利事业的更大发展。此阶段的主要成就有三:

一是开挖内部配套工程,建立了排水系统。1963年9月县组织县、社、队三级干部500余人到灌云县参观农田水利工程。回县后县水利局举办了工程员培训班。接着县、乡两级搞水利规划。根据地形高低、土质优劣等特点,有的是大、中、小、毛、条、腰、墒七级沟配套,五级固定(相应的渠道是干、支、斗、农、毛五级渠固定);有的是大、中、小、毛、腰、丰六级配套,四级固定。全县沟渠配套建设,大部分在1963年后定局,如地处黄墩湖低洼地区的古邳公社,在中兴大队搞土壤改良试点,并开始搞低洼圩区工程,按"三分开一控制"的办法(即洪涝分开、排灌分开、内外分开,控制地下水位),实行圈圩建站辅以机排。王集公社挖了十多条大、中沟,使大、中沟布局一年基本定型,并在王营大队搞了改碱试点工程。李集公社集中搞一条南大沟,截南部高水直接入潼河,从此结束了李集镇区因地势低洼而年年积水的局面。在朱楼公社围绕朱楼北站搞干、支渠系,并兴建睢城闸和金大桥改闸工程。各公社大、中沟工程几乎都是一年定局,特别是大沟工程开挖较多,全县大沟总数是113条,在此阶段挖成的大沟有90余条。

二是整治骨干河道,提高排水标准。安河流域除涝规划获国家计委批准,列入国家工程项目,并且要求苏、皖二省均相应进行实施。按三年一遇或接近三年一遇标准,疏浚了安河、潼河、白马河。李集、桃园两公社边界工程顺利完工,利民沟、沙李沟、戴李沟、老龙潭大沟等一并得到疏浚。这是建国后第一次系统性地提高排水标准,标准虽不高,重在形成系统,而且大大缓解了边界排水矛盾。

三是为水利事业服务,排灌机构应运而生。随着水利事业的发展,为加强水利建设和确保工程运转,增强服务功能,成立了相应的服务机构。除凌城闸、庆安水库设专管机构外,县成立"睢宁县机电排灌管理所",重点管理朱楼电灌站和黄墩湖地区陈平楼、蔡桥两座固定排灌站。县水利局成立水利工程队,将闲散农民技术工组织成专业水利队伍,负责水利建设和抗旱排涝。成立机井队,推广人力大锅锥打井,发展机械化打井。

建国后18年的历程,有高潮有低潮,有曲折有反复,全县最终摸索出了一套治水路子,指导思想明确,主攻方向明确,治理方法正确。

第二个时期　从1967年至1976年,计10年,以发展灌溉工程为主。此时期又分三个阶段。

第五阶段　从1967年至1969年,计3年,井灌工程上新台阶。由于"文化大革命"的影响,1967年初,红卫兵造反组织纷纷夺权,各级机构瘫痪,水利建设也不能正常开展。在这一阶段虽两次疏浚田河,疏浚老龙河、牛鼻河、小薛河等上游工程,毕竟是局部的,与以前相比,治理速度放慢,农田水利配套工作基本停滞。幸运的是这三年没有发生大的洪涝灾害,基本上是风调雨顺。虽处"文革"时期,"造反派"打内战,社会混乱,但对井灌干扰甚小,打井工作得以发展。1966年前,特别在50年代,系用竹弓人力打井,井深只能在10米左右。取无压含水层之水,受枯、汛季节影响大。人力提水或畜力解放水车提水出水量小,水质差,只能解决小范围抗旱保苗用水。1966年改革工具,推广人力大锅锥打井,井深40至80米。此外,又发展了部分钻机打井,出现了百米深井。这些中、深井取的是承压含水层之水,出水量大(每小时40至60立方米),且有保证,水质好,适宜工、农业生产和群众生活用水。当时,县负责培训打井的技工人员和技术指导,负责供应打井工具、原材料、提水机泵及各式各样的打捞工具。各公社组织打井专业队,每公社1至2盘井架,几十个人,并自制水泥管、井盘下井。由土井发展为机井,在推广普及方面有两个突出优点:一是造价不高,国家给予一定的补助,以生产队为基础的小集体可以负担得起,有些经济条件较好的生产队还可以完全自己负担。二是成井时间短,见效快。打成一眼井只需7至10天就可投入使用。可以抗旱种庄稼,可以发展蔬菜,可以小面积稻改,还可以解决人畜饮水问题,群众普遍拍手欢迎,名之曰"甜水"。这是"文革"动乱期间,打井一直未停的主要原因。睢宁县发展灌溉事业,政府号召,群众乐于接受,是从井灌开始的。

第六阶段　从1970年至1972年,计3年,引水骨干工程大发展。1969年全国掀起"农业学大寨"高潮,睢宁县大搞旱改水(改旱作物为水稻,下同),提出南引洪泽湖水,北引骆马湖水,西部高亢地区发展打井,实行"南水、北水、井水"三结合的治水方案。南部建25立方米每秒的凌城抽水站,相应浚深安河之一段,河底挖至真高9米,与洪泽湖底齐平,抽引洪泽湖水向新龙河补给。北部在黄河北侧兴建12.5立方米每秒的古邳抽水站,兴建5立方米每秒的新工抽水站,兴建2.5立方米每秒的清水畔抽水站,相对应地向庆安、袁圩、清水畔三水库补水。同时浚深民便河,开挖古邳站引水河、张集引水河(即新工站引水河),县筹资金兴办了民便河船闸。骆马湖之水通过运河、民便河船闸、民便河,引到古邳、新工、清水畔三座抽水站。睢宁县本无提外水能力,经过这些工程的兴办,可提引外水45立方米每秒。从排水一种手段,发展为排、灌两种手段,水利条件大大改观。南部凌城站抽水入河,然后在河侧建小站,二级提水到田。北部三站抽水入库,然后通过渠系放水入田,是提水后的一级自流灌溉。虽然安河、民便河等作为引、排口门尚未达到规划最终标准,县内部尚有大量的配套工程要做,但全县的排、灌格局初步形成。

第七阶段　从1973年到1976年,计4年,发展渠系配套和灌溉基础工程。1972年省提出"续建、配套、打井"的治水方针,我县重点进行了灌溉配套工程。其主要内容有:

1. 筑渠建站,送水到田。北水配套以筑渠为主,其中的主要工程是庆安水库放水干渠。由于古邳站抽水入库,蓄水有保障,除原有中干渠外,灌区向两侧扩大。庆安水库东南角建放水闸,筑庆安东干渠(亦名睢魏干渠)。规划线路可与县城河衔接,供输水冲污。庆安水库西北角建放水涵洞,通过二堡水库向南沿小薛河、牛鼻河东侧建西干渠,改善庆安灌区西部排不出灌不上的尴尬局面。古邳站抽水,非灌溉季节抽水入库储存,灌溉季节抽水沿废黄河中泓西送。在姚集公社房弯处(黄河南堤)建放水涵洞,筑姚(集)龙(集)干渠,干渠线路直达龙集西南李木闸(龙集、高集之交界,后因古邳站抽水能力偏小,只能维持姚集正常灌溉)。新工站送水穿废黄河向南,于袁圩水库西侧筑新工干渠。南水及黄墩湖地区引水配套工程以建机电站为主。据1973年底统计,全县建抽水机站83座,电灌站45座,控制灌溉面积27.56万亩(当时全县可控灌溉面积51.45万亩,其中地面水灌溉27.56万亩,井灌23.89万亩)。电站多建在河两侧(在大沟入河处建站),灌区偏大,1977年实行梯级河网利用大、中沟引水,多改成分散小型电站。

2. 继续发展井灌事业。全县有72盘井架(人力大锅锥),平均每个公社近3盘。县有小钻机、磨盘钻等 10 台机械可打百米深井。70 年代初全县规划打井 11364 眼,到 80 年代最终打成井 8019 眼(提水配套 5040 眼),从 1966 年至 1973 年已打成井 5198 眼(提水配套 4524 眼,其中机电配套 3248 眼,其余为畜力解放水车配套),占总成井数的 65%。此阶段已经开展山区打井,岚山、张圩、姚集等山丘区及一些高亢地区,取岩芯打岩石井,在解决山区抗旱用水的同时,突出解决人畜用水。井灌区发展喷灌,全县有喷灌机械 87 台套,试验喷灌面积 1.7 万亩。

3. 农田水利大连片配套和大面积平田整地。开展"农业学大寨"后,为建立"社会主义大农业",实行"治水改土"的农田水利配套工程。睢宁县发展水稻初期出现"水包旱旱包水",水旱作物互为影响,实践证明必须统一布局,实行水旱分开,在巩固排水工程的基础上建立灌溉系统。70 年代初在姚集的二堡,双沟的焦营、孟圩等地实行小面积治水改土试点,在王林搞提水灌区配套试点。1973 年以后在城北发展 10 万亩大连片。北从废黄河南侧,南至徐沙河,东西在西渭河、白塘河之间(在睢城、梁集、魏集三公社境内),实行统一规划治理。山、水、田、林、路综合规划,"重新安排山河"。沟、渠、路、林、田,桥、涵、闸、站、井,统一布局,分批实施。"田成方,地成块",大面积建设方块田。60 亩地为一方,约 3.7 亩为一块。方块、田块形成后,进行土地平整。栽水稻的土地不平,灌水技术难以施展,即使旱作物也要土地平整才能保水、保肥。平田整地是"硬功夫",睢宁县土地是"大平小不平",不是一般的整一整,而是车推人抬。如梁集、王集等公社都是像挖河一样组织几千人,大兵团作战,集中人力分区分片动土。农田水利挖土方是"基本功",发展灌溉平田整地是"基本功"。此时期全县平地 70 余万亩,平均每亩动土 100 立方米以上,不是开始想象的"小工程"。张圩、岚山等山丘区搞部分梯田,块石砌墙,土方填平,一亩地动土 500～1000 立方米,土方量更大。

4. 调整布局,解决排灌矛盾。在建立排水系统基础上发展灌溉,效益十分明显。但在排、灌系统布局上往往有争议、有矛盾,需要通过管理手段或兴建新的工程予以解决。比如新龙河引水工程,在建凌城抽水站之初,原设计是提洪泽湖水向新龙河补水。当时有人提出该河又排水又引水,担心排灌不分造成新的灾害,主张在新龙河南侧东西方向筑干渠,凌城站抽水入渠自流到田。经过较长时间争论和计算比较,最后否定了筑渠方案。但所担心的问题如何解决? 一是加深新龙河,适当降低蓄水位和引水水位,使地下水位不会抬高。二是加强凌城节制闸管理,旱涝急转时及时起落,放水不脱空,蓄水不影响旱作物生长。再如,徐沙河以北各支河水,入徐沙河后向东流,不再南入新龙河,增加一级排水出路本是好事,但北部白塘湖地区约 10 万亩地,因地势低于其余各条支河,白塘河排水往往受顶托。为此在徐沙河、白塘河交叉处建白塘河地下涵洞,白塘河上游之水穿越徐沙河底部向南仍入新龙河。立体交叉,高低分开,徐沙河高水高排,白塘河低水低排。

第三个时期　从 1977 年至 1997 年,计 21 年,实施梯级河网规划,以引促排,排灌综合治理。该期又分三个阶段。

第八阶段　从 1977 年至 1980 年,计 4 年,梯级河网规划形成并付诸实施。这四年做了三件大事,即"挖河、规划、搞点"。

1. 三期开挖徐洪河。徐洪河的开挖标志着本县水利事业发展到新的阶段。1976 年冬徐洪河第一期工程施工,由省负责搞协调工作,徐州地区统一组织,邳县、铜山、睢宁三县出工。从县东南部七咀庄(属凌城公社)起,到牌坊咀(在泗洪县境内)止,计长 55 公里。1977 年冬第二期徐洪河施工,从七咀至沙集南 17 公里,由睢宁单独施工。1978 年冬第三期徐洪河工程施工,邳县、睢宁两县负担废黄河以北至房亭河一段,本县工段长5.3公里。三年的徐洪河工程,使睢宁县南北两处口门打开。在七咀处徐洪河相对深度10米,底宽30米,排水标准大大提高。建国后在县内挖河,挖来挖去总受排水口门限制,虽三次疏浚过安河,其标准仍很低。1976年冬,三个县会战徐洪河,几百年梦寐以求"撕开口门"、"大排、大引"的愿望终于实现。

2. 梯级河网规划在争议中形成,在实践中发展。排、引口门打开,给县内的进一步治理工程提供了前提条件。平原缓坡地区,必须分级分块治理,这就产生了梯级河网规划(具体内容在本章第二节详述)。实行梯级河网是千秋大业,是又一次大破大立,因而吸引了广大干部、群众参与。规划中多方论证,在争议中求统一。主要论证内容:一是梯级划分比较。一条河、沟,挖成平底引水,其引水水位必须限制,不能任意抬高地下水位造成渍害。平底深河工程量大,愈向上游河相对愈深,排水速度加快,水土保持工作量加大。多分级数,一次性土方工程量省,但提水级数增加,增加使用成本。少分级能减少提水级数和提水成本,但工程量大,一次性投入多。要用经济、人力等条件和受益还本年限加以比较。二是一次性规划和分批实施。在排水系统上改造成排、引两用工程,除局部改道和新开工程外,大部在原有旧沟旧河上提高标准。由于扩的幅度较大,挖压土地、房屋拆迁、树木更新等问题较多。特别是桥、涵建筑要与新开工程配套,原有的排水旧建筑必须按引水要求推倒重建。扩建工程造价不亚于甚至超过新建工程。对此只能周密计划,分批实施。有的分段施工,干一段成一段,有的第一年先挖成土方,建筑物推迟配套。三是小流域排、灌水系划分,特别是划定河灌区和井灌区界线、范围。睢宁县的地下水和地上水的分布是矛盾的,故黄河以南广大地区,东南部地势低洼,排水是下游,引水后成为灌区的上游,地表水多,而地下水埋藏量也比较丰富。西部和西北部地势高亢,地上水少,发展引水需要比较长的过程,但地下水储量也偏少,对此必须统一平衡。

3. 凌城公社井字形河网化,是梯级河网配套的典型。徐洪河开挖后,凌城公社按引水要求先后改造或开挖凌东、凌西、凌北、凌南、新李、旗杆等大沟。大沟通干河建引水涵洞,十字交叉处建节制闸控制,涵、闸均建成通航孔,孔径大,排水快,调度快,结合通农船。原来一条大沟一个小排水系统,大沟间互相不通。实行梯级河网后大沟水系之间建闸相通,能调度,能控制。从1978年上半年起,在凌南大沟东端入徐洪河处建套闸,建凌南、凌北六角亭式电灌站,徐洪河东侧丁楼建圆形天坛式电灌站。水利站建预制场,生产五级沟渠系列化装配式建筑物。由于第二期徐洪河从凌城境内穿过,损失了土地,打乱了水系,为此省、地、县予以重点支持。当年建筑物配套量太大,为解决备料问题,凌城公社在中渭河王靖桥处造水泥船,通过新龙河去官山运石料。当时船队有船14只,其中5只配挂桨机,满足了当年建筑用料。从此睢宁的梯级河网规划逐步形成,规划有文字,布局有图纸,推广有典型。凌城的模式被全县所接受,凌城也变成了"淮北江南鱼米之乡"。80年代实现了人均一亩水稻,90年代初总产实现一亿斤粮。

第九阶段 从1981年至1990年,计10年,梯级河网工程稳步发展。由于规划已经确立,实施的局面打开,因而80年代梯级河网工程稳步、健康地发展。主要表现在三个方面:

1. 县内骨架工程陆续完成。除徐洪河在废黄河以南至沙集一段未通外,其余县内框架已成。按引水要求扩浚河道,两期开挖新龙河(含跃进河),三期开挖徐沙河,五期开挖废黄河,各引水支河、大沟全部扩浚,有的因河道土质差开挖一次以后又清淤捞底、护坡,进行巩固。兴建 10 立方米每秒沙集抽水站,兴建 11 立方米每秒高集抽水站,二级翻水向西北片补水。徐沙河在县内形成,成为中部排、引骨干河道。沙集站抽引洪泽湖之水翻入徐沙河,庆安水库灌区回归水退入徐沙河(南部用水紧张时庆安水库可通过干渠退水经白塘河入徐沙河),从此本县南、北两大水源会流在徐沙河。各灌区边界控制闸、梯级节制闸均陆续建成。南部灌区继凌城闸之后,建成张山闸、杜集闸、四里桥闸、鲁店闸,扩建龙山闸。徐沙河一线除沙集闸、高集闸外,在徐沙河南侧建的梯级控制闸有:中渭河闸、小滩河闸、朱东闸、朱西闸,胡滩涵洞。西北片建青年沟闸、散卓闸、魏洼闸、郭楼闸。黄墩湖地区开挖小阎河、马帮大沟,兴建张集地下涵洞、民便河节制闸、圯桥闸、白门楼闸。古邳公社东部有一、二、三排灌结合抽水站。浦棠公社东部兴建张集、花庄排灌站。70 年代在图纸上规划的工程,80 年代一个一个地落实在睢宁大地上。

2. 农田水利配套工程全面展开,效益逐步提高。从 70 年代后期开始至 80 年代,每年冬春开挖大沟以上的引水骨干工程土方 500 至 1000 万立方米。平底深沟,一般挖深 5 至 6 米,最深 7.5 米。有的大沟引水工程一年完成,有的分两年甚至三年完成。挖一条成一条,挖一段成一段,当年挖沟当年建站,当年扩种水稻,当年实现农业增产。80 年代上半期小型机电抽水站最多达 485 座,加上井灌配套,全县累计最高机电排灌动力 12.1 万马力。全县中、小型水库拦蓄降雨和抽水补库,调蓄能力大大增强,农业产量稳步上升。1982 年大涝,1988 年大旱,都没有影响农业增产。从 1978 年到 1984 年,农业总产量平均每年递增1.1 亿斤。80 年代的水利工程是"一步一个脚印",各公社面貌均发生了根本性的变化,如地处边境地区的李集镇,是凌城灌区地势最高的末梢地区,由于连续开挖 10 条大沟,不但排水标准提高,也增加了调蓄能力,增加翻水级数,实行三级提水到田,改种了 1.1 万亩水稻。

3. 在建设梯级河网方面认识统一,精力集中,形成合力。通过 70 年代后四年的实践,上、下、左、右各个方面对梯级河网都没有什么争议。因意见一致,实施起来比较顺利。80年代初国家实行国民经济调整,工程补助经费大幅度缩减。由于睢宁规划明确,实施进度快,效益好,省、地都作为重点县扶持,连续三年作为重点县,每年补助农田水利工程经费100 多万元,最多年份 200 多万元,是当时一般县补助水平的 3 至 5 倍。而后又连续四年被省评为先进县,奖励给工程经费。上报审批工程项目亦比较顺利,只有技术性的修改,没有规划大方案的变动。县内各基层单位也是积极要求上项目,保证按工期要求完成任务,五六十年代曾出现过的"烧香买、磕头卖",向上要项目难,向下落实任务更难的现象没有了,取而代之的是争先恐后的局面。

1980 年农业实行大包干,省委和地委要求在大包干中有统有分,水利建设和水利工程管理一家一户难以办到,理应属于统的范畴。由于睢宁县大包干比本地区其他县早,来势快,时间短,来不及制定水利管理的相关政策。由于统的功能偏少,一时失控,一些沟渠被分,机井是"机搬家,泵改架",天旱时有井用不上水。井灌损失大,打井从此基本不发展,只整修冲洗部分旧井。井灌退化,小型工程管理退化,田间工程和平田整地退化,实为憾事。

第十阶段 从 1991 年至 1997 年,计 7 年,梯级河网全面形成。1991、1992 年徐州市组织开挖徐洪河最后一段工程,从废黄河北至沙集 22 公里,其中废黄河切滩 4 公里。1990 年冬开始拆迁建房,并由睢宁在废黄河滩先进行切滩试点。1991 年秋,六个县会战徐洪河,1992 年初土方工程全部完成,至此徐洪河全线开通。梯级河网骨干工程以 1976 年冬开挖徐洪河为起点,以 1992 年春最后一期徐洪河完成为终点,历时 15 年。1992 年 6 月 4.8 立方米每秒的袁圩抽水站建成,这是梯级河网规划中最后兴建的一座抽水站。古邳抽水站经过三次大的改造,1997年6月最后一次扩建成功,可抽水19立方米每秒。睢宁县管的六座抽水站,抽水能力达78.8立方米每秒。梯级河网的全面完成,除了工程全部完成外,还有三条主要标志:

1. 抗灾能力显著提高。几十年前提出的大排、大蓄、大引、大调度的设想终于实现。1992年上半年徐洪河全部挖成,睢宁县当年扩种水稻达47.88万亩,是建国后水稻种植面积最大的年份,因夏旱,市水利局于7月中旬跨流域向睢宁调水,将房亭河刘芳集地下涵洞开启六孔,调微山湖水入徐洪河。县开启沙集老闸、睢城闸、朱东闸,向徐沙河、新龙河补水,最远送到黄圩、李集。1996年大涝,是建国后第二个大雨年,雨量集中在6月16日之后的35天内。6月底黄墩湖地区大水,多年来该地区向东排水受运河水顶托,几乎年年受淹。而是年通过徐洪河向南调度排水,从沙集抽水站提闸放水300立方米每秒,从而解决了黄墩湖洼地的排水出路问题。90年代农业产业结构调整,经济作物面积增加,粮食种植面积减少。水稻价格下降,水稻面积一度减少,旱作物面积增加。这些因素都没有使农业产量大起大落,全县粮食总产量稳定在13亿斤左右。相反,如果没有多年兴办的水利工程,这些水、旱灾摆在梯级河网化之前,粮食总产量会起落很大。如摆在建国前则灾害之大更不可想象。

2. 水利施工机械增加,服务功能增强。历史经验证明,只要有大规模的水利行动,水利产业就要有一次较大增长。徐洪河是大工程,土方多,建筑物跨度大,级数高,只有施工技术水平不断提高,施工机械相应增加,才能适应梯级河网化工程的需要。经过70年代和90年代两次五期徐洪河工程施工,加上多年积累,县水利机械自成体系,可以满足一般河道土方施工和建筑工程施工。到90年代县水利局除正常施工操作工具外,新增的施工机具有:40打桩机1台,26吨平板车1台,0.6方挖掘机1台,0.3方挖掘推土两用机2台,2立方米装载机1台,16吨吊车1台,10吨自卸车1台,15吨轧路机2台,140马力湿地推土机1台,80马力铲运机15台,75马力推土机3台,泥浆泵36台(全县拥有79台),75千瓦至100千瓦发电机17台,打夯机3台,翻斗车15台,混凝土拌合机7台(传送带一套)。利用这些机械完成徐洪河等工程施工任务后,又完成了县交办应急的、特殊的工程施工任务。如1993年冬至1994年春施工的机场路六座桥扩宽工程;1995年春睢邳路的黄河闸、下邳北桥工程;1995年春的徐洪河沙集船闸上、下游引河土方和徐沙河沙集船闸建筑工程;1995年夏突击完成的县城东环岛工程;1996年初的县城河清淤土方和护坡工程;1996年夏季的徐宁路9座桥扩建工程等。服务对象已发展到交通、城建等领域。

3. 巩固梯级河网成果,酝酿向更高阶段发展。按梯级河网规划,尚未完成的任务有二:一是引水工程在西北最高亢的苏塘、双沟没有完工,苏塘完成一半,因双苏大沟未挖成,双沟仍不能送上水。徐沙河上段,因河线穿过安徽省插花地,多年开挖不成。为此高集闸下尚有2.7公里徐沙河没有接通(因此处不通,散卓闸下也有100多米未挖通,白马河上游之水不能向徐沙河分流)。二是双沟南部,张圩山后地区,因受邻省、邻县边界影响,规划尚未统一,常受涝灾。边界地区问题尚待解决,但和整个梯级河网工程相比已是小局。1997年冬季举办"四河"清淤,即徐洪河沙集南3.5公里清淤,田河下段清淤,西渭河上段清淤,马帮大沟(小闫河)清淤,这是承上启下的工程。睢宁县再采用大兵团作战集中开挖的新工程近期已为数不多,它标志着梯级河网工程已基本结束,预示着新的阶段已经开始,即在巩固梯级河网的基础上,实行科技兴水,在提高效益上多做文章。

第二节　四次重大水利规划

全县范围内的阶段性的水利综合治理规划,是水利建设总体作战方案,影响大,效益好。建国后国家淮委协调苏、皖两省搞"濉唐河除涝规划"、"安河流域规划"。在这两个规划指导下,全县对排水河道进行了低标准疏浚以后,开始进行县内的水利治理规划。三个时期理应有三个规划,因实际需要,第一个时期出现两次规划,故建国后有四次重大水利规划。

一、在省、地区 1958 年统一制定的水利规划指导下,1959 年 10 月睢宁县制定了"三年水利规划"

"三年水利规划"的主要内容:以徐洪运河为纲,以原有沟渠河道为网,纲网成系,排灌分开,以庆安、古邳水库为头,以找沟、沙集节制闸为尾,首尾相顾,调度自如,达到大引、大蓄、大排、大调度,变水患为水利,变死水为活水,综合开发利用水资源。在此之前,于 1958 年朱楼圩已按"深、网、平"规划进行试点。在此之后,于 1960 年 2 月县召开三级干部大会,布置各级搞水利规划,县培训公社水利工程员,培训大队干部。在全县范围内算水账,在此基础上形成了"水利化规划"文字材料。当时全县有汪塘 7508 个,河沟总长 4500 公里,水库、谷坊 17 座,机井 348 眼,砖井 5536 眼。根据当时作物布局,全年需水量为 6.25 亿立方米,汪塘、河沟、机井、水库实有水量 3.8 亿立方米,缺水 2.45 亿立方米。此规划是"大跃进"的产物,起点很高,设想不错,而且是第一次较系统的算细账。无奈作为三年规划根本不能实现,后来的实践证明,作为 30 年的设想较为实际。

二、1963 年夏、秋制定的排涝工程规划

受 1963 年 5、6 月的大雨影响,全县进一步确立了睢宁治水必须从治涝开始的思想。由当时水电部牵头,苏、皖两省共同制定了安河、潼河流域规划,并组织实施。在此基础上,县规划徐沙河分段利用,从老龙河、小濉河、中渭河分流排水。各公社广泛进行内部排水工程规划,根据地形高低、耕作方向决定是七级配套还是六级配套。根据排水、灌水方向和生产生活需要决定是"沟渠路"还是"沟路渠"的布置形式(睢宁县大部分是"沟渠路"的布置形式)。这是内部排水规划,实行分级管理,县负责提标准、搞样板和审查诸公社规划,县规划掌握到中沟级,施工掌握到大沟级。公社负责本社全面规划,施工掌握到小沟级。治水第一个时期 18 年,形成了完整的排涝工程规划,达到了系统化、科学化。排是基础,一直贯彻三个时期的始终。

三、1970 年制定的三水并用规划

南引洪泽湖水,北引骆马湖水,西部高亢地区发展打井,实行"南水、北水、井水"三结合的水利规划。发展引水灌溉方向正确,效益显著,建了一座船闸和四座抽水站,南、北引水局面形成。在排水基础上发展灌溉,在南、北引水基础上后来发展为梯级河网,起到了承上启下的作用。但是由于受"文革"极左思潮影响,那时无法做规划实施的前期工作。当时有两种倾向:一是一切工作都要以"大批判"为动力,发展引水灌溉必须批判"文革"前的"重排轻灌"。由排到灌本来是正常的,偏要肯定当时的,否定以前的。二是批判所谓资产阶级技术

权威,打破旧的条条框框,实行边设计边施工,"敢想敢干,敢破敢立",边干边学边改。在这些思潮支配下,很难形成完整的、周密的水利规划文字材料和计算数据。如建抽水站时留块地方以备将来扩大,扩大到多少,只有粗略的说法,没有实在的依据。

四、1977年在徐洪河总体规划指导下,县全面制定了梯级河网规划

（一）工程布局

以"三横一竖"为骨干,建成四组控制工程,五个梯级,七个灌区,八十二条引水大沟。

"三横一竖"骨干工程:以徐洪河一竖为总动脉,以新龙河、徐沙河、故黄河三条横河为骨干,组成大骨架。

"四组控制工程":建凌城、沙集、高集、袁圩四组枢纽工程,每组设节制闸、抽水站、船闸。

"五个梯级",即通过"三横一竖"和"四组控制"将全县划分成"五个治理片",即睢北片、睢南片、西北片、黄墩湖片、故黄河滩地片。

"七个灌区",即建六座抽水站,对应形成凌城站灌区、沙集站灌区、高集站灌区、古邳站灌区、清水畔站灌区、袁圩站灌区;另外黄墩湖片分散建小站形成黄墩湖提水灌区。

"八十二条引水大沟",即全县计划大沟113条,其中排、灌、航综合利用的大沟（或相当于大沟的支河）是82条。这些大沟都是"沟深、底平",保持长年有水。

（二）内容提要

1. 关于梯级　五个治理片,每片内大沟或支河,要求沟深、底平。其沟底高程:①睢南片,以凌城闸为控制工程。水位控制在18.5米,大沟底高程15.5~16米平。②睢北片,以沙集闸为控制工程。水位19.5米,大沟底高程17米平。③西北片,以高集闸为控制工程。水位23.5米,大沟底高程21.5米平。④黄墩湖片,以黄河北闸作为划分黄墩湖片、睢北片和废黄河滩地的控制工程。水位19~19.5米,大沟底高程17米平。⑤废黄河滩地为独立水系,又分三个小梯级:下段河底高程24.5米平,中段河底高程26.5米平,上段河底高程29米平,引水深度均不小于2米(后来实践中引水大沟底高程多超深0.5米)。

2. 关于河网　干河、支河、大沟、引水河（沟）呈井字形布置。大沟、支河多为南北方向布置,间距3公里左右,中沟多为东西方向布置,间距1000米左右。中沟每隔二至三条加深一条作为引水沟,这样就形成井字形大方块,一块面积平均一万亩左右。因地制宜,低洼地区有的一块是6000亩,地势高的最大面积达15000亩。小沟和毛沟分割成小方块,有的是200米正方形,面积60亩左右。有的是200米×100米长方形,面积30亩左右。大方块由骨干河网分割而成,小方块由基本河网分割而成("田块"按毛渠、腰沟布置,50米成方,面积约3.7亩)。

3. 关于建筑物配套　节制闸是控制工程,按排水或引水要求设计,提高一级排水标准校核。有的适当加大孔径,以满足通农船的要求。"挖大沟,建小站",小型分散,直接抽水到田。有的设固定式抽水站,有的设简易流动抽水站。

4. 关于水量供需平衡　按中等干旱年(75%保证率)计算,工、农业,居民用水等,需水总量11.168亿立方米,可利用水资源3.794亿立方米,计划提外水增加到6.616亿立方米,回归水利用0.843亿立方米。大体平衡。

四次水利规划是独立的,都是在一定的背景下形成的,但其内涵包括指导思想、目的要求等,又是统一的,其相似之处很多,仅举三例。

　　例一，平原缓坡地区实行"深、网、平"梯级河网，始终贯彻规划。50 年代提出"变水患为水利，叫水为人民造福，呼之即来，不用则去"。1958 年朱楼圩高标准河网化按"深、网、平"的规划开挖，标准还略大于后来的梯级河网。1959 年提出"大引、大蓄、大排、大调度"。1970 年、1977 年规划都提出"能排、能引、能蓄、能调度"。这些目的都是相同的。梯级河网的"深沟、平底"是"深、网、平"的具体化。1959 年以水库为头，以凌城闸、沙集闸为尾，这与后来的实施是一样的。"以徐洪河为纲"和后来的"以徐洪河为总动脉"作用是一致的，只是规划线路有区别。从纵向看是 50 年代末期出个大题目，文章做了几十年。

　　例二，规划形成过程都是先提出设想或粗算账，在实践一段以后形成完整的规划。第一次规划从 1957 年下半年开始酝酿，1958 年 1 月 29 日，江苏省平原坡地水利会议在睢宁召开对规划的形成有了很大促进。1958 年 10 月朱楼圩高标准河网化试点，1959 年 10 月提出规划，1960 年 2 月形成系统规划材料。1963 年的排水规划是经过建国后 10 多年实践，从"沟洫圩田"进化而来，是经过反复后才形成的。例如 200 米间距一条小沟，是经过反复实践后认可的。1977 年提出梯级河网规划，实践四年，于 1980 年 11 月世界银行专家来考察盐碱地改良项目前，在理论上才得到完善。

　　例三，几次规划都是在争论中形成的。从表面上看都是技术性的争论，争论规划是否可行，其实质是思想认识不能一步到位。规划的过程是思想认识的统一过程，在实践中分歧逐步消失。第一次规划，受"大跃进"负面影响，提出水利要不要干的问题。1970 年引水灌溉，担心睢宁土质能不能灌溉，灌溉工程会不会搞糟了，排水工程也退化了，多年形成的"怕水"思想一时转不过来。1977 年排水口门打开，抓住机遇，高起点，远规划，近实施，迈出了重要一步。但有的看到这儿挖一条，那里砍一刀，怀疑是"1958 年再现"。这些一时不能完全解决的思想问题，不但没有妨碍规划的大局，相反促使水利工作者在规划过程中更加小心，更加谨慎，从而使规划更加完备。规划指导实施，规划时期在争论中求统一，然后在实践中才能减少或避免反复。相反，规划如果由首长一人说了算，实施中就难免没有反复。所谓"书记调动，水利重弄"，首长换了，规划变了，实施中就会出现返工现象，浪费人力物力。

第三节　五次水利建设高潮

　　建国后 49 年，全县进行有组织的挖河 75 次（其中出县工程 13 次），平均每年 1.53 次。再加上乡、村举办的小型水利工程，是年年挖河，季季挖河。每期工程都要求大干快上，迅速形成高潮。挖河年年搞，高潮年年有。本节介绍的不是这些一般性的高潮，而是使水利事业整体向前推进的阶段性的高潮。其共同特点为：一是有深刻的社会背景，是在一定的政治、经济大环境带动影响下促成的。二是各级领导深入工地，不但"挂帅"，而且亲自上阵，指挥"千军万马"奋战在工地。三是全民发动，打破行政界限，按流域按系统搞大项目，主要劳动力都投入水利工程。四是各行各业、各有关部门互相协调，集中全力支援水利建设。据此分析计出现过五次水利建设高潮。

　　第一次是 1958 年大干水利热潮。这是在"大跃进"形势下促成的，是年开工项目多，一个高潮接着一个高潮。春季开挖跃进河，夏季建成庆安水库，10 月份朱楼圩河网化工程开工，冬季找沟闸开工，徐埠河动工。此外春季组织 1 万多人外出参加中运河西堤退建工程，冬季组织 2.4 万人参加京杭大运河施工。朱楼圩河网化施工"打破行政界限，开展共产主义大协作",全县 23 个公社,组织 1.2 万名民工。因时间紧任务重,大搞技术革新,发动献织布机、木料等。现场改革工具,做绞关、轨道,使用列车化(平车)。排水是挖成河的关键措施,中沟深度 5.5 米,沙质土地下水很盛,当时排水工具只有解放水车和龙骨水车,远远不能满足排水需要,只有组织人工多层戽水,风雨不停,夜以继日。"龙沟不成河不成",在寒冷的冬天,民工赤膊披棉衣,下身穿短裤,挖龙沟,战流沙。冬季水利工程,县委动员放五次卫星(即掀起五次高潮),省《新华日报》,徐州专区《水利运动简报》都多次作过报道。县委于 11 月中旬召开由生产队长参加的四级干部广播动员大会,要求全县人民"家家关门,户户落锁,工农兵学商齐出动,男女老少齐上工。早上工晚收工,大风小雨不停工","人人当木匠,队队工具厂,苦战十昼夜,实现治水工具车子化、绞关化、轨道化"。县直机关和社机关当天开动员大会,要求领导人咬紧牙关,出身大汗,书记带头,干部齐上。当夜立即行动,披星戴月,搭棚建灶,挑灯夜战。当年冬季工地用得比较多的口号有:"天寒地冻雪花飘,意志坚定不动摇,提前实现河网化,困难面前出英豪","心热不怕天寒,英雄不怕工难"。以后每年冬季河工遇到困难时就用起了这些口号。

第二次高潮是 1963 年兴办排水系统工程。大灾以后人心思干,行动面广,进展踏实。县没有组织大工程,全是以公社为单位集中人力,统一规划,统一放样,统一施工。按照几级沟规划,当年冬季是挖大沟者居多,中沟次之。以上大河工的组织形式,开挖排水沟工程。这年大灾以后群众口粮很少,每天只有几两粗粮,"瓜菜代粮"也难以吃饱,生活极苦,生病浮肿现象时有发生。在极端困难的条件下,坚持"自力更生,艰苦奋斗",提出"扒山芋干河","扒干菜河","勒紧腰带,咬紧牙关","宁吃一年苦,不要年年穷"。在困境中坚持大挖土方,体现了睢宁劳动人民顽强的治水精神。

第三次高潮是 1970 年冬至 1971 年春的南、北引水工程。"农业学大寨"运动,带动了水利建设高潮。冬春工程项目很多,布局分散。"一闸、四站、四河"同时施工,北部上工 2 万余人疏浚民便河,开挖古邳引河、张集引河。三河流沙极为严重,特别是民便河旧城湖至半山一段,无法用车推土,只能用布兜拖,瓷盆端。南部出工 4 万余人疏浚安河。民便河船闸、民便河东段和安河工程在县境外施工,矛盾很多,做了大量协调工作。集中民力,受益不等,出工形成矛盾。为此按省提出的精神,实行"统一领导,全面规划,分期实施,互助互利,合理负担,换工还工,先后受益,大体平衡"的政策,以后执行多年。"三水并用"实施前,舆论宣传工作做得早,全县上下几乎人人皆知要"引长江水","打翻身仗"。有为河工捐款的、送物资的,集体组织到河工劳动的,投书写信献计的。部门大协作,粮、油、煤、柴油、煤油、医药等供应由有关部门现场设点,主动送货。县机械厂负责加工民使河船闸闸门底枢,系铸钢件。为抢在用水季节前完工,该机械厂也日夜加工,制成闸门底枢后又连夜拉车送到船闸工地。民便河船闸浇底板正值元旦期间,天气寒冷,流沙严重,民工赤身作业,县剧团送去棚布围住施工工地,挡风御寒。

第四次高潮是 1976 年、1977 年两期徐洪河工程。睢宁县参与的第一期徐洪河工程,工段安排在最下游,出工 8.5 万人(最高上工人数 11.6 万人),施工 40 多天,完成土方 840 万立方米。出境远途施工,人数之多,任务之重,是前所未有的,而速度也是超前的。民工生活很苦,但精神饱满,士气旺盛。寒冷冬天,吃住在工地,并经常挑灯夜战,本是 60 天的任务,40 余天就完成。工程完工后,男女民工长出一口气,许多人激动得流了泪。拿到验收证后第一件事是烧水洗脸。回到后方好多公社开放浴室,免费让民工洗澡。1977 年冬第二期工程在县境内施工,上工 13 万人,历时 78 天,完成土方 1450 万立方米。这期河工是建国后最突出、最艰巨的一项工程,其突出特点:一是工程标准高。河底高程原设计 9 米,后加深 0.5 米,挖至 8.5 米,多挖底层粘土用于护河坡。平均河道深度 12 米,沙集一段河深 14 米,河堤计划高度 5 米,虚高 6 米多,最后从河底挖土送上堤顶,民工人力两级拉坡,要爬高 20 米。这是建国后人力开挖最深、最大的一条河,民工用车推土,相当于在五六层楼的高度上往返。二是施工难度大。凌北大沟至徐沙河一段,中间有一层砂礓盘,必须爆破,整个工期买炸药用去 11.2 万元,超出计划 7 万元。砂礓盘底是一层细流沙,砂礓被攻破一个缺口,便向上涌水,水量大,增加排水量,增加工程施工难度。三是集体负担重。挖这样深的河,集中这么多的人力,一个冬季完成这样多的骨干河道土方,是睢宁历史上没有的。这是效益最大的一项工程,也是生产队集体和群众负担最重的一项工程。梁集、姚集一些困难生产队除了运粮运草上河工外,还卖牛、卖马、卖羊、卖树支援河工购置拉坡、运土等特种工具。两年的河工之后,全县上下大有"筋疲力尽"之感。虽然土方量高度集中,民工受苦受累,但在中国共产党和人民政府的领导下,经过全县人民努力拼搏,千百年的愿望终于变成了现实。

　　第五次高潮是 1991 年六县会战最后一期徐洪河。徐洪河是跨市的流域性河道,一河连通三湖(洪泽湖、骆马湖、微山湖)。当时南、北河道已经形成,只差县内沙集以北 24.2 公里没有开挖,此期工程势在必行。1991 年秋,徐州市组织六县开挖徐洪河。丰、沛、铜山三县机械化施工,睢宁、新沂两县人、机结合,邳县完全人工开挖。睢宁县的任务有切废黄河北滩土方,开挖黄河北闸闸塘,开挖魏工分洪道,开挖顺堤河,开挖前袁桥、赵苗桥下土方,后期拆坝整堤,建筑"八桥一站"等配套工程。徐洪河全市受益,睢宁县也在其中。由于工段在睢宁境内,又系平地开河,睢宁县为这期工程做出了特殊贡献。联产承包后土地分到户,集中大面积挖压土地工作难度大。为此测量放线、拆迁建房提前一年进行。主河道流经 4 个乡、26 个村、105 个村民小组。挖压土地 8990 亩,关联 4705 户、20295 人,拆迁新建房屋 1186 户、7047 间。改造供电线路 56 公里。改造邮电线路 35 公里。改造广播线路 30 公里。当年 8 月底 9 月初,为满足沛县施工需要,刘圩乡 9 个村、48 个组突击砍掉在田作物 2774 亩,其中水稻 184 亩,玉米 925 亩,棉花 170 亩。全河沿线在一个星期内共铲除玉米、水稻、棉花等在田作物 5000 余亩,伐树 39 万棵,其中成材树 5.6 万棵,苹果树 5959 棵。为其他县施工修路、送电,为挖河提供排水出路,为泥浆泵施工提供水源。如从废黄河向丰县工地送水 200 万立方米;从沙集站抽水向新沂县工段送水 300 万立方米;高作乡用二级提水供沛县施工。挖压土地后沿线困难户需要政府安排生活。据查徐洪河开挖后,由于挖压的土地过分集中,人均土地 0.3 亩以下的有 26 个组、849 户、4610 人;人均土地 0.1 亩以下甚至没有土地的有 5 个组、225 户、1114 人。人均 0.5 亩尚可保住口粮,0.5 亩以下农民生活要受不同程度的影响。对此,施工期间要安定土地被占农民的情绪,安排他们的生活,从长远考虑,要组织他们进行工副业生产,实行转产。

第四节　水利事业发展及效益

　　建国后年年治水,兴建了大量的水利工程,49 年累计挖土方 6.3 亿立方米(有效土 3.19 亿立方米),做建筑砌石 83.56 万立方米,混凝土 22 万立方米。干、支河节制闸 28 座,中沟以上桥、涵、闸 5330 座。建中、小型水库 11 座,总库容 8136 万立方米。现有抽水站:县管 5 座抽水站装机 39 台套,10295 千瓦。乡管站 29 座,89 台套,4705 千瓦。村管站438 座,644 台套,16331.4 千瓦。总共有固定站 472 座,772 台套,31331.4 千瓦(此外还有流动散机,电机 479 台,5212.5 千瓦,柴油机 172 台套,2984 马力)。累计打井 8019 眼,配套 5040 眼。90 年代全县有排灌设备总动力 75106.4 马力,其中提地上水 51893.9 马力,井灌 23212.5 马力(井灌最高配到 56589 马力)。河、堤、沟、渠占用土地,小沟级以上近 29 万亩(统计面积),其中植树、植条、植草等可综合利用面积近 22 万亩,利用率 76%。水利建设总投资 2.35575 亿元,其中国家投资 1.43174 亿元。建国时的水利事业是"支离破碎"的烂摊子,那时仅有 16 条河,像废黄河、废闸河、老滩河、龙河、潼河、田河、白马河、小滩河、西渭河、凌沙河、中渭河、东渭河(沙河)、牛鼻河、小邱河、民便河、小阎河。支河多是黄河冲决而成,是长条形低洼地,无明显的河泓、河堤。弯曲狭窄,名为"河",实际上长年无水。涝时河水猛涨泛滥成灾,遇旱无水尘沙飞扬。那时灾害频繁,群众生活极苦。"小雨小灾,大雨大灾,无雨旱灾","满天日光,遍地汪洋,蛤蟆撒尿,庄稼淹光"。凌城、邱集、黄圩及黄墩湖等低洼地区只能有一季麦收,秋季受汛期雨涝影响经常是草籽不收。"五天一小旱,十天一大旱,半月不下雨,庄稼就难看"。即使不旱不涝风调雨顺,也只能"半年糠菜半年粮",经常是"五月端阳还好过,八月十五泪汪汪","七个月山芋,三个月南瓜,两个月粮食节节巴巴"。这些都是旧面貌的真实写照。

　　建国后经过三个时期十个阶段治理,水利面貌发生了根本性的、翻天覆地的变化。可以从四个方面衡量:

　　一是"大排"。以 1963 年、1974 年、1996 年三次大涝年份作比较,1963 年是建国后雨量最多的年份,5 月 28 日至 29 日降雨量 250 至 300 毫米,积水 7 至 8 天,以后三个月阴雨连绵,全县农业总产粮 1.1 亿斤,粮食平均亩产 50 斤,皮棉亩产 2 斤 8 两。秋后有劳动力外流,群众逃荒谋生。县、公社、大队多忙于分发救灾款、救济粮,并派员四处购买"毛芋"(芋头)、"胡萝卜"、"干菜、蔬菜"等代食品,如因雨雪交通中断,便有相当的户断炊。1974 年 5 月 16 日、7 月 13 日、7 月 18 日降大雨,8 月 12 日又普降大暴雨,一般都在 250 毫米至 300 毫米,普遍积水 7 天,庆安灌区最多积水 14 天。因是麦收后降大雨,又因发展部分水稻,当年粮食总产尚有 4.36 亿斤。1996 年 6 月 16 日以后 35 天 9 次集中降大雨,县城 750 余毫米,接近年平均雨量,最大降雨在双沟,雨量 970 余毫米,超过年平均雨量。全年总雨量仅次于 1963 年,是建国后第二个大水年。由于有多年建成的梯级河网,有星罗棋布的水工建筑相互调度,排水速度很快,一般雨后 1 至 2 天排完。除双沟南部、张圩山北部因边界地区影响受灾较重外,其余广大地区基本无重大灾害。当年全县农业总产 13.95 亿斤,是增产年、高产年。

　　二是"大引"。1970 年前无引外水能力,从 1970 年发展引水灌溉起,历时 28 年,县管抽水站共可抽水 78.8 立方米每秒,其中提外水能力 67.3 立方米每秒,加上黄墩湖地区、徐洪河沿线 78 座小站直接提外水 40.3 立方米每秒,全县共有提外水能力 107.6 立方米每秒。此外,徐沙河沙集船闸还可直接从徐洪河引水。按一般情况进行粗略计算,大灌区 1 立方米每秒可供 1 万亩土地,如单纯引水抗旱 1 立方米每秒可供近 2 万亩。加上河、库蓄水和井灌,全县总供水能力可接近需求量。现尚不能亩亩灌溉,局部地区差距较大,这是因为内部分配不平均,特别是内部工程配套尚有差距。

　　三是"大蓄"。水库总有效库容 8136 万立方米,废黄河中泓和梯级河网一般年份蓄水

400 万至 600 万立方米。蓄水总量不大，但因河库有抽水站补水，引水扎根"两湖"，通过调度可以举一反三。从长年无水到长年有水，生态环境有了根本性的变化。

四是"大调度"。可以跨流域调度水源，提高保证率，扩大效益。大的调度排水有三：一是黄墩湖洼地，原排水出路不好，现可通过徐洪河向南调排，解决了出路问题；二是西北高亢地区排水速度快，从田河下排至朱集、官山，往往成灾，现可以调部分水入徐沙河；三是西南片白马河、潼河在安徽省泗县境内排水出路不好，可以通过龙山闸调 100 立方米每秒入新龙河。引水调度，在七八十年代南部水稻栽插季节用水紧张，通过庆安水库退水入白塘河 200 万至 400 万立方米，缓解南部用水紧张局面，徐洪河贯通后可调北水，徐沙河以南和西北片均能补上水。另外县内乡、村级小流域调水路数更多。梯级河网可以重复用水，如庆安灌区回归水退入徐沙河可二次利用，南部灌区稻田退水入新龙河，也可以再次利用。一般年份重复用回归水可达 0.4 亿至 0.8 亿立方米，所以南部二级、三级提水，按扬程计算成本应高于用水库水（指提水补库）和井水，但实际成本偏低，这就是水量重复利用的缘故。水稻栽插后，大站抽水就是适当补水。

水利事业的发展，首先是促进了农业的发展，水利建设由低到高，粮食产量也不断提高。从 1949 年到 1969 年的 20 年间，建国初两年全县粮食总产 1.8 亿斤，其余正常年景粮食总产 2.7 亿斤左右。年际变化幅度大，最高的 1958 年 3.06 亿斤，最低 1963 年 1.123 亿斤，相差 2.73 倍。70 年代上半期发展灌溉，粮食总产上升到 5 亿斤左右，最高是 1976 年 5.698 亿斤，相当于 1969 年的 2 倍，最低是 1970 年 3.49 亿斤，相差 1.63 倍。实行梯级河网化以后，1977 年粮食总产 5.076 亿斤，到 1984 年是 12.816 亿斤，7 年增长 7.74 亿斤，平均每年增长 1.1 亿斤。从 1977 年到 1987 年 10 年间，尽管仍有旱涝灾害，但粮食总产是年年增长，没有上下浮动。80 年代梯级河网大发展，带来了农业大增产，1980 年粮食总产过 7.5 亿斤，1981 年过 9 亿斤，1982 年过 10.5 亿斤，1983 年过 11.5 亿斤，1984 年过 12 亿斤，1986 年过 13 亿斤。90 年代，除 1993 年因 5 月 25 日西部遭冰雹灾害和因产业结构调整粮食面积减少等因素，粮食总产不到 12 亿斤外，其余年份皆稳定在 13 亿斤以上。尽管 1994 年大旱，1996 年大涝，农业总产均无波动。从人均年生产粮食比较看，1950 年人均产粮 293.5 斤，1957 年人均产粮 399.2 斤，1966 年人均产粮 381.8 斤，1974 年人均产粮 486 斤，1977 年人均产粮 534.3 斤，1984 年人均产粮 1275 斤，以后逐年人均产粮均超千斤。由此可见，1977 年前人均产粮虽呈增长趋势，但速度缓慢（其中 1963 年人均产粮只有 152.4 斤）。徐洪河开挖实行梯级河网工程后，水利事业飞速发展，农业产量直线上升。1984 年和 1977 年相比，总产增加 2.52 倍，人均产粮增加 2.39 倍。建国 49 年来，挖了 6.3 亿立方米土方，占用了 29 万亩土地，粮食总产翻了两番多。"水利是农业的命脉"，50 年代国家制定的农业八字宪法"水、肥、土、种、密、保、工、管"，以水为头，"有收无收在于水，收多收少在于肥"，这已被实践所证实。1980 年前概括睢宁灾害特点："大灾大减产，小灾小减产，风调雨顺增点产"，"易旱易涝，涝渍干旱交替为害，致使农业产量长期低而不稳"。此论调唱了 30 余年，已一去不复返了，旧的水利面貌也已经变成了历史。

水利事业的发展，还促进了整个国民经济的发展，主要体现在以下几个方面：

1. 水利促进了农村电气化。农村用电是从 60 年代打井开始，到 70 年代、80 年代引水建电灌站时才得以普及和发展。全县机电排灌站架设输电线路 1083 公里，井灌提水配套架设输电线路 800 余公里，合计水利架输电线路近 2000 公里。抽水是季节性用电，抽水用的供电线路、变压器等为农业照明、收割脱粒、农副产品加工提供了方便。

2．水利促进林、牧、副、渔的发展。河、沟占用土地后76％可以利用,其中主要是植林、果、桑、条。农村的汪塘减少,正规的渔塘增加,水利提供了可靠的养鱼水源。据80年代统计,水利工程植树4616万棵,建成片林和防护林6万亩,植桑1万亩,栽果树3万亩。水利结合挖鱼塘4.42万亩。90年代开挖最后一期徐洪河,挖压地8990亩,当年即植树、栽条,单植桑面积就有4740亩。

3,水利促进交通、航运的发展。农田水利配套是沟、渠、路统一布置,提供交通路2605公里。梯级河网实现以后是16条干河、75条大沟,共544公里长年有水,其中符合通航标准的河道119公里,全县有18个乡(镇)、260个村具备通农船的条件。四组控制枢纽均为建船闸留有余地,为县、乡设立码头发展水路运输提供了条件。

4,水利促进了城镇建设。1996年县城河治理,和梯级河网工程相通。可引水向城镇、厂矿供水,可排积水、冲污水。历史上多次出现的因大雨积水造成工厂停工、学校停课的局面已经改观。

水利兴,百业兴,水利从为农业服务已扩展到为整个国民经济服务。只有实现水利事业的大发展,才能实现人心稳定,社会安定,进而实现国泰民安。

第三篇
河　　流

　　睢宁地处淮河流域,境内分为安河、濉唐河、骆马湖及废黄河四个水系。建国前县内河道弯曲,河床狭窄,涝不能排,旱不能灌,一遇大雨,遍地汪洋,造成水灾。建国后,在睢宁县人民政府和上级业务主管部门的正确领导和支持下,对境内各条干、支河道进行了统一规划、分期治理,除少数边界河道外,境内各条河道基本上达到了五年一遇排涝标准。特别是1976年开挖了徐洪河后,彻底打开了南部排引口门。在此基础上,1978年制订了全县梯级河网规划。经过多年努力,形成了"三横一竖"的梯级河网。

第一章　安河(徐洪河)水系

　　安河(徐洪河)属淮河水系,从七咀到洪泽湖全长56公里。该流域东达洪泽湖,南至老濉河,西界闸河,北邻废黄河。地跨苏皖两省,徐州、宿迁和宿州三个市,睢宁、宿豫、泗洪、泗县、灵璧五个县。流域面积2596.23平方公里,其中睢宁境内流域面积1369.6平方公里。

　　安河水系内有龙河、潼河和徐洪河三支。龙河分为徐沙河、新龙河两支,龙河有牛鼻河、白塘河、小濉河、西渭河、中渭河等支流;潼河有田河、白马河等支流。新、老龙河与徐洪河在七咀汇合,南经宿豫、泗县边界至泗洪县大口子与潼河汇合。大口子以下为安河本干(亦有七咀以下即为安河之说),安河自大口子南流经金锁镇,在洪泽湖农场入成子湖后汇入洪泽湖(徐洪河下段工程完成后,七咀以下的安河已与徐洪河融成一体)。

第一节　安河、徐洪河

一、安河

　　安河是睢宁排水咽喉,睢宁人民历来对治理安河都很重视。建国以来,睢宁县人民政府一直把治理安河放在首要位置。1952年治淮委员会工程部编制的《安河疏浚工程计划》,按五十年一遇保麦标准,大口子以上来量为70立方米每秒,大口子设计水位为17.8米,上报国家水电部和国家计委,于1956年2月获得批准。又由淮阴、徐州两专区共同疏浚安河及其上游老龙河。江苏省政府指示睢宁县成立治淮总队部,动员民工15950人,于1956年3月21日上工,按三年一遇标准进行施工,承担自龙河南庙至安河大口子,长39.5公里的河道疏浚工程(安河大口子以下至张渡口36.8公里,按五年一遇标准由淮阴专区负责施工)。根据设计标准,利用原有河槽向下开挖1.5米至2米,用河床土筑高两边河堤,到6月初完工,计做土方144.4万立方米,国家拨款498500元。

　　1956年冬季,睢宁县再次动员民工26932人,按老五年一遇标准拓宽疏浚龙河魏楼经南庙至安河大口子,工段全长51.8公里(其中龙河魏楼至南庙12.3公里,南庙至七咀28.9公里,七咀至大口子10.6公里),大口子处龙河来水面积944平方公里,设计141立方米每秒(汇入潼河后为252立方米每秒),排涝水位16.3米,防洪水位18.43米,设计河底高程11.3米,河底宽30.5米。于10月23日上工,到11月25日竣工,历时32天,完成土方292.1万立方米。同时兴建了找沟、汤集两座交通桥及其他一些建筑物配套工程,完成石方

66573 立方米,混凝土 137.6 立方米,投资 132 万元。该工程完成后,为睢宁县南部地区减轻内涝灾害起到了一定作用。

1964 年 1 月苏皖两省负责同志在合肥商讨安河流域治理,并报请国家计委和华东局,积极要求进行安河流域整治。同年 8 月 20 日编制安河整治工程设计任务书,10 月提出《安河流域除涝规划报告》(初稿),经国家计委批准后,省厅在 1965 年 3 月的批文中指出:大口子到凌城闸一段工程关系到睢宁县大面积排涝,经请示省计委同意,在 1965 年地方基建投资中调度安排 10 万元,要求这段工程按原设计和安河一并施工。大口子到凌城闸一段长 13.963 公里,河底真高由 11 米到 12.24 米,河底宽 51 米到 17 米。安河干流大口子到牌坊嘴长 30.7 公里,按三年一遇标准进行施工,河底真高由 11 米到 9.48 米,底宽 51 米到 76 米。总土方 217 万立方米,批准经费 99.79 万元;潼河边界工程批准经费 10.59 万元;附属桥涵批准经费 10.88 万元,包括凌城闸到大口子一段在内共计批给经费 131.26 万元。睢宁县成立了安河施工总队,由县委常委、副县长刘步义任总队长兼政委,组织 47472 人于 1965 年 3 月 10 日上工,到 4 月 25 日竣工,工段从睢宁县凌城七咀到泗洪县庄潭,长 31.78 公里,完成土方 312.9 万立方米,国家投资 117 万元。5 月份又组织 11000 人,从七咀到凌城闸一段进行施工,长 2.9 公里,土方 16.8 万立方米。潼河边界工程完成土方 58 万立方米,国家投资 5.7 万元,并兴建了黄圩傅家沟上的陈仙桥、许生桥、傅巷支沟上的涵洞和李集的三里王、柳圩 2 座大沟桥及李埝涵洞,共支出经费 1.816 万元。该项工程完成后,使大口子以上 1736 平方公里的排水标准可达到三年一遇的 88%,傅家沟及斜门里大沟的整治可改善 4.8 万亩耕地的排水条件,同时缓解边界水利纠纷。

1969 年,全国掀起"农业学大寨,粮食超纲要"高潮,睢宁大搞旱改水。计划兴建凌城抽水站,引洪泽湖水解决睢宁新龙河沿线的用水问题。经省厅批准,凌城闸至大口子 14 公里按 25 立方米每秒引水流量标准设计,底宽 30 米,河底高程 9 米,土方 283.68 万立方米;大口子到介集林场 31 公里,其标准按引水 35 立方米每秒计算,底宽 45 米,河底高程 9 米,土方 289.49 万立方米;凌城抽水站引水河 1.35 公里,引水 25 立方米每秒,底宽 30 米,河底高程 9 米,土方 69.1 万立方米;并在凌城闸下 500 米处及老龙河、边东河入口处各做跌水一座,石方 3600 立方米。整个工程分两期施工,睢宁县成立了治理安河指挥部,县革委会副主任吴学志任指挥,组织 4 万民工,在 1970 年冬完成了凌城闸至大口子 14 公里的河道疏浚任务,1971 年春又完成了大口子以下及凌城抽水站引水河的土方疏浚工程,并建起了 3 座河道跌水。两期工程共做土方 642.3 万立方米、石方 3600 立方米,工程投资 305.4 万元。经过这次整治,淮阴境内安河干流全部改入成子湖,民便河单独入湖,不再进入安河,大大改善了安河的排水条件。

二、徐洪河

徐洪河南起洪泽湖的顾勒河口,在徐州市东郊同京杭运河相接,连通洪泽湖、骆马湖、微山湖三大湖泊,全长 187 公里。徐洪河是综合性工程,以调水为主,结合防洪、排涝、航运。1976 年被列为省江水北调的复线工程。徐洪河在睢宁境内 53 公里,南从七咀起,经沙集、刘圩,在袁圩处穿越废黄河,于古邳陈老庄穿民便河入邳境。直接排水入河的流域面积 1363.4 平方公里,占全县总面积的 76.9%。徐洪河在睢宁境内分为潼河、龙河、徐沙河及徐洪河本身四个小流域,龙河流域面积 536 平方公里,潼河流域面积 243.4 平方公里,徐沙河流域面积501.4平方公里，徐洪河本身排涝面积826平方公里。自1976年开始，睢宁先后五期参加开挖徐洪河，下面分期记述。

（一）第一期工程

1976年经省计委批准，七咀以下至顾勒河口，全长近56公里，地处淮阴地区境内，批准由徐州、淮阴两个地区分别实施。徐州地区于1976年10月15日组织铜、邳、睢三个县上工，工段由七咀至农场机排站，长度44.75公里，土方2500万立方米。睢宁承担金镇到农场机排站一段，长度21.3公里。县组织8.5万民工，高峰时上工11.6万人。县革委会副主任徐广庆任指挥。于1976年11月10日至15日上工，到1977年2月9日竣工，完成土方875万立方米，完成劳动日687万个。淮阴地区于1977年冬组织泗洪、宿迁两县施工，工段长度11.15公里。淮阴施工段河道断面：河底高程8.0米，河底宽102米。徐州施工段河道断面：大口子以下河底高程8.0米，河底宽45～90米；大口子以上至七咀，河底高程8.5米，河底宽45米。

（二）第二期工程

1977年冬，徐洪河实施第二期工程，工段全部在睢宁县境内。从凌城七咀到沙集南，长度15.58公里，河底高程8.5米，河底宽27米，滩面宽20米，边坡1∶3。挖河取土结合筑堤，高程12米以上用粘土护坡厚50公分，从地面到河底挖深13～14米，计划土方1450万立方米。此项任务全部由睢宁县承担，由县委副书记沙玉琴任指挥，抽调县、社两级干部1300余人，组织24个施工团，动员民工13万人，加上后勤和运输人员在内达15万人之多。从1977年11月8日开工到春节前，施工78天，只有7个施工团遗留10万立方米土方到春节后完成。春节后又同时组织9个施工团11000人突击20天，完成徐洪河至沙集闸一段的55万立方米土方任务，前后共计完成土方1456万立方米，完成劳动日1140万个。

县同时成立建桥指挥部，由水利局副局长魏维贤、王树林负责，从1977年春季开始到1978年冬，先后兴建了沙集闸和凌埠公路桥和刘花园、秦圩、余圩3座生产桥（张徐公路桥由市交通部门承建），同时又完成了余圩、秦庄、湖庙、张庄、张徐、七咀6座排涝涵洞及7处下水道。凌城公社负责兴建了凌南大沟套闸。

第二期工程国家总投资967.8万元，其中建闸经费99万元，建桥经费90万元，涵洞跌水经费57万元，其余是土方工程及土地、青苗、树木、房屋拆迁赔偿经费。

1978年4月，省水利厅批准凌城公社在徐洪河沿线兴建丁楼、蔡宅2座小型电灌站，国家补助经费20万元，同年建成并发挥效益。

（三）第三期工程

1978年第三期工程施工。工段从睢宁张集公社（即浦棠乡）崔堰到邳县刘房集（房亭河南），全长21.6公里，计划土方921.5万立方米。河底高程15米，河底宽24米，边坡1∶4，东侧滩面30米，西侧滩面20米，堤顶高程东堤28米，西堤24米，边坡1∶3。该期工程由邳、睢两县承担，睢宁县负责崔埝到小阎河涵洞以北200米，长度5.17公里，土方任务362万立方米。徐州地区要求睢宁上工3.5万人，睢宁县根据实际情况报请批准以原“睢宁县嶂山切岭工程团”为基础，抽调官山公社党委书记王跃任团长，组建“睢宁县半机械化施工团”承包工程任务，开工前先架好5000多米长的高低压线路，修理好95台10～13千瓦电动机和140台195柴油机、94台爬坡器、2800辆铁平车，从23个乡（镇）抽调7000人，按营、连、班编制，从1978年12月5日开工到1979年6月10日竣工，完成土方370万立方米，工日

220 万个。同时又增做了小阁河地下涵洞土方 12 万立方米。

配套工程的建设也随之跟上。原建桥指挥部迁到张集,抽调庆安公社党委书记周道桂和王树林共同组建"睢宁县基建团"承包小阁河地下涵洞和张集、关庙两座生产桥。小阁河地下涵洞的土方工程由李集、高作两个镇抽调 1500 名民工负责。该段工程从 1978 年冬开始到 1979 年底结束。新张集公路桥、新工生产桥由睢宁县水利工程队承建,也同时竣工。国家投资小阁河涵洞 126 万元,桥梁工程 169 万元。

徐洪河的开挖,小阁河地下涵洞的兴建,使得古邳、浦棠两个公社的排水系统被打乱。1979 年 3 月 21 日,地区徐洪河指挥部批准两个公社在徐洪河沿线兴建花庄、三王庄、尤堰、陈平楼 4 座小型电灌站,装机 440 千瓦。并扩建张集电灌站,增加装机 110 千瓦。国家拨款 20.08 万元。

1980 年国民经济调整,徐洪河工程暂停,省和徐州地区为了使已办工程充分发挥效益,对在睢宁境内从七咀到民便河 25.1 公里长的沿线,于 5 月 8 日拨款 16.5 万元,做混凝土排水沟和绿化等水土保持工程。

为使徐洪河发挥效益,省水利厅以苏水基(84)007 号文件批准在沙集余圩建成一座 10 立方米每秒的沙集抽水站,向沙集闸上游徐沙河送水,批准经费 150 万元。

(四)第四期工程(第一期续建工程)

徐洪河工程从 1976 年实施以来,对整个国民经济发展确实发挥了较好的效益,由于在 1980 年国家对国民经济实行宏观调控,这一工程暂停,后省政府和国家农业综合开发领导小组共同将徐洪河续建工程列入黄淮海地区开发项目向中共中央和国务院报告。1990 年 6 月,国家计委委托水利部审批同意续建徐洪河工程,为此停工十多年的徐洪河工程又得到实施。1990 年冬,睢宁县成立了废黄河切滩工程指挥部,县委副书记胡康亚任政委,副县长郑之高任指挥,王保乾、孔庆峰任副指挥。1990 年 1 月 17 日,县委书记赵玉柱等领导同志在浦棠乡王圩村废黄河中泓召开徐洪河废黄河切滩工程施工动员会,市委副书记胡振龙、市政府副市长汪为群等到会讲话。

本期工程市指挥部分配睢宁废黄河切滩任务(试验性开挖)长度 3.07 公里,计划总土方 170 万立方米。工程标准为:河底宽 108 米,河底高程 23 米(此河底为切滩第一期标准,第二年又加深),河坡 1:4,滩面 30 米,堤顶高程 31.0 米,堤坡 1:3。县由水利局工程一、二队为主组织 60 台泥浆泵,编为 11 个机械施工队,计 700 人。另安排高作、沙集 2 个乡镇各出 100 个民工做杂工,共计技工、民工 900 余人。于 1990 年 11 月 15 日前进入工地搭好工棚,并架设好 9 公里高压线路,安装 5 台变压器,配备 6 台套 75 千瓦发电机组,并对人员进行了集中培训,挖引水沟、机械调试等,为施工做好准备工作。整个工程自 1990 年 11 月 17 日开工到 1991 年 4 月底竣工,全工期 166 天。工程施工分两个阶段:第一阶段主要是春节前完成了废黄河切滩中段和南段,长度 2.105 公里,土方 146 万立方米。第二阶段是春节后完成了废黄河切滩北段 0.965 公里,包括导流河、拉坡等附属土方 29.6 万立方米。共计完成土方 175.6 万立方米。本期工程用机械化开挖土方,总投资 407.04 万元,其中国家补助 74.3 万元,其余 332.74 万元由县自筹解决。

(五)第五期工程(第二期续建工程)

即 1991 年进行的徐洪河续建二期工程,为了加强领导,县委、县政府于 8 月下旬对徐洪河指挥部领导班子重新调整。由县委书记徐毅英任政委,县长王大庆任总指挥,县各有关部门主要负责同志任指挥部领导成员,并分别成立"县徐洪河前线施工指挥部"和"县协调领导小组"两套班子。前线施工指挥部指挥由副县长郑之高担任,政委由县委常委、副县长申桂书担任,副政委由王炳章、张炬担任,副指挥由王保乾、姜继民、王聿芝、张志然、李祥云、盛宏元、宗乐元、高维甫担任。指挥部下设四处一室,办公地点在魏集水利站。废黄河切滩工程实行机械化施工,县专门成立施工领导小组,由指挥部工程处副处长孔庆峰负责。魏工分洪道工程组织人力开挖。各有关乡镇相应组建施工班子,由乡镇长任施工团长,分管农业副书记任政委,各机关抽调干部分别负责政工、工程、后勤和安全保卫等工作。

第五期工程从沙集到崔埝计 24 公里,河底高程为 15 米,河底宽 24 米,滩面每边各留 15 米,开挖土方 1448 万立方米,其中废黄河以南 20 公里土方 1051 万立方米,废黄河滩切口 4 公里挖土 397 万立方米(1990 年第四期徐洪河废黄河切滩口包干土方 175.6 万立方米)。本期工程是平地挖河,并穿越袁圩水库,切断废黄河。由于要切断废黄河,必须搞好废黄河魏工分洪道,给废黄河解决排水出路问题,开挖顺堤河解决徐洪河以东排水问题。魏工分洪道全长 8.5 公里,其标准:河底高程 18 米,河底宽 5 米,边坡 1:3,滩面宽各留 10 米,堤顶高程 24.5~25.5 米,堤顶宽一般为 6 米,土方 113.3 万立方米。顺堤河为中沟标准,土方 17 万立方米。本期工程徐州市组织六县施工,睢宁县主要承担:一是做好房屋拆迁、土地赔偿等前期工作;二是废黄河切滩及黄河北闸土方;三是开挖魏工分洪道及顺堤河;四是做好建筑物配套等。由于工作多头,所以县从 1990 年 3 月份开始就着手前期准备工作,到 1991 年 2 月 25 日房屋拆迁、土地赔偿任务基本完成。本期工程河道途经 4 个乡 26 个村 105 个村民小组,挖压土地 8990 亩,关联 4705 户、20295 人的吃住问题。拆迁新建房屋 1186 户、7047 间,改造供电线路 56 公里,改造邮电线路 35 公里,改造广播线路 30 公里。该期工程拆迁赔偿总投资 1742.6 万元。废黄河切滩工程自 1991 年 9 月 1 日开工,组织 14 个机械化施工队,投入 77 台泥浆泵,11 台套发电机组,共 900 余人参加。到 12 月 15 日全面竣工,工期 105 天,完成土方包括围埝土方在内共 62 万立方米,折合工日 50 万个。魏工分洪道包括分洪闸土方在内,采用以人力为主,人机结合,自 1991 年 11 月 5 日开工,全县组织 22 个乡镇参加施工,其中 8 个乡镇使用泥浆泵,14 个乡镇人力开挖,投入 3.2 万民工,46 台泥浆泵,443 台其他机械,于 12 月 15 日竣工,工期 39 天,完成土方 129 万立方米,折合工日 94.3 万个。顺堤河土方由刘圩、高作、沙集 3 乡镇施工,到春节前全面完成。建筑物配套工程同时进行,徐洪河沿线 8 座交通桥梁,由县水利局工程队施工,在开挖徐洪河土方之前施工已基本结束。建成 15 座电灌站(包括袁圩抽水站在内)、11 座排涝涵洞及其他配套建筑物 28 座,在春节前后相继结束。魏工分洪道配套建筑物桥 4 座、站 2 座、西渭河涵洞 1 座、沿线跌水 9 座同时完工。完成总投资 1082 万元(其中国家补助 1009 万元,乡村自筹 73 万元),其中徐洪河沿线 8 座交通桥梁国家补助 356 万元,其他配套建筑物国家补助 383 万元(其中袁圩抽水站补助 170 万元),魏工分洪道国家补助 270 万元。

综上所述,自 1976 年冬季开挖徐洪河,至 1991 年底全线开通,历时 15 年(其中停建 10 年),先后五期参加徐洪河工程施工。70 年代开挖三期:1976 年冬第一期工程在泗洪境内 21.3 公里,上工 11.6 万人,完成土方 875 万立方米;1977 年冬第二期工程,在县内凌城至沙集 17 公里,上工 13 万人,完成土方 1456 万立方米;1978 年冬第三期工程,在浦棠乡境内 5.17 公里,上工 8500 人,完成土方 370.0 万立方米。三期共挖土方 2701 万立方米,做建筑物体积 5.87 万立方米。90 年代徐洪河续建。1990 年冬第一期工程,切废黄河南滩,机械化施工完成土方 175.6 万立方米;1991 年冬第二期工程,完成土方 250.1 万立方米(其中切废黄河北滩 62 万立方米,黄河北闸开挖闸塘 19 万立方米,赵庙、前袁两桥桥下土方 14.1 万立方米,市安排河工扫尾 9 万立方米,魏工分洪道 129.0 万立方米,顺堤河 17 万立方米);两期共完成土方 425.7 万立方米,做建筑物体积 2 万立方米。以上五期工程睢宁县共挖土方 3126.7 万立方米,建筑物体积 7.87 万立方米。

（六）徐洪河清淤

徐洪河沙集以南段堤高河深,淤积较多,虽经几次清淤均不彻底,严重影响沙集大站抽水。1997 年冬,从沙集大站开始到凌北大沟一段进行清淤,以达原来设计标准。县成立水利工程建设指挥部,由副县长王德奎任工程总负责人,县水利局副局长武献云具体负责施工。该工程全长 3.5 公里,河底高程 8.5 米,河底宽 27 米,边坡 1：3,滩面 20 米,两侧滩面整平、筑好子堰,挖好排水沟,每 100 米做下水道一条。凌北大沟到七咀一段主要是整河坡、平滩面、筑子堰,挖好排水沟,做好下水道。整个工程采用机械化施工,由沙集、王林、邱集、凌城及水利局建安公司和泰兴机械化施工队承担此项任务,组织人员 900 余人,泥浆泵 57 台套,铲运机、推土机、翻斗车 49 台,1997 年 12 月中旬开工,1998 年 4 月初结束,完成土方 56 万立方米。省市补助经费 246 万元,县自筹 380 万元,其中 105 万元修建下水道 283 条。

第二节　新龙河(包括跃进河)

一、新龙河

龙河是县内废黄河以南主要排水河道,由于标准低,南部凌城、邱集等低洼地区经常遭受洪涝灾害。老龙河在汤集闸以下沿睢宁和泗县边界走向弯弯曲曲、埂坝较多,要提高排水标准,因受边界矛盾影响很难实施,即使能够提高标准并在最低洼地带挖河结合蓄水、引水,灌溉效益也不大。为此,1959 年冬经省水利厅批准,从小滩河入口之汤集向东平地开挖一条新龙河。新龙河西接跃进河向东经邱集北穿过西渭河,再向东到凌城小陈庄西北,过中渭河折向东南到皇庙至凌城闸下七咀,与老龙河相汇入安河。全长 22.208 公里,流域面积 462 平方公里。根据规划要求以十年一遇标准进行开挖,小滩河口至西渭河口一段设计河底高程 14.22～13.07 米,底宽 25～30 米;西渭河口至凌城闸一段河底高程 13.07～11.0 米,底宽 35～40 米;凌城闸至县界一段河底高程 11 米,底宽 50 米;边坡 1：3,总土方 1200 万立方米。

1959 年 10 月,睢宁县人委成立"睢宁县新龙河施工总队部",由统战部部长贾石华任总队长,动员 35000 民工上工,到 1960 年初共完成土方 649 万立方米,占总任务的二分之一。由于当时各条战线都在大跃进,再加上老龙河也同时开工,劳力紧张,生活困难,所以没有完成计划任务,工程标准河底宽只挖到 30 米,深 3～4 米,堆高只有 2 米左右,小滩河口至邱集一段口面狭窄,就是按五年一遇水位推算,滩面行水要 1.2 米左右。同时跃进河河底高程一般在 17.5 米,而凌城闸闸上正常水位在 17.5 米,所以新龙河包括跃进河在内既不能排涝也不能蓄水灌溉,属半成品河道,不能充分发挥凌城闸排涝、蓄水的效益。为此 1960 年 7 月连同跃进河一并按五年一遇标准设计,再次上报,计划新龙河从中渭河口至小滩河口,河底全部挖到高程 15.5 米,并结合堤防做足标准,跃进河河底同样挖至 15.5 米,以保证官山 10 万亩丰产田的农田灌溉用水。1961年1月5日，县动员民工6180人进行疏浚，4月15日竣工，历时72个晴天，完成土方73.8万立方米。

根据县"三五"水利规划安排，经省专会议定案，新龙河疏浚列入1966年度工程项目。小滩河口至七咀一段全长22.7公里。其标准：小滩河口至中渭河口，河底高程15.2～13.103米，以万分之一点五比降连接，河道底宽14米；中渭河口至凌城闸，河底高程13.103～12.25米，河道比降仍为万分之一点五，河底宽17米；凌城闸至七咀，河底高程12.25～11.99米，河道比降为万分之零点八六，河底宽17米。河道边坡全为1：3，堤顶高程23米，计划土方112.9685万立方米。1965年10月26日，县委召开动员会，由凌城、沙集、高作、王林、邱集、梁集、睢城7个公社组织16569人上工。指挥部设在邱集，副县长刘步义任总队政委，县人委办公室主任朱化南任总队长，武装部副部长王道友任政治部主任。于1965年11月6日开工，12月15日竣工，完成土方102.6万立方米。同时国家拨款30万元兴建了汤集闸，拨款2.5万元修建了赵坝、小刘、小李、贾城4座排涝涵洞。

凌城抽水站1972年度完成6台机泵安装。计划于1973年春10台机组全部安装结束。为了全面发挥凌城抽水站工程效益，搞好灌区配套，结合向西送水，县于1973年元月编制了凌城抽水站灌区配套工程计划概（预）算书上报，省水电局于1973年.2月20日以苏革水电（73）水字第027号文批复同意浚深新龙河、跃进河方案。根据河道实测成果，新龙河邱集桥以东至凌城闸一段河道标准已满足凌城抽水站的送水要求，本期施工主要是邱集桥以西至跃进河桃李路，长度21公里。其标准利用原河形改为平底河道，河底高程15.5米，总土方任务128.2万立方米。施工总队部设在官山，原副县长刘步义任政委，原财办主任朱化南任总队长，1974年春节前按计划完成了河道土方任务。工程投资25万元，兴建了沿线8座支河跌水和跃进河闸。至1977年又补助经费4万元兴建了60米一孔的夏圩双曲拱桥，解决邱集至凌城南部地区的交通问题。

新龙河担负着县南部462平方公里的排水任务，并解决沿线37万亩的农田灌溉引水任务，1973年虽然整治过一次，但没有做足标准，因此80年代初再度进行治理。为减轻潼河的排水压力，调度潼河水系100立方米每秒入新龙河下泄至徐洪河。在龙潼水系之间，龙山闸控制分流排水，并能引水入潼河，解决潼河沿线的农田灌溉水源问题。这期工程实施后可增加和提高排涝灌溉面积达93万亩，占全县耕地面积近三分之二。县于1980年9月编制了新龙河扩大初步设计及预算书，分别以县革委会和水电局名义于9月21日和10月25日上报省人民政府、省水利厅、徐州专署水利局。省、地于1980年11月25日批复，同意按五年一遇标准进行疏浚，从凌城闸到桃李公路，长度34.5公里。其标准：凌城闸至中渭河口，河底高程为13.9米，中渭河口到邱集香元大沟，河底按万分之一比降。香元大沟到龙山闸，河底高程15米平；龙山闸上到挑李公路，河底高程15.5米平。河底宽：龙山闸下为45米，龙山闸上至白马河口，河底宽20米；白马河口至桃李公路，河底宽10米。边坡全为1：3，两边滩面不小于10米，堤防按二十年一遇防洪标准，计划总土方503万立方米。当时国民经济处于调整时期，压缩基建项目，在睢宁县又急需办工程，必须发扬艰苦奋斗、自力更生精神，才能办成。于是采取分年实施办法，从中渭河口到白塘河口一段，长度18.2公里，于1980年12月开工，苦干20天，完成土方300万立方米。工程投资50万元，用于土方、房屋拆迁、绿化等35万元，两侧建筑物配套，包括邱集、汤集、官山3座桥梁在内补助15万元。1981年，徐州专署水利局又批准对中渭河口以下一段及白塘河以西一段进行疏浚，县冬季动员凌城、沙集等 9 个公社民工施工,完成土方 130.66 万立方米。1981 年 12 月兴建了鲁届闸及龙山闸扩孔,工程造价 25 万元。

二、跃进河

跃进河是连通潼河与龙河水系的横向河道。由于潼河标准低,排水出路不好,开挖跃进河可以调白马河、田河来水入龙河,减轻潼河排水压力。

1958 年 3 月至 6 月,为解决睢宁西部桃园、官山的排水出路和兴建凌城闸所需石料的水路运输等问题,平地开挖了跃进河。跃进河自桃园鲁庙向东穿越白马河、田河、老龙河,沿老龙河向东与白塘河相接,到汤集闸向东与新龙河接通,向南与老龙河连通,全长 9.6 公里。河道标准:小滩河口至白塘河口,河底宽 15 米;白塘河至老龙河,河底宽 12 米;老龙河口至田河口,河底宽 9 米;田河口至白马河口,河底宽 5 米;白马河口至桃李公路,河底宽 4 米。河道河底高程 17.5 米,边坡 1∶3。睢宁县水利兵团组织桃园、黄圩等 4 个公社民工,由水利局副局长夏献坤负责施工,于 1958 年 3 月底开工,6 月 10 日竣工,完成土方 82 万立方米。

1958 年开挖跃进河,由于是平地开挖,河底高程一般在 17.5 米,1959 年兴建凌城闸,闸上正常水位 17.5 米,所以跃进河、新龙河当时施工时河底高程偏高,不适应该河的排、灌、航要求。为此,1960 年 7 月连同新龙河一并设计,按五年一遇标准进行上报,为保证官山 10 万亩丰产田的农田灌溉,跃进河河底高程需要挖至 15.5 米。1961 年 1 月 5 日,县再次动员民工 6108 人连同新龙河一起疏浚,4 月 15 日竣工,历时 72 个晴天,完成土方 73.8 万立方米。

开挖跃进河时官山、龙山两座山之间一段没有达到设计标准,1961 年 9 月 13 日一场暴雨,跃进河两岸受灾。为了使上下游相适应,1961 年 11 月下旬县委决定将跃进河工程列入农田水利补助工程,对老龙河口至白马河口一段进行再次疏浚,长度 5.1 公里,由受益乡官山、桃园、朱集、黄圩动员 1800 人,于 1961 年 11 月 28 日开工,1962 年 3 月 25 日竣工,完成土方 15 万立方米。

1966 年 11 月到 1967 年 4 月进行了一次捞底,完成土方 8 万立方米。到 1971 年冬季,在农业学大寨高潮中,为了扩大跃进河的灌溉和排涝能力,经徐州地委批准,由沿线受益单位组织劳力对该河再次进行清淤。地区补助 6.5 万元,对沿河彭庄、大位、洪场、大许、官黄、小王 6 座桥涵进行扩建整修。

1973 年与新龙河一起疏浚一次,从邱集桥以西至跃进河桃李路,长度 21 公里,河底高程 15.5 米平,完成土方 128.2 万立方米。同时兴建了跃进河闸(以后改为龙山闸)及 8 座支河跌水,投资经费 25 万元。

1980 年 11 月 25 日徐州专署水利局批准,于 1980 年、1981 年先后分两期与新龙河一起疏浚,并兴建了鲁庙闸及龙山闸(跃进河闸)扩孔(见本节一、新龙河)。

第三节 徐沙河(徐坪运河)

徐沙河是在原徐坪运河基础上开挖的。1958 年江苏省统一规划由徐州至坪子口为省级航道,从徐州经铜山、睢宁、宿迁、沭阳到灌云县坪子口入海,称为"徐坪运河"。由于宿迁以下一直没有开挖,1975 年以后利用徐坪河之一段,更名为徐沙河,从徐州经铜山到睢宁沙集。县境内计划徐沙河流域面积 501.4 平方公里,实际只形成 310 平方公里(因高集以西排水面积尚未纳入)。至 1997 年,徐沙河只从沙集到苏塘形成了河道,双沟有河形并未与下游接通。上游铜山县境内没有开挖徐沙河。

徐圩运河经江苏省水利厅批准,县境内工程标准河底宽 60 米,一般地面向下挖深 6 米,开始施工是半边成河,底宽 30 米,先挖南半边,分期逐年实施,土方任务 211 万立方米,工程投资 289 万元。该河从沙集至双沟,全长 120 华里,1959 年 11 月 11 日开工,施工人数 29437 人,冬季最高峰时达到 39600 人。由于在双沟南河道线路需穿越安徽灵璧县邵堰生产队,他们不同意开挖,同时上游铜山、下游宿迁均未动工,且县内工程进度不一,各段深浅各异,工程中途停下,只完成土方 190 万立方米,完成投资 63.2 万元,形成半成品河道。

在 1962 年 8 月召开的县人民代表大会上,代表们对该河提了很多意见,指出这个半成品河道既浪费土地,又不能发挥排水作用。1963 年 1 月,县水利局结合庆安灌区除涝治碱工程,将灌区排水东侧排入白塘河,西侧排入老龙河,然后汇入徐圩运河,经调度入新龙河排入安河进洪泽湖。为了解决庆安灌区的排水问题,决定先对徐圩运河从老龙河口至小滩河之胡桥口一段长度 8.2 公里进行疏浚,这样既提高了徐圩运河以南白塘河、老龙河的除涝标准,减轻对朱集、朱楼、官山等公社的内涝威胁,又能解决庆安灌区的排水出路及朱楼电灌站的用水。徐州专署水利局于 1963 年 3 月 20 日提出审核意见,江苏省水利厅 5 月 8 日批准同意施工。河道标准:龙河口至白塘河口一段,底宽 6 米,白塘河口至小滩河胡桥口以筑北埝为主,河底宽 10 米。睢宁县组织睢城、朱集 2 个公社 1901 人,于 3 月 1 日开工,4 月 12 日竣工,完成土方 87309 立方米。工程投资 11.33 万元,兴建岗头吴桥一座。

1964 年 10 月,江苏省水利厅徐淮规划室在安河除涝规划中对睢宁县徐圩运河一段河道作了规划论证,认为在原有河道的基础上进行分段利用较好。徐圩运河从小滩河口东至沙集一段,标准较低,只有疏通这一段徐圩运河,然后从沙集向南再接着疏浚凌沙河,使白塘河以东、徐圩运河以北来水利用该河道排入凌沙河,进入凌城闸下入安河。同时沿线南岸在小滩河口、中渭河口建闸控制,也可以调度排水入新龙河。为了解决农田灌溉用水,在凌沙河上建闸控制。田河以西来水可以经田河排入新龙河,经凌城闸下泄至安河。按照省厅规划,1966 年春在徐圩运河南岸小滩河口建起了睢城闸,在新、老龙河交叉处兴建了汤集闸,这两座闸的建成,起到了调节排水的作用。1967 年春,县组织施工徐圩运河西渭河口至凌沙河七咀一段土方工程,河道开挖标准:西渭河口至中渭河口,河底高程 18.47～17.8 米,河底宽 3 米;中渭河口至凌沙河口,河底高程 17.8～17.2 米,河底宽 12 米;凌沙河口至七咀河底高程 17.2～16.2 米,河底宽 12～20 米。由农工部部长王维甫任总队长,于 1967 年 2 月初开工,到 4 月初竣工,完成土方 194.32 万立方米。工程投资 45.1248 万元,其中 37052 元经费用于兴建四丁、秦圩、鲁庄、刘花园、高南 5 座交通桥。在徐圩河南修建了中渭河闸(到 1983 年又改建了中渭河闸)。1968 年兴建了凌沙河闸。

苏塘公社地处田河上游,由于地势高,每当汛期高水下压至王集公社境内泛滥成灾。田河上游弯弯曲曲,排水不畅,如稍加疏浚,便要搬堤。经实地查勘后决定,将田河上游从高集公社向西改道疏浚徐圩运河,这样苏塘公社排水可以分别通过双洋河、王西大沟等直接排入徐圩运河,王集公社境内的一段田河可作为境内排水河道。这样既解决了两公社的排水矛盾,同时又提高了王集境内排水标准。1973 年 10 月,睢宁县水电局将这一规划设计方案以睢革水电第 62 号文上报地区革委会水电局,徐州地区革委会水电局在 11 月 14 日以 179 号文批复同意该方案。1973 年 11 月 20 日,县组织对田河口向西至双洋河口一段徐圩运河进行疏浚,长度17.9公里。工程标准:田河口至庞店闸,河底高程18.6～19.73米,河底宽19～16米;庞庙闸至王东大沟,河底高程20.58～22.39米,河底宽16米;王东大沟至张庄,河底高程22.39～22.45米,河底宽12米;张庄至杨集,河底高程23.85～24.26米,河底宽12米;杨集至双洋河口,河底高程24.85米,河底宽5米。县革委会副主任王培基任总队长,由原农工部部长王维甫具体负责,抽调苏塘、王集等8个公社,动员10060人,到12月底竣工,完成土方73.2万立方米。同时兴建徐圩河5座生产桥和庞庙阁、朱西闸及张庄跌水,补助工程经费44.96万元。

睢宁县革委会水电局1974年9月17日将徐沙河除涝第一期工程设计方案上报徐州地区革委会水电局,1975年1月7日,睢宁县革委会又将此设计上报省水电局和徐州地区革委会水电局。1975年1月11日,徐州地区革委会水电局以徐革水字第5号文通知县水电局根据省水电局电报,同意徐沙河第一期除涝工程先按三年一遇标准开挖,河道线路从龙河口向东经凌沙河口入安河。1975年先施工小滩河以下一段,长度34.3公里。工程标准:小滩河口至西渭河口,河底高程16.71～16.5米,河底宽10米,边坡1∶3;西渭河口至凌沙河口,河底高程16.5～15.82米,河底宽15米,边坡1∶3;凌沙河口至龙河口(七咀),河底高程15.82～14.16米,河底宽15米,边坡1∶3.5。县成立了"徐沙河除涝工程指挥部",原副县长刘步义任指挥,指挥部设在高作,动员48405人(包括建筑物施工1300人在内),从2月20日正式开工,到4月15日竣工。共挖土方321.4万立方米。工程投资115万元,其中65万元用于土方工程,50万元用于建筑物工程。兴建了沙集闸和红旗、高南、睢南3座交通桥及沿线跌水工程。

1975年8月30日,睢宁县水电局以睢革水(75)字第26号文上报徐州地区革委会水电局,要求批准实施徐沙河第二期除涝工程。1975年11月7日,徐州地区革委会水电局以徐地革水(75)字第202号文批复,同意实施徐沙河第二期工程。从小滩河口至老龙河口长度7.2公里,仍按三年一遇进行开挖。工程标准:小滩河口至白塘河,河底高程16.71～16.94米,河底宽10米;白塘河口至老龙河口,河底高程16.94～17.33米,河底宽5米;边坡均为1∶3;堤顶高程25米。县成立施工指挥部连同白塘河一起施工。1976年2月初开工,4月底完工,完成土方46.5万立方米。工程投资18万元,其中用于土方工程10万元,建筑物工程8万元,兴建魏楼渡槽、王营生产桥和改建一座电灌站。

为了解决高集和朱集一带的排水压力,同时增加东水西调的机会,解决该地区的农田灌溉水源,在徐沙河疏浚开挖的基础上,朱集等公社于1978年冬季平地开挖了徐沙河西支。徐沙河西支从白塘河地下涵洞至桃园散卓,长度14800米,河底高程为18.0米,河底宽7米,边坡1∶3,两侧滩面各10米。完成土方140万立方米。到1979年春兴建了胡滩闸。

1976年徐洪河的开挖,为睢宁打开了排、灌口门。为了充分发挥徐洪河的排、引效益,结合引水、调水、排水,使徐沙河和已开挖的引水大沟相适应,睢宁县1982年9月10日以睢水字第57号文上报徐州行署水利局,要求从沙集闸向上至高集临时翻水站一段,全长29.75公里,按五年一遇标准疏浚徐沙河。沙集闸至红旗桥河底高程15～16米,红旗桥到高集临时站,河底高程16米。1982年11月5日,徐州专署水利局以徐署水农(82)字第267号文对徐沙河疏浚工程批复同意自力更生兴办工程。根据这一精神,县成立"睢宁县农田水利指挥部",县委副书记徐广庆任政委,常务副县长周开诚任指挥,指挥部设在县水利局。动员沙集、凌城、邱集、刘圩等18个单位,76351人,于11月15日开工,12月底竣工,完成土方

355万立方米。工程投资130万元,主要用于沿线土方拆迁、青苗赔偿及建筑物配套工程。

为建高集抽水站,向高集抽水站引水,经市局同意开挖疏浚徐沙河中段。从白塘河地下涵洞到高集红旗桥,长9391米,河底高程16.5米,河底宽15米。县成立徐沙河疏浚工程指挥部,副县长胡居辰任指挥,副县长何仙珍任副指挥。全县安排朱楼、朱集、睢城、官山、李集、桃园、岚山、高集8个乡镇,动员民工22800人,于1988年11月.15日开工,12月10日竣工。历时25天,完成土方84,.5万立方米。同时国家从1988年度发展粮食生产专项资金补助20万元,兴建朱二、魏二、魏五、赵庄4座生产桥,送水河1座生产桥,6座沟头防护和高集临时站整修。

为了更好地向西送水,保证西北片的农田灌溉,1989年冬季又开挖疏浚徐沙河上段及徐沙河西支。徐沙河上段从庞庙闸至双洋河口,长度14.4公里,其标准:庞庙闸上到老田河口,河底高程20.35～20.0米,河底宽为30米;老田河口至王西大沟,河底高程20.5米,老田河口至王东大沟河底宽15米,王东大沟至王西大沟河底宽12米;王西大沟至双洋河,河底高程21米,河底宽10米。河道边坡:从庞庙闸到王西大沟为1∶3,王西大沟至双洋河为1∶3.5。徐沙河西支从白塘河地下涵洞至小楼,长7.7公里,河底高程16.5米,河底宽5米,边坡1∶3。1989年11月7日县成立了"睢宁县徐沙河上段疏浚工程指挥部",县委副书记胡康亚担任指挥,副县长胡居辰担任副指挥。全县动员沙集、浦棠、岚山、古邳、双沟、王集等15个乡镇29935人负责徐沙河上段土方工程,朱集、朱楼两个乡4980人负责西支土方工程。于11月23日正式上工,到1990年元旦前后相继完成,徐沙河上段完成土方124.4万立方米,徐沙河西支完成土方17.1万立方米。同时国家从1989年度发展粮食生产专项资金及小农水补助费中拿出65万元,完成建筑物配套工程40座。

徐沙河在50年代是由省规划、睢宁施工的半边河道,半边也未按标准形成。60年代只是想分段利用半成品河道,没有大做文章。到70年代初,由于分段利用初见成效,于是就在规划上提出大挖徐沙河,使它成为横贯睢宁中部的骨干河道。从排水角度看,开挖徐沙河,既可扩大睢宁北部排水标准,又能减轻南部新龙河排水压力,一条河使南、北受益全局皆活。从引水角度看,南引洪泽湖水,北引骆马湖水,最终在徐沙河汇合,使之成为县内总调度引水的骨干河道。这些规划意图,从70年代至90年代逐步得到实现。

第四节　老龙河

老龙河是故黄河决堤而形成的一条古河,起源于废黄河南侧龙集西北藕池,经龙集南流过朱集、南庙、武宅、小朱折向东,经小夏、找沟、七咀子入徐洪河(原安河)。县境内沿线有牛鼻河、白塘河、小滩河、西渭河、中渭河汇入,大口子以上流域面积944平方公里,睢宁县境内全长62.32公里,流域面积893平方公里。

老龙河历史上是睢宁县主要排水干河,是安河水系的一大支流,它穿越徐沙河,到汤集闸上小滩河入口处与新龙河串流,同时向东与新龙河平行东泄,新龙河向东经凌城闸注入安河,老龙河向东直接排入凌城闸下入安河。

睢宁人民历史上都很重视老龙河的治理,古有"浚而全县之水可以消"之说,乾隆、道光、光绪年间都曾治理过。

1946年春,睢宁县第一次解放,不足一年的时间,中共睢宁县委就组织数万民工治理龙河、白塘河,计120华里。

1949年睢宁县政权刚建立,12月就以工代赈疏浚老龙河。按地亩分任务,按工计资,合理负担,每挖一方土,补贴2.5斤红粮。并决定扒河时按分计工,按工得资,每日评分,从而调动了农民扒河的积极性。从12月2日开始,全县动员4万民工,按照原来河形,铲除河道障碍进行复堤,使其上下游疏通,解决排水问题。15日结束,历时13天,完成土方91.1万立方米。

1951年疏浚从魏大桥到凌城七咀之间46.2公里的河道,将原河道拓宽加深,修筑堤防,提高排水标准。11月22日到25日,动员12个区民工36115人,用半个月时间,完成土方143万立方米。1952年春又完成魏大桥以上至龙集西门一段土方任务。1956年上半年在睢桃、睢李两条公路上兴建了朱集大桥、吴桥,同时还兴建了吕洼、吴桥、袁宝、小宋等7座排涝涵洞,投资2.9万元。

1959年省水利厅为了缓解水利矛盾,减轻睢宁南部洼地洪涝灾害,批准开挖新龙河,同时对老龙河汤集以下到县界25公里进行整治。当时由于老龙河下段处于边界地带,既不能扩大,也不好平堵废除,为此只有保留老龙河。为防洪安全,老龙河开挖河道结合筑堤,以筑堤为主,左堤顶宽30米,右堤顶宽10米。土方任务与新龙河同时完成。

1961年县组织王集、龙集两公社民工1500人,对老龙河上游8公里进行疏浚,11月26日开工,1962年3月25日竣工,完成土方25万立方米。

1968年上游又按五年一遇标准进行开挖,从龙集藕池到汤集闸,长37.3公里,其标准:藕池到汤集闸河底高程21.02～15.15米,底宽3～22米,边坡1:3.5～1:3。于11月初动员全县民工3万人进行施工,12月底竣工,完成土方236.1万立方米。

1984年沙集抽水站建成,为发展徐沙河沿线农田灌溉,1985年11月对老龙河上段,即对徐沙河口至龙王路一段9.435公里进行浚深,其标准:龙王路至邱圩一段(牛鼻河),河底高程16.5米,河底宽5米,边坡1:3,滩面宽5米;邱圩至徐沙河一段,河底高程16.5米,河底宽8米,边坡1:3,滩面7.5米。动员桃园、高集、庆安、龙集4个乡,上民工11062人,从11月23日开工到1986年2月初竣工,完成土方63.3762万立方米。同时兴建了何庄闸带站。灌溉站2座,生产桥5座,沟头防护16座,整修加固小型灌溉站8座,加固整修涵洞2座。包括河道工程总经费42.72万元,其中动用农田水利补助经费12万元,其余都是县乡筹集资金解决。

第五节　白塘河

白塘河上游从庆安水库东侧向南经杨圩、杜巷、王老家、刘王庄、梁河、岳大桥、高塘、毛岗、马厂棚、土山、南庙注入龙河。为魏集、梁集、庆安、睢城、朱楼、朱集6个乡低洼地区的排水干河。白塘河全长28.57公里,流域面积146.28平方公里。

白塘河是县内中部一条低水河道,为废黄河白浪浅(庆安集)处决口冲刷的南北形坡洼地带,比东西地面低1米左右。建国前,每逢汛期,群水汇集,遍地汪洋,十年九不收。建国后,睢宁县人民政府在1951年9月责成县建设科勘测设计,1952年在上级没有拨款的情况下,由群众自办,以工代赈,进行一次清障,下游结合筑堤,完成土方90万立方米。

1956年由睢宁县安河施工总队负责进行第二次治理,动员民工12500人,于6月12日开工,6月底结束,用近 20 天时间,完成土方 24.7 万立方米。工程投资 8.7 万元。兴建马厂棚涵洞等建筑工程,完成石方 848 立方米。通过第二次治理,提高了白塘河沿线 22.8 万亩耕地的排涝能力。

1962 年庆安灌区治碱,白塘河是该灌区主要排水干河,1963 年春动员 4700 人施工,按老十年一遇标准全线疏浚,河底宽 7～11 米,河底高程 19.89～18.97 米,历时 35 天,完成土方 298136 立方米。投资 13.1 万元用于土方工程及建筑物配套。

徐沙河开挖后将白塘河分割成上下两段,上游排水不畅。1976 年兴建白塘河地下涵洞,避免了白塘河低水受徐沙河的高水顶托,白塘河水直接进入地下涵洞向南排入老龙河。1976 年 2 月 24 日,睢宁县革委会成立"白塘河施工指挥部",对白塘河进行全面治理。工段从老龙河口向上到庆安水库东侧,长 26 公里。工程标准:老龙河口至吴桥河底高程 16～16.27 米,河底宽 30～25 米;吴桥至徐沙河口,河底高程 16.27～17 米,河底宽 25～20 米;徐沙河口至庆安水库东侧河底高程 17～19 米,河底宽 10 米。同时将吴桥至南庙的白塘河一段堵死,将白塘河下段南北取直,并流入老龙河。动员 19 个公社 3 万多民工,于 1976 年 2 月底上工,到 4 月份竣工,完成土方 152.7 万立方米。同时投资 145 万元,兴建了白塘河地下涵洞及生产交通桥梁三座。

根据县梯级河网规划,白塘河上段必须开挖成平底引水河道。1982 年 9 月 1 日,睢宁县水利局以睢水字(1982)第 55 号文上报白塘河工程设计及预算书,徐州地区行署水利局于 1982 年 11 月 5 日以徐署水农(82)268 号文批复同意兴办本期白塘河疏浚工程,并同意兴建沟头防护、生产桥及白塘河地涵加闸门等工程。县于 1982 年 11 月 15 日对白塘河上段从徐沙河向上到庆安水库进行治理,长 18.73 公里。工程标准:白塘河地涵到徐淮路河底高程 17 米,河底宽 20 米;徐淮路至岳大桥河底高程 17 米,平底开挖,河底宽 12 米从岳大桥至刘王渡槽河底高程 17 米,平底开挖,河底宽 8 米;刘王渡槽至庆安水库河底高程 17.0～17.55 米,河底宽 5 米,边坡均为 1∶3。县动员张集、魏集、庆安、梁集、姚集、古邳、朱楼、朱集 8 个公社 23649 人上工,于 1983 年元月底竣工,完成土方 110 万立方米。投资 29.64 万元,兴建了杜巷、王老家、刘王庄、高楼、岳大桥 5 座生产桥及沿线 15 座沟头防护,并且对白塘河地下涵洞加闸门。这样不仅提高了白塘河上段排水标准,而且结合拦截庆安灌区回归水,增加提水灌溉面积。

第六节　小濉河

小濉河起源于本县北部梁集乡西边王瓦庄附近,向南流经刘场、邱洼、庙湾、睢城西关,继续向南穿过徐沙河,到汤集东八大家进入龙河。全长 23.118 公里,流域面积 72.1 平方公里。

小濉河是睢宁中部地区一条主要排水河道,建国前是一条弯曲河沟。1952 年为了排水,采用以工代赈的办法,动员民工对上游进行了疏浚,下游两岸筑堤,完成土方 6000 立方米。1954 年对龙河口至武楼一段进行捞底清淤,由邱集、睢城、朱集、官山 4 个区负责,完成土方 12000 立方米。1956 年兴建了邱庙、朱前楼两座排水涵洞,以防水溢淹田。1957 年又对车店到八大家入龙河处按三年一遇标准进行了疏浚,长 20.8 公里,完成土方 31 万立方米。投资 10 万元用于土方补助及建筑物配套工程。

1959年将小滩河从睢城向南至汤集向东经新龙河至凌城闸下作为徐洪河规划线路。当时小滩河设计标准为:睢城至睢城闸河底高程15.52米,河底宽20米;睢城闸至汤集闸入龙河处河底高程15.52～14.22米,河底宽25米;边坡均为1:3。于1959年冬组织常备民工15000人,计划开挖土方365万立方米。因当时规划标准太大,又处于国民经济困难时期,施工任务没有全部完成就被迫停工。大部分地段没有挖足标准,有些地段只有半边成河,仅能保持小滩河的排水。再加上当时对徐洪河规划线路有争议,因而该工程未形成体系,后来于县东部形成的徐洪河才是真正的徐洪河。

1966年经省、地水利部门批准兴建睢城闸,闸底板高程16.99米。睢城公社又兴建了城南电灌站,底板高程17.0米。而小滩河当时河底高程均高出该两项底板1.5米左右。为了与睢城闸、城南站底板相适应,充分发挥工程的排水、蓄水、提水作用,因此对小滩河又进行了疏浚加深。1966年冬抽调朱楼、睢城2个公社民工2900人按三年一遇标准进行施工,工段在睢城闸上、下18公里,完成土方36万立方米。工程投资10万元,对徐淮公路桥及庙湾桥建筑物进行加固整修。

根据县梯级河网规划,1977年在小滩河闸基础上改建成睢城套闸。目的是沟通新龙河与徐沙河之间的航运,官山石料也可以随跃进河、龙河进入徐沙河,为睢宁南部地区建筑用材由陆路运输改水路运输,节省材料运输费用,降低建筑成本提供了条件。但是小滩河南段河底偏高,引水通航困难。1977年4月18日以睢革水(77)字第17号文上报徐州地区革委会水利局,1977年12月30日徐地革水(77)字第275号文批复同意兴办。县即组织民工对小滩河南段进行疏浚清淤。工段从徐沙河到新龙河,长10公里,河底高程闸上游16米,闸下游15米,河底宽12米,完成土方70万立方米。工程投资10万元,兴建了武楼、王楼2座生产桥。

第七节　西渭河

西渭河古名沈家河,又名林子河。该河从魏工南流经沈家湖,戚姬院西边往南到王家村西边,走邱集东北偏东南方向流入龙河。西渭河(包括后延伸的魏工至庆安水库一段在内)全长34.9公里,流域面积147.3平方公里。由于徐沙河的开挖,西渭河被分为南北两段。北段从庆安水库至徐沙河,长22.5公里,流域面积100.64平方公里,排水入徐沙河;南段从徐沙河到新龙河,长12.4公里,流域面积46.66平方公里,排水入新龙河。

建国前,西渭河河床浅窄,每到汛期,两岸总是遭灾。1951年9月,睢宁县人民政府对该河进行勘测,1952年疏浚26公里,完成土方42.7万立方米,并修建徐淮路桥和九里湾等3座生产桥,改善排水面积37590亩。1956年上半年又建起了王宇等2座排涝涵洞,解决了17平方公里的排水问题。1973年西渭河下段由睢城、王林、邱集3个公社组织人力疏浚清淤一次,完成土方30万立方米。补助经费2.7万元用于土方及建筑物配套。

1975年在疏浚徐沙河的同时,按五年一遇排涝标准,对西渭河从魏集王家庄至徐沙河一段进行疏浚,长16公里,河底宽5～8米,河底高程19～17米。由魏集、梁集2公社组织4800人,于2月15日上工,4月中旬竣工,完成土方50万立方米,并建西渭河跌水1座。为了解决城北片十万亩农田的除涝降渍,改造盐碱地,并为徐洪河开挖切断废黄河先行解决导流等问题,1978年11月县编制了西渭河工程设计及预算进行上报,1979年8月30日、

12月19日又分别以睢革水(79)字第38号文及58号文两次上报徐州专署水利局,12月22日徐州专署水利局以徐署水(79)工字第428号文批复同意西渭河按五年一遇标准进行疏浚。工段从庆安水库东干渠首到徐沙河口,长23.04公里。渠首至睢张公路桥一段河底高程19米,底宽5米;睢张公路桥至徐沙河口,河底高程17.0米,底宽5～20米。抽调魏集、梁集、高作等9个单位4.2万人,由县水利局沙辉负责施工,于1979年12月25日上工,1980年2月4日竣工,完成土方310万立方米。补助建筑经费30万元,改建和兴建徐淮公路和睢张公路、刘梁路3座公路桥及双土庙、魏工、苗庄、徐庄、联群、沈集6座生产桥,并且还兴建了电灌站2座,机站1座,沿线沟头防护27处。到1983年,结合魏集沈湖片垦荒引水工程,经省围垦指挥部批准,在张行西场西渭河上兴建了沈湖漫水闸,并在闸上游河东侧建起了5座小型抽水站,围垦投资经费18万元。

1995年冬季县成立交通水利重点工程指挥部,将西渭河下段疏浚列入当年冬季任务。工段从姚西大沟至新龙河,长11.5公里,河底高程16米,河底宽3～6米,边坡1:3,组织睢城、王林、邱集3乡施工,于1995年11月中旬上工,12月底结束,完成土方28.56万立方米,并兴建沿线跌水4座。

为了解决梁集、魏集东部地区的农田灌溉问题,1996年由梁集乡自筹资金在西渭河上兴建了联群闸。按总体规划要求,联群闸上主要以蓄袁圩灌区、庆安东干渠回归水为主,必要时可以直接引徐沙河水向闸上补水。根据梁集、魏集2乡要求,县决定1997年冬季对西渭河上段进行清淤整修。该工程由魏工分洪道开始到徐沙河口,长14.2公里,具体标准:徐沙河口至联群闸一段,河底高程16.5米,河底宽7米,边坡1:3;联群闸至胡圩北站一段,河底高程17.0米,河底宽5米,边坡1:3;胡圩北站至魏工分洪道,河底高程18米,河底宽11米,边坡1:3。县成立了睢宁县冬季水利工程建设指挥部,由副县长王德奎担任工程总负责人,由县开发局副局长李思敏具体负责施工,水利局负责工程测量、放样及技术指导,魏集、梁集、睢城3乡负责施工,该工程组织780人,全部采用机械化施工,动用40台泥浆泵、9台推土机,以及发电机、翻斗车等机械设备,于1997年12月5日上工,到1998年1月26日竣工,完成土方44.4万立方米。同时利用中低产田改造项目资金,对沈湖闸进行了整修加固,兴建了联群闸补水站。

第八节　中渭河(含小邱河、东渭河)

中渭河,清朝时称崮沙河。黄河魏工决口冲成沈家河(现名西渭河),到沈集后分成东西二条河,西侧为西渭河,东侧为中渭河。中渭河自沈集开始,向东南行经高作东,再向东南在找沟集北入龙河,下段又名观音沟,全长28.6公里,流域面积152平方公里。

徐沙河开挖后,中渭河被分成南北两段。徐沙河以北一段自70年代起逐年平弯河、开直沟,刘西大沟(高西大沟)和刘东大沟(高东大沟)已取代中渭河排水入徐沙河,原有弯曲中渭河已平整还田。徐沙河以南至新龙河一段的中渭河,长10.5公里,流域面积66.1平方公里,排水入新龙河。

历史上中渭河标准很小。建国后,睢宁县人民政府于1951年先后动员7000人,以工代赈铲除河障,下游修堤,完成土方91万立方米,工程投资4.3万元用于河道土方补助及建筑物配套。

在 1956 年安河治理的基础上,1957 年 3 月连同凌沙河、西渭河的施工,中渭河也进行了一次疏浚,按五年一遇标准施工,三条河共动员 27000 人,于 5 月 10 日竣工,完成土方202 万立方米。同时修建桥梁 6 座,涵洞 15 座。所有建筑物于 8 月 5 日全部竣工,工程投资 78.87 万元。

1963 年冬,徐淮路以北至王庄支沟的 12.1 公里按底宽 3～8 米、挖深 0.5～2 米、沟底按万分之一比降大沟标准进行开挖,动员魏集、梁集、高作、刘圩 4 个单位 4000 人,到 1964年 4 月完工,完成土方 35 万立方米,工程投资 2.6 万元用于土方工程。

1965 年治理徐沙河到小贺庄一段,长 2.9 公里,由高作公社自筹资金组织 5300 民工进行清淤捞底,底宽从 3 米增加到 3.5 米,口宽由原来的 23 米增加到 35 米,边坡 1∶4,两边河堤加高到 2.5 米,堤顶宽 3 米,于 12 月 26 日开工,经过 8 天时间完成土方 10.7 万立方米。

根据省厅 1964 年安河流域龙河水系各河道规划方案:西渭河、中渭河入徐圩河后,中渭河在徐圩河南岸控制下泄 40 立方米每秒(西渭河下泄 20 立方米每秒),多余流量由徐圩河经凌沙河在凌城闸下入龙河。1966 年 10 月,县编制了中渭河地区除涝工程扩大初步设计方案,采取高水高排、低水低排等措施,将本县东部地区分成高水区和低水区,以徐圩河作为高水走廊,徐圩河以北水全部经徐圩河拉入凌沙河,以缓解徐圩河以南近 30 万亩低洼地区历年涝灾的局面。要求中渭河、西渭河、徐圩河(西渭河口至凌沙河口)、凌沙河 4 条河按五年一遇标准进行全面疏浚,全长 52.79 公里,总土方 292.9 万立方米。由于工程量大,经费有限,1967 年冬第一期先疏浚中渭河、徐圩河一段和凌沙河,长 39.7 公里,总土方 254.9 万立方米。其中中渭河郭庄至徐圩河,长 17.382 公里,具体标准:郭庄至刘庄,河底高程19.78～19.2 米,河底宽 3 米;刘庄至徐圩河,河底高程 19.2～17.207 米,河底宽 3 米,土方32.8 万立方米。县组织民工 20000 人,对中渭河、徐圩河、凌沙河进行了施工,于 1966 年11 月 20 日开工,到 1967 年元月 10 日竣工,45 个晴天,按计划完成了土方任务。同时在中渭河上兴建了孙庄生产桥,其他河道上也相应进行了工程配套。

按县梯级河网规划,1982 年在疏浚徐沙河的同时,高作公社组织 4750 民工对徐沙河以南至新龙河一段中渭河进行了疏浚,河底宽 6 米,河底高程 17.0 米,挖成平底河道。于11 月 15 日上工,到 1983 年元月初竣工,完成土方 27 万立方米。补助经费 13.5 万元改建中渭河闸。

1995 年冬疏浚中渭河下段,从大顾站北至新龙河,长 10.5 公里,河底高程 15.5 米,底宽 5～10 米,边坡 1∶3。县成立交通水利重点工程指挥部,水利局有专人负责,组织凌城、沙集 2 个镇进行施工,于 11 月中旬上工,12 月底结束,完成土方 13.07 万立方米。同时兴建了中沟跌水 6 座。

中渭河西侧原有支流小邱河,从梁集东南起经高作西(王楼庄西)、王林北、王林东王述,在王林境内薛庄南入中渭河。除王林东部已加深作引水用外,其余在 70 年代后逐段平掉,被有关大、中沟所代替。

睢宁与宿豫县交界有东渭河(宿豫称西沙河),该河系黄河在朱海(宿豫境内)决口冲成。是沙集与耿车交界河,其中沙集北兴国村在河东有沙集插花土地,故修有大寺漫水闸(带桥),以方便农业生产。因睢宁于东渭河受益较小,故不单独详述。

第九节　潼　河

潼河发源于安徽省灵璧县张庙之北、闸河东堪下,向南流经高楼,转向东南大姚庄进入江苏省睢宁县李集镇的八里张,折向东到黄圩乡二郎庙,此处有白马河注入,继续向东进入安徽省泗县汕头集,再东经江苏省泗洪县归仁集到大口子与龙河汇合排水入安河,属安河水系,全长 64 公里,流域面积 806 平方公里。其中睢宁境内流域面积为 434.8 平方公里。潼河本身干河流域面积为 201 平方公里,支流白马河、田河流域面积为 233.8 平方公里。

潼河两次跨越江苏、安徽两省,矛盾较多,每治理一次必须经过双方充分协商。建国后进行过 3 次疏浚。

第一次在 1952 年,经和邻县协商,铲除障碍、疏通河道、修复堤防,完成土方 75.3 万立、方米。

第二次在 1957 年冬,睢宁、泗洪、泗县进行了共同协商治理,工段长 40 公里,其中泗洪县承担 5 公里,泗县 23 公里,睢宁县 12 公里。工程标准:大口子至二郎庙一段,设计排涝流量采用五年一遇标准,排洪流量采用五十年一遇标准,水深 4 米,河底宽 25～22 米,河坡 1:2,滩面行洪水深一般为 2 米;二郎庙以上同样采用五年一遇排涝流量,边坡 1:3,水深 3.2 米,河底宽 13～10 米。三县共动员民工 30800 人,于 1957 年 10 月 25 日开工,12 月 5 日竣工,完成土方 227.4 万立方米。国家投资 236 万元,主要用于土方工程补助及建筑物配套工程(其中 76 万元用于三县配套工程)。睢宁县完成土方 54.15 万立方米,并且兴建了赵山、小王、杜集 3 座涵洞和小戈庄、新庄 2 座桥。

第三次在 1966 年 3 月,由睢宁县安河施工总队部组织苏塘、龙集、古邳、魏集、黄圩、梁集等 7 个公社,动员民工 10750 人,对潼河从八里张至二郎庙一段进行疏浚。长 21.356 公里,工程标准以三年一遇 88% 进行设计,具体标准:八里张至利民沟,河底高程 18.75～17.65 米,河底宽 5 米,边坡 1:3;利民沟至戴李沟,河底高程 17.65～16.8 米,河底宽 7.5 米,边坡 1:3;戴李沟至大蒋,河底高程 16.8～15.49 米,河底宽 18 米,边坡 1:3;大蒋至二郎庙,河底高程 15.49 米,河底宽 13.5 米,边坡 1:2.5。于 1966 年 3 月 8 日开工,到 5 月 3 日完工,完成土方 135.2 万立方米。为了充分发挥效益,河道土方完成后及时搞建筑物配套,兴建了四里交通桥及陈集、小戈 2 座生产桥,并对大蒋交通桥进行了加固。同时还兴建了小王庄、肖庄、大邱 3 座人行便桥和 4 座排水涵洞。1966 年 5 月 4 日,经苏皖两省水利厅、宿县、徐州两专署水利局,灵璧、睢宁两县水利局,江苏省安河治理工程处,徐州建行等单位负责人及工程技术人员进行了全面检查验收,符合设计标准。

第十节　田　河

田河又名田家河、范家河,全长 30.243 公里,流域面积 141.72 平方公里。

建国后田河上游通过多次治理已改道取直,并被徐沙河所取代。其流域面积被苏塘境内双洋河、苏东大沟,王集境内王西大沟、王东大沟,高集境内姚龙干渠西沟所分割。原王集北部呈东西向的老田河已改道为新田河,作为排水中沟排入王东大沟进入徐沙河。徐沙河以南田河走向还是经湖滩向南至朱集西范庄,经魏楼西向南到龙山穿越跃进河,又向东南在张山东南与白马河汇流,经张山闸下泄到黄圩二郎庙入潼河。

田河是黄泛冲积河道,是睢宁县一条高水河道,在朱集境内略成悬河,故两岸积水不能排入。建国后县非常重视对田河的治理,1951年动员4500名民工进行一次疏浚,完成土方12.3万立方米,使80多平方公里农田面积稍有受益。

1954年因河水外溢,两岸农田受灾。1955年春水利部门进行全线测量,2月3日徐州专区治淮指挥部和睢宁县政府按照淮委濉安河地区统一规划,编制方案及预算上报,经省水利厅批准,4月23日徐州农田水利工程队给予批复,6月12日由副县长刘庆文领队,组织沿线7个区、43个乡11000民工进行施工。工段从田河上游张庄村开始到下游白马河口,长29.5公里,当时要求上游以挖河为主,下游以筑堤为主,在原堤基础上增高1.5米,顶宽要求1.5米,计划总土方25.2万立方米,其中挖河土方17万立方米,筑堤土方8.2万立方米,到6月底7月初竣工,实际完成土方36.48万立方米。工程投资11.7万元用于土方补助及兴建邢圩、朱西2座生产桥。

1961年12月1日,王集公社组织1000人对田河从庄楼到双洋河口一段10.4公里按五年一遇标准进行疏浚,1962年1月15日竣工,完成土方68110立方米。工程投资2.3万元,主要用于土方补助及配套工程。

1966年安河经过治理后,下游排水出路有了改善。1966年7月8日,睢宁县安河施工总队以睢水工(66)字第09号文上报徐州专署水利局,要求用安河土方节余经费疏浚徐沙河以南到白马河口14.5公里的田河下游土方工程。徐专水利局1966年7月15日以徐水测(66)字第43号文转报省水利厅,省厅于1966年8月10日以水计(66)字第460号文同意此项工程开工。工程标准:徐沙河以南至朱西桥,河底宽11米,从朱西桥至白马河口河底宽16米。全县动员2400人,从1967年3月10日开工到4月下旬竣工,完成土方24万立方米,同时补助经费1.5万元兴建了魏楼生产桥。

1969年经上级批准,上游按五年一遇排涝标准,下游按十年一遇排涝标准对田河全线进行疏浚。县组织11000人,于1969年10月10日开工,12月20日结束,完成土方85.2万立方米。补助经费18.2万元,其中14.3万元用于土方补助,4万元用于兴建王西大沟涵洞、姚王路桥、魏楼漫水桥、高集漫水桥和官西桥扩孔加固。

1973年,为了解决田河上游113.72平方公里的排水,将河上游从高集公社向西改道疏浚徐圩河,这样田河上游排水可以通过双洋河、王西大沟、王东大沟直接排水入徐圩河(具体情况已在徐沙河一节中叙述)。

为了解决官山、朱集田河沿线农田灌溉用水,1997年冬季对田河下游段进行清淤疏浚。该工程从朱西闸到跃进河长9.2公里,工程标准:朱西闸到官山、朱集交界,河底高程16.5米,河底宽5米,边坡1:3;交界到新龙河,河底高程16.5米,河底宽10米,边坡1:3。县成立了冬季水利工程建设指挥部,由副县长王德奎负责,并抽调农机局副局长杨以玲具体负责施工,由朱集、官山2乡各自承担境内施工任务。朱集采用机械化施工,抽调1200名民工,动员11台套施工机械,于1997年12月10日上工,1998年3月5日结束;官山采用人工开挖,抽调4300名民工于1997年12月5日上工,1998年元月2日结束。2乡共完成土方25.2万立方米。

第十一节　白马河

白马河为潼河分支。上源接闸河经万庄水库向东南桃园乡散卓,又经过官山乡大彭庄穿越跃进河,继续向东南方向到张山东南与田河交汇,经张山闸下泄到黄圩乡二郎庙入潼河。白马河从万庄水库开始到二郎庙,全长31公里,流域面积94.5平方公里。

白马河是县西南地区一条主要排水干河,建国后多纳入安河规划进行统一治理。1952年以工代赈,动员全县人民在淮委统一领导下,本着复堤、清障的原则,疏浚23241米,完成土方83.7万立方米。

1952年虽利用以工代赈疏浚一次,但标准低,在正常年份,每到汛期就发生漫滩行洪,二郎庙以上潼河、白马河滩面行洪均在1米左右,特别在张山东南和田河交汇处更为严重,几乎年年受灾。1956年经国家计委、水电部批准对潼河、白马河按排涝五年一遇、排洪按五十年一遇标准进行治理。设计水深3.5米,河底宽13～11米,边坡1:3。从二郎庙向上到田河口疏浚9.8公里,与潼河一起施工,于1957年10月10日上工,到1958年4月27日完工,完成土方43.9万立方米。同时兴建了吕楼、大戈庄、王兴庄3座排涝涵洞及大戈、张山2座生产交通桥。

1962年11月上旬到1963年3月,县又动员3300人对白马河上段进行了疏浚,完成土方33万立方米,补助经费18万元用于建筑物配套。

1965年12月9日,苏皖两省和徐、宿两专区负责人在宿县协商,于1966年1月5日按照安河除涝工程扩大设计方案提出对潼河干流及苏皖边界工程之一的白马河进行疏浚的报告分别呈报苏、皖两省水利厅。两厅共同派员到水电部请示。1966年2月15日水电部批准所报方案。二郎庙至万庄水库全长31公里,按三年一遇88%设计排涝流量,按二十年一遇防洪标准设计堤防、滩面。二郎庙至张山闸一段,河底高程14.23～15.01米,河底宽17米;张山闸至田河口一段,河底高程16.03～16.11米,河底宽26.5米;田河口至魏楼北一段,河底高程16.11～16.88米,河底宽9米;魏楼北至睢桃路一段,河底高程16.88～17.75米,河底宽4米;睢桃路至新庄一段,河底高程18.35～19.05米,河底宽6米;新庄至侯庙一段,河底高程19.05～19.74米,河底宽2米;侯庙至万庄水库一段,河底高程21.24～22.72米,河底宽1.5米。边坡均为1:3,二侧滩面各留5米。由县安河总队负责施工,组织朱楼、高集等公社9个施工大队,动员35437人,于1966年3月8日上工,5月3日竣工,完成土方137.3万立方米。同时兴建了房大、二里、阮河、大戈4座桥梁,官黄公路涵洞及王兴排涝涵洞,万庄水库溢洪道及放水涵洞,兴建了张山闸。土方、建筑物工程完成以后,于1966年5月4日,苏、皖两省水利厅有关市县水利局和徐州市建行负责人及工程技术人员进行了验收,符合标准。

第十二节　闸　　河

闸河上源在睢宁县苏塘、岚山乡境内。1958年开挖徐圩运河,将闸河分为两段。徐圩运河以北在苏塘境内的一段已逐渐取直,挖成大中沟标准,排水入双洋河然后入徐圩运河,排水面积只有14.4平方公里。徐圩运河以南一段在岚山境内,排水入万庄水库,水库充满后泄水入白马河,排水面积 15.842 平方公里。

闸河长期没有治理,1974 年岚山公社积极要求疏浚闸河,解决排水及水库蓄水问题。1974 年 1 月 29 日,地革委水电局以徐地革水字(74)第 20 号文批复同意疏浚闸河。闸河自徐沙河以南至万庄水库,长 5.67 公里,深度按大沟标准开挖,一般挖深 3 米左右,上游河底高程 25.57 米,河底宽 3～6 米,下游到万庄水库处,河底高程 25.0 米,河底宽 8 米,以万分之一比降进行开挖,边坡 1：3;由岚山公社自己承担任务,1974 年冬季施工,完成土方 15 万立方米,补助经费 1.35 万元,主要用于建筑物整修配套。

第二章　濉唐河水系

濉唐河水系在睢宁县只有双沟南部一部分,主要支流有运料河、新源河两条河流,境内流域总面积 45.6 平方公里。

第一节　运 料 河

运料河为濉河支流,发源在铜山县张集乡。经铜山县大沟里、尚王庄、八王闸,再沿睢、铜边界向南进入灵璧县,从灵璧县浍塘河入濉河。它主要承泄铜山东南部、睢宁双沟南部来水,江苏境内长度 17.5 公里,流域面积 191 平方公里,睢宁境内一段运料河为运料河支流上段,西侧为灵璧县,东侧为睢宁县双沟镇,长 2.6 公里,流域面积 10.7 平方公里。

运料河是铜山东南部、睢宁双沟南部的一条排水干河,排水出路需经安徽省灵璧县,因涉及两省三县,各县农田水利建设进展速度不一致,运料河上、下游治理难以同步进行。双沟镇处于中游,上压下顶,汛期往往形成灾害。

第二节　新 源 河

新源河属运料河支流,上源在双沟镇苗圃村,下游在安徽灵璧竹园村与运料河汇流,全长 12.4 公里,其中在双沟镇境内 11.165 公里,流域面积 34.9 平方公里,境内有七里支沟、小柴河、史孟中沟、高集中沟、友谊沟、高宋中沟等注入,是双沟南部的一条主要排水河道。

由于地处两省三县交界,新源河长期得不到治理,仅有一条沟形,沟中芦苇丛生。由于排水出路不好,每逢汛期河水倒灌,涝渍危害成灾,正常年景每年只能收一季麦子,秋季经常欠收、失收。

1986 年下半年由淮委召集睢宁县和安徽灵璧县双方代表协商。本着顾全大局、团结治水的原则,经过实地查勘,双方同意疏浚新源河。睢宁县于 1987 年 4 月 27 日编制了奎濉河流域新源河疏浚工程规划设计及预算书,以睢水农(1987)39 号文上报徐州市水利局,徐州市水利局以徐水规(87)08 号文转报给省水利厅,并抄报给淮委。省水利厅以苏水计(87)55号文件将睢宁县"新源河除涝规划设计及预算书"转报给淮委,淮委以(87)淮委农字第 21 号批文正式同意睢宁按三年一遇排涝标准疏浚新源河。具体标准:苗圃桥至徐沙河一段河底宽 3 米,河底高程 27.9～25.27 米;徐沙河至双灵路一段河底宽 4.5 米,河底高程 25.27～23.22 米;双灵路至省界,河底宽 4.5～7.0 米,河底高程 23.22～22.91 米。边坡全为 1∶2.5,堤顶高程从上游 32 米,到下游为 27.01 米,堤顶宽 4 米。双沟动员 20 个村 4500 民工于 1987 年 11 月 20 日上工,1988 年 4 月 12 日土方工程结束,完成河道土方 27.5 万立方米。同时淮委补助建筑物配套经费 12.8 万元,兴建了徐沙河南堤涵洞,小柴、高宋 2 座排涝涵洞及贾湾、朱营、、刘元、贾庄 4 座生产桥,并对徐淮公路桥、纪湾及徐庄 2 座生产桥进行加固,兴建了 8 座沟头防护及友谊沟跌水。这些工程到 1988 年 6 月全部结束。这些工程的兴建,缓解了双沟南部 45.6 平方公里面积的排水。

第三章　废黄河

黄河故道即是废黄河,横穿睢宁北部,西接铜山县温庄闸,东至宿豫县朱海,全长 69.5 公里,河道弯曲,宽窄不一,南北堤之间宽度为 3～7 公里,中也宽度为 300～1400 米。自西向东滩地高度 35～30 米,河泓高程 32.5～25 米,平均高出两侧地面 4～5 米。河道历经双沟、张圩、苏塘、王集、姚集、古邳、魏集、浦棠 8 个乡镇和刘集果园。故道内总人口 15.5 万人,总流域面积 204 平方公里,滩地耕地面积 18 万亩,河泓荒地 7.8 万亩。由于滩地高出两侧地面,成为县境内安河水系和骆马湖水系的天然分界线。

第一节　废黄河初级利用

睢宁人民饱受黄河决口之苦,从建国初至 70 年代末,年年列入防汛岁修工程,对险工地段予以加固,历经三十余年,因势利导做些工程,既保住废黄河险工地段没有出险,又利用废黄河地势高亢的特点,做一些灌溉工程,使多年为害的废黄河初步发挥了排灌效益。

首先,是加固险工险段,兴建三座水库,减轻洪水威胁。对尚坝、可怜庄、石碑、铁牛(王塘)、洪代庙、马帮、魏工等险工地段,壅土固堤。马浅险段修筑防浪石墙、丁字坝。利用废黄河堪湾兴建水库,调蓄洪水。1957 年在废黄河北侧兴建清水畔水库,总库容 835 万立方米,兴利库容 526 万立方米。1958 年在废黄河南侧兴建庆安水库,总库容 6030 万立方米,兴利库容 4770 万立方米。1959 年在废黄河南侧兴建袁圩水库,总库容 645 万立方米,兴利库容 526 万立方米。汛期将上游来水调蓄入库,从而削弱了洪水威胁。1963 年和 1974 年出现两次大汛,上、下游齐降暴雨,几乎决口成灾,幸有水库调洪。1963 年 8 月,古邳黄河闸上水位达 29.1 米,庆安水库已蓄水 28.5 米,均超过警戒水位。上游来水凶猛,全县同时降大雨,当时黄河闸只是三孔小闸,泄洪不及。当废黄河水位达到 29.2 米时,闸北冲决溢洪坝(原睢邳公路土路基)。洪水直冲废黄河北堤马帮险段,幸好当时有 500 名民工防守,使洪水冲向宿迁直河口,因当地建涵洞尚未还土,水顺洞直泄中运河,带进大量泥沙入运,一度影响南北通航(因当时洪水自古邳涌至袁圩滚水坝,经请示省防指按有关协议袁圩坝开口过水,因而此次事故未追究睢宁县责任)。1974 年的大洪水,自动冲决袁圩滚水坝,将宿迁的泓内稻田淹没。其余年份,铜山和睢宁分别将洪水控制入库,未向下行过洪。1996 年大雨,姚集房湾等处告急,也终未出险。

其次,围绕废黄河沿线兴建灌溉工程。三水库结合做灌区配套工程,庆安水库灌溉面积11.2万亩,袁圩水库灌区1.5万亩,清水畔水库可灌姚集仲山湖片,并可提水解决张圩废黄河滩地5000亩抗旱用水。1967年8月兴建古邳黄河闸。1960年开始兴建古邳抽水站。1968年到1970年先后又兴建了古邳东站和西站,翻引骆马湖水解决废黄河沿线农田灌溉及补充庆安水库灌溉水源。1970年兴建新工抽水站及清水畔抽水站,主要解决滩上滩下农田用水,并向袁圩、清水畔水库补水。为了解决姚龙干渠引水灌溉,1973年冬,姚集组织民工开挖了从黄河闸至姚龙干渠引水涵洞一段中泓(标准较低)。同时为了就地拦蓄滩地径流,解决当地灌溉及交通,先后在张楼、马浅、丁玉庄、房湾、袁圩等处建了拦水土坝、漫水石坝,形成梯级控制,但这些都是临时控制,没有保障。以后兴建了峰山闸、古邳黄河闸,才真正形成三级控制,有了明显效益。

第二节 废黄河系统开发利用

废黄河是一条独立的水系。全面开发利用废黄河是综合性的,既要解决黄河故道自身的洪、涝、旱和综合利用,又要利用河滩高亢地特点向两侧扩大效益。为了系统地根治废黄河,根据省、市有关规划精神,县先后进行两次规划,五期集中开挖。

第一次规划是在1975年夏季,是粗线条的初步规划,规划分上、中、下三段,总土方1000万立方米,计划结合造田7万亩,使河滩总耕地面积达25万亩。当年11月7日县成立"睢宁县废黄河治理工程指挥部",冬季在姚集东部治理一段,县委常委在工地劳动,吃住在姚集高党大队。当时开挖标准较小,河底宽40米,后来由于70年代连续三年开挖徐洪河,废黄河开挖被暂时搁置起来。

第二次规划是在1984年夏季,是系统的、全面的规划,而且从1984年冬季开始连续五年冬季开挖,规划得以全面实施。当时的背景很好,开发的条件已经成熟。一是1975年搞一段废黄河,标准虽小,土方虽少,但初步尝试后打破了多年来人们一直认为废黄河中泓难以开挖的迷信思想。二是从70年代末县成立垦荒指挥部,先后在姚集、苏塘、古邳、魏集、浦棠等连续围垦了五年,给废黄河滩地全面治理提供了前提条件。三是70年代三期开挖徐洪河后,全县按梯级河网规划全面治理,成效显著。从全面规划上和开挖时间、劳力上,治理废黄河已成为可能。四是按徐洪河规划,徐洪河将要把废黄河切断。省、市均明确徐洪河完成后,废黄河不再成为独立水系,而是分县、分段各找分洪出路。对其分段规划已十分清楚。这使开发废黄河的规划在大流域规划前提下更加稳妥。下面记述第二次规划、实施过程。

一、规划的主要内容

废黄河规划是在县梯级河网总规划前提下进行的,而县梯级河网规划又是在省、市水利规划指导下进行的。

(一)规划布局是三个梯级,两个分洪出路

根据省提出的"废黄河分段治理、各找出路"的总体规划,县境内废黄河分成三个梯级。上游从铜山县温庄闸起至峰山闸,为上段,长15.6公里。该段从峰山闸上白马河分洪,分泄洪水140立方米每秒入白马湖水库,再由白马河流入房亭河。从峰山闸至庆安水库北黄河闸为中段,长 34.9 公里。从黄河闸至袁圩水库坝(即后来的徐洪河)为下段,长 19 公里。中段和下段由魏工分洪,以十年一遇泄洪 50 立方米每秒经魏工分洪道入徐洪河。

(二)规划工程标准

开挖中泓向两侧筑小堤。中泓按十年一遇排涝流量设计,按二十年一遇标准筑小堤,超标准大洪水仍退守黄河老大堤。上段河底高程 29 米,河底宽 50 米,边坡 1∶4,两堤间距 200 米,堤顶高程 34.5 米,堤顶宽 10 米。中段河底高程 26.5 米,河底宽 50～100 米,边坡 1∶4。两堤间距 200 米,堤顶高程 33～30.5 米,堤顶宽 10 米。下段河底高程 24.5 米,河底宽 50 米,边坡 1∶4。两堤间距 200 米,堤顶高程 30～28.5 米,堤顶宽 10 米。中段利用古邳抽水站抽水,沿中泓西引灌溉两侧滩地。下段利用新工抽水站补水。上段由嶂山闸拦蓄地表径流结合挖掘地下水,补给抗旱水源。

(三)中泓两侧开发利用

中泓开挖后两侧滩地按照农田水利标准统一规划,沟、渠、田、林、路统一安排,桥、涵、闸、站、井、沟头防护统一配套,原则上是每 1000 米垂直中泓开挖一条中沟,需要引水的中沟挖成平底,分散建站,二条中沟之间根据滩地宽窄坡度不同,分为一至三级开挖截水沟,截水沟以下按农田水利标准布置毛沟、条沟。在搞好两侧滩地配套的基础上,新垦荒地以发展果树为主,因地制宜发展养鱼、蚕桑、畜牧等,逐步建立起农、林、牧、副、渔全面发展,水、土、田、气综合利用的生态环境和良性循环的立体化农业结构。

二、五期施工简介

废黄河开发利用工程是睢宁县"七五"期间重点项目。根据总体规划,分段、分期实施,当年开发,当年利用,搞一段,成一段,搞一片,成一片。在实施过程中,县指挥部抽调 9 人常年办公,各沿线乡镇负责人和水利、多种经营等单位技术干部全力以赴,村由村主任负责,形成一条线的开发利用、经营管理组织系统。县重点抓规划、设计、施工及建筑物配套,抓林、果、渔、桑、副、农的经营管理。抽调全县劳力开挖中泓土方,从 1984 年冬季开始连续五年每年动员 4～6 万人进行中泓土方施工,全县统一安排任务,实行"推磨转圈,以工换工,先后受益,大体平衡"的办法进行分工。滩地土方,原则上是哪个乡镇受益,哪个乡镇负责施工,同样采用"推磨转圈"的办法组织全乡镇劳力实施,统一放样、统一分配任务、统一时间、统一工程标准,任务到组、到人,统一检查验收。建筑物配套由县、乡共同负责,受益单位出义务工,限期按设计完成施工任务。省、市重点扶持搞好中泓建筑物配套。现将五期治理废黄河的情况分述如下:

第一期废黄河开发治理从 1984 年冬开始,中泓开挖由黄河闸开始向上到刘集果园西桥,长 17.5 公里,全县动员 22 个乡镇 6.5 万民工,突击一个月,完成土方 270 万立方米。滩地配套工程,由有关乡镇组织实施,共挖中沟 8 条,截水沟 19 条,小沟 29 条,毛沟 128 条,完成土方 250 万立方米。配套建筑物共完成 240 座,开垦荒地 2.2 万亩,初步配套 1.1 万亩。开挖渔塘 700 余亩,栽树 4000 亩 15 万株,栽果 2000 亩 5 万株,育苗 2000 亩,栽插三条 20 万穴,播种牧草 1000 亩。土方工程是冬季施工,配套第二年五月份前完成。

第二期废黄河治理从 1985 年冬开始,中泓开挖从刘集果园场西桥开始向上到峰山闸,长 17.2 公里,全县组织 17 个乡镇 47316 个民工,从 11 月初上工,一个月完成土方 247.9 万立方米。滩地配套工程同样由有关乡镇组织实施,开挖中沟 43 条,截水沟 45 条,小沟

27条,渔塘640亩,完成土方179万立方米。配套建筑物完成174座,其中兴建了中泓马浅交通桥,对泗八路坝进行了加固,完成中沟排涵33座,截水沟跌水64座,截水沟桥49座,电站5座,渔塘放水涵8座。工程完成后,即按照年度计划进行果、林、牧、渔配套,完成植果3108亩,植树4500亩,开挖渔塘440亩,植桑300亩,牧草1000亩,栽插三条60万穴,利用总面积25220亩。

第三期废黄河治理从1986年冬开始,中泓开挖从马浅生产桥向上至温白,长11.6公里,从11月中旬至1987年元旦完成土方189万立方米。滩地配套工程由有关乡镇承担,共开挖中沟28条,截水沟66条,小沟86条,完成土方156万立方米。配套建筑物共201座,其中完成中泓生产交通桥3座,公路桥1座,滩地中沟排涵19座,中沟跌水13座、截水沟自排涵洞11座,截水沟跌水38座,小沟跌水30座、中沟生产桥8座、截水沟生产桥45座,小沟生产桥20座,渔塘放水涵10座,电灌站3座。治理面积21270亩,其中垦荒9270亩,改造低产田12000商,栽插三条50万穴。

第四期废黄河治理从1987年冬开始,中泓开挖分为三段,第1段从魏工开始到袁圩水库拦水坝,长7.8公里;第2段从峰山闸至马浅生产桥,长3.1公里;第3段从温白至铜山温庄闸下,长1.3公里。三段共长12.2公里,完成土方186.3万立方米。滩地配套开挖大沟2条,中沟14条,截水沟27条,小沟11条,修筑道路3条,开挖渔塘560亩,完成土方126.5万立方米。配套建筑物完成94座,其中中部建筑物完成了峰山闸续建,睢张公路桥,泗八路公路桥,温白、崔堰、王圩三座中泓生产桥、交通桥及庆安水库送水河生产交通桥,共七个项目;滩地配套建筑物共完成90座,其中中沟引排涵洞15座,截水沟跌水45座,中沟生产桥10座,渔塘放水涵20座及二帝庙防渗渠道1500米。治理面积1.97万亩,其中垦荒0.8万亩,改造低产田1.17万亩。完成植果5167亩,造林5409亩,养鱼540亩,牧草750亩,插条73万穴,利用面积1.1316万亩。

第五期废黄河治理从1988年冬开始,中泓开挖从黄河闸向下至魏工,长9公里,同时还有最下游芦营段2公里,共计11公里,全县动员邱集、王林、凌城、沙集、高作、刘圩、庆安、龙集8个乡镇,24439人,于11月5日上工到12月10日结束,完成土方180万立方米。芦营段由浦棠乡自己承担施工,完成土方20万立方米。滩地配套开挖大沟1条,中沟46条,截水沟76条,小沟161条,新筑干支渠4条,开挖渔塘760亩,完成土方347万立方米。配套建筑物247座,其中中泓建筑物完成黄河闸加固1座,新建位头、宋庄、房湾、小楼、化庄5座生产交通桥;滩地配套建筑物共完成241座,其中中沟排涵26座,大沟跌水2座,中沟跌水10座,截水沟跌水57座,小沟跌水45座,渔塘放水涵16座,中沟桥24座,截水沟桥55座,渡槽2座,完成夏行、新安、陈井、李堰4座电灌站。治理面积24850亩,其中垦拓荒地8850亩,改造低产田16000亩。完成植果3740亩,成片造林4110亩,植桑150亩,开挖渔塘760亩,间作牧草850亩,插条127万穴,利用面积8760亩。

1984年到1988年连续五年废黄河治理,五期工程共开挖中泓69.5公里,完成土方1093.2万立方米,两侧滩地配套挖大、中、小沟及截水沟650条,完成土方包括渔塘在内1058.5万立方米,兴建各类建筑物956座,其中中泓建筑物19座,两侧滩地建筑物937座。治理总面积113040亩,其中开垦荒地60000亩,改造低产田53040亩,植树造林20019亩、植果16015亩,植桑650亩,开挖渔塘2840亩,种植牧草4600亩,植三条330万穴。五期工程投入经费2939万元,其中省投资290万元,市财政投资234万元,县财政投资151万元,群众自筹 2264 万元。总投工 770 万个劳动日。整个治理区：每年可向社会提供苹果 1.2 亿万斤，木材 2.5 万立方米，鲜鱼 270 万斤，蚕茧 60 万斤。年总产值可达 70 万元，人均收入可增加 500 元。通过中泓开挖，结合加国沿线 10 处险工险段，导水归槽，消除洪水隐患，把防洪标准提高到二十年一遇，排涝标准提高到十年一遇，同时为黄河滩地及西北高亢地区 30 多万亩农田灌溉用水创造了条件。

三、清理黄河中段，向西北扩大送水效益

废黄河治理后，由于土质较差，建筑物配套不齐全，河道中泓淤积较严重，有的地段由于管理不善任意设置拦河坝及渔网，直接影响到古邳抽水站向西送水，古邳抽水站在原来 4 台套 9 立方米每秒的基础上又增加了 4 台套，送水达 19 立方米每秒。为了更好地发挥其作用，向滩上滩下 21 万亩农田提供灌溉水源，1996 年冬，县委、县政府成立"睢宁县今冬明春重点工程指挥部"，重点抓好废黄河中段清淤，相应开挖双洋河和双苏大沟，向苏塘、双沟送水。指挥由县长仲琨担任，政委由县委副书记贾宏芝担任、副县长王德奎任副指挥，县水利局副局长刘保忠具体负责施工。任务分配原则是"直接受益搞配套，间接受益挖土方"。1996 年 11 月 20 日，县召开了冬春重点水利工程施工动员大会。废黄河清淤主要在原来河道标准基础上，再向下挖 1 米，挖成子河形式，从房湾闸开始向上到马浅生产桥，全长 22.8 公里，其标准为：河底高程 25.5 米，河底宽 20 米，子河边坡为 1∶3，由李集、邱集、王集、庆安、魏集、浦棠、姚集 7 个乡镇承担土方任务。沿线建筑物 36 座，其中中泓生产桥加固 7 座，引黄涵洞改造 4 座，两侧排涝涵洞修复 22 座。同时对清水畔水库进水闸及交通桥进行加固修复，总经费 126 万元。原则上是哪个乡镇境内由哪个乡镇承担，由姚集承担 13 座，投资 49 万元；张圩承担 19 座，投资 60 万元；王集承担 2 座，投资 10 万元；刘果承担 2 座，投资 7 万元。土方工程经过一个多月的努力，在 1997 年元旦前后基本完成任务，完成土方 95.8 万立方米。建筑物工程由于经费不足，到 1997 年 5 月验收时只完成了部分，剩余未完成的推迟到下年度以后施工。

第四章　骆马湖水系

骆马湖水系在废黄河北黄墩湖地区，区内主要排水干河有民便河、小闫河两条河流。由于该地区地势低洼，排水出路直接受到骆马湖排洪的影响，当皂河闸下中运河水位超过 19 米时，就有部分洼地水不能排出。皂河抽水站建成，结合为黄墩湖地区排涝，徐洪河全线开通，向废黄河南分流排水，为黄墩湖地区找到了洪水出路，从而减少了该地区的洪涝矛盾。

第一节　民　便　河

民便河由白山河、旧城河两河相接而成，建国后改称民便河。河道全长 36.5 公里，流域面积 386 平方公里，其中睢宁境内流域面积 105 平方公里。该流域东为中运河，北为房亭河，南为废黄河，西为铜山、邳州边界山区。上游来水猛，下游出路不好，每到汛期泛滥成灾。

往往只收一季小麦,秋季便长期积水。

建国后,党和政府非常重视民便河治理。1953 年以工代赈动员 2 万民工,于 11 月 11 日开工,至 12 月 13 日完工,历时一个月,在睢宁境内疏通河道 20 余公里,完成土方 100 多万立方米。工程投资 4.7 万元,用于土方补助及排水等费用。

1955 年按三年一遇标准进行第二次疏浚,工段从古邳桥到运河口,长度 21 公里。具体标准:口宽 24 米,底宽 8 米,河底高程 19 米,边坡 1∶3,动员古邳、姚集等 5 个区民工 12000 人,完成土方 55 万立方米,这次疏浚只能解决部分地区排涝问题。

1964 年经徐州专署水利局以水测(64)字第 153 号文报省水利厅要求疏浚民便河,省厅于当年以水计洪(64)字第 684 号文予以批准。本期疏浚河道长度 34.6 公里,土方 142.36 万立方米。分配睢宁县土方 45.1 万立方米,其中邳睢公路以东 5.2 公里,土方 34.028 万立方米,河底高程 18.32～18 米,河底宽 12～23 米;邳睢公路以西 4.2 公里,土方 11 万立方米,河底高程 20.63～19.84 米,河底宽 12～16 米。由受益地区古邳、张集、姚集、张圩 4 个公社抽调 5400 人,县成立民便河施工办事处,由杨兰田负责具体施工。1964 年 11 月 28 日开工,1965 年 1 月 23 日竣工。完成土方 44.9 万立方米,批给工程经费 21.1 万元,用于土方工程 9.1 万元,用于建筑物配套工程 12 万元,兴建邳睢公路周滩桥及陈平楼排涝涵洞。

1970 年为了响应党中央"扭转南粮北调,实现农业超纲要"的号召,充分发挥已建的庆安、清水畔两座水库和正在建的古邳、新工、清水畔三座抽水站的作用,把单纯为排涝的民便河变为既能排涝又能引水的综合利用工程。按照皂河闸的最低水位 18.5 米推算,并满足民便河沿线小型抽水站引水流量标准进行上报,后获得省和专署水电局批准,于 1970 年 10 月 27 日组织 2 万人上工,到春节前结束(包括三座抽水站引河土方),完成土方 186 万立方米,工程投资 92 万元。

1971 年由于民便河船闸的兴建,县北部地区水稻面积扩大,古邳、新工两座抽水站需加大抽水量。同时由于兴建古邳发电厂(在古邳镇西北,半山北侧),电厂需要从水路运煤。因此县曾几次向徐州专署水利局及省水利局要求再次批准疏浚民便河,1971 年 12 月 24 日,省水利局、省财政局以苏革财字 84 号文和水办字 308 号文批准同意睢宁县疏浚民便河。从古邳电厂到民便河船闸,长度 24.07 公里,其标准:古邳电厂到古邳引河口一段按通航要求疏浚,河底宽 30 米;古邳引河口到陈平楼一段,河底宽 40 米;陈平楼至民便河船闸一段,河底宽 40 米。河底高程除陈平楼到民便河船闸为 16.5 米外,其余全为 17 米,边坡 1∶3,同时相应对古邳引河也进行了疏浚拓宽。县动员睢城、王林、朱楼、朱集、王集、梁集、刘圩、张集、魏集、古邳、张圩 11 个公社,15000 民工于 1971 年 11 月 15 日开工,到 1972 年 1 月竣工,完成土方 105 万立方米。工程投资 25 万元,用于土方工程补助。

在 1971 年冬季疏浚民便河的基础上,为了保证古邳电厂的水路运煤及向清水畔水库补水,1972 年 2 月 25 日,县革委会生产指挥组以(1972)睢革字第 40 号文报请徐州地区革委会生产指挥组,要求民便河从古邳引河闸向西至曹河庄一段进行继续清淤,4 月徐州地区革委会水电局以徐革水字 95 号文通知,省同意此项工程。该工程长度 7.28 公里,其中邳睢路以东 4.8 公里,河底高程 17.0 米,河底宽除电厂码头附近 30 米以外,其余为 15 米,邳睢路以西河底高程 17 米,河底宽 10 米,边坡均为 1∶3。1973 年冬施工,春节前结束,完成土方 19.7 万立方米,工程投资 19.5 万元,主要用于电厂码头护坡及蛟龙、花庄两座电灌站的配套。

1972 年冬兴建古邳、张集两座引河闸,补助经费 25 万元,1984 年兴建民便河节制闸,工程造价 150 万元。1997 年春季在邳睢公路处兴建了民便河挡洪闸,工程造价 350 万元。

第二节　小阎河

小阎河源于刘埝,经五工头分为二支,一支向东南为五工河,一支向东北在高吴庄又折向东南经马浅、季河、阎小庄,在宿豫县境内阎集又与五工河汇合,于袁宅子入黄墩湖小河。建国后,小阎河几经治理,到 1978 年开挖徐洪河后,小阎河才完全固定下来。小阎河上接马帮大沟、崔瓦房大沟,然后顺徐洪河西侧向南再折向东经小阎河地下涵洞穿越徐洪河,向东经老张集、赵庄到袁宅子注入黄墩湖小河,经黄墩湖闸下入中运河。

小阎河地跨两市两县,中间一段是宿豫与睢宁两县的界河。全长 23.7 公里,其中宿豫段 8.5 公里,睢宁段 15.2 公里,流域面积 145 平方公里,睢宁县境内流域面积为 55 平方公里,其中小阎河地下涵洞以上流域面积为 43.2 平方公里。

小阎河河槽狭窄,排水不畅,不能确保麦收。1952 年冬对小阎河进行了测量和设计,并上报省治淮指挥部,1954 年 12 月 28 日,江苏省治淮指挥部批准同意疏浚该河。县即安排古邳、魏集 2 个区民工 6000 人进行施工,到春节前完成土方 15 万立方米。批准经费 6.9 万元用于土方工程。

1958 年宿迁县圈圩时在马浅将原有河道堵死,并建阎集机站抽水入小阎河。致使睢宁县万亩农田无法排水,1962 年《黄墩湖治涝工程规划》规定民便河与小阎河分开排水,1963 年沿运河西堤外开挖邳洪河,并兴建了邳洪闸。这样民便河与小阎河分离,小阎河单独入黄墩湖小河,经黄墩湖闸排入中运河。1963 年 10 月,全省专员、县、市长会议上研究将小阎河除涝工程列入 1964 年基建工程计划,小阎河除涝工程规划由江苏省水利厅宿迁闸管处与徐州专署水利局共同编制方案上报。1964 年春,睢宁、宿迁共同举办小阎河治理工程,按十年一遇排洪标准疏浚,各县负责各自境内的土方工程。整个河道除魏场至张集一段因宿迁筑堤切断需重新开河外,其余都是沿老河道开挖。该河从黄墩湖闸开始到古邳崔瓦房,全长 23.7 公里,其标准为:黄墩闸至金庄,河底高程 16.5～16.76 米,河底宽 30 米;金庄到阎集,河底高程 16.76～17.18 米,河底宽 30～15 米;阎集到张集东,河底高程 17.18～17.5 米,河底宽 15～16 米;张集东到周庄,河底高程 13.5～18.63 米,河底宽 6～5 米;周庄到崔瓦房,河底高程 18.63～19.57 米,河底宽 5～3 米。河道边坡均为 1:3。县成立了小阎河施工总队部,政委夏云,总队长蒋步锦,总队部设在张集公社。动员张集、古邳等 10 个单位民工 6460 人,于 1964 年 3 月 17 日上工,6 月 25 日完成,施工 90 整天,完成土方 64.96 万立方米。工程投资 32.94 万元,其中用于土方工程 24.87 万元,用于建筑物配套工程 8.07 万元,兴建了花庄、赵庄两座排涝涵洞及许庄生产桥。

1970 年,由于新工抽水站的兴建开挖了张集引河,小阎河被切为东西二段。张集引河以西 33 平方公里小阎河来水只能入张集引河,然后经张集涵洞排入小阎河东段。1973 年 9 月,为了进一步解决黄墩湖的涝渍及排水问题,县革委会水电局编制了《黄墩湖地区小阎河疏浚工程扩大初步设计》,并上报省和徐州专署。1973 年 11 月 24 日,江苏省水电局以苏革水电(73)水字第 151 号文给予批复,认为小阎河流域的治理应以除涝治渍为重点,结合解决灌溉水源,按五年一遇排涝标准进行治理,并同意疏浚马帮大沟及相应建筑物配套。具体标准:小阎河从阎河口至崔瓦房全长 18.993 公里,自河口到阎集一段,河底高程 16.9～17.15 米,河底宽 20～12 米;阎集到周庄一段,河底高程 17.15～17.50 米,河底宽 12～6 米;周庄到崔瓦房一段,河底高程 17.5～19.06 米,河底宽 6～3 米。边坡均为 1∶3。马帮大沟从周庄到双河涵洞全长 9.1 公里,河底高程 17.59～17.95 米,河底宽 4～3 米,边坡 1∶3。县成立了"睢宁县革委会黄墩湖除涝工程施工领导组",负责土方工程及建筑物配套工程的施工,1973 年 12 月 14 日动员张集、古邳两个单位民工 5800 人上工,到 1974 年元月底土方工程结束,完成土方 71 万立方米。批准工程经费 46 万元,其中土方工程支出 19.5 万元,建筑物配套工程支出 26.5 万元,兴建了双河涵洞及张集站排涝涵洞和引水涵洞,兴建生产交通桥梁 6 座及沟头防护 14 座,并对陈平楼、花庄、张集 3 座排灌站进行了改建。

1978 年开挖徐洪河,小阎河又一次被切断,徐洪河以西马帮大沟、崔瓦房大沟无法排水,必须进行徐洪河两侧相应配套工程。1978 年 12 月 3 日,县上报徐州地区徐洪河指挥部,要求改道疏浚小阎河上段,1978 年 12 月 24 日,徐地洪指(78)字第 7 号文批复同意睢宁县设计方案,小阎河上段顺徐洪河西侧平行开河,从崔瓦房大沟至崔埝长 12.2 公里,按河底高程 17 米、河底宽 5～10 米、边坡 1∶3 标准进行开挖,挖河结合筑好徐洪河西堤。县 1978 年 12 月 5 日动员张集、沙集、岚山、朱楼、刘圩、王集、苏塘 7 个公社 6000 民工上工,1979 年 2 月中旬竣工,完成土方 144 万立方米。同时古邳公社承担了马帮大沟、崔瓦房大沟的疏浚清淤,并与小阎河同时竣工,完成土方 50 万立方米。工程投资 331.8 万元,兴建了小阎河地下涵洞、小阎河 3 座公路桥、6 座生产桥,兴建了圯桥闸、白门楼闸及马帮大沟涵洞,马帮大沟、崔瓦房大沟兴建 8 座生产桥及 16 座中沟跌水和双河涵洞,对张集北站、尤埝站、陈平楼站进行了改建,并对灌区也进行了配套。

马帮大沟土质差,河道淤塞严重,为了解决沿线农田的排涝和引水灌溉问题,1997 年冬季实施马帮大沟清淤工程。县成立"睢宁县冬春水利建设指挥部",由副县长王德奎具体负责,县水利局纪检书记周鹏强负责施工。马帮大沟从圯桥闸到小阎河地下涵全长 11.5 公里,圯桥闸到大营站一段河底宽 7～10 米,大营站到小阎河涵洞一段河底宽 5 米,整个河道河底高程均为 17 米,边坡 1∶3。由古邳、浦棠 2 个乡镇承担河道土方工程施工,采用人机结合,组织 1500 人,动用施工机械 43 台套,其中泥浆泵 36 台套,发电机 7 台套。于 1997 年 12 月 5 日上工,完成土方 25 万立方米。

第四篇

闸 站 涵 桥 库

建国后年年兴办水利工程,概括起来就是两大内容。一是组织群众,集中劳动力,利用冬春农闲季节大挖土方工程。二是组织专业队,做水工建筑配套工程。土方是基础,建筑是关键,二者缺一不可。

水工建筑物类型很多,县内做过的水工建筑有:水闸、抽水站、涵洞、桥梁、渡槽、倒虹吸管、地下管道、护坡、沟头防护等等。本篇着重记述闸、站、涵、桥四类水工建筑和水库工程。

纵观建国后水工建筑的发展,归纳起来有四个特点:

一、水工建筑物数量多

水利做了大量的土方工程,必然会有相应的建筑相配套,大大小小的建筑物星罗棋布。干、支河及大、中、小等五级排水沟都有节制闸、桥梁等配套工程。灌溉系统干、支、斗、农、毛五级渠道,都设有干渠闸、支渠闸、斗门、农门、毛门等节制工程。据统计中沟级(包括支渠)以上水工建筑物有5330座之多,还不包括在实践中改建的(甚至多次改建)和废弃的。本篇记载的建筑物不能面面俱详,只记述县级承建的和经常管理使用的骨干工程。记载总数160座,其中水闸53座,抽水站7座,立体交叉的地下涵洞2座,桥梁98座。属于梯级河网规划中的枢纽工程予以详述,其余略述(或列表说明)。建筑数量虽多,通过100多座建筑的叙述,便可对全县水工建筑物的发展过程有所了解。

二、根据客观需要,大、小型建筑物施工先后次序分明

水工建筑的发展受多种因素制约。首先要按总体规划,以收益大小与可能决定施工先后顺序。其次必须视社会经济环境和投资能力决定或快或慢的发展速度。再次以施工机械和技术水平定水工建筑物形式和规模大小。水闸工程是先大型后小型,涵洞、桥梁工程是由小型到大型,抽水站多是先建临时简易站,后建成相当规模的固定站。

(一)水闸工程先大型后小型

建国近五十年来先后四次制定水利规划,"梯级河网"是其治理指导思想的核心。分成大大小小的梯级,必须要有大大小小的节制闸工程。凌城节制闸是县内控制面积最大的节制工程,先建成凌城闸,其他逐级节制工程才好规划实施。所以20世纪50年代末即集中全力兴建凌城闸。该闸至今仍是县内最大的一座水闸。

(二)涵洞、桥梁工程由小型到大型

建国初期,由于受建筑材料、施工技术水平的限制,加上对于面广量大的农田水利配套上级强调自力更生,所以当时只能搞一些小涵、小桥。涵洞多建在下游低洼地区,防止洪水倒灌。涵洞孔径多在1米左右,安装木闸门,多为人工启闭。由于启闭能力有限,涵洞孔径只能搞得很小。从20世纪70年代后期开始,公社建造的大、中沟涵洞,孔径一般是3.5米,最宽可达4~5米。启闭机用单螺杆或双螺杆,启闭力10~20吨。当初桥梁多为简易桥,干砌或浆砌块石结构,也有木结构。孔径只能2~4米。随着水泥、钢材供应能力增强和吊装能力的提高,桥梁的规模和承载能力越来越大。结构多为钢筋混凝土工程。20世纪70年代后期开始的徐洪河桥梁,有的3孔,每孔30米;有的1孔,跨度60米。

(三)抽水站工程多由简易临时站发展为固定站

挖河在前,建站在后。往往挖河、配套负担已经很重,当年再建抽水站,均感力不从心。建站不仅有土方、砌建工程,而且还有机、泵、电设备及架设送电线路,这些都必须先落实经

费、再到厂家订货,施工前需要较长的准备阶段。但是引水工程建好后又必须发挥效益,因而采取先临时架柴油机抽水、后建电力抽水站的"两步走"办法。如凌城抽水站、沙集抽水站、高集抽水站等,在固定站未建成前,都先架临时站抽水。在工程数量大、经费一时赶不上的情况下,则用"三步走"的办法,分三期建成抽水站。如凌城抽水站,1971年临时架柴油机抽水。1972年10台机组土建完成,安装6台机组抽水。1973年4月,10台机组才全部安装完成。高集抽水站,1988年、1989年利用高集水利站门前小站架机抽水。1990年春高集站7台机组土建工程完成,因经费所限,当年只安装4台机组抽水。1994年5月完成后3台机组安装。直到1997年初,才做好增容手续,供电正常抽水。

三、一些骨干建筑工程兴建时间跨度大,周期长

县规划的骨干建筑工程,都是收益大的关键性工程,规模大,造价高,往往受政治、经济环境所左右,从规划酝酿到兴办、配套、全面发挥效益,要经历很长时间,甚至有曲折和反复。如凌城闸,50年代即有此规划,1958年底动工,1961年秋竣工,历时近三年。事后从所起作用看,该闸属超前工程,或者可以说是建闸后相应配套跟不上,长期不能发挥蓄水作用。其问题有二:一是60年代初水利工作相对处于低潮,新龙洞河底偏高,无法蓄水,更无条件建站补水;二是该闸闸门止水质量不好,建国初期这类技术并不过关,一直漏水严重,闸上蓄不住水。60年代初一度有人认为此闸是一座废闸。直到60年代末更换闸门及闸门止水,70年代初建凌城抽水站向闸上补水,该闸才正式发挥蓄水作用。从建成到配套发挥作用,历时10多年。古邳抽水站,1960年冬开始筹办,1961年春开工约一个月便下马了。到1968年县又筹办施工,1970年5月安装成5台机组,2.5立方米每秒。从此便开始发挥效益.1971年、1972年,扩建东站、新建西站,共12.5立方米每秒。自此虽年年发挥效益,但年年觉得不满足。因为每次施工,都仓促上马,机泵质量差,年年维修,经常报废机组。坚持了15年,于1987年东站拆除改建成9立方米每秒。再过10年,于1997年春西站拆除改建成10立方米每秒。回顾古邳抽水站从停建,到低标准,到完善,近40年几乎年年都在古邳抽水站上做文章。从某种意义上看,工程大、困难多的工程,恰恰是受益大的好工程。在争论中产生,在曲折中生存和发展,实践证明此工程是必不可少的。

四、新闸建成初期不能立即发挥效益,多与水土保持不好、闸门底大量淤积有关

建闸必须按总体规划安排闸底板高程,均较深。而河道需要多年、多期开挖,河底高程才能和闸底板相平。其间闸门不是放不到底,就是门底淤土多难以开启。小型水闸越在建国初期表现越明显,以后随着大、中沟水土保持措施逐渐增多,此现象才逐渐克服。县管几座节制闸,闸上游一段均采取河底超深措施,形成人工沉沙池,才解决门底淤积问题(同时也解决闸下因淤积不好引水的问题)。如凌城节制闸,底板高程11米,两次加做门底坎,底坎高程13.9米,高于上游河底近2米。新沙集节制闸于1979年5月建成,底板高程15米,上游河底高于底板。第二年大雨,闸上游冲下土方40余万立方米,造成闸下游徐洪河集中淤积,引水困难。1982年冬疏浚徐沙河,使闸上一段河底深于闸底板1米多,从此大大缓解了在闸附近集中淤积问题。1989年冬季疏浚徐沙河上段,使高集节制闸上一段河底也略低于闸底板,从而解决了高集节制闸附近集中淤积问题。

第一章　水　闸

按枢纽工程、梯级控制工程、流域性调度工程和区域性控制性主程的顺序分节叙述。

第一节　凌城节制闸

凌城闸是建国后县内兴建的第一座节制闸，是防洪、排涝、蓄水等综合性的节制工程。它设计控制排涝面积825平方公里，加上调度排水面积，总受益面积达1364平方公里，占全县总面积的77％。

一、兴建凌城闸的时代背景

1958年正是处在全国上下大张旗鼓地贯彻执行"建设社会主义总路线"的高潮中，工、农业生产出现"大跃进"的热潮。当时的中共睢宁县委急于改变睢宁十年九涝、旱死怕淹的局面，北建庆安水库防洪、蓄水，南建凌城闸蓄泄兼施，中间挖徐坼河拦腰截流。三项工程同时进行，工程规模按水利规划高标准、高起点。县委号召全县人民立即行动，有力出力，有钱出钱，有物献物，很快形成千军万马齐上阵的水利建设高潮，意在短期内消除水、旱灾害，改变贫穷落后面貌。当时县委对凌城闸工程十分重视，规划要求很高，要涝时洪水挥之即去，旱时喝令"洪泽湖水倒流"。县委负责人亲自带领有关部门负责人深入现场，查看地形，走访群众，选择闸址。起初省、地意图是建在安徽省泗县找沟集北老龙河上，故名"找沟闸"。当时已派专人到安徽省和泗县水利部门协商，客省因有很多顾虑，迟迟不予答复；而睢宁亦有种种顾虑，如闸建在找沟是安徽省的属地，担心以后长期给工程管理带来一系列麻烦。整整拖了半年闸址定不下来。最后下决心重新开一条新龙河，将闸址移到凌城南端的皇庙庄。经请示省、地同意后，更名为"凌城闸"。

二、开工前的准备工作

在建筑业刚刚起步的建国初期，建如此大的水闸工程，难度是相当大的。因此在规划设计决策上，在实施措施上，事前做了大量工作，制定了周密的工作计划。

（一）开挖跃进河，为凌城闸运石料

凌城闸需用大量料石、块石、石子等建筑材料，当时全县运输车辆有限，无法完成材料运输任务。因此该闸施工之前，先开挖跃进河。从汤集的老龙河向西开挖到官山集后之龙山，平地开河。1958年3月底开工，6月10日竣工。使龙山的石料用船运到凌城闸工地。后来的实践证明，改陆运为水运，既解决运输难的问题，又为今后河道治理打开了局面。

（二）反复研究工程设计，尽量使其经济合理

按照能排、能蓄、能通航的规划要求，由徐州专署水利局工程师陈佩昌和睢宁县水利局技术员邓伯华负责工程设计，经过三次修改最后定案。考虑日雨200毫米，五十年一遇的排涝标准。闸底板比洪泽湖控制水位低1.5米。计划河底高程，上游11米，下游10米。开闸

时上游水位 18.4 米，下游 18.2 米。关闸时上游水位 18.4 米，下游水位 13.5 米。闸底板高程 11 米，底板长 16 米。门坎高程 13.9 米。下游护坦铺盖长 31 米。下游消力池长 30.5 米，池深 1.9 米。下游设五排消力齿，每排 33 个。直升式闸门分两节，上节木质闸门，下节钢筋混凝土闸门。设计需用建筑材料：黄砂 5250 立方米，石子 6000 立方米，石料 4300 万公斤，水泥 2630 吨，木材 420 立方米，钢筋 20 吨。

（三）建立组织，明确分工

由县委常委、组织部部长冷开晋及县水利局副局长夏献坤及孙干等人组成"凌城闸施工管理处"，开工前集中力量抓备料工作。

（1）在官山建采石厂，备块石、料石。由县交通科副科长邢印楼负责带领黄圩、张圩两公社 121 名石工，吃住在官山集后的龙山，开山采石。分开采、短运、船运三个环节。① 对采石工人实行固定工资，分为两个等级。放炮、打锤、掌炮钎，月工资 19 元。扒渣、抬运石头，月工资 18 元。每人每天定额：块石 1 立方米，料石 6 料（每料长度不低于 1 米，20 厘米见方）。开始工效不高，每天只打 4 料。后采取三条措施：一是加强思想教育，开展"比工效、比干劲、比安全、比创造、比服从、比团结"的"六比"竞赛活动，鼓舞士气。二是定奖罚制度，定期奖勤罚懒，超额者奖励月工资的 30%，完不成者罚月工资的 20%。三是技术革新，如开始自制土炸药，炮轰石头，效力不大。后调用黄色炸药，引进雷管、导火索，工效显著提高。② 从采石工作面到跃进河，有一段距离需要短途运输，人工搬运效率太低。为此从山上到山下架起空中运输桥，使石头自动滑下山坡。又从山脚下到跃进河口铺上 1500 米铸铁轨道，用 50 节小列车，每节载重 1500～2000 斤，使石料满足装船需要。③ 从洪泽湖租用 20～30 吨木帆船 96 只，利用跃进河、老龙河蓄水运到工地。用料高峰时到船 102 只。从而保证了建闸所用石料。

（2）发动群众加工石子。浇筑混凝土用的 6000 立方米碎石子，分别由邱集、王林、凌城、碾盘等几个公社按社员人口多少，每户 1000～1500 斤的碎石任务。每加工 100 斤补助粮食半斤。"男女老少齐动手，家家户户打石头"，自打自运，送到工地。

（3）采砂、运砂。由县水利局工程员陈子文到宿迁建立砂矿，并在沙集设立转运站。全县共动员 10 个公社 1300 名民工，4 辆汽车，20 辆马车，70 辆平板车，800 余辆小土车。除固定 100 人在宿迁北井儿头砂矿扒黄砂外，其余车辆、人员均忙碌在宿迁至凌城闸工地运输线上。

三、工程施工

（一）闸塘土方开挖

县决定凌城、王林两公社上民工 5000 人负责开挖闸塘土方和做淘洗石子等杂工。两公社分设团部，于 1958 年 12 月初上工，8 日正式开工。进入工地后首先制定定额标准：① 挖土：1～4 米深定额 3 立方米，5～7 米深定额 2 立方米，8 米以上定额 1 立方米。② 还土：1～3 米深定额 5 立方米，4～6 米深定额 4.5 立方米，7 米以上定额 3.5 立方米。③ 硪工：1～2 米深定额 3 立方米；3～4 米深定额 2.5 立方米；5～6 米深定额 2 立方米；7 米以上定额 1 立方米。

当时全国上下都在"大跃进"，各条战线都进行大会战，互相争劳动力。闸塘开工初期，人员没有按计划上齐，士气不高，土方定额完不成。该闸塘土方任务艰巨，从地面高程

18.5米,要下挖到高程9米(消力池处最深挖到8.5米),堆高塘深,是历史上从未有过的。在塘深6～7米处,遇到坚硬的砂礓层,普通工具挖不下去。加上当年生活困难,群众口粮少,一般都不能吃饱饭。面对如此多的不利因素,施工管理处和公社团部的领导积极带领群众,知难而进,战胜了一个又一个的困难。根据当年所处的社会环境,他们所采取的措施是思想上正面开导,政治上给压力,物质上适当给补充。其具体措施有:一是正面加强思想教育,宣传建闸是为子孙致富的千秋大业。开展"六反六比"的社会主义劳动竞赛。六反是:反对本位主义,反对强迫命令,反对不服从劳动纪律,反对保守落后,反对懒汉操作,反对开小差。六比是:比干劲,比工效,比工程质量,比学习,比发明创造,比干部参加劳动。采用各种方式表扬好人好事,在全工地形成你追我赶的热烈气氛。二是工地采取当时社会上普遍实行的"鸣放"政策,开展大鸣、大放、大辩论。白天干部参加劳动,晚上开会鸣放。三是关心民工生活,推行一些奖励政策。如凌城团部按县规定的定额标准,决定每1立方米土增加1斤粮。王林团部规定超定额部分按8%奖给个人。四是改革工具,提高工效。运土实行滑轮化,排水实行机械化。由于措施比较得力,中、后期施工效率较高。历时半年,于1959年5月底完成了闸塘土方开挖工程。

(二)砌建工程

混凝土浇筑和砌石工程安排两个施工队伍。

凌城闸混凝土浇筑工程,根据国家水利部和省水利厅有关建筑物施工定额,由睢宁县水利局承包给徐州建筑公司二工区。双方签订合同书,其主要内容是"三包五定一奖制"。三包是:包完成任务时间,包定额所得,包标准质量;五定是:定人员数量和精干条件,定工具数量和消耗比例,定任务时间和生活标准,定操作规程和标准质量,定经费粮煤和按期结算;一奖制即超额奖励。1959年5月28日浇筑工程正式开始,由工区主任张子贤负责,起初到工80人,高峰时达150人。按设计要求先浇筑闸底板,每块16米长,8.4米宽,1.5米厚,采用斜坡式浇筑。当浇筑到第四块底板时,因浇水养护,发现有渗水现象。当即拆除模板,发现已浇三块底板都有不同程度的蜂窝麻面,个别层间漏水。第三块底板尤为严重,北纵立面蜂窝长1.6～4米,宽0.22～0.4米,深0.05米。后来浇筑第五、六块底板时仍有此毛病。建闸工程处及时向徐州专署水利局和徐州市建筑工程公司汇报。他们及时派员前来检查,当即停止工区主任张子贤职务,令其反省,由公司经理赵明到工地指挥。徐州专署水利局派主任工程师沈立昌亲临检查,对有毛病的底板指示钻孔灌浆,孔距1～15米,凿毛5厘米,用200号水泥砂浆喷灌。改变石子级配,采用不连续级配,降低空隙率。增加使用塑化剂、矿渣等掺和料,把原有110级混凝土改为140级混凝土。从而保证了工程质量。1959年秋,工作桥加高,交通桥加宽,安装8台10吨绳鼓启闭机,这几项工程由睢宁县建筑工程公司承建。

闸墩由建闸工程处组织官山公社500名石工,用条、块石,以80号水泥砂浆砌成。空隙之间块石填厢到顶。在与闸门槽混凝土连接处用短钢筋插入,以加强整体性。全体施工人员接受初期混凝土浇筑质量差的教训,干部轮流跟班劳动,检查督促,工人认真负责,一丝不苟。浆砌块石质量比较好。

凌城闸工程从1958年上半年开始准备,1958年12月8日土方开工,1959年5月28日开始混凝土浇筑,1961年10月竣工。共完成工程量:土方20万立方米,石方14732立方米,混凝土6628立方米。三大材用量:水泥2156吨,木材445.3立方米,钢材424吨。总工日 59972 个。国家拨款 135 万元。

四、财务标准

国家所补助的经费,重点解决材料费和必要的技工等人员工资。民工所得虽然明确各项定额标准,实际国家没有给予补助。当年"一平二调共产风"盛行,各公社都争着实行几个不要钱(农村集体办食堂)。国家也提出"依靠群众,增产节约"。民工在工地一切后勤,均由后方供应,公社送粮、送草,民工凭完成定额多少,记工分田家参加分配。石子也是平调社员群众的,每百斤石子只补半斤粮食。黄砂、石料是抽民工在矿上开采的,只给吃饭钱和运费。运输费每吨公里 0.24 元。小土车运输装载 300 斤以上,每趟 0.3~0.35 元。这些平调部分到 1964 年落实政策时,作了退赔。技工工资的补助标准:石工每工日 0.7 元,水泥工每工日 1.2 元。经过三年的施工,培养了一批技术工人。

五、工程维修加固

凌城节制闸建成后,由于受水利规划多次变化和施工质量差的影响,先后多次调整局部结构和维修加固。

凌城闸虽然设计五十年一遇排水 800 立方米每秒,由于河道土方量太大,上、下游河道均未挖足标准。特别是闸下游 14.5 公里(新、老龙河交叉口以下)处于宿迁、睢宁、泗洪、泗县之交界,河道断面狭小,不足五年一遇排涝标准。因而闸建成 25 孔,只使用 16 孔。凌城闸原设计负担排水 825 平方公里。1975 年徐沙河开挖后,凌城闸直接负责排水面积减为 493 平方公里。因此凌城节制闸就定型使用 16 孔。该闸维修加固主要有如下几次:

1. 1963 年 2 月,闸门防漏工程安装和闸塘清淤。共做土方 6500 立方米。补助经费 0.8 万元。

2. 1966 年 11 月,徐州专署水利局批准将凌城闸 25 孔堵死 9 孔(南侧堵 3 孔,北侧堵 6 孔)。用草包装粘土封堵。同时将下游两侧干砌块石延长 15 米,公路桥木桥面改为钢筋混凝土简易桥面。计做土方 2500 立方米,混凝土 68 立方米,干砌块石 68 立方米。补助经费 1.3 万元。

3. 1967 年 10 月,将运用中的 16 孔原两节闸门全部拆除,改造成一整扇钢筋混凝土闸门。改造闸门槽,增做闸门坎,坎顶高程 12.39 米。

4. 1969 年 5 月,修补闸门止水 328 米,并将启闭机维修。做土方 8500 立方米。补助经费 3.5 万元。

5. 凌城抽水站建成抽水,凌城节制闸门顶偏低,为适应蓄水引水的需要,于 1972 年 2 月实行较大规模的加固改造。一是闸门抬高。整修上部闸门槽,闸门坎再次抬高。门坎顶部高程由 12.39 米,加高到 13.9 米。二是两侧封闭的 9 孔木闸门腐烂,更换成钢筋混凝土闸门。三是下游塌坡填土整修,加做混凝土框格、浆砌块石墙。计做土方 32650 立方米,混凝土 316.8 立方米。补助经费 5.7158 万元。

6. 1974 年汛期大雨,闸上、下游护底、护坡冲坏,闸底板冒水。汛后维修几项工程:①上游增长铺盖 18 米,护坡接长 28 米。②下游用 110 级混凝土接长消力池 10 米。新做消力齿坎长 10 米,分五排,每排 33 个。消力齿以下加长浆砌块石护底、护坡 10 米。原铺盖木板止水全部更换为镀铜片止水。③闸底板冒水部位,钻孔压力灌注水泥浆。并利用玻璃丝布等化学材料封闭。④两侧不使用的9孔,1992年用混凝土框格、浆砌块石堵闭的全部予以拆除,更换为钢筋混凝土叠梁板。以上共做土方9.9万立方米,混凝土1487.6立方米,钢筋混凝土111.4立方米,浆砌块石1062立方米,干砌块石472立方米。做止水铜片757米。补助经费25.21万元。

7.1983年11月,更换启闭机动力线,加宽交通桥,增做栏杆,并对一些机械零部件整修。计完成土方1万立方米,石方500立方米,混凝土30立方米。补助经费3万元。

六、工程效益

凌城节制闸的效益是巨大的。首先,它是睢宁南部一座总控制工程。只有该闸建成后,才能有计划地开挖新龙河及其所属各支河,才能陆续兴建汤集闸、龙山闸、张山闸、杜集闸等相应控制工程。凌城闸是南部排、灌工程系列的总纲之头,几十年的排、灌效益,凌城闸是关键的关键。其次,因为该闸是龙头工程,它的效益是长远的,随着时间的推移,效益越来越大。60年代只是在排涝、防洪方面发挥点作用,由于相应的河道等工程不配套,效益不十分明显。70年代初建成凌城抽水站,闸、站相配套,效益十分明显。睢宁南部低洼地区从"十年九涝"多灾低产的局面,发展成为稻麦两熟的鱼米之乡。1977年徐洪河开挖后,逐渐形成梯级河网,凌城闸开始全面发挥效益。睢宁县水利上实现了"大排、大蓄、大调度",县内诸干、支河及大沟长年有水,改善了生态环境,促进了睢宁县经济的发展。这些效益的产生都离不开凌城闸。

七、工程管理

(一)归属

凌城闸建成后,开始成立"睢宁县凌城闸管理所",直属县政府领导,业务由县水利局负责。后由县水利局直接领导。1972年凌城抽水站建成,闸、站统一管理,仍为县水利局下属事业单位。

(二)管理

凌城闸运行16孔,配备80马力柴油机,40千瓦发电机。机、电两套设备。该闸负担直接排涝面积493平方公里,排涝521立方米每秒。另可伺机调度排潼河之水100立方米每秒。平时闸上正常蓄水18～18.5米,不足由凌城抽水站抽水补充。汛期既要及时排涝,又要保证正常蓄水水位,满足灌溉需要。该闸起落频繁,是水利管理工作的重中之重。

(三)事故

1963年春落闸整修,5月28日全县普降大雨,闸上水位猛增到19.4米,一时无法提闸。新龙河沿线10多处决堤倒灌,南部低洼地区积水3～5天,造成水灾。受到徐州专署通报批评。

(四)综合经营

闸管所约有50亩地可植树造林。60年代初栽植刺槐树,生长良好,枝密叶茂,夏季多有群众乘凉避暑。生长30年后,于90年代初更新。出售树木得款,少量用于购树苗栽植,大部用于凌城抽水站建院墙,院内开展副业生产。

第二节 沙集节制闸

按梯级河网规划,在四组控制枢纽中,沙集枢纽最为完善。先后建过两次节制闸,建成大、小两座抽水站,建成一、二号两座船闸。1975 年建成一座节制闸,称为老沙集闸。1978 年第二次兴建节制闸,称为新沙集闸。1984 年县建成 10 立方米每秒沙集抽水站(在沙集南余圩庄),抽洪泽湖水向徐沙河补给。1993 年 6 月,省管的 50 立方米每秒沙集抽水站建成,抽洪泽湖水向徐洪河上游补给。1995 年徐洪河船闸竣工(在省管沙集站东,称沙集 1 号船闸)。1994 年 9 月,将老沙集闸拆除,在老闸处兴建徐沙河船闸(即称 2 号船闸)。

一、老沙集节制闸

1975 年春开挖徐沙河,西起小滩河,东至沙集南,转经凌沙河排水入凌城闸下新龙河。为此在沙集西南方向、凌沙河西侧兴建沙集节制闸。

1975 年,省水电局以苏水电(75)字第 005 号文批准兴建。计 3 孔,每孔宽 7 米。闸底高程 15.5 米,闸顶高程 19.5 米。设计 389 立方米每秒(负担睢北片 400 余平方公里排水)。

1975 年 4 月开工,12 月竣工。工程投资 32 万元。

1978 年虽兴建新沙集闸,老节制闸并未废除。改为负担沙集镇区小面积排水,从东向西转从新沙集闸排出。至 1994 年秋,老闸拆除建徐沙河船闸。

二、新沙集闸

1977 年冬第二期徐洪河工程开工,该段从七咀至沙集南,基本沿凌沙河开挖。徐洪河与徐沙河接头部分,必须按梯级河网规划中沙集一组枢纽工程的要求进行布置。此时废老闸,同时在老闸南建新节制闸。徐沙河规划从徐州到沙集,因此新闸承担排水面积 740.5 平方公里,其中铜山县 256.3 平方公里,睢宁县 486.9 平方公里。

1977 年 12 月 4 日,省革委会水电局以苏革水(77)基字第 63 号文批准兴建沙集节制闸。由华东水利学院(后改为河海大学)负责搞技术设计。设计流量 637 立方米每秒,共6 孔,每孔净宽 7 米,采用正、反拱,底板为等截面混凝土圆弧反拱,公路桥为正拱、变截面混凝土桥面。除此之外,该闸在结构和施工上有四个突出特点(即有四个方面在县内开了先例):

1. 新型闸门。第一次使用钢丝网波形面板闸门,门高 5 米,门重 23.34 吨,用 2×16 吨绳鼓式启闭机。

2. 多级消力池。该闸上、下游水位差、河底高差都很大。如消力水位组合,上游 19.8 米,下游 17.89 米(最低水位 10 米),水位差 1.91 米(最大水位差约 9.5 米)。上游河底高程 15 米,下游河底高程 8.5 米,高差 6.5 米。由于高差大,闸下游衔接段较长,下游消力池分两级:第一级池底高程 11 米,深 1 米,长 12 米;第二级池底高程 8 米,深 1 米,池长 12 米。

3. 混凝土预制板镶面。闸墩、连拱空箱岸墙、连拱式翼墙、扶壁式翼墙、重力式翼墙等部位,是浆砌块石结构,一律用混凝土预制板镶面,外观形成整体,整齐划一。自此全县推广,形成睢宁水工建筑一项特色。

4. 工作桥排架预制吊装。在此之前建闸,支撑工作桥的排架,一般都是搭架立模现浇混凝土。该闸排架、工作桥均先行预制,最后一次性吊装。自此之后再建闸,都是用悬索或扒杆吊装。

沙集闸于 1978 年 2 月由县水利局副局长魏维贤组织开工,1979 年 5 月竣工。计完成土方 83860 立方米,石方 8115 立方米,混凝土 5398 立方米。用水泥 1172 吨,木材 157 立方米,钢材 99 吨。工程投资 99.8 万元。

沙集闸下游经常被冲坏,经常需要维修。其主要维修有如下几次:

1.1980 年汛期行洪,下游护底被冲成大坑,下游护坡被冲坏,护坡以下两侧河坡被冲塌近 50 米。后经批准抢修。计完成土方 14180 立方米,石方 1968 立方米。补助维修经费 3.2369 万元。

2.1984 年下游河岸两侧接长护坡 40 米(护顶高程 13 米),并整修原有护坡。计做土方 450 立方米,浆砌块石 71 立方米,干砌块石 478 立方米,碎石垫层 240 立方米。补助维修经费 2.5 万元。

3. 反拱底板长期暴露出水面,受气温变化影响较大。1988 年汛后抽水检查发现底板、闸门下部等有裂缝,当即进行处理。闸右侧闸室底板有一条 3 米长细缝,闸铺盖有两条 9.5 米长细缝,闸门下端计有 12.5 米长细缝。所有裂缝都用环氧树脂、玻璃丝布粘贴、加固。闸门全部清理、除锈。下游坡、护底各加长 60 米,计做土方 1400 立方米,块石 605 立方米。消力池加固 300 平方米,做混凝土 30 立方米。

沙集闸建成后,即成立"沙集闸管理所",属县水利局领导。有管理人员 6 名,其中行管干部 1 人,技术员 1 人,工人 4 人。1985 年 4 月与沙集抽水站合井,闸、站均由沙集抽水站管理所统一管理。

第三节　北水引水、节制工程

梯级河网规划中的袁圩枢纽工程,系徐洪河穿断废黄河后的分片控制工程。黄河北闸是主要控制建筑,其次县北部还有相应的引水、节制工程民便河节制闸和引水、通航两用的民便河船闸。

一、民便河船闸

(一)规划

1969 年全国掀起"农业学大寨"高潮,睢宁县大搞旱改水,提出"北引骆马湖水,南引洪泽湖水,高亢地区发展打井"的水利规划。北引骆马湖水的系列工程有三个层次:一是在运河西堤兴建民便河船闸,作为引水、通航的总口门。二是从民便河船闸向西疏浚民便河,把水引到睢宁境内。三是根扎民便河开挖引水河,兴建古邳、新工、清水畔三座抽水站,相对应向庆安、袁圩、清水畔三水库补水,并相应进行灌区配套。民便河船闸是北部引水的龙头工程,当年全县上下齐动员,作为一件大事来办。

(二)闸址

该闸的闸址位于宿、邳两县交界,本应选在民便河和运河西堤交叉处,开始省水电局现场查看也倾向此处,但该处属宿迁县地界,他们县提出不同意见。当时宿迁县属淮阴地区,睢宁、邳县属徐州地区。为避免建闸后给管理工作带来一系列矛盾,县决定放弃在宿迁境内建闸的方案,将闸址北移至邳县境内。睢宁县革委会负责人吴学志带领水利部门王晋等有关人员多次去邳县协商,并现场查看,省和徐州地区有关领导多次协调,最后定在邳县胡圩公社新庄大队邳洪河机站引水涵洞南 75 米内、运河西堤上,与运河东新沂县窑湾镇隔河相望。这是睢宁县第一次在境外做直接受益、自己管理的建筑工程,距睢宁县东北边界直线距离 6 公里多。

（三）设计与施工

工程设计考虑引水、通航、防洪三种因素。上、下闸首孔径 8 米,闸室宽 10 米,长 80 米。最低通航水位:闸上 20.5 米,闸下 19 米。闸室水深 2 米,可通航 6 只 60 吨驳船。闸底板高程:上闸首 17.5 米,下闸首 17 米。闸顶高程:上闸首 27.5 米,下闸首 26.1 米。上闸首为钢筋混凝土空箱式结构,钢丝网人字形侧转闸门。两侧设输水廊道,向闸室冲水时对冲消能。廊道孔径 2 米×2 米,使用 2 台推杆式启闭机控制闸门。下闸首系钢筋混凝土结构,底卧式弧形钢闸门,配置 2×15 吨绳鼓启闭机。从船闸到民便河一段开挖引水河,河底高程 17 米,底宽 20 米。

1970 年 2 月,睢宁水利局勘测、设计,并报徐州地区革委会。1970 年 5 月 15 日,徐州地区革委会生产指挥组向省书面转报,并抄送给睢、邳两县革委会。经省同意后,当年 11 月 24 日徐州地区水电局下文同意兴建民便河船闸。随即县成立民便河船闸指挥部,娄培林任指挥。11 月 25 日民工陆续到达工地,28 日正式开工。闸塘多是流沙土,运河水位高,渗水造成难工。民工在天寒地冻的情况下抢挖土方。在浇筑混凝土和砌石工程中更是日夜流水作业。块石、石子从邳县,甚至从徐州,经大运河船运到工地。后方动员各部门大力支持,前、后方打“总体战”。经过 10 个月的努力拼搏,于 1971 年 9 月竣工。共完成土方 22 万立方米,块石 5267 立方米,混凝土 3856 立方米。共用水泥 128.7 吨,钢材 147.9 吨,木材 432 立方米。原计划县自筹经费 100 万元,后上级支持 80 万元,县自筹经费 40 万元。

（四）工程维修

（1）1972 年 9 月由县水利局组织施工,完成有关扫尾工程,工程经费 9.5 万元。

（2）1975 年 1 月检修上闸门,维修导航架,焊接工字钢,补助维修经费 6.2 万元。

（3）1976 年 3 月处理翼墙、排水暗管渗水冒泡问题。加做干砌块石护坡 200 米,并做浆砌块石 150 立方米。补助维修经费 1.8 万元。

（4）1983 年 8 月更换输水廊道闸门,由木质闸门改为钢闸门。更换上、下闸首闸门止水橡皮。闸室护底。补助维修经费 7 万元。

（5）1987 年 1 月和 8 月,更换钢闸门轴瓦,闸门除锈并油漆。省、市从岁修和防汛急办项目中拨给 3.5 万元。

（6）90 年代上闸首人字闸门经常损坏,先后维修两三次,主要是更换门底枢、门轴套和闸门护木。修理办法是:首先在闸门前修理门槽内下插板门挡水(闸上备有钢板焊成的空箱插板门,每块高度 60 厘米);然后将人字门吊起,待损坏部分修好后,再将人字门吊回原位。如 1991 年 3 月中旬,在闸上游运河水位高,下游又亟待放水供水稻落谷的情况下,上游大闸门失灵,结果突击抢修了 20 多天。

（五）工程管理

民便河船闸在兴建时,已将闸区土地征用,虽在邳县境内,但产权属于睢宁。该闸管理归属县水利局,有管理人员 16 人,其中干部 2 人,工人 14 人,运输旺季有时使用临时人员。

从 1971 年至 1991 年 20 年间,该闸每年向庆安、袁圩两水库补水约 6000 万立方米,并向黄墩湖地区、废黄河滩地及废黄河南诸灌区约 30 万亩土地供水。由于民便河东段邳、宿二县共有,引水时河两侧部分地区亦抽水灌溉。1991 年徐洪河全线开通后,多经邳南房亭河从刘集地下涵向睢宁补水,民便河船闸引水机会减少,但在调度上仍起很大作用。过闸船只时少时多,淡、旺季十分明显,但过闸收费基本可支付管理人员工资。特别是在运河皂河船闸检修期间,经民便河船闸的船只非常拥挤。

二、民便河节制闸

(一)兴办缘由

1984 年 9 月,皂河抽水站建成抽水。运河上皂河节制闸闸下之水,通过邳洪河节制闸向北引入皂河抽水站进水池,经皂河抽水站抽入皂河闸上。皂河闸、皂河站和皂河船闸是省内江水北调的一组枢纽工程。邳洪河位于运河西大堤西侧,民便河与邳洪河是相通的。皂河站抽水时,不仅抽皂河闸下的运河水,也可抽到睢宁境内民便河一段的水。因此我县必须兴建民便河节制闸,以使皂河站抽水时,把水源隔开。

皂河站未兴建之前,民便河船闸放水,必须关闭邳洪河节制闸。有了皂河站以后,每当冬春季节,皂河站抽水必须提起邳洪闸。而此时县北部古邳等三座抽水站也必须抽水补库,因此常有矛盾。从此邳洪河闸、民便河船闸、民便河节制闸三者启、闭关系变得复杂起来,往往需请示市水利局,再请示省水利厅予以协调。

民便河节制闸位于徐洪河和民便河交叉处,在徐洪河东侧。闸北是邳县土地。闸南大部分是睢宁土地,闸东南角有邳县插花田块。

(二)工程介绍

因皂河抽水站建成形成了新的矛盾,睢宁县即向省、市写报告,如实反映情况。省水利厅于 1985 年 2 月 18 日以苏水计(85)23 号文批准兴建民便河节制闸。该闸计 3 孔,每孔宽 10 米,五年一遇排水 274 立方米每秒。边、中墩基础均用井柱桩,闸室为钢筋混凝土结构。升卧式平面钢闸门,门宽 10 米,高 6.2 米,每扇门重 13 吨,用 2×16 吨绳鼓式启闭机。1985 年春由县水利局工程队施工,1986 年 10 月建成。共做土方 12 万立方米,混凝土 3269 立方米,砌石 3783 立方米,砂石垫层 1528 立方米。工程造价 165 万元。

(三)工程管理

该闸建成后成立"睢宁县民便河节制闸管理所",安排 4 人管理。1991 年徐洪河全线贯通后,1992 年 12 月 2 日收归市水利局管理。

三、黄河北闸

1991 年开挖最后一期徐洪河,废黄河被切断,在废黄河北侧徐洪河上建节制闸,称"黄河北闸"。此闸系徐洪河流域性工程,徐州市水利局负责建筑并管理。因黄河北闸是分割睢宁县黄墩湖片、废黄河滩地片和睢北片的控制工程,故作简要记述。

黄河北闸是防洪、引水、排涝、通航综合性工程。引水 200 立方米每秒,主要向北引水,天旱时也可以向南调度。泄洪 400 立方米每秒,可以将黄墩湖水调度排入洪泽湖。如果黄墩湖滞洪,该闸挡洪水位 26 米,可防止北水南侵。通航按五级航道设计。闸孔总净宽 40 米,分 4 孔。2 边孔为通航孔,孔宽各 12 米;中间 2 孔各 8 米。2 边孔装升卧式立拱闸门,中 2 孔装立拱直升闸门。启闭机 4 台套,其中 2×40 吨 2 台,2×25 吨 2 台。闸底板高程 15 米。其设计水位组合:

向北引水	上游(北)	21.85 米	下游(南)	21.9 米
向南排涝	上游	21.3 米	下游	21.2 米
黄墩湖滞洪	上游	26 米	下游	19 米

1991 年 9 月 1 日开工,1992 年 4 月 26 日竣工。计完成土方 25.2 万立方米,混凝土 12207 立方米,砌石 11347 立方米,砂石垫层 2310 立方米。总投资 1050 万元。

第四节　高集节制闸

1973 年冬,田河上游改道走徐沙河上段,在高集西徐沙河上建庞庙闸,后改名为高集闸。4 孔,每孔净宽 3.5 米。闸底板高程 20.35 米,门顶高程 24 米。十年一遇水位:上游 24 米,下游 22.74 米。流量 158.4 立方米每秒。闸上正常蓄水位 23.5 米。配用 4 台 10 吨手摇、电动两用启闭机。1990 年汛期高集闸下游被冲坏,1991 年春进行加固处理。上游护底改造,增加防渗措施;下游整理消力池,并增加导流墙。

在梯级河网规划中,高集是一组枢纽工程。高集节制闸是西北片的控制工程。由于徐沙河未全线形成,高集闸与高集站配合,可以起到县西北片的排水、引水之作用。一旦徐沙河全线贯通,高集节制闸便不适用。

第五节　新龙河沿线控制闸

新龙河沿线计有 3 座节制工程,即汤集闸、龙山闸、鲁庙闸。

一、汤集闸

根据 60 年代排水规划,新龙河已经形成,邱集南沿睢、泗两县边界之老龙河又不能作废,因此在新、老龙河交叉处,新龙河南侧建闸控制。该闸地处官山、邱集两公社交界处,取名"汤集闸"。

该闸根据老龙河断面排水能力,定为二十年一遇 80 立方米每秒。水位组合:上游 19.6 米,下游 15.15 米。3 孔,每孔净宽 4 米。闸底板高程 15.15 米。钢筋混凝土闸门,配 2×12 吨绳鼓启闭机。1965 年 11 月开工,1966 年 6 月竣工。计完成土方 2.9 万立方米,混凝土 679 立方米,砌石 979.4 立方米。工程造价 15.06 万元。

该闸建成之初成立管理所,隶属县水利局。后划归睢城闸管理所统一管理。汤集闸建成后前 10 年发挥了很大效益,1976 年冬开挖第一期徐洪河,大大改善了凌城闸和新龙河的排水能力,一般雨情不需要从老龙河分流,因此汤集闸很少提闸排水。

二、龙山闸

龙山闸曾经使用过"跃进河闸"、"官山北闸"等名称。该闸建在跃进河上,南有官山集,北有龙头山。闸西为潼河排水系统,闸东为新龙河排水系统。

70 年代初凌城抽水站建成,沿新龙河、跃进河一线向西送水。1973 年 10 月兴建跃进河闸,其作用除向西南片送水灌溉外,在汛期必须关闸,将潼、龙两水系隔开,各自独立排水。即引水时提闸,东水西送;排水时落闸,保证西水不东流。当时建成1孔,孔径6米。闸底板高程15.3米。引水10立方米每秒。配2×6吨启闭机一台。1974年春完工,工程造价9.07万元。

1976年、1977年连续两期开挖徐洪河,使凌城闸下的排水出路打开,新龙河排水能力较前大大提高。而潼河排水能力很低,只相当三年一遇的88%。这时有条件将龙山闸扩孔,在汛期调度部分潼河水排入新龙河。1982年春向闸北侧扩建2孔,每孔宽3米。闸底板高程16.2米。可分流潼河水80立方米每秒,最多可分流100立方米每秒。同年7月竣工,工程造价7万元。

龙山闸由官山乡管理。

三、鲁店闸

鲁庙闸位于跃进河西头末端、桃(园)李(集)公路上。从新龙河东端凌城闸起,到跃进河西端鲁庙闸止,距离34.5公里。鲁庙闸下游连接跃进河,河底高程15.5米。上游连接桃园公社的魏陈大沟,沟底高程17米。

鲁庙闸由桃园公社组织施工,县水利局派技术人员现场指导。1980年10月开始筹备施工,县水利局于1981年2月28日批准桃园公社兴建鲁庙闸,并结合兴建挑李公路桥,批准经费11万元。桃园公社立即组织施工,于当年11月完成。

鲁庙闸设计5孔,每孔净宽3米。闸底高程15.5米,闸门底槛高程17米。水位组合:上游20米,下游15.5米。设计排水能力113立方米每秒。启闭用5台10吨螺杆启闭机。该闸施工时全部用细石屑代替黄砂使用,既节省经费,又保证了质量。

鲁庙闸由桃园公社管理。

第六节　潼河水系节制闸

潼河水系有张山闸、杜集闸、四里桥闸、房桥闸4座节制工程。

一、张山闸

1966年施工的安河流域治理工程,其中就包括疏没白马河项目。白马河经官山南需要穿过官(山)黄(圩)公路(也是睢宁至泗县公路),在河、路交叉处建张山闸。10孔,每孔净宽2.6米。闸门底槛高程15.5米。设计排水能力117立方米每秒。启闭用螺杆启闭机,5吨8台,8吨2台。1967年7月竣工。投资经费25万元。

该闸建成之初,蓄水作用不大。到1973年跃进河兴建龙山闸,凌城抽水站之水通过跃进河串流入白马河,从此张山闸发挥了蓄水作用。

张山闸由官山公社管理,维修经费紧张,汛期提闸时机、电经常出毛病,改由人工手摇提闸。

二、杜集闸

70年代初凌城抽水站建成,地处西南部的黄圩公社虽属凌城灌区,因工程配套跟不上,七八年用不到水。后协调官山、黄圩两公社,沿官黄公路西侧共同开挖大蒋引河,从张山闸上将白马河水引入潼河。潼河东西横贯黄圩公社境内,在黄圩东部建杜集闸,以保证潼河蓄水灌溉。杜集闸位于白马河进潼河之入口以上,因此该闸只能节制潼河。

杜集闸共有 5 孔,每孔净宽 5 米。底板高程 14.65 米,门顶高程 18.65 米。正常水位组合:上游 18.5 米,下游 15.8 米。设计排水能力 163 立方米每秒。配 10 吨 5 台螺杆式启闭机。1979 年初开工,同年 7 月竣工。由黄圩公社组织施工,县水利局提供图纸、施工技术指导,并补助经费 7 万元。

杜集闸由黄圩公社管理。后来多次维修加固。

三、四里桥闸

李集公社位于潼河上游,在县最西南部,居于凌城抽水站灌区最末梢,而且地势偏高。70 年代初,李集公社积极引进水源,改变农业生产条件。开挖李集引河,将跃进河水引入潼河上游,并将睢李公路与潼河交叉处的四里桥改造成节制闸,以保证潼河上游蓄水。

四里桥 7 孔,孔径 5 米。改建成节制闸 14 孔,每孔净宽 2 米。底板高程 16.16 米。十年一遇 147 立方米每秒。兴建时启闭机没有配齐,中 5 孔用 8 吨螺杆启闭机,另有 3 孔用 5 吨启闭机,其余是后来陆续配置的。1971 年初开工,同年 6 月完成。县补助工程经费 6.5 万元。四里桥闸由李集公社管理。

四、房桥闸

房桥闸位于桃园东白马河上,房大桥是睢桃公路桥,桥闸结合,称房桥闸。1966 年 10 月建成。10 孔,每孔净宽 2.2 米。底板高程 18.35 米。最大过闸能力 88 立方米每秒,控制分流 40 立方米每秒。该闸以后因为蓄不到水和有关规划变动,闸门予以拆除,此闸作废。

第七节　徐沙河流域控制闸

徐沙河与龙、潼河水系分界控制闸有睢城闸、金桥闸、朱东闸、朱西闸、胡滩闸、中渭河闸。徐沙河水系内调度或再分小梯级的工程有:高作的高西闸、高东闸;刘圩的刘西闸;西渭河的联群闸、沈湖闸;牛鼻河的何庄闸(或称龙东闸);老龙河上游的龙南闸等。1975 年老沙集闸未建前,徐沙河东入凌沙河,凌城东建凌沙河闸。本节记述田河以东的徐沙河节制工程(计 14 座),田河以西徐沙河上段各闸将在下一节单独介绍。

一、凌沙河闸

位于凌城东 2.5 公里的凌沙河上。1972 年 3 月开工,5 月土建结束,8 月工程竣工。3 孔,每孔净宽 4 米。闸底板高程 16.3 米。过闸排水能力 100 立方米每秒。由凌城公社施工,井柱底板、底枢自动闸门。钢丝网水泥闸门,排水时闸门下卧沉于底部,蓄水时利用混凝土平衡砣(不设启闭机)将闸门徐徐立起,直竖时闸门向上游方向倾斜 10 度。1977 年冬开挖第二期徐洪河时拆除。

二、睢城闸(含白塘河金桥闸介绍)

睢城闸规划由来已久,早在 50 年代末就备料准备兴建。那时闸址选在睢城南胡桥口,后只备料没有开工。1966 年在徐沙河和小滩河交叉南约 200 米处建立睢城闸,因在小滩河上,也称"小摊河闸"。1977 年在闸下 100 米处建通航孔,陆城闸改为套闸。

1961 年 8 月,睢宁县第一座抽水站——朱楼电灌站建成。该站位于小滩河西徐沙河南堤上,抽庆安灌区的回归水。灌区退水首先进入白塘河,1964 年在白塘河金大桥上建金桥闸,以拦蓄白塘河水。金大桥是睢(宁)桃(园)公路桥,改建成简易节制闸。计 10 孔,每孔宽1.6 米。闸底高程 17.2 米。排水标准为五年一遇 70 立方米每秒。木闸门,中孔用 5 吨手摇启闭机,其余汛期临时用倒链提闸(1976 年白塘河地下涵洞建成后,金桥闸逐渐作废)。由于白塘河、徐埒(沙)河、小滩河是连通的,必须再兴建睢城闸。用金桥闸、睢城闸两工程节制蓄水,保证朱楼电灌站水源。

1965 年 11 月 12 日,徐州专署水利局下文批准兴建睢城闸。十年一遇 147.5 立方米每秒。底板高程 16.9 米。计 8 孔,中间两孔孔径 2 米,直升式闸门,用 6 吨螺杆启闭机。东、西两边各 3 孔,孔径 3.5 米,为自动翻倒闸门。翻门水位为 20.1 米。

1965 年冬组织施工,县成立"睢城闸施工办事处"。睢城公社动员平板车 200 辆、马车25 辆负责材料运输。朱楼公社动员 200 名民工负责闸塘土方和砌建工程。1966 年 4 月清明节时竣工。共完成土方 1.48 万立方米,石方 1390 立方米,混凝土 489.5 立方米。共用三大材:水泥 245 吨,钢材 14.35 吨,木材 100 立方米。工程总造价 11.3 万元,其中补助经费7.3 万元。

睢城闸建成后约十年效益非常显著,解决了朱楼公社 2 万多亩土地和睢城附近 2 万亩农田的灌溉水源。

70 年代由于兴建白塘河地下涵洞,开挖了徐洪河,徐沙河一线工程起了很大的变化。睢城闸的排水机会大大减少,而徐沙河及其河以北的水利配套建筑大大增加。因此将睢城闸加做下闸首通航孔,成为套闸,目的是推广水路运输,减少石子、块石运输成本。下闸首1 孔,孔径 6 米。底板高程 16 米。闸门用侧转门。输水孔用直径 1.5 米涵管,用平板直升小闸门。1977 年 10 月竣工。计完成土方 2.45 万立方米,石方 707.5 立方米,混凝土274.6 立方米。工程造价 7.05 万元。该套闸只建好下闸首,闸室导航墩未建,上闸首只利用 1 孔,孔径 3.5 米偏小,没有改造。由于河道中一些碍航的桥梁没有相应改造,因此该套闸没能发挥通航效益,但仍能发挥调度排水和蓄水作用,可向南调度排水 45 立方米每秒。每当汛期需要排水,总是先提睢城闸排入新龙河,径流加大睢城闸排不完时,才提抄集闸流入徐洪河。在管理使用中,睢城闸是启、落闸门比较频繁的调度工程。

该闸建成后即成立"睢城闸管理所",属县水利局领导。该所还负责汤集闸、白塘河地下涵洞的管理工作。

三、朱东闸

朱东闸位于朱集东老龙河上,桥、闸结合,在睢桃公路上兴建,目的是为朱集公社蓄水灌溉。1968 年 11 月疏浚老龙河时建朱东闸。1974 年 3 月又进行加固、改造。该闸 6 孔,每孔宽 3.5 米。底板高程 17.2 米。钢丝网立拱闸门,配 6 台 10 吨螺杆启闭机。公路桥为石拱圈桥。设计排水 100 立方米每秒。补助经费 13.6 万元。

朱东闸由朱集公社负责管理。

四、朱西闸

1973 年冬田河上段疏浚、改线工程施工,同时安排兴建朱西闸。该闸位于朱集西老田河上,在睢桃公路北约 1 公里的凌庄。1974 年 2 月开工,同年 10 月竣工。计 6 孔,孔径 3.8 米。闸底板高程 18.2 米。钢丝网立拱闸门,配 6 台 10 吨螺杆启闭机。桥面为钢筋混凝土微弯板。补助经费 13.7 万元。

朱西闸由朱集公社负责管理。

五、胡滩闸

1978 年冬,朱集公社开挖徐沙河支线工程,从白塘河地下涵洞向西至桃园北部散卓庄(即岚山至桃园公路处),目的是将徐沙河水引到田河以西。在汛期排涝时,田河是高水河,为防止支线工程开挖后西部高水东流,在田河东侧徐沙河支线上兴建胡滩闸。该闸于 1979 年上半年建成。1 孔,孔径 6 米。底板高程 16.5 米。直升闸门,配 1 台 10 吨螺杆启闭机。向西引水 8.5 立方米每秒。排涝时落闸挡水,必要时可向东调度排水 39.8 立方米每秒。

胡滩闸虽由朱集公社负责管理,因该闸系龙、潼两个水系的节制工程,每当汛期县经常过问。1980 年 7 月 19 日,县防汛防旱指挥部专门给朱集公社下文,明确"胡滩闸管理使用注意事项"。文中规定汛期闸上、下游水位差不得超过 1.5 米,否则提闸适当分流。

六、中渭河闸

60 年代排水规划,徐沙河分段利用。徐沙河以北的中渭河排水,向南分 40 立方米每秒,其余顺徐沙河东排。因此在徐沙河南侧建中渭河节制闸,以达到分流排水之目的。该闸 1967 年 9 月建成。3 孔,孔径 3.3 米。底板高程 17.95 米。配 3 台 5 吨手摇启闭机。控制向南分流 40 立方米每秒,最大可排 60 立方米每秒。

徐洪河开挖后,全县各地积极开挖引水工程。高作公社要求从中渭河南段引凌城抽水站水入徐沙河,但中渭河闸底板偏高,南水无法北引。因此 1983 年拆除中渭河闸,稍向南移重建,又称"朱庄闸"。1983 年 1 月开工,同年 11 月竣工。1 孔,孔径 6 米。底板高程降低到 15.5 米。用钢丝网水泥双曲扁壳闸门,配 1 台 2×16 吨电动绳鼓启闭机。最大排水能力可达 100 立方米每秒。该闸底板下土质不好,貌似粘土,实际是稀淤,承载能力很差。施工时闸边墩已建到顶,突然倾覆倒塌。后拆掉改为井柱基础,闸身才稳定。

中渭河闸由高作公社管理。

七、高西闸

70 年代末,高作公社平毁境内弯曲的中渭河,开挖高西、高东两条大沟代替中渭河。随后 1978 年春在高西大沟南端入徐沙河处建闸,称"高西闸"。其作用:一是天旱缺水时将徐沙河水引进高西大沟;二是按引水标准开挖的高西大沟断面大,徐沙河水位较低,遇降雨可以落闸多蓄水;三是为以后开挖高北大沟,形成"井"字形河网化作准备。该闸系按县水利局大沟引水闸定型设计图纸施工。3 孔,孔径 4 米。底板高程 17 米。工程造价 20 万元。

高西闸由高作公社施工和管理。

八、高东闸

1996年在高东大沟上、徐淮公路北侧建"高东闸"。1孔,孔径4米。底板高程17米。工程造价35万元。同时开挖高北中沟将高东、高西两条大沟串通。在高作东北境外的刘圩乡梨园庄将徐洪河西堤切开建引水涵洞,名曰"高北引水涵洞",2孔,孔径2米。底板高程16.5米。工程造价38万元。把徐洪河水直接引到高东大沟、高西大沟。高东闸、高西闸为高作镇北片引北水的节制工程。

高东闸、高北引水涵洞施工、管理都由高作镇负责。

九、刘西闸

在废除中渭河时,刘圩公社相应开挖刘西大沟,与南部的高西大沟在同一条线上。在刘西大沟唐王庄兴建刘西闸(也称"唐王闸"),拦蓄袁圩灌区回归水。该闸上形成高于高西大沟底的又一个梯级。1986年兴建。1孔,孔径2.5米。底板高程18米。

刘西闸由刘圩乡施工和管理。

十、联群闸

梁集乡西渭河两侧处于北水灌区末梢,长期用不上水。1996年梁集乡在南部西渭河上建"联群闸",以蓄水补充灌溉水源。计3孔,孔径:中孔5米,两个边孔各2.5米。底板高程17米。1月份开工,9月份竣工。经费由乡自己筹集。

联群闸由梁集乡兴建和管理。

十一、沈湖闸

80年代初进行围垦灭荒工程,魏集乡东部是垦荒片。在西渭河两侧建小型抽水站,以抽水种稻改碱。为解决西渭河水水源,在魏集乡南部西渭河上建"沈湖闸",以蓄水灌溉。沈湖闸是简易闸,3孔,每孔净宽2.2米。上游河底高程18.5米,下游河底高程17米。闸门底槛高程18.5米。

沈湖闸由魏集乡管理。

十二、龙南闸

1972年5月,龙集公社在集南老龙河上建闸,称"龙南闸"。计4孔,孔径2.1米。底板高程21米。

龙南闸由龙集公社管理。

十三、龙东闸

位于龙集东牛鼻河上。在1985年冬疏浚老龙河、牛鼻河的基础上,兴建龙东闸(曾称何庄闸)。按徐沙河引水标准开挖牛鼻河,因该河上段地势高,河道深,特别是土质差,流沙严重,挖河代价太高,因此在龙东建闸,将牛鼻河底抬高再分一个梯级。该闸3孔,孔径3米。底板高程18.5米。用螺杆启闭机,15吨1台,10吨2台。十年一遇排水55立方米每秒。

龙东桐由龙集乡管理。

第八节　徐沙河上段和西北片控制闸

西北片水闸 10 座,分成两种类型:一是西北片的界线控制闸。西北片地势高亢,但不像其他片一样有明显的天然界线,而是人为建闸控制的。除徐沙河高集闸外还有:青年大沟的青年沟闸、白马河上游的散卓、魏陈大沟的魏洼闸、老田河上的郭楼闸。二是徐沙河上段水系内再分梯级的小型节制闸。如姚龙干渠西沟的李木闸、王东大沟的朱庄闸、王西大沟的王西闸、苏东大沟的赵集闸、双洋河的双洋河闸、新源河上的新源河闸。

一、青年沟闸

青年沟节制闸建在高(集)岚(山)公路与青年大沟交叉处。北通徐沙河,南入白马河。岚山乡北部引水工程,如汪陈大沟等,与徐沙河底相平。岚山乡南部引水工程又分一个梯级,较徐沙河底低 1 米左右。因此青年沟闸上游沟底高程 21.0 米,与徐沙河底相适应。下游沟底高程 20.0 米,与白马河底相适应。计 3 孔,孔径 2 米。底板高程 20.8 米。可为徐沙河上段分流排水 40 立方米每秒。平板闸门,配 10 吨螺杆启闭机。1990 年 1 月开工,1991 年 1 月竣工。完成土方 2 万立方米,石方 295 立方米,混凝土 118 立方米。投资 24.4 万元。

二、散卓闸

散卓闸位于白马河与岚(山)桃(园)公路交叉处,在桃园乡最北部散卓村境内。闸上游(西)按岚山南部梯级规划,白马河底高程 20.0 米。闸底板高程 19.7 米。闸下游(东)是徐沙河支线,河底高程 17.0 米。因徐沙河支线以下有一系列工程不配套,散卓闸下与徐沙河支线尚有 100 余米未挖通。岚山南部白马河之水经散卓闸仍顺老白马河排走。计 2 孔,孔径 4 米。可分流排水 40～60 立方米每秒。用 2×10 吨绳鼓启闭机。1990 年初开工,10 月竣工。

散卓闸地基础土质差,设计时采取革新措施。水平防渗长度 32.2 米,偏短。施工时底板底部加做垂直防渗板桩,深度 6 米。

三、魏洼闸

该闸位于桃园乡西部魏陈大沟北段魏洼庄。上游往北通白马河,下游向南通跃进河。计 3 孔,孔径 3.5 米。底板高程 19 米。用平板闸门,配 10 吨螺杆启闭机。设计排水 71.4 立方米每秒。1991 年 3 月开工,1992 年 4 月竣工。完成土方 4.47 万立方米,石方 615 立方米,混凝土 1166.5 立方米。工程造价 65 万元。

四、郭楼闸

该闸建在田河上段,位于姚龙干渠西沟入田河处的东侧,徐淮公路的南侧,地属高集乡郭楼村。此闸下游约 1.7 公里处便是高集抽水站。为保证高集站向西北提水后不被流失,建闸前在此处打土坝。因西北地区地势陡,汇水快,土坝附近地面低,曾两次倒坝后抢堵。第一次是 1991 年 5 月 24 日夜大雨郭楼坝倒塌,5 月 27 日抢堵,到 6 月 22 日新坝重新打成。第二次是 1992 年 8 月 11 日降大雨郭楼坝再次倒塌,8 月 18 日开工打坝,8 月 25 日新坝完成。为避免重复打坝,于1992年12月1日开工兴建郭楼闸,计3孔,孔径2米。底板高程20米。用平板闸门,配10吨螺杆启闭机。可排水43立方米每秒。1993年4月闸主体工程完成。6月6日扒坝,郭楼闸开始蓄水。计完成土方2万立方米,石方895立方米,混凝土664立方米。工程造价48.3万元。

五、李木闸

位于龙集乡西南部,姚龙干渠西沟上。80年代初,西北片重点进行治碱改土,龙集乡西部严重缺水,因此兴建李木闸,增加灌溉水源。3孔,孔径3米。

六、朱庄闸

位于王集公社王东大沟中间,徐淮公路向北约1.3公里处。80年代初西北片进行治碱改土时兴建。2孔,孔径1.5米。底板高程22.5米。该闸基础土质差,施工时处理很困难。

七、王西闸

1992年初该闸建在王集乡王西大沟南段的光西村。汛期大雨,上游苏塘来水非常快,夜间提闸不及时,大水漫闸顶而过,先冲坏下游,然后闸全部倒塌。后闸址北移至徐淮公路南侧重建。3孔,孔径1.5米。底板高程23米。

八、赵集闸

位于苏塘乡苏东大沟南端,入徐沙河处。因开挖苏东大沟,于1980年建闸控制。按县水利局大沟闸定型设计图纸施工。2孔,孔径2米。

九、双洋河闸

位于苏塘乡双洋河南端的李场庄,入徐沙河处。1989年冬开挖徐沙河上段,1990年春兴建双洋河闸。该处土质差,流沙土层厚,采用沉板闸结构形式。计2孔,孔径2米。底板高程24.5米。设计排水流量35.9立方米每秒。工程造价8.62万元。

十、新源河闸

双沟南部5万多亩土地排水经新源河流入灵璧县境内。1987年上半年经水利部治淮委员会派员协调,同意疏浚新源河。同年11月3日,睢宁县水利局与灵璧县水利局具体协商新源河治理工程。之后双沟乡组织民工疏浚新源河,同时于1988年兴建新源河闸。新源河闸位于徐沙河和新源河交叉处,徐沙河南侧。2孔,孔径2米。底板高程25.6米。平板闸门,配2台3吨启闭机。

第九节 废黄河沿线控制闸(涵)

县内废黄河上有5座节制闸和5座主要放水涵洞。废黄河分三个梯级治理,峰山闸、古邳黄河闸(东阁),是三个梯级的节制闸。魏工闸是排水总口门。因引水需要,废黄河中段建有古邳黄河闸(西闸)和姚集北房弯闸。废黄河北堤有洪庙涵洞,南堤有房弯涵洞、王集北涵洞、双东涵洞和夏庄闸。

一、峰山闸

1986年冬,第三期废黄河治理工程施工,开挖上段双沟至苏塘的峰山,次年建峰山闸作为上段节制工程。初建时为橡皮坝,坝宽30米,坝底板高程29米。蓄水时橡皮坝内冲水浮起。排水时坝内水放完,橡皮坝沉入水底。当时该工程属县建县管。1991年冬开挖徐洪河将废黄河穿断后,橡皮坝与废黄河规划不适应,1992年12月收归徐州市水利局管理,于1993年3月至7月改建成小型节制闸。计3孔,孔径3.5米。底板高程29.7米。平面钢闸门,配15吨启闭机。二十年一遇75立方米每秒。计完成土方2590立方米,石方985立方米,混凝土1145立方米。工程造价110万元。

峰山橡胶坝

二、古邳黄河闸(东闸)

位于老睢邳公路上。1958年兴建庆安水库时,此处打土坝,拦截废黄河洪水进入庆安水库。当库满时,废黄河中泓南侧原有一很小泄洪闸不能满足排洪需要,必须破坝排水。年年扒堵很不划算。1966年10月开工兴建古邳黄河闸,1967年8月竣工。8孔,孔径4.4米。闸底板高程27米,闸顶高程30.5米。直升式闸门,配8台8吨螺杆启闭机。五十年一遇设计,流量238立方米每秒。完成混凝土1023立方米,石方2882立方米。工程造价20.41万元(包括修理小溢洪闸共22万元)。

古邳黄河闸(东闸)既是庆安水库溢洪闸,又是废黄河中段梯级控制闸。建成后由庆安水库管理所负责管理,后划归古邳抽水站管理。

三、魏工闸

1991年开挖最后一期徐洪河,将废黄河穿断。为解决废黄河一线的排水出路问题,在开挖徐洪河的同时兴建魏工闸。该闸位于魏集以北,睢浦公路以西,魏工小水库处。将废黄河南堤切开建魏工闸,然后沿废黄河南堤外开挖魏工分洪道,东入徐洪河。计3孔,孔径4

米。底板高程 24 米。设计流量 50 立方米每秒。1991 年 11 月开工,1992 年 4 月竣工。工程经费 390 万元。

魏工闸由徐州市水利局兴建和管理。

四、古邳黄河闸(西闸)

1994 年睢邳路古邳段改道,在穿越废黄河处建桥结合建闸。该处河中泓以北是古邳镇地界,闸以南是姚集乡地界。因该闸在原古邳黄河闸以西,故称西闸。

1967 年建成东闸,拦废黄河水入庆安水库。后废黄河上游铜山县等地也建库蓄水,造成庆安水库水源不足。70 年代初建成古邳抽水站,常在冬、春季节抽水补库。古邳抽水站在废黄河北侧,庆安水库在废黄河南侧,古邳抽水站抽水必须流经废黄河中泓。废黄河中泓宽,下游虽有古邳黄河闸(东闸)拦截,但沿中泓向上游和水库进水河(闸)是连通的。每当冬、春季节抽水入库,整个废黄河中段不需要用水也必须充满河涨,庆安水库才能进水,这样就造成河道沿线不必要的水量损失。90 年代利用睢邳路古邳段改道之机,兴建古邳黄河闸(西闸)。使古邳抽水站抽水限制进入中泓东、西闸之间,水位壅高后进入庆安水库,这样减少了大量河道沿程水源消耗。

西闸按二十年一遇标准设计,流量 185 立方米每秒。按五十年一遇标准校核,流量 220 立方米每秒。设计上游水位 30.3 米。7 孔,孔径 5 米。井柱基础,梁板结构。底板高程:中间 3 孔 26 米,两边各两孔底板高 26.5 米。用 2×8 吨螺杆启闭机 7 台。公路桥桥面宽 25 米。1994 年 11 月开工,1995 年 5 月底竣工。完成土方 6 万立方米,石方 2527 立方米,混凝土 2495 立方米。工程造价 190 万元,全部由县筹集。

该闸由古邳抽水站统一管理。

五、房弯闸

位于姚集以北,房弯庄后废黄河中泓上,姚集至刘店公路经过此闸。

1970 年全国掀起"农业学大寨"高潮,睢宁县大力发展引水工程,实行"旱改水"。当时姚集公社集北是一片荒野,为改造盐碱地,发展水稻,姚集公社兴建房弯闸,拦截废黄河水,并兴建房弯涵洞,以向废黄河南姚集片供水。

房弯闸 10 孔,孔径 2 米。闸底高程 26.1 米,闸门顶高 28.1 米。该闸为简易闸,1995 年古邳黄河闸(西闸)建成后,房弯闸功能逐渐消失。

六、房弯引水涵洞

在房弯闸上游南侧、废黄河南堤上,是房弯闸配套工程。姚集公社切堤建涵,放水灌溉。计 2 孔,孔径 1.5 米。底板高程 25.3 米。1977 年春兴建姚龙干渠,该涵洞改造成为姚龙干渠渠首引水涵洞。计 2 孔,孔径 2 米。计做混凝土 50 立方米,块石 350 立方米。

此涵洞由姚集乡管理,送水期间由古邳抽水站派员统一调度。

七、洪庙引水涵洞

洪庙位于古邳西、废黄河北堤,本是险工地段。古邳西部、废黄河以北一片(属黄墩湖地区)长期缺水,土地盐碱化很严重。古邳要求建洪庙涵洞,引废黄河中泓水,向河北灌溉。当时争议很大,认为险工地段建涵不安全。同时废黄河中泓之水是古邳抽水站从黄墩湖地区的民便河抽上来的,10多米扬程抽上来,再送下去到黄墩湖地区灌溉,总体布局不合理。地方积极要水,迫于短期内又无可靠水源,只好兴建洪庙涵洞。1978年春兴建。1孔,孔径为1米圆管。底板高程26.3米。投资约3万元。

此涵洞由古邳镇管理。

八、王集北引水涵洞

位于王集北宋湾庄西,王集至张圩公路西侧,废黄河南堤上。1985年冬开挖第二期废黄河工程,使王集乡可以引用废黄河水。1986年冬,王集乡在废黄河滩地沿王张公路西侧开挖引水河,于南端废黄河堤上建引水涵洞,灌溉王集北片。当时王集"井"字形河网化规模已经定型,利用该涵洞放水入王东、王西两条大沟。两条大沟中间分别有朱庄闸、王西闸进行节制。涵洞为一排水泥管,底板高程26.5米。

该涵洞由王集镇管理。

九、双东涵洞

位于双沟东废黄河南堤上,因地处可怜庄,俗称可怜庄涵洞。涵洞上游与废黄河中泓连接,下游可通堤下新源河。1988年兴建。1孔,孔径1.5米。底板高程28.5米。

该涵洞由双沟镇管理。

十、夏庄闸

位于魏集公社东部蔡庄村小夏庄。1971年7月新工抽水站建成。该站位于废黄河北堤,向废黄河南供水,必须穿过废黄河滩地。为防止汛期废黄河高水南侵,在南堤建夏庄闸节制。该闸两小孔,底板高程24.97米。施工时过急,以后多次修补,汛期多人看护。1991年冬徐洪河开挖穿断废黄河后,新工抽水站不再向南供水,夏庄闸灌溉作用逐渐消失。

第十节　黄墩湖地区控制闸

废黄河北黄墩湖地区有5座闸涵,其中古邳、新工两抽水站引水闸各1座,古邳东部引、排水调度闸2座,还有民便河挡洪涵洞1座。

一、古邳引河闸

1968年古邳抽水站兴建5台机组抽水,随后开挖古邳站引水河。从古邳站向北穿过旧城湖,达民便河,引河长3公里。引河与民便河连通后,为防止汛期民便河高水南侵,保护古邳镇及古邳站机电设备的安全,在民便河南堤、引水河北端兴建古邳引河闸。1972年秋开工,1973年3月竣工。1孔,孔径8米。底板高程17米,门顶高程23米。钢丝网立拱闸门,上下两扇门。引水时底扇闸门提起。过船时上、下两扇门可全部打开。用2×6吨绳鼓启闭机。工程造价14万元。

古邳引河闸由古邳抽水站统一管理。

二、张集引河闸

1971 年兴建新工抽水站,并开挖张集引水河。张集引河闸位于张集引水河北端、民便河南堤上。在古邳公社东北角,闸东不远便是宿迁县地界。与古邳引河闸同时施工,也于 1973 年春竣工。1 孔,孔径 6 米。底板高程 17 米,门顶高程 23 米。钢丝网立拱闸门,用 2×5 吨绳鼓启闭机。工程造价 12.3 万元。1978 年冬开挖徐洪河,张集引水河被穿断。新工抽水站改从张集地下涵洞引徐洪河水,张集引河闸失去作用。

三、圯桥闸、白门楼闸

1978 年冬至 1979 年上半年,开挖徐洪河,将黄墩湖地区小阎河穿断。河西古邳公社水系被打乱,便在废黄河与民便河之间东西方向开挖马帮大沟和崔瓦房大沟。两条大沟东入新小阎河,西通古邳站引水河。引水时可以互相调度,排水时

下邳圯桥闸(上)

下邳圯桥闸(下)

不允许古邳站引水河以西的水东流。所以在两条大沟与古邳站引水河交会处、引河东堤上建闸控制。

马帮大沟西端建闸,因临近古之圯桥张良进履处,取名"圯桥闸",并立碑记载。1 孔,孔径 5 米。底板高程 17 米。一扇侧转闸门。

崔瓦房大沟西端建闸,因离西边古之下邳城白门楼较近,取名"白门楼闸"。1 孔,孔径 5 米。底板高程 17 米。立拱直升式闸门。

此二闸均由古邳公社负责管理。

圯桥闸记功碑

四、民便河挡洪涵洞

黄墩湖是滞洪区,一旦滞洪到滞洪水位,整个废黄河以北将被淹没。为保古邳镇和古邳西部不受损失,1996 年夏季,经上级批准,沿睢邳公路东堤筑挡洪堤。1996 年冬至 1997 年夏,在睢邳公路东民便河上建挡洪涵洞。洞身 6 孔,两边各一孔,孔径 3.75 米,中间 4 孔,孔径 3.9 米。底板高程 17 米,洞顶高程 21.5 米,防洪堤顶高程 26.5 米。在洞首每 2 孔配一块闸门板,闸门为叠梁式钢闸门。用 2 台 3 吨悬挂式电动葫芦启闭机。该涵洞在半山北侧,涵洞底板下不深处便是半山北坡脚,坡脚南高北低。为确保涵洞安全,将坡脚上的土全部挖掉,做框格形基础,框格内填土夯实后,浇筑底板。

白门楼闸

第二章　抽 水 站

　　睢宁县机电排灌发展过程可分为两个阶段:第一阶段在 1970 年之前,在局部地区发展。有两个重点,一是废黄河南开始发展灌溉站。1961 年春在废黄河北堤筹建古邳、新工两抽水站,其目的是向废黄河南灌水。后在朱楼圩搞工程配套,建成睢宁县第一座电力灌溉站——朱楼北站。1961 年 2 月开工,同年 8 月建成。装机 5 台套,225 千瓦。投资 5 万元。二是废黄河北黄墩湖低洼地区发展机排站。1958 年提出"圈圩御洪,圩内机排除涝"的治理方针。地处黄墩湖东部的张集公社(现称浦棠乡)圈成三个圩区,并开挖蔡桥、花庄两条大沟。同时建花庄机排站,安装 8 台 60 马力柴油机(1965 年改建成排、灌两用站)。古邳公社东半部圈成一个圩,开挖陈平楼大沟,建陈平楼机站。1963 年 10 月县建立"睢宁县机电排灌管理所",并相应成立抽水队。管理所下设陈平楼、蔡桥(即赵庄)两座固定机站,并配专职管理干部和工人。到 1964 年,陈平楼站安装柴油机 45 马力 6 台、30 马力 6 台,计 12 台450 马力。赵庄站安装柴油机 45 马力 5 台、60 马力 4 台、30 马力 9 台,计 18 台 735 马力。第二阶段是 1970 年之后,在凌城、古邳、新工、沙集等几座大抽水站的促进下,全县乡、村办灌溉机电站大发展。其中 70 年代多建在干、支河上,站的规模和灌溉面积较大(约 0.5 万~1 万亩),管理比较困难。70 年代末发展梯级河网工程后,于 80 年代纷纷把站改建在引水的大、中沟上,规模小,好管理,灌水面积少而集中,效益高。

　　全县大大小小抽水站累计兴建 470 多座(指固定站),以后略有变化,90 年代统计近

450座。本章只着重记载梯级河网规划中流域性调度的、县建县管的7座抽水站。

第一节　凌城抽水站

一、工程布局

凌城抽水站位于凌城东南皇庙村,和凌城闸相配套,属于梯级河网规划中的凌城枢纽工程,在凌城闸东1.2公里处,提取徐洪河水,抽到凌城闸上之新龙河,俗称"凌城翻水站"。为避开凌城闸下淤积段,闸、站布置距离较远。从凌城闸下1.5公里处向北开挖凌城抽水站进水引河,长0.8公里,河底高程和徐洪河底(当时称安河)高程相适应。从凌城抽水站向西至新龙河开挖2公里长送水引河,其中穿越凌(城)找(沟)公路建桥一座。在凌城站施工初期,于1971年春在进水引河南端先设临时机组抽水(1890马力),并临时向西北方向开挖斜河接凌城站送水引河,向新龙河补水。

二、工程设计

1970年县革委会于8月、9月两次向省、地报告要求"开挖新龙运河、兴建凌城翻水站",其规模要求按抽水50立方米每秒考虑。县水利部门作设计方案比较,认为一次做足困难太大,于12月改报按25立方米每秒设计。1970年12月,徐州专署水利局向省转报,省水电局以(71)字第6号文批复,同意上报方案,补助经费150万元。

该站使用上海水泵厂产40ZLB-50型轴流泵(40寸轴流泵,直径1000毫米),单机2.5立方米每秒。电机选用本省黄桥电机厂初次投产的400千瓦电动机。共10个台套,25立方米每秒。设计进水池水位10米,站上正常水位18.5米,最高水位19米,净扬程9米。底板高程6.5米。因电机层在洪水位以下,故机房全部是钢筋混凝土结构,且从水泵层向上全封闭。机房11间,其中南端1间为修理间,房上端设有起吊行车。变压器为5600千伏安,电机为高压启动。

在设计方案比较期间,曾有人提出新龙河既排水又引水,担心"排灌不分",易引起涝、渍灾害,建议提高凌城站抽水扬程,沿新龙河、跃进河南侧河干渠送水。经比较后该方案被否定。凌城抽水站建成后,沿新龙河、跃进河送水规划、实施灌溉面积36万多亩。

1976年前曾因凌城公社南部地势低洼,计划将凌城抽水站改为排灌结合站,即在站南进水引河上加做涵洞,在站北加做进水闸,将凌东大沟水引入凌城站前池。后进水闸已做成,引水涵洞未做,因为徐洪河开挖后自排条件很好,凌城站不必增加排水功能。

三、工程施工

1970年冬县革委会组织施工,由"文革"前的睢宁县县长丁汉臻坐镇工地进行站塘土方开挖。全县所有公社均组织专业队开挖站塘,由于人多窝工,冬季没有完成。1971年春重新组织,由东南片几个公社组织施工,于5月中旬完成土方,开始浇筑底板。1972年4月18日,土建工程基本完工,并安装6台机组先进行试抽水。1973年4月6日,10台机组全部安装完毕,并投入使用。该站完成总体积:混凝土4504立方米,石方□□(原文如此,编者注)立方米,砂石垫层533立方米。工程总造价260万元,其中省补助150万元。在施工期

间曾发现两次质量问题,及时进行补救:

1. 底板空隙补救。凌城抽水站计有两块底板,于1971年5、6两月浇筑。事后洒水养护发现底板侧向几处漏水,进一步检查发现是浇筑时振捣不实。后钻孔灌水泥浆进行补救。

2. 挡土墙裂缝补救。1972年4月发现连拱挡土墙中孔有约0.5毫米宽的竖向通缝,缝高4米。后省、市、县三级技术人员共同分析,认为是混凝土强度不够、混凝土干缩、温度影响、砂石没有洗净、拆模过早等原因。当即凿开裂纹,用环氧砂浆修补。石层用环氧树脂及三层玻璃丝布覆盖。在以后的浇筑中,采取限制水灰比、拱脚处适当抛块石、拆模延长至5到7天、连拱大墙内放置分布钢筋等措施,多种措施一齐上,避免了大墙裂缝现象。

四、工程维修

机电设备年年维修,变动较大的维修有如下两项:

1. 工程初建时使用黄桥电机厂的电动机,质量较差,耗能量大,且经常损坏,修理频繁。1983年使用农水经费15万元,将5台400千瓦电机更换为上海产的480千瓦电机。1984年又同样更换5台。水泵叶片角度由－6度调为－2度。至此抽水能力由原设计25立方米每秒,增加为32立方米每秒(扬程大时可保28立方米每秒)。这时下游徐洪河已开通,水源也比较充足。

2. 叶片汽蚀严重,运转初期年年冬季维修换叶片。当时叶片价格低,叶片维修尚可接受,后叶片价格成倍上涨,维修叶片成为很大负担。对此曾经两次改进。一次是进行喷涂,涂一层由镍、铬、钨、钼、钴等稀有金属组成的合金层,效果较好。另一次将铸钢片改为不锈钢片,效果更显著。

五、工程管理

凌城抽水站建成后即成立管理所,和凌城节制闸一起统一管理,隶属县水利局。站内共有43人,其中正式人员37人,计划内合同工2人,临时工4人。该站是睢宁所属最大的一座抽水站,管理规章制度健全,运转一直很正常。

凌城抽水站管理范围大,水土资源丰富。抽水站管理范围114亩,可利用面积60亩。凌城闸总面积92亩,可利用面积80亩(坡地30亩,平地50亩)。除绿化外,还有综合经营项目:面粉厂、窑场、渔塘、商店等。在七八十年代一直比较兴旺,曾受县政府表彰多次。受省水利厅表彰三次。

第二节　沙集抽水站

一、工程布局

沙集抽水站位于沙集南部第二期开挖的徐洪河西侧的余圩庄,徐洪河余圩桥南677米。为防止沙集闸下游淤积影响抽水,闸、站距离较远,沙集站在沙集闸下约3公里。送水河分两段,从出水池向西至小秦河(沙集至凌城北,相当于大沟级排水沟)为东西段送水河,长

1.8公里。然后利用小秦河北段作南北段送水河,北入沙集节制闸上之徐沙河,长度2.5公里。小秦河北端入徐沙河处建小湾涵洞(2孔,孔径2.5米。底板高程16.2米),沙集站送水时,涵洞闸门提起,汛期徐沙河排水时,涵洞闸门关闭。东西段送水河与小秦河接头丁字形南侧,在小秦河上建小全涵洞(1孔,孔径2.5米),沙集站送水时涵洞闸门关闭,防止水向南流。1977年冬季开挖第二期徐洪河后,因经济条件所限,相隔六年才兴建沙集抽水站。其间为了向沙集闸上提水抗旱,于1979年底兴建临时站,站址设在余圩桥北之彭庄西,沙集站建成后,该临时站功能逐步消失,到1991年举办徐洪河续建工程时拆除。

沙集抽水站系1984年建成,抽徐洪河水入徐沙河,沿徐沙河两侧灌溉面积31万多亩,最西一直送水到高集抽水站。1993年6月,省管沙集抽水站建成,是通过徐洪河抽引洪泽湖水,提高一级再向徐洪河上游送水。单机1600千瓦,10立方米每秒,共装机5台。此站后俗称大站,而睢宁县所建沙集站称为小站。

二、工程设计

采用开敞式布置。徐洪河西堤下建涵洞,起引水、防洪两个作用。3孔,孔径2.2米。洞身长55米。引水20立方米每秒。涵洞西(徐洪河西堤外)建抽水站。站内安装28ZLB—70轴流泵(28寸轴流泵,直径700毫米),配155千瓦电动机,10台套,10立方米每秒。机房11间,北头1间是修理间,上部设有行吊。整个机房开敞式布置,按抗七级地震设计。电机层以下隔墩用混凝土空箱预制块砌成,上部用立柱、排架。机房门窗大,通风条件好,这样就避免了凌城抽水站因全封闭造成夏季开机后机房内温度高的毛病。站房南侧是变压器场,安装2800千伏安变压器1台,站内开机是低压启动。另安装100千伏安供站内照明、加工等用变压器1台。

1983年11月,县水利局完成沙集站初步设计。省厅审核后决定堤外建站,增做穿堤涵洞,防洪、引水兼顾。经修改设计后,省厅于1984年2月17日正式批准。因时间紧,一些细节是边设计边施工。负责审批的徐州市水利局许明德,每当某部位浇筑之前必赶来工地现场审查,给工程设计、施工带来很大方便。

沙集抽水站设计经济合理,外形美观,1988年被省水利厅评为全省水利系统优秀设计二等奖,并获奖金300元。

三、工程施工

沙集抽水站是县建几座抽水站中施工进度最快的工程。1983年11月14日上工做拆迁等前期工作,12月15日破土动工,1984年3月上旬开始浇底板,9月底土建工程和机电安装全部结束。10月1日国庆节,县委书记李振奎到工地竣工剪彩,试车抽水。该站共完成土方30.2万立方米,混凝土4229.3立方米,浆砌块石3912.6立方米,干砌块石118立方米。工程造价150万元。沙集站与凌城站同是抽引洪泽湖水源,两站底部高程基本相平。沙集站附近地形比凌城站附近地形高出将近4米,即沙集站站塘深度多4米。站塘中间遇到砂礓盘,盘下是细流沙,渗水盛,开挖时多处出现泉眼。沙集站施工困难很多,为什么用不到一年的时间就能完成,归纳起来有如下四个因素:

1. 总结凌城抽水站的经验,相对比较,沙集站的设计更加合理。开敞式的布置,涵洞和站身分开,场面大,少干扰。一些部位可穿插进行施工,缩短了施工时间。大量使用预制构件,底部隔墩用预制空箱,减少了立模。其余站房钢筋混凝土构件如排架、立柱、屋面大梁、门窗过梁、电机梁板、水泵梁、轴承梁、撑梁等全部预制吊装,减少了工程数量,缩短了工期。

2. 施工组织健全,部门协作得力。第二期徐洪河是建国以来睢宁县开挖的最大的一条河,一个冬、春挖了1400万立方米土方。但河成以后六年无法建站抽水,县人民代表大会许多代表纷纷提出建站议案,县委、县政府领导也十分着急。1983年10月中旬,县政府副县长周开诚带领县水利局副局长王保乾赶赴江都,在全省水利会议间隙向省、市领导回报。经凌启鸿副省长拍板定案,同意兴建沙集抽水站。回县后积极进行建站前期工作,成立施工团,副县长周开诚亲自负责。地方一部分群众到工地发难,县委书记沙玉琴亲自到工地排解,并严肃批评肇事人,使工程顺利、平稳地施工。县通用机械厂、县农机修造厂安装机泵、管道,县供电局架输电线路、调试变压器等,都很及时。县水利局全力以赴。由于已经建过凌城、古邳、新工等抽水站,形成一批技术熟练的施工队伍。且集中县管几座抽水站的电工安装变压器场和室内电器,技术已能胜任。

3. 民工精壮,前后方配合密切。站塘土方开挖由高作乡组织4000名民工于1983年12月中旬开工,1984年2月底完成站塘21万立方米土方任务,为建站工程奠定了基础。施工周围秩序和部分土方、杂工由沙集乡负责。1984年3月,由王林乡组织1000人常备民工负责砌建普工和部分还土工程。王林民工中有很多是参加过凌城站施工的,干起活来轻车熟路。带队人是乡党委副书记王维忠,日夜值班,从不离开工地。当年6月麦收大忙,王林乡党委书记吴允成在后方积极协助做好地方工作,稳定了前方民工的情绪。1983年冬,在开挖站塘的同时,还安排凌城乡进行站南一段徐洪河清淤,保证了沙集站建成引水。

4. 施工计划周密,定额明确。县水利局工程技术人员吃住在工地,赶制施工详图。整体作业计划、分部作业计划明确。白天干工,每晚开会安排第二天日作业计划。采用小段承包责任制,数量、质量、定额明确,及时兑现。80年代之前做工程虽有定额,但当时是以行政命令为主。80年代实行改革开放,工人、农民经济意识增强,定额明确,及时兑现,促进了工效。每浇完一部分工程,财务收料人员及时检查并报告材料消耗情况。收料足数,配料按计划,减少了材料消耗。

1985年5月15日,江苏省水利厅、徐州市水利局等单位负责人验收沙集抽水站工程,检查后认为完全符合设计要求。1987年被评为徐州市水利全优工程。

四、工程管理

沙集站建成后即成立管理所,除站管理外,并统一管理沙集节制闸、小湾涵洞、小仝涵洞等工程。80年代抽水较多,1991年徐洪河全线开通后,北水可引入徐沙河,沙集站抽水相对减少。

在沙集站管理范围内,可利用土地面积70余亩,开展综合经营条件较好。曾办过钢模板、翻砂、混凝土楼板预制等项目。90年代养猪上规模,所建猪舍可育500头肥猪或仔猪。

1984年4月初开挖沙集站送水河,在凌(城)沙(集)公路西85米处挖出清代建"通济桥"。坍塌的旧桥有碑文记载,故将凌沙路建桥取名为"通济新桥",也立碑纪念。新、老桥碑同立在通济新桥东北角。

沙集站环境优美,风景宜人。建站后第二年春聘请省管扬州瓜州闸的技术人员来帮助沙集站定美化环境的布置方案,三、四月份进行了全面绿化。涵洞和站房东西方向布置,中间是一水池,池四周设有几处平台,平台植花草、垂柳。花艳柳高,掩映着站房、踏步、栏杆。经常有游人垂钓于柳下,环境十分幽雅。池两侧人行踏步南北形成一条轴线,池北岸上是管理所大门,门北院内有水池、山石,池北是管理所二层楼房,楼北是高土堆(开挖站塘时事先计划安排的高堆土),堆顶是绿树环抱的四角凉亭。从水池至凉亭一条直线,由低到高,层次分明。管理站专门聘请一名花工,培育花木。每年四五月份,机房门前鲜花盛开,春意浓浓。1985 年 5 月 22 日,江苏省水利厅原厅长熊梯云、原副厅长李子健到沙集站,观后十分感慨,特意赋诗一首:

> 沙集站容色更妍,洪湖绿水润田园,
> 两番产值凭依托,综合经营岁月甜。

第三节　古邳抽水站

一、工程布局

古邳站位于古邳镇东头的新建村,老睢邳公路西侧、废黄河北堤处。堤下建机房,堤上建出水池,将骆马湖水通过民便河船闸、民便河、古邳站引水河引到站进水池。古邳站抽水入废黄河中泓,然后进庆安水库。俗称"古邳扬水站"。从古邳站向北至民便河开挖 3 公里长引水河,引河北端建引河闸。从站出水池至废黄河中泓(即废黄河北滩地)开挖送水引河,河上建挡洪闸,送水时闸门提起,汛期废黄河高水时落闸,以保古邳站安全,进而保古邳镇安全。

古邳抽水站是庆安水库配套工程。每年冬、春季节古邳站开机抽水补库。此时废黄河中泓东、西两座古邳黄河闸闸门落下,抽水集中进庆安水库。在水稻栽插季节,庆安水库进水闸关闭,古邳黄河西闸开启,古邳站抽水沿废黄河中泓向西姚集等地供水。汛期古邳东部旧城湖低洼积水,古邳站可开机为其排涝,伺机向庆安水库进水。

二、古邳站扩建、改建

古邳站和庆安水库是一组非常理想的配套工程,功能多,机动能力很强,而且排、灌没有矛盾。古邳站分为东、西两站,多次进行扩建和较大规模的改建。下面记述古邳站的发展过程:

1. 50 年代有建站规划,1960 年开始筹办,1961 年 2 月 23 日开工,组织长期民工700 人,短期民工 1650 人。因遇三年困难时期,于 3 月 24 日下马停工。共做土方 1650 立方米,石方 350 立方米,混凝土 200 立方米。开支经费 3.4 万元。虽做好前池,且又陆续调度 60 马力柴油机 60 台,但终因是半拉子工程,不能发挥效益。

2. 1968 年用县筹经费 30 万元兴建古邳抽水站,安装 5 台 20 寸(直径 500 毫米)混流泵,总装机 500 千瓦,抽水 2.5 立方米每秒。于 1970 年 5 月建成,随即抽水发挥效益。此站后来称作古邳东站。该站因经费所限,采购来的多是旧货,使用时常出毛病。

3. 1970 年徐州地区革委会批准兴建古邳西站。东、西两站之间是变压器场,用同一条进水引河,但出水池两站分开。同年 12 月开工,因经费不足,一直拖到 1973 年 5 月才安装完毕。用 20 寸(直径 500 毫米)离心泵,配用 130 千瓦电动机。计 15 个台套,装机 1950 千瓦,抽水 7.5 立方米每秒。该站出水管道用铸铁管,质量差,使用期间管接头多处漏水,管壁漏气,每次开机时抽真空时间长。

4. 在西站施工的同时,对东站进行扩建。即 1972 年 3 月紧接东站房向东架 5 台机组,用 20 寸混流泵,配 100 千瓦电机。总装机 500 千瓦,抽水 2.5 立方米每秒。这一期工程,东站扩建,西站新建,共投资 91.55 万元。东站共有 10 台机组,进水池底高程 16 米,出水池底高程 26.6 米,池顶高程 30.5 米,设计净扬程 11 米。

到 1973 年止,东站 10 台机组,装机 1000 千瓦,抽水能力为 5 立方米每秒。西站 15 台机组,装机 1950 千瓦,抽水能力为 7.5 立方米每秒。合计抽水能力为 12.5 立方米每秒。因机、泵、管质量较差,常有损坏,使用时经常不能满负荷运转。东、西两站电源不统一。西站用古环电厂发电(县自办电厂,后撤销),东站是变电所供电(用网上电)。土建工程不完善,常出现险情。1982 年 12 月 31 日,江苏省水利厅拨款 15 万元进行维修、补救。其补做项目有:(1) 后池外 200 米处出水河上建防洪闸(1976 年建,1982 年修);3 孔,孔径 2.5 米,底板高程 27 米,反拱结构。后池大墙 1 米外加做一道大墙,高度与原墙相同,墙顶加做 50 厘米防浪板。(2) 处理西站水管漏气、漏水。用桐油、麻丝密封,外围用石棉砂浆勾缝。出水管漏水严重的地方进行护坡、做排水沟。(3) 东机房后池干砌块石改为浆砌块石。西站前池底板高程降低,与东站同。(4) 所有机组供电全部改为 35 千伏线路供电。西站增加一台 3150 千伏安变压器。

5. 东站本来机、泵质量差,使用多年更加老化。1986 年经省厅、市局批准,对东站进行改建。原机、泵、房全部拆除,另建新站。选用 5 台套 36 寸(直径 900 毫米)立式混流泵,配用 260 千瓦电动机。共装机 1300 千瓦,抽水能力为 9 立方米每秒。机房采用钢筋混凝土结构,上部用排架,门、窗宽大,透光、透气性能好。浇筑底板前,用水冲法打砂石震冲桩加固地基。1986 年 12 月开工,1987 年 12 月土建工程结束,因经费所限,机泵只安装 3 个台套。后两台机组安装是 1989 年 10 月动工,1990 年 7 月竣工。两期工程总造价 151 万元,其中第一期使用国家粮食发展专项资金 78 万元,第二期使用国家黄淮海农业开发资金 35.76 万元。完成土方 12 万立方米(包括引河清淤),混凝土 1230 立方米,砌石 1020 立方米。

东站改建后抽水能力为 9 立方米每秒,使用正常。此时西站虽有 7.5 立方米每秒的抽水能力,但因机泵老化,能开启的很少。

6. 进入 90 年代,古邳站和庆安水库相配合,供水面积达 32.9 万亩。西站已不能使用,仅东站满足不了供水需要。1995 年 12 月县水利局提出"古邳西站改建工程设计",在东站西侧建一新站,选用 36 寸(直径 900 毫米)轴流泵,配用 330 千瓦电动机,4 个台套。共装机 1320 千瓦,可抽水 10 立方米每秒。站基础打碎石桩处理,机房形式和东站相仿,略有改进。东、西站靠近,搭桥连接,形成整体,便于管理。两站共用一个出水池,此时实质是两站合并。经江苏省水利厅、徐州市水利局批准,于 1995 年 12 月 25 日开工,1996 年春完成土建工程。计做土方 3.6 万立方米,混凝土 1200 立方米,砌石 1150 立方米。1996 年冬安装机电设备,1997 年 6 月初安装完毕,试车抽水。该工程总造价 492 万元,其中土建 255.1 万元,机电设备 236.9 万元。总经费中有世行经费 85.1 万元,其余均县自筹解决。

西站改建后,古邳抽水站共有 9 台机组(全部是高压启动),总装机 2620 千瓦,抽水 19 立方米每秒。

三、工程管理

古邳抽水站是县水利局下属单位,配有管理人员 33 人。"文革"后于 70 年代初曾一度与庆安水库管理所合并管理,后分开仍单独管理。古邳站所属土地范围本来比较大,因地方逐年蚕食,地盘很小,加上每年抽水时间较长,综合经营项目很少。业务管理范围除站本身外,还有废黄河上东、西两个古邳黄河闸、古邳引河闸等。向废黄河送水期间,还要兼管洪庙涵洞、房弯涵洞等放水。

古邳站每年冬春约需 3 个月抽水补库,夏季要沿废黄河中泓向西正常供水,每年尚需 1 至 2 个月检修,是县管几座站中最忙的一座抽水站。每当冬季供电紧张时,利用工厂春节放假电力宽松时,古邳站工人总是加班加点日夜不停机抽水。县和水利局领导经常在春节期间到古邳站慰问抽水值班工人。

第四节　新工抽水站

一、工程布局

新工抽水站位于浦棠乡(原为张集公社)新工村西首、废黄河北岸。从新工站向北至民便河开挖 9 公里长的张集引水河,引骆马湖水。送水入废黄河中泓后,向东可为袁圩水库补水,向南送水入新工干渠(在袁圩水库西堤外),为魏集、梁集、刘圩等地供水。新工站还专设两台高扬程水泵,灌溉新工站以西至张铺一带废黄河北滩地。

新工扬水站

二、工程施工及维修

该站 1970 年 11 月动工,处"文革"后期,边设计边施工。计 10 台机组,其中 8 台低扬程,向南为新工干渠和袁圩水库供水,用 20 寸(直径 500 毫米)混流泵,配 100 千瓦电动机。另 2 台是高扬程向滩地送水,用 20 寸离心泵,配 130 千瓦电动机。合计共装机 10 个台套,1060 千瓦,抽水 5.5 立方米每秒。设计进水池水位 18.5 米,池底高程 17 米。出水池水位 28.5 米,池底高 26 米。机房是圆弧形,不但外观新颖别致,而且出水管口距离近,节省出水池的工程量。为使工程当年发挥效益,必须赶在栽水稻前完成,因此施工非常紧张。经过日夜奋战,于 1971 年 5 月 11 日试车抽水,7 月正式投入运行。共做土方 153 万立方米(包括同期施工的张集引河土方),混凝土 982.6 立方米,预制混凝土 125.6 立方米,浆砌块石 797 立方米,砌砖 80.78 立方米,垫黄砂 210 立方米,垫石子 189.6 立方米。用三大材:水泥 326 吨,木材 82 立方米,钢材 7.4 吨。总投资 40.76 万元。

该站运行后有两个问题:(1)水泵高程 18.3 米,位置较低,近于落井安装。虽吸水条件较好,但机房难免漏水,停机后水泵轮没于水中,再开机时皮带轮容易打滑。所以平时机房内需经常用潜井电泵抽水,特别在修理时机房必须抽干。(2)1974 年高扬程抽水时,后池高、低扬程隔水墙突然倒塌,幸无重大损失。1975 年 1 月后进行抢修,改做混凝土隔墙,并在高扬程出水池内做混凝土圆管,将所抽水顺管内接入渠道。

三、工程管理

新工站是单独管理单位,隶属于县水利局。起初除站本身外还兼管张集引河闸。1978 年冬开挖第三期徐洪河,张集引水河被穿断,新工站改从张集地下涵洞引徐洪河水,新工站兼管张集地下涵洞。计有管理人员 18 人,其中设站长 1 名。1991 年徐洪河全线贯通后,新工站不再向废黄河南供水,只灌废黄河北滩地,1992 年将该站下放给浦棠乡管理、使用。

第五节　清水畔抽水站

1970 年冬,清水畔抽水站和古邳站、新工站一起开工,三站引河也同时开挖。清水畔站位于清水畔水库大坝南端、废黄河北堤下。从该站向东至民便河(古邳西陈口庄南)开挖 5 公里多长引水河,引民便河水抽入清水畔水库。清水畔水库库容较大,但年集水量不能充满水库,所以建站抽水补库,向西部高地供水。后在水库南坡、姚集的刘店村西建小站抽水入田,在库西坡、张圩公社建蛟龙电站向废黄河北滩抽水灌溉。

该工程施工时,流沙严重,进度比新工站稍慢,于 1971 年夏竣工。计装机 5 台套。其中 4 台为低扬程,抽水入库,用 20 寸(直径 500 毫米)混流泵,配 100 千瓦电动机。另 1 台为高扬程,抽水直接灌田,用 20 寸离心泵,配 130 千瓦电动机。共装机 530 千瓦,抽水 2.75 立方米每秒。设计进水池水位 18 米,池底高程 16.5 米。出水池水位 29 米,池底高程 27 米。

清水畔抽水站建成后发挥了几年效益,后因汛期民便河上游邳县境内山区水汇流快,古邳西部民便河经常严重淤积,常挖常淤,清水畔站无水可抽。后逐渐作废,每当旱季即拆除机组移架别处抗旱抽水。80 年代初此站完全消失。

第六节　高集抽水站

一、工程布置

高集抽水站和高集节制闸是一组枢纽工程,也是沙集抽水站的二级站。沙集站抽水入徐沙河,到高集闸下,再经高集站抽入高集闸上,向西北片补水,规划灌溉面积15万亩。为避免高集闸下淤积影响抽水,闸、站不能紧密摆在一起,相互拉开距离。利用高集西头老田河之一段作进水引河,引徐沙河水。站建在高(集)岚(山)公路南侧、老田河西堤上。送水河穿过高岚公路建桥,然后沿高岚公路北侧向西,从高集闸上入徐沙河,并建涵洞控制。

二、工程设计与施工

高集抽水站的结构形式与沙集站相仿,水泵层高程17.5米,电机层高程24米。开敞式,只是没有像沙集站那样做引水涵洞。按梯级河网规划,高集闸下徐沙河水位为19米,高集闸上水位为23.5米。按规划要求于1988年夏县水利局编制工程设计,经省、市批准后先后分两期施工。

第一期完成7台机组土建,但只安装4台机组。1988年11月底开工,1989年1月18日浇筑底板,7月1日站身完成,开始还土并开挖送水河。10月3日后池建成。11月扫尾,兴建两层楼房的管理所,月底全部竣工。按原设计土建按7台规模建成,因经费所限,当时只安装4台套机组。28寸(直径700毫米)轴流泵,配用155千瓦电动机。共装机620千瓦,抽水6.6立方米每秒。1990年1月23日抽水试验,4月1日抽水成功并投入使用。这一期工程投资260万元。

第二期完成剩下3台套机组安装和变配电工程改造。1993年11月开工至1994年5月完成。其施工内容有:(1)原水泵用上海水泵厂生产的28寸轴流泵,扬程偏高,新购3台泵选用高邮水泵厂生产的28寸轴流泵,配用80千瓦电动机。(2)将原机组降速运行,转速由每分钟730转降为580转,动力仍用原155千瓦电动机。(3)新装3台机组的管径由原来的800毫米增加为1000毫米。(4)增设平衡砣。(5)改造进水池,增设ω后壁。

两期工程完成后,7台机组总装机860千瓦,设计11.55立方米每秒(实际测试为11.3立方米每秒),总投资315万元。虽于1994年5月二期工程便已完工,但因增容问题一直未解决,供电不足,直到1997年1月经县召集供电、水利两部门协调,才将高集站增容费解决,正常供电。

三、工程管理

高集站为一独立管理单位,隶属于县水利局。除站本身管理外,还统一管理高集闸、青年沟闸、散卓闸、魏洼闸、郭楼闸。

高集站占地22亩,1990年春开始绿化。站内分为10个小区,栽树、条、花50余个品种,其中木本树、花34个品种1712棵。3月4日,睢宁县委书记赵玉柱带领县四套班子领导成员到高集站栽花、栽树,拉开了美化高集站的序幕。经过一个多月的努力,完成了高集站绿化工程。以后花、木长势良好,环境十分幽雅。

高集站的土地虽少,但综合经营较好,曾经搞过编织等项目。后连续几年养殖肉鸡、蛋鸡,效益都比较理想。

第七节　袁圩抽水站

1991 年冬开挖最后一期徐洪河,将废黄河和废黄河南侧的袁圩水库穿断,水库废,建袁圩抽水站从徐洪河抽水,代替袁圩水库的灌水功能。该站北约 1 公里是废黄河南堤,站南紧靠刘圩乡袁圩村。站址即是原来的袁圩水库南大坝。站出水池有两座分水闸,分别向两条干渠供水。(1)第一条干渠向南刘圩乡送水。开挖徐洪河将袁圩水库干渠破坏,渠系被打乱,后沿徐洪河西堤外恢复袁圩干渠和部分支渠。(2)第二条干渠是向西接新工干渠,向魏集、梁集两乡东部送水。徐洪河开通后,原河南的新工干渠改由袁圩站供水。从袁圩站出水池向西将原水库南坝切开筑成干渠,东西方向长约 1.2 公里,做土方 8.13 万立方米,接上南北方向的新工干渠。两条干渠,两个灌区,灌溉面积 5 万多亩。

袁圩站于 1991 年 11 月 11 日由徐州市徐洪河续建工程指挥部以徐洪指(91)79 号文批准,当年冬季开工,由县水利局工程队承建。经过冬春紧张施工,赶在水稻栽插前完成。1992 年 6 月 10 日送电试机抽水成功,并投入使用。该站装机 3 台套,28 寸轴流泵,配用155 千瓦电动机。总装机 465 千瓦,抽水 4.8 立方米每秒。完成土方 7 万立方米,砌石1821 立方米,混凝土 1307 立方米。工程造价 223.6 万元,其中国家补助 187 万元,其余县筹集解决。后管理所建成,于 1993 年 3 月 26 日竣工剪彩。

袁圩抽水站是单独管理单位,隶属县水利局。站用土地 62 亩,另有鱼塘 9 亩。因徐洪河施工时用泥浆泵开挖上来的是生土,开始几年只能以养地为主,种植一般性农作物。

本篇后附:睢宁县机电排灌站情况汇总表(1997 年底)。

第三章　涵　　洞

建国后全县建涵洞很多,单 1973 年前低洼地区在河堤上修建的排涝、防洪涵洞就有231 座,多属公社(乡)办工程,其中扩建、改建现象较多。本篇只记述县建的两座地下涵洞,均是为高低分开排水、立体交叉的流域性工程。

第一节　白塘河地下涵洞

一、工程布局

白塘河地下涵洞位于朱集乡王营村东南、睢城乡祁庄村西南、白塘河与徐沙河十字交叉口上。白塘河上游沿线地势低洼,史称"白塘湖"洼地。徐沙河开挖后,河北各支河均被从中间斩断,排水都入徐沙河。受各支高水影响,白塘河上段之水入徐沙河很困难。因此在徐沙河和白塘河交叉处修地下涵洞,立体交叉,高低水分排,使白塘河上游低水从徐沙河底穿过,仍旧向南排入新龙河。白塘河地下涵洞建成后,排水效果很好,但却给引水调度带来三个问题。一是灌溉季节庆安灌区大量的回归水不能从白塘河流入徐沙河。二是干旱季节徐沙河水也不能补充白塘河。三是每年六月中旬水稻栽插用水高峰时,中部徐沙河严重缺水,经常要将庆安水库水从干渠退水涵洞向南紧急调度200多万立方米,此时也不能入徐沙河。为解决引水调度问题,白塘河地下涵洞建成后,在涵洞北白塘河东堤上建王场涵洞,在涵洞东徐沙河北堤上建祁庄涵洞。两涵洞之间开挖引水大沟,使引水时白塘河、徐沙河能够沟通。

二、工程标准

白塘河地下涵洞设计排水面积115平方公里,按老十年一遇标准,流量为110立方米每秒。5孔,每孔净宽3.5米,净高3米。洞身长度120米,包括上、下游衔接段总长度160米,为以后扩大徐沙河留有余地。洞底板高程10.5米。洞身结构为盖板式方涵洞,钢筋混凝土底板和盖板,浆砌块石墩墙。涵洞北端设直升式闸门。

三、工程施工

1975年11月5日开工。县抽调24名干部成立白塘河地下涵洞施工指挥部。安排4500名民工开挖闸塘土方。将整个工期分四个阶段计划安排。经过一个冬春努力,工期提前一个月于1976年4月底竣工。完成土方36万立方米,石方1905立方米,混凝土5324立方米。用水泥2000吨,钢材262吨,木材615立方米。总投资91万元。

四、工程管理

由睢城闸管理所负责管理。涵洞有管理房屋,配2名工人常住,处理日常工作。

第二节　小阎河地下涵洞

一、工程布局

小阎河地下涵洞位于黄墩湖地区浦棠乡老张集西头、徐洪河与小阎河十字交叉处。1978年开挖徐洪河,将小阎河水系打乱。为解决废黄河北、民便河南、徐洪河西、古邳站引水河东(指古邳东部)45.24平方公里的排水问题,修建小阎河地下涵洞。因为小阎河水位低,徐洪河水位高,只能立体交叉,使小阎河之水经地下涵洞从徐洪河底部穿过。地下涵洞东仍利用原小阎河;地下涵洞西,顺徐洪河西堤外向北新开小阎河,即从涵洞到关庙桥一段12.2公里长形成两河三堤。古邳东部相应调整内部排水布局,东西方向开挖崔瓦房大沟和马帮大沟,排水都东入新小阎河。地下涵洞西,向南仍是原张集引河,可向新工抽水站引水。

二、工程标准

小阎河地下涵洞按十年一遇排涝标准68立方米每秒设计,5孔,孔宽3米,孔高3米。洞身总长136米。矩形断面,底板和盖板用钢筋1混凝土,墩墙用浆砌块石。该涵洞设三处直升闸门,其中底部涵洞进、出口各设一道闸门(即东、西洞首两道闸门),上部于徐洪河西坡上设一道闸门。排涝时上部闸门关闭,东、西两道闸门打开,保证小阎河排水。引水时将东闸门关闭,上闸门和西闸门提起,将徐洪河水西引。向南可引向新工抽水站,向北可通崔瓦房大沟、马帮大沟。

三、工程施工

小阎河地下涵洞于 1979 年 2 月 28 日获省水利局以苏革水(79)计字第 73 号文批准。1978 年 12 月开始备料、挖土。县成立"睢宁县徐洪河工程基建团",由周道桂、王树林等负责。动员李集、高作两公社 1500 人承建,于 1979 年 12 月底竣工。共做土方 32 万立方米,石方 2830 立方米,混凝土 8200 立方米。用水泥 2400 吨,钢材 225 吨,木材 230 立方米。总投资 126 万元。

四、工程管理

涵洞建成后归属新工抽水站管理,有管理所房屋 72 平方米,安排 2 名工人正常值班。1992 年后新工抽水站下放给浦棠乡管理,小阎河地下涵洞则为单独管理单位,直属县水利局领导。

第四章 桥　梁

建国后县内发展的水工建筑中,桥梁工程所占比例最大。其突出特点是数量多、变化大。

除了干、支河修建桥梁外,最多的是面广量大的大、中、小沟等固定沟桥梁配套。据 1978 年粗略统计,全县大沟级以上桥梁 790 座,总投资 691 万元,其中投资补助 520 万元。中沟桥 1533 座,总造价 396 万元,其中投资补助 182 万元。由此可见桥梁之多。

由于受建筑材料、施工工具、技术水平等条件的限制,建国后建桥由简到繁,由小到大,由低到高。如 50 年代初因疏浚老龙河时所建朱集大桥(睢桃公路)、疏浚小滩河时所建滩河桥(睢李公路),都是 5 孔木桥;1957 年建西渭河八里桥,是海郑公路桥(现为徐淮公路);2 孔,孔宽 4 米,桥总长 13.2 米,中墩木排架,边墩砌块石,桥面铺木板;1963 年徐圩河建岗头吴桥,3 孔,每孔宽 8 米,土胎做模,石拱桥,桥面净宽只有 4.5 米。像这些桥后来都更新了。七八十年代多建成钢筋混凝土桥,出现双曲拱桥,微弯板桥。到 90 年代初徐洪河上所建桥都是 1 孔,孔径 60 米的钢筋混凝土桥梁。今昔对比变化可谓大矣。由于数量太多,难以记全,本篇只记载"三横一竖"河道、骨干河道和主要公路干线的桥梁,计 98 座。由于变化大,难于一一表述,此处只记载 1997 年还存在之桥梁。凡是桥、闸结合的工程,本篇第一章中已有记载,不再介绍。

第一节 徐洪河桥梁

按时间先后分为三期修建(共 19 座):

1. 1977 年冬开挖第二期徐洪河(从凌城东南七咀庄到沙集南),于 1978 年建成 5 座桥梁。从南至北有张徐桥、花园桥、凌埠路桥、秦圩桥、余圩桥。余圩桥在沙集境内,其余4座桥都在凌城境内。张徐桥是徐宁公路桥,系交通部门项目,其余4座均由水利投资(总经费90万元),县水利局承建,属一般性交通桥。这5座桥均为3孔,每孔宽30米,桥面宽度5米(凌埠路桥7米)。钢筋混凝土肋拱桥,按汽13设计,拖60校核。1978年5月底花园桥、秦圩桥、余圩桥主体工程完工,抢在汛前扒施工坝通水,桥面在通水后吊装。凌埠路桥施工稍晚,施工中双铰拱、三铰拱处有裂缝,于10月下旬请徐州地区水利局查尚雄工程师帮助处理,补救比较及时。该期建桥工程县第一次搞混凝土预制吊装,焊接17米高铁塔,悬索吊装。

2. 1978年冬开挖废黄河以北黄墩湖地区,称为第三期的徐洪河工程。该期兴建新工桥(崔埝北)、浦棠桥(新张集桥)、张集桥、关庙桥,共4座。关庙桥在古邳境内,其余3座都在浦棠境内。工程标准与沙集南徐洪河桥相同,即为3孔,孔径30米,桥面宽5米,按汽13设计,拖60校核。于1978年夏开工,1979年上半年陆续竣工。四桥工程总经费169万元。除张集桥井柱桩有一根出现毛病及时处理外,其余桥施工均较顺利。

徐洪桥(三孔,每孔宽30米)

3. 1991年冬开挖沙集至废黄河北堤最后一期徐洪河,建桥10座,其中徐淮路沙集公路桥、高(作)皂(河)路刘圩公路桥系交通部门设计、施工。其余8座交通桥是水利投资项目,由县水利局负责施工。从南至北,属沙集境内有小朱桥、魏集桥2座,高作境内张皮桥1座,刘圩境内赵庙桥、宋庄桥、前袁桥(亦名商郝桥)、新建桥4座,浦棠境内王圩桥(废黄河切滩内)1座。8座桥的结构形式都是钢筋混凝土刚架拱桥,标准一致。即均为1孔,孔径60米,井柱桩基础,桥面宽度4.96米,桥面高度28.78米。当年挖徐洪河土方,徐州市属各县均有土方任务。工程指挥部要求先建桥后上工挖土方,指定睢宁要在兄弟县上工前建好桥梁工程。1991年建桥任务重,时间紧,完成速度快。除以县水利局工程一队为主体施工外,调工程二队铲运机、挖掘机、泥浆泵等机械开挖桥塘土方,调王林、睢城等乡水利站钻机打井柱。

吊装除县局悬索吊、16吨吊车外，又请徐州市水利局工程处吊车支援。县水利局正、副局长分工夜间检查各桥工地施工情况。各桥开、竣工日期如下：

	小朱桥	魏集桥	张皮桥	赵苗桥	宋庄桥	前袁桥	新建桥	王圩桥
开工日期	8.28	7.20	4.22	5.	4.	6.	12.	8.28
竣工日期	11.30	10.30	10.	10.	10.	12.	1992.4	11.30

徐洪河桥（跨径60米）

几乎所有桥梁施工时间均在1991年内，只有新建桥因当时丰县施工推迟，建桥缓至1992年4月完成。建桥施工时间快的3个月，一般是四五个月。每桥造价接近50万元，完成土方约1.6万立方米，砌石729立方米，混凝土800立方米，用水泥379吨，钢材31吨，木材44立方米。1991年10月20日前袁桥南桥墩基础井柱桩施工不合要求，徐州市水利局党委副书记庄华平带员到工地现场研究处理。后下挖土方做"田"字形钢筋混凝土基础，工期后推，经费增加10万余元。

第二节　新龙河（跃进河）桥梁

从东向西排列（共10座）：

1. 夏圩桥。位于邱集至凌城南新李村公路与新龙河交叉处。1977年冬施工，第二年春完成。由凌城公社施工，1孔，跨径60米。单波双曲拱桥，桥面宽7米。拱肋用无支架悬索吊装。工程造价11万余元。

2. 邱集东桥。位于邱集后偏东，是高（作）邱（集）公路交通桥。1995年12月开工，1996年5月竣工。1孔，60米单跨刚架拱桥。桥面宽4.1米，桥面高程24米。总造价110万元，由邱集乡集资兴建。

3. 邱集西桥。位于邱集后偏西，是睢邱公路交通桥。7孔：南5孔，孔径4.5米；北2孔，孔径6米，可勉强通船。桥面高程21.5米（60年代是木桥面，70年代陆续改造为钢筋混凝土桥面）。

新龙河夏圩桥(跨径 60 米)

4. 汤集桥。位于官山东部汤集村东北角,是老睢(宁)泗(县)公路交通桥。睢泗公路早已改道,桥仍作乡村通道。1952 年兴建。8 孔,孔径 3 米。起初是木桥面,后改为混凝土桥梁。

5. 官山公路桥。位于官山后跃进河上,1958 年开挖跃进河后建 1 孔 8 米石拱桥,名曰"跃进桥"。现在 104 国道上,交通部门已改造、扩建。

6. 大彭桥。位于官山西部大彭庄南。6 孔,孔径 4 米。石拱桥,桥面宽 3.5 米,桥面高程 22.5 米。

7. 小魏桥。位于官山西部小魏庄南。6 孔,孔径 4 米。石拱桥,桥面宽 3.5 米,桥面高程 22.5 米。

8. 前彭桥。在桃园东南部前彭庄前。1982 年 1 月开工,同年 7 月竣工。5 孔,孔径 5.4 米。桥面宽 4.4 米,桥面高程 23.5 米。投资 1.2 万元。

9. 大许桥。在桃园东南部大许庄前。兴建年月和工程标准与前彭桥同。

10. 洪场桥。在桃园东南部洪场庄南。1972 年 2 月开工,同年 5 月竣工。3 孔,孔径 5 米。桥面宽 5 米,桥面高程 22.2 米。投资 0.6 万元。

第三节　徐沙河桥梁

由东向西排列(共 17 座):

1. 夏圩桥。位于沙集西夏圩庄前乡、村干道上。1976 年春开挖徐沙河下段后建小孔径简易桥。1996 年被交通部门列为碍航桥,拆除重建。由沙集水利站施工,1 孔,孔径 50 米。桥面宽 4.5 米,桥面高程 26 米。造价 101 万元。

2. 夏庙桥。位于高作东南夏店之乡、村干道上。1976年春开挖徐沙河下段后建小孔径简易桥。1996年被交通部门列为碍航桥,拆除重建。由高作水利站施工,1孔,孔径50米。桥面宽5米,桥面高程25米。造价近100万元。

3. 高南桥。位于高作南,在高(作)邱(集)公路与徐沙河交叉处。1976年春开挖徐沙河时同时兴建高南桥,3孔,孔径20米。桥面宽4.5米,桥面高程25米。

4. 双庄桥。位于高作西南部全双庄北之乡、村干道上。1976年春开挖徐沙河下段后建小孔径简易桥。1996年被交通部门列为碍航桥,拆除重建。由高作水利站施工,1孔,孔径50米。桥面宽5米,桥面高程25米。造价近100万元。

5. 徐宁路桥。位于徐宁公路与徐沙河交叉处,系交通部门所建。

6. 红旗桥。位于睢城东南角,在睢邱公路与徐沙河交叉处。1976年春开挖徐沙河下段时同时兴建红旗桥,3孔,孔径20米。井柱墩,双曲拱桥面。桥面高程24.8米。

7. 城南桥。位于睢城南关、中山路最南端。该桥向南是古睢(宁)泗(县)公路。1976年春开挖徐沙河下段时同时兴建城南桥,3孔,孔径20米。井柱墩,双曲拱桥面。桥面宽度4.5米,桥面高程25米。

8. 张庄桥。位于睢城西南、小滩河西侧,是往朱楼北电灌站的通道上的便桥。

9. 岗头吴桥。1963年春兴建时3孔,孔径8米。块石墩、石拱桥,桥面净宽4.5米。基础高程16.1米,桥面高程23.3米。是睢(宁)李(集)公路上的主要桥梁。后因在104国道上,由交通部门改建,扩宽桥面。

10. 魏楼桥。朱集北魏楼村内,乡、村干道。1978年11月开工,1979年4月竣工。5孔,孔径6米,桥面宽5米。造价7万元。

11. 魏圩桥。位于朱集北魏圩村。从魏圩村向南经朱集至官山是一条公路,北通徐淮公路,南通睢泗公路。魏圩桥是一座公路桥,车辆来往较多。但1979年春兴建时是一座简易桥,5孔,孔径6米,块石拱桥,桥面宽5米。造价7万元。

12. 赵庄桥。位于高集南部赵庄北之乡、村干道上,属简易便桥。

13. 老高集桥。位于高集西部老高集北之乡、村干道上,属简易便桥。

14. 邢圩桥。位于高集西部邢圩庄南之乡、村干道上,属简易便桥。

15. 汪庄桥。王集向南经岚山、桃园至李集是一条公路,该路与徐沙河交叉处是汪庄桥,在岚山北汪庄后。5孔,孔径5米。该桥多次改建,1989年冬开挖徐沙河时护底加固。虽是公路桥,但桥面窄,基础高,现勉强使用。

16. 杨集桥。在王集西南杨集庄。1990年兴建。7孔,孔径6米。块石墩,预应力桥面板。桥面宽5米,桥面高程27.5米。

17. 堰头桥。位于苏塘南部,堰头庄北。1990年兴建。7孔,孔径6米。块石墩,预应力桥面板。桥面宽5米,桥面高程28米。

第四节　潼河桥梁

由东向西排列(共8座):

1. 二郎庙桥。位于黄圩东部,离睢、泗边界很近,是黄圩东部与邱集南部之通道。1977年兴建。7孔,孔径5米。桥面宽6米,桥面高程21米。

2. 小葛桥。位于黄圩东部小葛庄北,该处原是老睢(宁)泗(县)公路。1966 年兴建。7 孔,孔径 5 米。桥面宽 4 米,桥面高程 21.3 米。

3. 大蒋桥。位于黄圩北、104 国道与潼河交叉处,初建时 5 孔,孔径 5 米。后公路改线,交通部门将桥东移重建,老桥仍保留。

4. 田李桥。位于黄圩西部回李庄北。5 孔,孔径 5 米。桥面宽 3.5 米,桥面高程 20.5 米。

5. 宋山桥。位于黄圩西部宋山北。2 孔,孔径 3 米。桥面宽 2.5 米,桥面高程 19 米。漫水桥。

6. 靖楼桥。位于李集北部靖楼庄前,在桃(园)李(集)公路与潼河交叉处。5 孔,孔径 5 米。块石墩,板梁式桥面。桥面宽 5 米,桥面高程 22.6 米。

7. 西七桥。3 孔,孔径 5 米。块石墩,板梁式桥面。桥面宽 4 米,桥面高程 22.5 米。

8. 八里张桥。位于李集西北部八里张北。3 孔,孔径 5 米。块石墩,板梁式桥面。桥面宽 4 米,桥面高程 22.8 米。

第五节　废黄河桥梁

自西向东排列(共 20 座):

1. 大白北桥。位于双沟西北部大白庄北。1978 年春兴建。7 孔,孔径 6 米。块石墩,钢筋混凝土平板桥。桥面宽 3.3 米,桥面高程 33.3 米。工程造价 5 万元。

2. 大白南桥(新桥)。位于双沟西北部大白庄南。1996 年兴建。7 孔,孔径 6 米。井柱墩,钢筋混凝土桥面。桥面宽 5 米,桥面高程 33.3 米。工程造价 30 万元。

3. 双许公路桥。位于双沟镇东头、双沟至大许(铜山县东部)公路与废黄河交叉处。1976 年兴建。7 孔,孔径 6 米。桥面宽 5 米,桥面高程 33.3 米。工程造价 40 万元。

4. 魏头桥。位于双沟东部魏头村西。1987 年春兴建。7 孔,孔径 6 米。块石墩,钢筋混凝土平板桥。桥面宽度 3.3 米,桥面高程 33.3 米。工程造价 5 万元。

5. 吴行桥(苏山桥)。位于双沟东北部吴行村东。1987 年兴建。7 孔,孔径 6 米。块石墩,钢筋混凝土桥面。桥面宽 3.3 米,桥面高程 33.3 米。工程造价 5 万元。

6. 张楼桥。位于双沟东北部张楼庄南。1987 年兴建。7 孔,孔径 6 米。块石墩,钢筋混凝土桥面。桥面宽 3.3 米,桥面高程 33.3 米。工程造价 5 万元。

7. 马浅桥。位于苏塘北部马浅庄后,在苏塘至张圩干道上。1986 年兴建。9 孔,孔径 6 米。块石墩,混凝土预应力桥面。桥面宽 5 米,桥面高程 32 米。

8. 冯庄桥。位于张圩东南部陈庄南。1986 年兴建。7 孔,孔径 6 米。块石墩,混凝土预应力桥面。桥面宽 3.3 米,桥面高程 30.1 米。

9. 张井桥。1996 年冬兴建。7 孔,孔径 6 米。桥面宽 3.3 米,桥面高程 30.5 米。该桥系群众自办。

10. 王张公路桥。又称泗八公路桥,在王集北、王集至张圩公路与废黄河交叉处。1988 年建成。5 孔,孔径 13 米。井柱墩,空心板桥面。桥面净宽 7 米,桥面高程 32 米。

11. 武宋桥。位于张圩东南部宋庄、武庄南。1986 年兴建。7 孔,孔径 6 米。块石墩,混凝土预应力桥面。桥面宽 3.3 米,桥面高程 30.1 米。

12. 尹庄桥。位于刘集果园场南部尹庄西。标准同武宋桥。

13. 刘集桥。位于刘集果园场西侧,在刘集果园场至张圩公路线上。井柱墩,钢筋混凝土桥面。

14. 魏山桥。位于姚集北部魏山村南。1983 年兴建。5 孔,孔径 6 米。块石墩,预应力空心板桥面。桥面宽 3.5 米,桥面高程 29.4 米。

15. 大刘庄桥。位于姚集北部大刘庄西,在刘集果园场至姚集干道上。1983 年兴建。5 孔,孔径 6 米。桥面宽 3.9 米,桥面高程 29.4 米。

16. 王塘桥。位于姚集西部王塘庄北。1988 年兴建。13 孔,孔径 6 米。桥面宽3.5 米,桥面高程 29.5 米。

17. 房弯桥。位于姚集向北至刘店公路与废黄河交叉处。70 年代建时桥、闸结合,90 年代初闸废,桥尚存。10 孔,孔径 2 米。拱桥。桥面宽 8 米,桥面高程 30.7 米。

18. 高党桥。位于姚集东部高党村北,在高党至古邳干道上。1991 年冬施工。13 孔,孔径 6 米。预应力空心板桥面。桥面宽 3.5 米,桥面高程 29.4 米。

19. 睢浦公路桥。位于魏集北、睢宁至浦棠公路与废黄河交叉处。1988 年冬施工。5 孔,孔径 13 米。井柱墩,空心板桥面。桥面净宽 7 米,桥面高程 32 米。汽 15 设计,挂 80 校核。

20. 崔堰桥。位于浦棠南部崔堪庄南。1987 年治理废黄河时兴建。1991 年冬徐洪河将废黄河穿断,该桥在废黄河切口西不远,切口处河中泓有土坝可便利交通,所以崔堰桥作用已不大。

第六节　民便河桥梁

由西向东排列(,共 3 座):

1. 下邳北桥。1994 年至 1995 年睢邳公路扩宽,并在古邳段改道。在睢邳公路与民便河交叉处兴建下邳北桥。此处原有交通部门所建双曲拱桥,因线路更改,东移重建新桥。计 3 孔,跨度 13 米,桥面净宽 23 米。由县水利局组织工程队、机井队承建。下邳北桥位于古邳半山北侧,河底以下系山的坡脚,南浅北深。因工期紧,开塘挖土时间来不及,只好在硬度 5、6 级石头上打 1 米直径的井柱桩。因第一次在岩石中打井柱,遇到很多困难。先后两次到河北廊坊购买牙轮钻头,打井期间钻头多次毁坏,到邳州租借强力磁铁打捞。桥面用空箱预制板,板长体重,吊装困难,租用两台 16 吨吊车安装桥面。从 1995 年 4 月初开工,5 月底竣工,历时 55 天,完成建桥任务。计做土方 3 万立方米,打 24 根井柱,完成砌建体积 1800 立方米。

2. 新龙桥。古邳北部新龙村南,乡、村干道。1992 年春兴建。7 孔,孔径 5 米。块石墩,平板桥。桥面宽 4 米,桥面高程 23 米。工程造价 12 万元,由县、乡集资兴办。

3. 东亚桥。位于古邳抽水站引河北端西侧民便河上。1981 年春兴建。7 孔,孔径 5 米。块石墩,平板桥。桥面宽 4 米,桥面高程 23 米。工程造价 3 万元。

第七节　徐淮公路沿线主要桥梁

徐淮公路沿线 12 座桥,大部分都是 70 年代重建的井柱墩、微弯板桥面。1994 年春因县城西改称为机场路而扩宽近一倍,所有桥即相应加宽。加宽部分多为井柱墩、平面空心板桥面。睢城东徐淮路面也进行加宽,桥面相应增加。

1. 苏东桥。位于苏塘乡苏东大沟上。南半桥为井柱墩、微弯板桥面。3孔,孔径5米。荷载标准为汽15设计,挂80校核。北半桥新扩为井柱墩、空心板桥面。标准为汽20设计,挂100校核。桥面总宽度35米。

2. 王西桥。位于王集西王西大沟上。原桥2孔,孔径5米,石拱桥。公路扩宽后,由王集乡将桥面加宽到35米。

3. 王东桥。位于王集东王东大沟上。南半桥为井柱墩、微弯板桥面。3孔,孔径5米。荷载标准为汽15设计,挂80校核。北半桥新扩为井柱墩、空心板桥面。标准为汽20设计,挂100校核。桥面总宽度35米。

4. 郭楼桥。位于高集西姚龙干渠西沟上。北半桥为井柱墩、微弯板桥面。5孔,孔径7.3米。荷载标准为汽15设计,挂80校核。南半桥新扩为井柱墩、空心板桥面。计3孔,孔径11.8米。标准为汽20设计,挂100校核。新、老桥面合计宽度为35米。桥面高程25.6米。

5. 魏大桥。位于老龙河上。南半桥为井柱墩、空心板桥面。3孔,孔径13米。北半桥后扩,与南半桥同。荷载标准为汽20设计,挂100校核。新、老桥面合计宽度35米。桥面高程23.55米。

6. 鲍庙桥。位于庆安干渠西沟上,在徐淮公路和睢邳公路"丁"字形交会处西侧。中间老桥是井柱墩、微弯板桥面。3孔,孔径5.5米。荷载标准为汽15设计,挂80校核。南、北两头为新扩宽桥面,井柱墩、空心板桥面。标准为汽20设计,挂100校核。桥面宽度向北扩宽11.8米,向南扩宽12.8米,新、老桥面总宽度36.15米。桥面高程23.8米。

7. 高塘桥。位于县城西白塘河上。该处在抗日战争期间即建桥,1977年冬老桥拆除建井柱墩、微弯板桥面。7孔,孔径6.5米。荷载标准为汽20设计,挂100校核。1994年春向两侧扩宽桥面,井柱墩、空心板桥面。7孔,孔径6.5米。汽20设计,挂100校核。新桥面向两侧各扩宽11.35米,新、老桥面总宽度35米。桥面高程23米。

8. 八里桥。位于城东西渭河上。建国后该桥多次改建,1980年春改建为中间一大孔、两边各一小孔的双曲拱桥。1996年春向南半边扩宽,井柱墩、空心板桥面。3孔,孔径10米。荷载标准为汽20设计,挂100校核。新、老桥总宽度25米。

9. 高西桥。位于高作西高西大沟上。北半桥为井柱墩、微弯板桥面。荷载标准为汽15设计,挂80校核。南半桥为新扩宽桥面,井柱墩、空心板桥面。3孔,孔径8米。荷载标准为汽20设计,挂100校核。新、老桥总宽度25米。

10. 高东桥。位于高作东高东大沟(原中渭河)上。交通部门所建,1992年7月竣工。3孔,孔径6米。路面宽,上、下道两座桥并列。

11. 杜庄桥。位于高作与沙集交界的杜庄大沟上。1孔,孔径4米,盖板式涵洞。1994年公路扩宽后,涵洞相应于1995年12月开工向南扩宽,1996年2月完成。

12. 和平桥。位于沙集西和平大沟上。原桥两孔,1995年公路扩宽时,西孔堵死不用,东孔向南扩宽。1孔,孔径4米。桥面宽26米,桥面高程23米。

第八节　徐宁公路沿线主要桥梁

徐宁公路在睢城向东南至凌城东南睢(宁)宿(迁)交界处,于1996年夏路面加宽,所有桥梁相应扩宽。共9座桥,除1座桥新建外,全部是桥孔接长、桥面加宽。9座桥中,4座桥是小孔径,5座桥是1孔跨径20米、井柱墩、预制工宇梁吊装后对接为平面空心板桥。荷载标准为汽20设计,挂100校核。本节仅记载1996年9座桥面扩宽工程。

1. 姚西桥。位于王林西北姚西大沟上。1孔,孔径10米。块石墩、钢筋混凝土盖板。向桥南、北两面扩宽14.8米。

2. 万庄桥。位于王林西北老西渭河上。1孔,孔径8.5米。块石墩、钢筋混凝土盖板。向桥北扩宽8.5米。

3. 高楼桥。位于玉林东高朱大沟上。1孔,孔径20米。向桥北扩宽14.4米。

4. 庄庄桥。位于凌城、王林交界的中渭河上。原桥为双曲拱桥,向北扩宽12.8米,1孔,孔径20米。平板桥。

5. 鲍庄桥。位于凌城西凌西大沟上。1孔,孔径20米。新建桥,桥面宽24米。

6. 陈庄桥。位于凌城南凌南大沟上。原桥3孔,块石墩、现浇钢筋混凝土盖板。两边向外扩宽16米。

7. 新李桥。位于凌城南新李大沟上。1孔,孔径20米。向原桥东新扩宽11.2米。

8. 旗杆桥。位于凌城南旗杆大沟上。1孔,孔径8米。块石墩、钢筋混凝土盖板。向原桥两边扩宽11.5米。

9. 王庄桥。位于凌城南、凌城抽水站东侧凌东大沟上。1孔,孔径20米。从原桥向北扩宽11.2米。

1996年6月25日,3座桥开工,因当年汛期雨多,施工坝打、拆反复多次,施工进度缓慢。建桥几条沟、河均是排水、引水两用河道。既不能影响排涝,又不能影响秧田补水,打坝全封闭施工不可能。建桥工期必须确保,为此只能用草包、口袋筑围堰施工。县水利局全力以赴,水利工程一队、二队全部上工。局派员到丰县、新沂、铜山等水利局借工具、模具。实行流水作业,日夜赶进度。抽调王林水利站建高楼桥,凌城水利站建新李桥。抽岚山、沙集、李集水利站到水利工程队帮工。关键时刻徐州市水利局局长祖振华来工地解决困难,派以局长助理刘刚为首的技术人员进行指导,并调集施工机械、吊车等到工地使用。经过50天的紧张施工,按上级指定的时间,9座桥于9月20日夜全部竣工。计完成土方7.2万立方米,混凝土7714立方米,砌石18013立方米。

第五章　与水利有关的交通、城建工程

90年代公路交通大发展,城市建设也加快步伐,县水利局也参与了几项工程施工,分别记载如下。

第一节　三条一级公路

一、三条路扩宽沿线水利工程毁坏情况

1992年冬,徐淮路、徐宁路、睢邳路三条公路按一级路要求加宽路基土方。县政府将睢

邳路和城北大沟交给水利局负责施工,计长 27 公里,动员 10 个乡 6 万多人上工。其余土方工程由县交通局负责施工。三条路沿线原有水利工程被毁坏,水系被打乱,据统计:

1. 徐淮路沿线毁坏水利工程 560 座,其中穿路桥、涵 36 座(县城西 28 座,县城东 8 座),路边沟桥、涵等工程 112 座,路边沟小跌水 412 座。

2. 睢邳路沿线毁坏水利工程 237 座,其中穿路桥、涵 33 座,路边沟桥、涵、渡槽等 64 座,路边沟小跌水 140 座。

3. 徐宁路毁坏水利工程 185 座,其中穿路桥、涵 64 座,路边沟桥、涵工程 109 座,中小沟跌水 12 座。

二、工程恢复情况

面对如此多的毁坏工程,根据县政府安排,县水利局做了如下工作:

(一)穿路主要桥梁由县水利局负责扩建

县水利局负责设计、施工,市水利局把关。经费由县筹集解决。其主要项目有:

(1)徐淮路桥 7 座。其中县城西 6 座,即苏东桥、王东桥、郭楼桥、魏大桥、鲍庙桥、高塘桥。1994 年春季施工,5 月底完成。县城东 1 座,即八里桥,1996 年春完成。具体情况于本篇第四章第七节已详述。

(2)睢邳路两项工程。一是在废黄河中泓建桥结合建节制闸,名曰古邳黄河闸(西闸)。具体情况在本篇第一章第九节已有专题叙述。二是在民便河上建"下邳北桥",具体情况本篇第四章第六节已有专题叙述。

(3)徐宁路桥 9 座,1996 年 9 月 20 日完成。具体情况本篇第四章第八节已有专题叙述。

(二)除上述县水利局施工的工程外,其余均由所在乡、镇负责恢复

任务是乡、镇政府的,县水利局负责规划和督促检查工程施工。据查 1992 年冬季只做扩路土方,大部分建筑工程尚未破坏。1994 年起铺设路面,工程被毁坏,两侧水利建筑工程当年只恢复一部分,后来约延续二至三年,基本完善。

(三)为巩固睢邳公路路面,做护坡工程

睢邳公路路面铺设以后,庆安乡一段西路肩多处塌陷,县责成水利局负责做格埂护坡。1995 年 12 月底组织 8 个乡上工,1996 年 2 月上旬竣工。从庆安水库西侧至鲍庙桥,长近 20 公里。开挖渠西沟西坡,向东坡复土,做土方 25.16 万立方米,土方不足又远距离借土 3 万立方米。每隔 8 米做一条格埂,计做浆砌块石 18976 立方米,混凝土下水道 1025 立方米,砂浆抹面 650 立方米。

第二节　沙集两座船闸

沙集两座船闸是徐州市航道管理处的工程项目,县水利局根据县政府的安排,承包徐洪河沙集船闸(俗称"沙集一号船闸")上、下游土方工程和承建徐沙河沙集船闸(俗称"沙集二号船闸")工程。

一、徐洪河沙集船闸上、下游引河土方工程

1994 年冬接受船闸上游引河土方工程,计 36.3 万立方米土方,由局工程二队、机井队

用泥浆泵施工。第二年春完成。

1995 年春接受县政府交给的船闸下游土方工程,2 月 20 日副县长田忠恩代表县政府与局签订责任状,规定高程 18 米以上由沙集乡施工,局承担高程 18 米以下的土方。由于沙集乡工期拖后,局 3 月底勉强接到工段。计划土方 47.2 万立方米,另加沙集 18 米以上遗留土方等,共计有土方 52.44 万立方米。4 月 4 日开工,水利局组织的机械化施工队伍有:驻山东省德州市的铁道部十三工程局;河南省鹿邑县机械化施工队;山东省荷泽、济宁施工队;徐州工程兵学院机械化施工队;县水利局工程二队等。共投入铲运机、挖掘机、推土机等近百部机械。工程开始很困难,流沙土,烂泥多,机械操作不便。后进行井点排水,调局工程一队和高作、梁集、睢城水利站沿下游引河两侧打 20 眼排水井,工况逐渐好转。到 5 月 10 日左右施工形成高潮,出勤 68 台铲运机,在堆高塘深运距远的情况下,日进度达 1.6 万立方米。经过 2 个月奋战,于 5 月底完成了任务。

徐洪河沙集船闸上、下游引河土方工程共完成土方 88.74 万立方米,县给包干经费 779.75 万元。

二、承建徐沙河沙集船闸

1994 年 9 月 7 日,徐州市航管处周鹏飞和县水利局王保乾在沙集抽水站签订承建徐沙河沙集船闸工程协议书。9 月 10 日开工。1995 年 6 月中旬通过初验,扒坝向徐沙河引水栽插水稻。9 月 30 日工程竣工。闸长 160 米,闸孔径 10 米,闸室宽 12 米,最大航舶 100 吨级。总造价 980 万元,其中国家投入 680 万元,县、乡地方投入 300 万元(包括 1993 年该段河道疏浚)。工程完成后虽有欠款,但工程已能发挥效益。计完成土方 12.9 万立方米。总建筑体积 18822 立方米,其中混凝土 6587 立方米,砌石 11000 立方米,水泥土 1295 立方米。

第三节　县城东环岛工程

县城东环岛位于县城东郊、西渭河西侧,在徐宁、徐淮两条公路交叉处。由于是斜交,交点所占面积较大,县决定修建环岛,以解决两条公路平面交叉的行车安全问题。又因处于县城规划区内,所以由交通、城建两个部门各自提出规划,报上级同意以后,交给县水利局施工。1995 年 6 月中、下旬县委两次给水利局交代任务。因 9 月 10 日全省奔小康会议在徐州市召开,睢宁是徐州东大门,是参加会议人员必经的交通要道,为不影响交通,要求东环岛必须在 8 月底之前建成通车。

一、工程任务

1995 年 6 月 28 日,副县长倪承泰带领县建委原副主任杜长春等向水利局进行东环岛工程技术交底,并明确了任务:环岛表面铺设混凝土 2 万平方米,中心花园盘直径 80 米,中心高杆灯 25 米(后实做 31 米)。环岛北侧地下搞排水涵洞,将城东区间水经环岛地下排入西渭河。邮电、供电等线路埋设电缆经环岛下通过。计需做土方 2.4 万立方米。交通道混凝土 4300 立方米,人行道混凝土 400 立方米,其余地下电缆、护栏基础、圆形排水沟等混凝土 300 立方米。地下排水涵洞长 250 米,砌石 700 立方米,混凝土 1300 立方米。另外还有两条路交叉环岛四个方向道路连接段,总建筑体积近 6000 立方米。

二、工程施工

1995年6月底施工机械开始进场。县水利局全体总动员,集中技术人员、技术工人、施工机械,冒暑夏炎热,突击东环岛工程。7月上旬因进行埋设地下管、拆迁等前期工作,施工无法进行。7月10日正式开工,因场地狭窄,石料堆放、加工困难。交通不能封闭,只能视工况不断改变临时便道,因两次降雨道路泥泞,车辆经常堵塞。至7月底地下排水涵洞主体段抢修成功。以后开始分南北两半施工路面上部工程,先北后南。8月4日开始浇筑路面,三班四六制流水作业,日夜不停。虽天气炎热,人员多病,但仍坚持工作。于8月27日凌晨环岛工程竣工,整个工期47天。

第四节　城北大沟与城河治理

县城排水、防洪是县水利局任务之一,水利局多次参与县城区规划。县城区河道规划呈"回"字形布置:南有徐沙河,北有城北大沟,东有小阎河,西有小滩河,组成外框。内有环形旧城河为内口。1978年筑庆安东干渠(亦称睢魏干渠),渠南端即延伸到城北大沟。只差穿越大沟地下虹吸管即可向县城河供水冲污。1984年冬在县城南关、徐沙河北堤结合东西方向筑青年路,建城南涵洞。这样北可进行冲污,南有涵洞节制,给城河规划治理奠定了基础。城北大沟和城河治理均由县水利局负责施工。

一、城北大沟工程

在"回"字形布局中,城北大沟最为薄弱,1992年冬结合三条一级公路建设,开挖城北大沟。沟南筑城北公路,既作为县城防洪屏障,又作为徐宁公路之一段。1993年春施工兴建城北大沟建筑物工程。沟东通西渭河,建朱庄闸。沟西通白塘河,整修加固朱庄涵洞。穿城北公路做小滩河涵洞和小阎河涵洞,可向两河供水冲污。城北大沟内接长原徐淮公路桥,兴建睢魏公路桥和10座生产桥,兴建和修理抽水电站3座,建跌水和沟头防护22座。上述建筑工程全部于5月底竣工。合计做建筑物41座,混凝土3501立方米,砌石3652立方米。总投资239.62万元,全部由县筹集解决。

城南涵洞

二、城河治理工程

1995年11月底县安排水利局参与城河治理工程。在县建委做了前期工作的基础上，责成水利局提具体施工方案。副县长倪承泰召集县建委、水利局讨论，并由县政府定案后，分为两期进行施工。

（一）城河清淤土方工程

由黄圩、李集、双沟、高集、桃园5乡、镇组织10216名民工，从1996年1月1日开工，2月15日竣工。环形城河通过城南涵洞与徐沙河连通，总长3822米，计划清淤土方39万立方米，其中挖土22.3万立方米，搬运16.7万立方米。因城河多年淤积，施工难度大。例如桃园工段位于西关桥北，开工多天，因排水条件不好满塘稀泥。后该镇党委书记陈士路等领导干部下方塘，实行人海战术，采用一边卷的办法，才打开局面。竣工验收时，实际完成土方41.2万立方米。

（二）城河护坡工程

清淤工程完成后，于1996年春节后进行城河护坡。工程开工前县委副书记莫绪光、县政府副县长张威听取县水利局回报城河护坡方案。经技术论证、方案比较，城河护坡采用后倾式挡土墙。小东关桥和小西关桥以南搞一级挡土墙，北半部全部搞成二级挡土墙。2月底护坡工程开工，由张圩、官山、岚山、梁集、睢城5乡砌建，朱楼乡负责部分运输。4月29日护坡主体工程竣工（栏杆和10座桥重建未按原计划施工）。共计动员1500名技工，完成土方12.6万立方米。护坡长3822米，两边共长7647米。砌块石4.2万立方米。总投资530万元，全部是群众自筹。县负责组织领导，水利局负责施工计划、施工进度、技术指导。

第六章　水　　库

为了发展农田灌溉和山区抗旱用水问题，睢宁县于50年代后期就开始利用山区及废黄河弯道等自然地理条件，兴建了一些中、小型水库。县境内建成中型水库1座、小型水库14座，其中小（一）型水库5座、小（二）型水库9座。1991年冬开挖徐洪河，由于徐洪河穿越袁圩水库，致使袁圩水库报废还田；万庄、乔山二座水库由于上面来水量不足，历年水库蓄水量很少，1996年经上级主管部门批准也已报废还田；韩坝、魏工、旧城湖3座水库早已报废。到1997年有中型水库1座，小（一）型水库4座，小（二）型水库4座，共计9座。其中平原水库2座，山区水库7座。总库容7658万立方米，兴利库容5721万立方米。

本篇后附：睢宁县小型水库基本情况表。

第一节　庆安水库

庆安水库是一座中型平原水库，位于睢宁城北15公里，废黄河南侧，古为白浪浅，即今庆安集湾，在古邳、魏集、姚集、庆安四乡交界处。北面是废黄河南堤，半月形弯道，东南西三面筑坝，建成庆安水库。

该水库总面积 10.7 平方公里,占地 16050 亩。主要拦蓄废黄河上游 280 平方公里来水。设计水库最高蓄水位 29.6 米,库区淹没面积 9.6 平方公里,总库容 6030 万立方米。正常蓄水位 28.5 米,兴利库容 4770 万立方米。水库主要以蓄水灌溉为主,结合发展水产养殖。设计灌溉面积 15 万亩。

水库主体工程于 1958 年 3 月 10 日破土动工,6 月 20 日大坝建成。溢洪闸、进水闸、放水闸于 6 月底相继竣工。6 月 28 日降雨 82.1 毫米,7 月 6 日庆安水库第一次进水。1958 年 12 月下旬灌区工程动工,1959 年 4 月 18 日完成,并投入正常使用。

一、水库的兴建

睢宁县历来缺乏水源,1956 年中央提出"蓄、排兼筹"的治水方针,县委根据这种精神,想利用废黄河拦坝蓄水,以解决县北部大面积灌溉用水,发展农业生产。当时的县委书记王恒山、副书记刘庆文、农工部长王维甫及农、林、水有关部门负责人沿废黄河两岸从与铜山接壤的双沟区向东查勘,到上坝发现放水闸的残迹(据邳州志记载是黄河改道前设的),闸的下游有月堰,长约 800 米,堰内低于废黄河泓,如加上筑堰,就可成蓄水百万方的天然水库,废黄河堰下有许多这样的自然堰弯可以利用。据群众反映和历史资料记载,废黄河水源每年汛期中泓流水可达 1 个月之久。查勘后认为庆安集地形更为有利,县委决定建一个 7000 万立方米的庆安集水库,并编制了计划,上报徐州专署水利局。1957 年 1 月 25 日转报省水利厅。

1958 年 1 月,江苏省平原坡地水利会议在睢宁召开,与会者参观了朱楼圩水利工程,当时江苏省委在会上提出"一年三百斤,三年五百斤,五年四改制,十年千斤县"的号召,睢宁要想增产,首先要解决蓄水灌溉问题。县委当时拟定水库工程计划,经请示来主持会议的省委书记刘顺元,同意兴建。继由徐州地委书记胡宏、省水利厅副厅长熊梯云及县委负责人、工程技术人员进行实地勘察,同意列入当年工程计划,兴建庆安水库。

(一)勘查测量

以徐州专署水利局陈裕良工程师为主,由睢宁县水利局技术员邓伯华等人配合,对水源和土质深入现场实地勘测。

(1)水源。以导引废黄河汛期洪水为主,徐州市以下集水面积为 280 平方公里,按 50% 供水保证率,年径流量为 3000 万立方米,1957 年曾在本水库下游 1.5 公里处实测废黄河汛期总径流量为 6563 万立方米,其中日最大流量为 63.7 立方米每秒,计划水库最高蓄水位为 29.6 米,库容面积 10 平方公里,相应库容量为 6000 万立方米。

(2)土质。库内土质经手钻探测,在水库东部地面粘土层厚约 1.15 米,其下为粉砂土。水库西部地面粉砂土厚约 1 米,下层为粘土,厚约 0.3~0.5 米。经测算坝基年渗透量和水面蒸发量约为 200 万~350 万立方米。

(二)工程规划及设计

工程设计方案由徐州专署水利局负责编制,报省水利厅核批。

(1)水库范围。水库西北及东北两边利用废黄河南堤,西从鲍堰东 2000 米处起,沿废黄河堤经陈堰、庆安集折向东南经马湾、老堰头计 5.7 公里。西面、南面及东南面为新筑堤,总长 7.1 公里,即从鲍堪向南经芦营、夏庄至杨圩止,再向东至夏杰庄后复折向东北至杨畔庄西,直向北老堰头处与废黄河南堤衔接,库区淹没面积 9.6 平方公里。

（2）布局、工程设计。

① 废黄河拦河坝。在庆安集西北约 500 米处，坝身与废黄河中涨垂直，坝长 650 米，拦河坝顶高程为 31 米，该处中泓高程 27.2 米，在拦河坝中央建一座小型溢洪闸。

② 溢洪闸按水库上游 30 天最大降雨量推算洪峰流量，频率与最大洪峰流量关系列表如下：

频率	1/3	1/5	1/10	1/20	1/50	1/100
洪峰流量 /（立方米·秒$^{-1}$）	65	77	96	112	136	152

溢洪闸底高程为 27.2 米，最高洪水位为 29.7 米，最大过闸流量为 40 立方米每秒，如超过十年一遇标准，即在拦河坝北头切口泄洪，以减轻上游灾情。

溢洪闸 5 孔，其中 3 孔每孔净宽 2 米，两边孔每孔净宽 1 米，孔高 3 米，溢洪标准偏低。

③ 进水闸的位置。在庆安集西约 200 米，废黄河堤上。4 孔，孔宽 2.3 米，闸顶高程 29.6 米，底板高程 26.7 米，胸墙底高程 29.3 米，设计最大流量 60 立方米每秒，因闸底板高于库内地面高程约 3.5 米，跌差大，建跌水衔接；闸前开挖长约 950 米的引河，与废黄河中泓连接，引河底比降为万分之三，底宽 25 米。

④ 南放水涵洞在杨圩北 200 米处，水库南堤。3 孔，每孔净宽 1.2 米，孔高 1.5 米，底板高程 23 米，设计流量 12.5 立方米每秒。

（三）工程施工

1958 年 5 月 14 日，徐州专署水利局以徐水计(58)字第 248 号文正式批准施工。1958 年 2 月 26 日，经请示徐州专署副专员梁公甫和水利局局长吴振亚同意，在技术设计未编好前，可先行土坝施工。

（1）施工前的准备

① 成立"睢宁县庆安水库施工总队部"，由县委委员、农工部长王维甫任总长队，并建立施工组织。

② 成立搬迁组，做好库区内居民搬迁工作：库内有 13 个自然村（庆安集、戴楼、张湾、李湾、芦营、陈楼、瞿庄、陈庄、米堰、陈堰、王庄、杨大庄、杨棋杆），3 个农业合作社，832 户，3572 人，草房 3525 间，坟墓 5000 座，青苗 3700 亩，必须搬家、安置、赔偿，这项工作县委专门组织工作组，要求在 2 月底前做完。但在搬迁过程中，由于群众恋土难移，迁移地址难随人愿，普遍不愿搬迁。搬迁组的同志紧紧依靠区、乡党组织领导，反复宣传建库为增产，蓄水改稻田，全县一盘棋，负责安家园。党、团员带头，串连群众，在做好思想工作的基础上，又选择安家地点。拆迁者要求，一是愿迁黄河滩，不迁白塘湖；二是要求整庄安，不愿分散迁。经过一个春天的工作，在水库大坝即将筑成，库区将要进水的形势逼迫下，根据自愿和可能的原则，才分别迁出安置在黄河滩和庆安灌区。其中安置在古邳镇庆安村 437 户，1924 人，占迁移人口的 54%，龙集乡渠西村（现归属庆安乡）165 户，676 人，占 18.9%；姚集乡姚集村 105 户，444 人，汤元村 18 户，85 人，高党村 10 户，43 人，八一村 30 户，137 人，二堡村 20 户，89 人，金武村 23 户，134 人，6 个村计 206 户，932 人，占移民总数的 26.1%；尚有在叶场、李湾、陈楼散居 24 户，40 人，占移民总数的 1.1%，共赔偿经费 102075 元。到 1962 年三年困

难后期,安置在姚集的翟庄、杨棋杆、杨大庄的 105 户和庆安水库附近的各散居户,因房屋修建不善,当地农业收入不能维持生活,原住地群众欺侮外来户,使搬迁户无法生活下去,经县委、县政府决议,再将整庄迁入庆安乡东李楼分三地安置成杨棋杆、杨大庄、翟庄,一律建成土墙瓦顶,有宅有院,每人分地 2 亩,成立三个生产队,从此才安定下来。

　　(2) 施工经过

　　兴建庆安水库,首先遇到先进与落后的思想斗争(当时叫资产阶级和无产阶级两条道路斗争),有保守思想的人认为"糟塌万亩可耕地,挖土 200 多万方,花钱百余万,不知水在哪里,得不偿失,劳民伤财"。当时以王恒山同志为主要领导的中共维宁县委乘贯彻"鼓足干劲,力争上游,多快好省地建设社会主义总路线"的强劲东风,从党内到党外,从干部到群众,结合党的中心工作,结合反对中游思想的十大罪状,采取"摆库内荒涝洼地年年受灾情况,算灌区永远增产账"说明社会主义大农业美好前景,克服普遍存在的右倾保守思想,层层发动,解放思想,奠定了顺利施工的基础。

　　其次是工程任务大,时间紧,库周面积 10.7 平方公里,除北面利用废黄河堤外,南面、西面要新筑一条大坝长 7100 米,底宽 65 米,高 8.8 米,顶宽 6 米,连同引水河、拦河坝、护坡工程、进水闸、溢洪闸、放水涵洞,全部工程需做土方 3300499 立方米,硪方 1250 万平方米,石方 42610 立方米,混凝土 1409 立方米。工程经费列入 1958 年下半年国家计划投资项目,要求在 1959 年春施工。但在当时"大跃进"的形势下,县委决定提前至 1958 年春施工,汛期蓄水,为 1959 年农业增产、大面积改制打下基础。

　　由于工程提前,国家资金无法安排,经专区同意列入补助工程,补助经费 100 万元(全部由国家投资需 300 多万元),县里从潼河尾工缩减 10 万元支援水库,从大运河工程中又拿出 10 万元,计 120 万元。

　　民工动员上,单靠受益的魏集、姚集、龙集、梁集 4 个单位汛前不能竣工,因此又动员非受益的双沟、王集、张圩、凌城、碾盘、刘店、王林、官山、邱集、凌南、睢城、睢河 12 个乡(撤区后的大乡),各乡成立大队部,由乡长或副乡长任大队长,以农业生产合作社为基础成立基干队,社长或支书任基干队长,下设小队,党、团员骨干任小队长,一律在工地扎营,组织行动军事化。又从县机关抽调 40 名脱产干部参与施工。共动员民工 20315 人(石工 1260 人,技工 100 人),每 1000 人配硪 230～350 架。1958 年 3 月 10 日正式开工。5 月下旬又从中运河工程中抽调 5300 人,建立运输大队,专运石料,总计 25616 人。

　　施工中按照工程设计标准要求,取土方塘在库内离坝基角 50 米外,100 米宽,塘深 1.5 米,一锹死,不留界埂,踩坏倒土,坯头三寸,硪夯二寸,三遍老硪一遍实,包打包验。硪实后倒毛去杂加倒新土再夯,反复多遍。

　　总队根据"大跃进"形势开展社会主义劳动竞赛,用建库效益和社会发展远景及算账对比方法教育民工,使建库深入人心。以农业社为单位,定期评比"保红旗,拔白旗"的竞赛,工地上白天是万头攒动,一片人海,有的怕落后挑灯夜战,到处响起"不怕苦,不怕难,完成水库搞稻田,大家齐心加油干,实现亩产千斤县"的口号。任务虽然及时完成,但由于时间紧,任务重,生活不济,民力不精,个别干部强迫命令,出现少数人累饿伤残现象。5300 名运输民工来往于刘店、蛟龙山区 30 华里的大道上,他们同样开展放"卫星"夺红旗竞赛,以保证工地砌建用料。1260 名石工不分昼夜战斗在山塘里,白天打料石钻炮眼,黄昏时连竹炮响,硝烟弥漫,好似战场。

由于县委领导决心大,群众干劲足,6月20日大坝筑成。群众赞:两万雄师齐争先,大显神威六十天,堆打铜墙和铁壁,留下美名万古传。

从3月10日开工到6月底竣工,经过百天奋战,7100米大坝按照设计标准筑成,由于连续阴雨,7月6日水库进水。水库周围社员赋诗云:废黄河边大变样,庆安一片好风光,平地筑起大水库,水满库来鱼满塘,灌溉粮田数千顷,年年多打万担粮,用水不忘建库人,丰收多亏共产党。

工程用材:水泥590吨,黄砂1123立方米,块石42123立方米,石子1220立方米,木材59.1立方米,钢筋19.28吨,6吨螺杆启闭机12台。共挖土方3300499立方米,碎方1250万平方米,石方42610立方米,混凝土1049立方米。共做劳日:技工2150工日,民工1747100工日,杂工23850工日。共投资120万元(补助经费100万元)。

(四)灌区配套

1958年12月初,县委在庆安灌区成立稻改指挥部,由县委副书记刘庆文挂帅,12月13日召开稻改公社党委书记会议,对灌区工程作出定案部署。稻改必须立即上马,水利配套任务又大,单靠灌区公社怎么也完不成。同时冬季骨干工程已开工,大运河工程25000民工不能动,徐圩运河也正在施工。县委决定:春节前农业生产以水利带头,水利工程安排要先稻改后旱谷。从徐圩运河工地上抽出双沟、桃园两团民工5000人,又调非灌区张圩公社1000人,灌区公社从非稻改大队调来专业营。12月下旬全面开工,组织9个团26000人,春节放假5天,春节后到工20000人。清明节前15天,尚有200万立方米土、58座建筑物未完成。县委于1959年3月5日向各稻改公社党委发出《关于保证庆安灌区重点稻改工程如期完成的决议》。稻改指挥部3月8日下达《关于庆安灌区限期在清明节放水的动员令》。各团、营千方百计开展高工效运动,终于在4月5日(清明节后一天)放水试渠。4月18日总干渠正式放水,共干100天。完成干、支、斗渠312条,总长414.8公里,土方4975979立方米(农渠以下土方列入田间工程计算),斗渠以上建筑物312座,其中干渠节制闸4座,渡槽8座,倒虹吸1座,支渠放水闸36座,斗渠放水闸259座,共做石方70620立方米,混凝土2000立方米,砖1616立方米。用黄砂9920吨,木材141.85立方米,水泥202.8吨,石灰369.9吨,钢材4.5吨,使用经费193.21万元。

灌区配套工程完成后,于1959年试种水稻64840亩,亩产250斤,丰产片超过了1000斤。但是由于灌区内排水沟标准不高,灌排矛盾突出,出现了涝渍现象。所以以后对灌区内部中、小、毛沟进行了配套完善,解决灌区内的排水和降渍问题。

1961年开挖杜圩、马庄中沟、王庄截水沟,整修东干渠。动员姚集、魏集、庆安3个单位1350人,于2月22日开工,4月5日竣工,完成土方2.7万立方米,补助经费3万元。

1963年1月整修放水涵洞上游翼墙及两侧坝坡、进水闸启闭机大梁、溢洪闸、干渠4座节制闸、魏集支干渠闸等,补助经费12640元。

1965年10月26日,专署水利局拨款20万元对西、南两大坝进行护坡,从高程24.5米护到27.5米。护坡干砌块石厚0.3米,下垫碎石0.1米,格埂用50号浆砌块石,顶宽0.4米,深0.8米,底宽0.6米,共长4500米。经过多年努力,庆安水库下形成了三条干渠三个灌区:

(1)南灌区补套。1963年10月,南灌区工程整修,包括干渠加固、库西截水沟、代宅渡槽、一支渠地下涵洞、一闸地下涵洞、杜巷渡槽、芦圩子桥等项工程。由庆安、魏集等公社组织施工,到 1964 年 4 月竣工。完成土方 17.8 万立方米,浆砌块石 934 立方米,砖 178.41 立方米,补助经费 13.34 万元,使灌溉系统逐步完善。

(2)东干渠配套。因原建东干渠送不上水,又从东泄洪闸建新东干渠,长 18.9 公里,跨越魏集、梁集西部、睢城北部 3 个公社,直抵城北大沟,控制面积 51.5 平方公里,灌溉面积 5.4 万亩,灌溉流量 10.34 立方米每秒。配套建筑物包括干渠节制闸 4 座,一、二闸为 3 孔,孔径 2 米,三、四闸为 2 孔,孔径 2 米,支渠放水闸 14 座,干渠生产桥 10 座。1978 年 2 月 27 日,徐州专署水利局批准,1978 年 11 月由县城北指挥部统一领导,由受益的魏集、梁集、睢城 3 个公社分段负责施工。共做土方 150 万立方米,劳日 49.8 万个,用水泥 271.4 吨,黄砂 13020 吨,碎石 913 吨,块石 292 吨,木材 37.35 立方米,钢材 9.3 吨。投资补助 18.5 万元。

(3)西干渠配套(跨越姚集、龙集 2 个乡)。从庆安水库西北角开口做西放水涵洞,经二堡小水库向南放水,称为西干渠,长 13 公里。西干渠配套工程建放水涵洞 2 座,干渠节制闸 5 座,支渠放水闸 19 座,干渠西沟公路桥 2 座,生产桥 8 座。1980 年 2 月 12 日徐州专署水利局批准,由姚集、龙集 2 个公社负责施工。完成土方 129.7 万立方米,石方 6263 立方米,混凝土 885 立方米,投资补助 39.9 万元。

二、水库续建配套工程

(一)兴建黄河闸(东节制闸)

经过 1963 年洪水检验,庆安水库北废黄河拦河坝及中间 5 孔小溢洪闸很不适应。为了更好地拦截废黄河洪水进库蓄水和解决废黄河向下游泄洪,1967 年 8 月建成黄河闸。计 8 孔,孔径 4.4 米,最大泄洪 238 立方米每秒。该闸兴建后,原 1958 年兴建的小溢洪闸逐渐作废(该闸具体情况记述在本篇第一章第九节)。

(二)兴建古邳抽水站

古邳抽水站是向庆安水库补水的配套工程。由于上游来水逐年减少,古邳站向库内补水越来越多,先后多次改造、扩建,不断扩大(详见本篇第二章"古邳抽水站"一节)。

(三)扩建进水闸

原进水闸 4 孔,总净宽 9.2 米,孔径偏小。1966 年 10 月 27 日省水利厅批准扩建,县水利局于 1967 年 2 月组织施工,7 月竣工。扩建 2 孔,改建 1 孔,每孔净宽 4 米,增加进水 100 立方米每秒。完成土方 0.272 万立方米,石方 391 立方米,混凝土 6132 立方米。用水泥 163 吨,木材 22 立方米,钢材 7 吨。投资补助 8 万元。

(四)增建东泄洪闸(泄洪、灌溉两用闸)

兴建该闸是为了解决东干渠灌溉用水和水库溢洪等问题。1978 年 6 月徐州专署水利局批准兴建。10 月由县水利局组织施工,1979 年 11 月竣工。共建 4 孔,每孔净宽 2.2 米,底板高程 23 米,最大流量 100 立方米每秒。完成土方 32.6 万立方米,石方 1174 立方米,混凝土 822 立方米,做劳日 381818 个。用水泥 370 吨,钢材 16 吨,木材 40 立方米。投资补助 20 万元。

(五)兴建西放水闸

为了向西干渠送水,在水库西兴建西放水闸,这是 1979 年农水补助工程项目,当时设计稳定水位组合为:上游(库内水位)29.6 米,下游水位 27.6 米。底板高程 24 米,孔径设计按库内最低引水水位 25.5 米，计算为 2 孔，每孔净宽 2.5 米。1979 年 11 月 20 日开工，由县水利局组织施工，1980 年 5 月 14 日竣工。完成土方 3 万立方米，石方 571 立方米，混凝土 285 立方米。工程造价 6.13 万元。由于在施工中质量标准掌握不严，回填土不实，又因该闸是在废黄河滩地沙质软地基上兴建，所以在试放水时全部倒塌。1981 年 10 月 19 日，徐州专署水利局通报批评，并要求县在总结工程失事教训的基础上，重新兴建。10 月由县水利局第二次组织施工，1982 年 6 月竣工。工程为 2 孔，圆孔直径 2 米，底板高程 23.6 米，闸门顶高程 25.75 米，工作桥面高程 30.6 米，洞身长 45 米，最大放水 7.45 立方米每秒。完成土方 4 万立方米，石方 122 立方米，混凝土 449 立方米。共做劳日 4.29 万个，支出经费 12.7 万元。同时在涵洞出水口直对二堡水库的黄河滩面上开挖近千米的送水河，以利向二堡水库送水（后该送水河分期做成涵洞，洞上还土耕种）。

（六）架设输电线路

江苏省防指 1980 年 7 月 11 日批准架设一条高压输电线路，长 10.1 公里，在水库管理所设置 100 千伏安变压器一台，拨款 6 万元。水利局 1980 年 7 月组织施工，9 月竣工。正常供电后，解决了启闭闸门困难，促进了工副业生产。

（七）兴建黄河节制闸（西节制闸）

古邳抽水站冬季集中补库，灌溉季节集中向废黄河西部送水。为了使河库分开，减少废黄河冬季水位偏高而造成的渗漏和蒸发损失，于 1995 年 5 月建成西黄河节制闸。7 孔，每孔 5 米。闸底板高程：边孔 26.5 米，中间 3 孔 26.0 米。二十年一遇排涝流量 185 立方米每秒，五十年一遇校核流量 220 立方米每秒（该闸详情记述在本篇第一章第九节）。

三、水库维修与加固

水库建设整个过程处于"大跃进"高潮，时间紧，任务重，又是边设计边施工，所以在施工中出现一些问题。主要是工程质量不均，西坡土坝设计用粘土隔心墙 2 米，结果未做，有些碾压不实，特别是西坝采用粉砂土筑成，坝身渗透性较强，迎水面块石护坡均无碎石垫层，经风浪冲刷，北端护坡块石多次出现沉陷和塌坡。1959 年汛期蓄水，水位达到 28.5 米，西坝在桩号 0＋450 地段窨潮渗水，局部出现集中漏水。当即组织民工抢堵严重漏水部位，又及时爆破废黄河中泓拦河坝，由进水闸向外退水，才免出险。灌区管理不善，放水后部分支、斗渠建筑物被冲坏，渠道漏水、跑水，而排水的干、支沟又未能全部疏通，一遇暴雨，形成遍地漫水，造成灌区内涝及盐碱化，给农业生产带来一定困难。1961 年正处三年困难时期，因水源不足，水库见底。龙集公社渠西大队（现归属庆安乡）原水库移出的四个生产队在库内种麦获得收成，部分群众和县少数干部向中央和省写人民来信，想趁三年经济困难时期废库还田。副省长韦永义派省政府施国祚、农业厅吴长流、水利厅许杏陶与徐州专署水利局邢学仁一起，由县委配合组成 10 人工作组，从 4 月 5 日到 10 日，用 6 天时间分别到古邳、龙集、姚集、魏集 4 个公社、16 个大队、26 个生产队召开大、小型座谈会 18 次，参加座谈会共 234 人，有移民户，也有当地社员、生产队长、大队干部。随即召开水库四周四个公社党委书记会议，就水库前途进行反复讨论，最后取得一致意见，认为水库应当继续保留。正在这时，中央卫生部副部长郭子化（原本地革命老领导）到水库视察并赋诗一首：

"渠道纵横麦绿茵，庆安水库利为茛。工程代价云非议，伟绩丰功后世尊。"

鉴于这种情况，江苏省水利厅、徐州专署水利局对庆安水库维修加固配套建筑、扩建工程更加重视。

（一）水库大坝加后戗台，先后分两期实施

第一期东坝、南坝加后戗台。1978 年 12 月 23 日省防指电报批准，由县水利局组织施工。1979 年 2 月开工，3 月竣工，戗台顶高程 27.5 米，顶宽 10 米，边坡 1∶4，滩面宽 35 米，长 3900 米，完成土方 245142 立方米，劳日 17.1 万个，开支经费 10.76 万元。

第二期是西坝加筑后戗台（在原有邳睢公路基础上）。江苏省水利厅批准，由县水利局组织施工。1981 年元月开工，4 月竣工。长 3200 米，完成土方 15 万立方米，劳日 11 万个，开支经费 17 万元（包括老公路电话、广播线路拆迁赔偿费）。

（二）大坝灌浆、建筑维修与护坡

大坝灌浆：1967 年 6 月 7 日开始，7 月 19 日结束，人工打眼灌泥浆，做劳日 3.2337 万个，土方 1.6 万立方米，省拨款 2.2469 万元。1978 年 12 月江苏省水利厅电报拨款 2.9 万元。1979 年 10 月开工，1980 年 10 月竣工，对西坝、南坝及东坝部分灌浆，浆含 15％水泥（后改为 8％），浆眼布置成梅花型，3 米一孔，共两排，深度 7～9 米，做劳日 1.63 万个，土方 800 立方米。

庆安水库闸、涵多次维修，具体情况见本章后附表 1："庆安水库闸、涵维修加固统计表"。

庆安水库护坡次数很多，其中主要有 17 次护坡，见本章后附表 2："庆安水库大坝浆砌块石护坡统计表"。

四、水库工程现状（至 1997 年）

（一）主坝

坝长 7300 米，坝顶高程 31.6 米，顶宽 6 米，迎水坡 1∶4，背水坡 1∶3。东坝和南坝及戗台长 4100 米，戗台顶高程 27.5 米，顶宽 10 米，边坡 1∶4。西坝后戗台长 3200 米，顶高程 28.0 米，顶宽 12 米，边坡 1∶3。大坝迎水面为干砌块石护坡，高程 23.5～30.5 米。沿废黄河南堤长 5700 米，大部分混凝土预制板护坡，高程 25.5～30.5 米。

（二）废黄河拦河坝

坝长 580 米，顶高程 31 米，顶宽 8 米，迎水坡 1∶3，背水坡 1∶2，迎水坡干砌块石护坡。

（三）进水闸一座

底板高程 26.7 米，6 孔，北侧 3 孔，每孔净宽 2.3 米，南侧 3 孔，每孔净宽 4 米。闸身浆砌块石结构，板梁式混凝土平板闸门，6 吨电动螺杆启闭机 6 台，最大进水 160 立方米每秒。上游引河长 1400 米，底高程 26.7 米，底宽 25 米，边坡 1∶3。

（四）放水涵洞 3 座

（1）东泄洪闸（兼灌溉）。底板高程 23 米，4 孔，每孔净宽 2.2 米，孔高 2.5 米，闸身混凝土结构立拱水泥钢丝网闸门，配手摇电动两用 10 吨螺杆式启闭机 4 台，最大泄洪量 100 立方米每秒，设 50 千伏安变压器 1 台。

（2）南放水涵洞。底板高程 23 米，3 孔，每孔净宽 1.2 米，孔高 1.5 米，洞身浆砌块石结构，钢筋混凝土平板闸门，配手摇电动两用 8 吨螺杆启闭机 3 台，最大放水量 12.5 立方米每秒，设 100 千伏安变压器 1 台。

（3）西放水涵洞。底板高程 23.6 米，2 孔，圆管直径 2 米，闸身混凝土结构，钢丝网立拱闸门,配手摇电动两用 10 吨螺杆启闭机 2 台,最大放水流量 7.45 立方米每秒,设 30 千伏安变压器 1 台。

（五）废黄河节制闸 2 座

废黄河东节制闸 8 孔,孔宽 4.4 米,孔高 3.5 米,底板高程 27 米,闸身混凝土结构,框架式钢筋混凝土闸门,配 10 吨手摇螺杆式启闭机 8 台,最大泄洪量 238 立方米每秒。

废黄河西节制闸 7 孔,孔宽 5 米。底板高程:中三孔 26.0 米,其余 26.5 米。井柱墩、板梁式桥面。配 2×8 吨螺杆启闭机 7 台,二十年一遇设计流量 185 立方米每秒,五十年一遇校核流量 220 立方米每秒。

（六）古邳抽水站

东站 5 台机组 9 立方米每秒,西站 4 台机组 10 立方米每秒,共计 9 台机组 19 立方米每秒。

五、水库效益简介

庆安水库坐落在白塘湖上游,白塘湖洼地历来排水不畅,几乎年年积水成灾,它的建成,是睢宁县人民变水患为水利的重大成果。既拦蓄废黄河洪水兴利灌溉,又减轻废黄河的防洪压力。昔日洼地变成了富饶的庆安灌区（灌区包括姚集、魏集、庆安、梁集等乡面积 11.2 万亩）。这些土地旧社会亩产二斗粮（60 市斤）,50 年代粮食平均亩产 120 市斤,还是低而不稳。1985 年粮食亩产已赶上全县平均 301 公斤的水平,龙集乡 282 公斤,魏集乡 301 公斤,庆安乡 299 公斤,就是出名的姚集乡大面积沙荒,号称不毛之地,也平均亩产 295.5 公斤。整个灌区已成为麦稻两熟的良田,90 年代水稻亩产大都超千斤。

除了保证农业增产外,庆安水库管理所还有如下几项收入:

（1）水费收入。1981 年前按灌区组成供水领导组,由水库直接领导。灌区内以乡为单位组成用水管理领导小组,订出供水量、供水时间,列表报到庆安水库管理所,由水库供水,收水费。从 1981 年开始,由县政府统一征收,按亩收费,水利局负责收款。1984 年为了彻底破除"喝大锅水"靠补贴过日子思想,明确水是商品,按照价值规律办事,对灌区用水、管水进行改革。各乡用水直接与水库管理所联系,按照供水计划,每次都先开票后放水,实行计量用水,按方收费。管理所严格控制各个干渠放水口门,支渠闸由乡、村控制。组织管理上:所里指定一名干部专门负责此项工作。各乡也指定一名专职干部,并配齐管水员,实行定岗、定位、定报酬。通过收缴水费,既解决了管理和维修经费,又大大节约了用水量。庆安乡一年节水 500 万立方米,省省水费 4 万元。

（2）绿化。水库周边总长 12.8 公里,可绿化面积 345 亩。已绿化将近 250 亩,成材树 2 万余棵,价值 10 万多元,1985 年在西戗台栽意杨树 2.1 万棵。

（3）养鱼。水库水面宜养鱼面积 1.44 万亩,库周鱼塘 115 亩。从 1979 年以来投放了一些鱼苗,添置一些捕鱼工具,收到一些效益。由于管理未跟上,水产收入还不理想。

（4）工副业生产收入。水库设有电气焊、小面坊和百货商店。1985 年,全库年总产值 9 万元,实现利润 1.45 万元。

六、水库管理

（一）水库管理所

1958 年水库建成,经睢宁县人委批准成立"睢宁县庆安水库管理所",为科局级单位。负责人的配备属县人委,具体业务由水利局负责。到 1966 年"文革"以后,降为股级,一切都由县水利局管理。中共睢宁县委、县政府于 1994 年 3 月 27 日,以睢政发(94(32 号文通知:经常委研究同意,将原股级"庆安水库管理所"升格为副局级。先后在庆安水库管理所任职的有:夏云、李厚才、高方之(副职主持工作)、董献文、薛得绍、梁邦荣、张明奎、张用善、胡正江、程宝龄、翟杰、沈西敏、尹明亮、王维则、张景山、陈忠、吕立化、张景山。

（二）水库编制

1985 年定为 31 人,其中所长 1 人,技术员兼副所长 1 人,总账会计 1 人,现金会计 1 人,养鱼技术员 1 人,工人 26 人。

（三）规章制度

水库主要规章制度有:工程管理、财务管理、多种经营管理等(具体条文略)。

（四）各级政府的奖励

庆安水库管理所多年来做了大量工作,取得了一定成绩,受到国家水利部和各级政府的鼓励和表扬,主要有:

(1) 1960 年国家水利部、江苏省人民政府、徐州专员公署、睢宁县人民政府,分别授予管理所"工程管理、支援农业生产好"奖状。

(2) 1961 年至 1964 年,连续四年分别由睢宁县人民政府授予"支援农业生产好"奖状。

(3) 1975 年、1976 年,分别由睢宁县政府授予"支援农业生产好"奖状。

(4) 1985 年,徐州市水利局授予"工程管理好"奖状,睢宁县人民政府授予"支援生产好"奖状。

第二节　清水畔水库

清水畔水库位于废黄河北岸,姚集、张圩两乡之间。南有马山、魏山、天井山,北有花山、蛟龙山,西是废黄河滩地,东有仲山湖。康熙七年黄河决口于花山坝,此处被冲成山涧深潭,向下冲积成仲山湖而又淹没下邳。蛟龙山东麓和双古堆(传说是石崇、范担墓)之间,有清水畔村。利用自然地形,汇集 30 里群山之水,兴建清水畔水库。

该库工程由徐州专署水利局编制技术设计,上报省水利厅批准。库内面积约 2 平方公里,属小型水库。原设计蓄水位 31 米,库容 830 万立方米。兴利水位 28 米,兴利库容 526 万立方米。

一、勘测与设计

（一）勘测

受黄泛影响,仲山湖地区两万余亩土地几乎全是十种九不收的不毛之地。当时县委负责人王恒山带领农水部门负责人深入实地找老农座谈,结合历史上的水情,决定利用地理条件,兴建水库蓄水灌溉,以改变仲山湖区的生产条件。在蛟龙山与马山之间建拦水坝,于张圩北"众山"之前挖截水沟,引水入库(在库西北角截水沟头修跌水),利用马山西大沟建溢洪闸,依靠闸门调节,又作引黄的进水闸。把"众山"上的水蓄起来,把废黄河的水引进来。县委这一设想得到上级主管部门的支持。

（二）论证

科技人员从实际出发,结合历史雨情、水情,按 $P=50\%$ 年雨量 700 mm,净雨量系数采用 0.45,则年净雨量为 $700\times0.45=315$ mm。集水面积 26.5 平方公里,年径流总量为 $0.315\times26500000=8347500$ 立方米。确定水库水位 31.00 米,相应蓄水量 830 万立方米。

（三）工程设计标准

（1）进水闸。建在马山北山脚下岩石层上,底板厚 0.4 米,真高 29 米,共 3 孔,总净宽 3.6 米,高 1.88 米,流量 2.04 立方米 每秒(该闸底板偏高,建成后无法进水,后拆除改建成桥)。

（2）溢洪闸。位于马山西大沟,3 孔,单孔为 1 米×1 米。水库超过警戒水位向废黄河溢洪,并作引黄水之用。

（3）放水涵洞。洞址在蛟龙山东南山脚下,洞身长 39 米,洞底高程 24.5 米,高于库底 0.5 米。

（4）大坝一条长 1430 米,大坝顶高程定为 32.0 米,顶宽 5 米,迎水面坡 1:3,背水面坡 1:2.5。

二、工程施工

这座水库由江苏省水利厅投资,专区水利局派员作技术指导,由睢宁县主办。

（一）施工前的准备

（1）建立"睢宁县清水畔水库施工办事处",抽调农林水利科副科长朱保坤任办事处主任,县计委副主任陈会平任政委,并从县机关抽调人员成立办事机构。

（2）搬迁动员、赔偿。原库区较低洼,无村庄,只有少数几户人家,迁至蛟龙山东麓定居。房屋 28 间,每间赔款 25 元,计赔 700 元。坟墓 1096 座,每座赔款 1.5 元,计赔1664 元。其他各项赔款 600 元,总计赔偿 2964 元。

（二）按照设计标准组织施工

1956 年 10 月,睢宁县清水畔施工办事处组织双沟、古邳两个区 15 个乡 5456 人,于 10 月 29 日开工,分成土方、硪工、石工(包括水泥工)三个专业班,分头按设计标准施工。于当年 12 月 25 日完成土方工程。

（1）主坝。在筑坝前进行坝基整平,普遍清基 20 厘米,硪石夯三遍,保证坝心深入原地面 0.5 米。碰到茅草地则把草根、碎石、树根、杂草等清除干净,用好土填平夯实。对接近老埝、山脚下有动物洞的地方,先行爆破灌浆、填实,再用铁锥倒毛 2～3 厘米,最后加新土夯实,封底。筑坝用土在坝东 50 米处挖成一条截水沟,以满足大堤用土需要,土质为 60% 属粘土或泥砂混合湿润散土。进土方法是"踩坏倒土"由近及远,边铺、边碎、边平。坯土厚为 30 厘米,组织 78 架硪。每坯土硪石夯三遍,打成鱼鳞坑。用铁锥打眼,灌水探测,保证质量。

（2）建筑。为了防止冲刷,在迎水坡用浆砌块石护坡,护坡顶高程 27 米。三座涵闸建筑物由石工和水泥工按设计图纸要求施工。为了防止地基不均匀沉陷,放水涵洞分为三节,节与节之间用镀钢片止水,并用沥青油毛毡灌缝。

(3) 施工报酬。水库施工时,全县都组织了高级农业社,群众口粮和经济收入都由农业社分配。上工的民工每天口粮要 2.5 斤,当年灾荒较重,民工自带粮 1 斤。按上工人数由农业社统一交乡转区粮管所办好购粮证,交施工办事处财供股。如是统销社,则以社为单位到粮管所办理供应手续,交乡累总列表报到县粮食局换取购粮证,交办事处统一办理。

土方工资分为三个等级,最高定额为 3.5 立方米,每立方米单价为 0.115 元。最低定额为 2.3 立方米,每立方米单价 0.175 元。硪方工资,每架硪平均 9 人,一架硪每日标准效率为 64 平方米,每平方米工资为 0.06 元。

雨补。两个月施工中,每个民工有 6 天雨补,每天补助为 0.28 元。

民工在工地所得的工资,除了用于伙食外,40%交社与同等劳力社员记同样工分,参加分配。

清水畔施工办事处作为甲方,负责施工单位作为乙方,甲、乙双方签订包工合同,并提请县监委、检察院派员监督执行。

整个工程共做土方 370459 立方米(包括引水河),条块石 789.52 立方米,护坡块石 5200 立方米,省投资 16.7387 万元。

三、配套工程

清水畔水库建成后,所集"众山"之水和废黄河进水满足不了水库设计水位,特别是遇到干旱年份,即成旱库。1971 年春在水库东大坝增建清水畔扬水站(该站在本篇第二章第五节已有记述)。同时在水库东南角向东北至陈口子开挖一条长 5.8 公里、深 6 米多的引河,翻民便河水补库。共做土方 10.64 万立方米,包括桥涵建筑和机站前后池,计建筑体积:混凝土 239 立方米,块石 2773 立方米。用材料:钢材 2.86 吨,水泥 327 吨,木材 65.9 立方米,工程投资 66.28 万元。扬水站建成后,开始几年,只有少量水补库,由于民便河和引河河道又淤塞,该站发挥不了效益。于 1983 年拆除,改由古邳抽水站经废黄河补水。

四、维修与加固

1960 年困难时期"刮冷风"水利下马,清水畔水库退水还耕。当年春天水库坝中段被挖一缺口,将水放出,北岸恢复部分斜坡地耕种。1966 年经专署水利局批准,堵闭缺口。此缺口在破坝放水时因库内水位较低,没有冲成较大深塘,堵闭时选用粘土,分坯层层夯实。

(1) 1965 年 10 月对放水涵洞进行上下游护坡、启闭机整修、木闸门更换,并将库西底板偏高的溢洪、引黄两闸改建为一闸两用。动员民工 500 人,10 月 29 日开工,1966 年春季竣工。共做土方 1.6 万立方米,干砌块石 546.6 立方米,混凝土 88 立方米,劳日 4.6 万个,补助经费 4 万元。

(2) 1967 年 7 月对原大坝高程 26.5 米以下到坝脚高程 24.0 米块石护坡全部翻修,并做浆砌块石底脚。从 7 月 20 日开工到 8 月 10 日竣工。20 天时间共做土方 4515 立方米,浆砌块石 516 立方米,补助经费 2.82 万元。

(3) 1969 年 11 月,大坝部分段护坡,进水闸整修和引水河扒深,补助经费 1 万元。

(4) 1972 年汛期对大坝从高程 27.5~30.0 米进行翻修加固,做浆砌块石封顶埂墙一道。6 月 20 日开工,7 月 10 日竣工,做土方 3000 立方米,补助经费 1.89 万元。

（5）1979年3月对大坝原护坡高程24.5～27.0米进行全部翻修，并接高至29米，共做石方5180立方米，其中50♯浆砌块石齿墙2道1080立方米，补助经费4万元。

（6）1983年、1984年，对大坝护坡后滑坡、鱼鳞坑部分进行两次维修，计做土方5000立方米，块石750立方米，补助经费3.1万元。

（7）1996年7月5日大雨后，清水畔水库大坝产生纵向裂缝，7月18日降雨后裂缝继续扩展，缝宽在5毫米之内，个别宽在5～10毫米之间，多偏在大坝北半部。当时由姚集乡两次组织人力上土加固。经市、县两级水利技术人员鉴定，认为水库大坝为两次筑成，土夯不实，密度不均，遇大雨即下陷。当年冬季大坝加做戗台，顶宽8米，顶高28米，土方6万立方米。

五、工程现状（1997年）

（1）大坝长1500米，堤顶高程32米，坝顶宽6米，内坡1：3，戗台顶高28.0米，顶宽8米，外坡1：4。

（2）进水闸1座，共3孔，总净宽7.5米，高1米，流量13立方米每秒。闸底为岩石基础，几次开凿，底板高程26.6米。

（3）放水闸1座，净宽0.8米，高1米，流量2.04立方米每秒。

六、管理及效益

（一）水库的管理

1957年水库建成后即成立水库管理所，属县水利局领导，这种管理体制一直没有改变。管理人员9人，所长1人，其余为一般管理工人。

（二）效益

（1）原设计灌农田2.5万亩，后因工程不配套，蓄水位达不到设计的31米，相应的库容量也达不到830万立方米，加之清水畔扬水站引河开挖将仲山湖原排灌系统打乱，农田水利工程不断地规划和改造，后只能灌溉0.8万亩。

（2）水质宜养鱼。80年代初由个体承包放养，长势很好，后捕捞时秩序混乱，酿成"清水畔水库事件"（见第七篇第三章第二节）。1994年库群联合放养，因大旱，库水位低，放鱼量偏大，鱼死伤较多，后调整计划，仍坚持放养。

第三节　袁圩水库

袁圩水库位于县城东北方向15公里左右的刘圩乡境内，北靠废黄河，东与宿迁市朱海村接壤，属小（一）型水库。

该库于1959年11月3日完成设计，经徐州专区水利局批准后，由刘圩一个公社承建，1960年春整个工程基本完成。惟有大坝土方因劳力不足未能达到设计标准，坝顶高程平均28米。

库内地面高程22.8～24.1米，淹没面积1.317平方公里，蓄水量554万立方米，灌溉面积1.2万亩。工程属公社自办项目，兴建时共完成土方42.6万立方米，浆砌块石825.3立方米，混凝土149.7立方米，补助经费14.6万元。

一、库址选择

库址选在废黄河南堤外袁圩村之北。因该处与废黄河弯道东北部形成直角,利用废黄河南堤作为水库的东部和北部,长度将近全库周长的二分之一。该处废黄河中泓又靠近南堤,地形低洼,开挖引河很短,工程量较小。

库内地形比较平坦,大部分地面高程在24米左右(最低高程22.8米),占全库面积的88%。废黄河中泓高程为25.5米,滩面高程32米,一般在31米,最低30.5米。

二、工程规划与设计

(一) 规划数据

库底高程为24米,库内最高蓄水位27.5米,大坝高程为29米,拦河坝高程定为29.05米,进水闸底板高程25.3米,放水涵洞底板高程24.2米。

(二) 水库的来水量

根据沂、沭、泗规划草案计算,得年径流量与频率的关系如下:

频　率	1/2	1/3	1/4	1/5	1/6	1/7	1/8	1/9	1/10	1/20
径流量/万立方米	610	710	935	1080	1140	1220	1300	1370	1400	1730

根据一般要求灌溉供水保证率为50%～70%,据此相应库容600万立方米,频率较大的洪水和多年调节水量由废黄河中泓存蓄,其总计库容量1200万立方米,占地面积1.865平方公里。

土坝轴线从西北刘庄起经王庄东边至袁圩后,长1.13公里,由此向东至周楼东长1.62公里,再折向东北朱海西头与废黄河堤衔接,土坝共长3.216公里。

进水闸位置,根据来水方向确定在周集附近,上游做引河1条通入废黄河中泓长0.6公里。放水闸设在南坝与干渠连接。拦河坝位置在周集北面,坝与中泓垂直,坝长0.76公里。

(三) 工程设计

(1) 大坝。根据土料和水深情况,决定为均质坝。坝顶高程:库内最大兴利水位27.5米,安全加高1.5米,坝顶高程定为29米,坝顶宽5米。坡度:根据该库范围的土质,上层为砂碱土,下层为淤土,因当时未考虑块石护砌,坡度放缓,迎水坡1:5,背水坡1:3。

(2) 拦河坝。拦河坝建在废黄河槽内,大坝轴线与河流方向垂直。据计算,废黄河多年调节水位为28米,确定坝顶高程为29米,与水库大坝平。坝顶宽4米,临水坡1:4,背水坡1:3。

(3) 引水河和干渠渠道。引水河是按库容630万立方米、5天内灌满水库设计,求得流量14.7立方米每秒,确定引水河水位27米,水深1.5米,河底比降采用万分之四,边坡1:3。干渠渠道底宽为2米,水深1.3米,边坡1:2.5。

(4) 放水涵洞。2孔,每孔洞宽1.0米,洞高1.7米,采用木板闸门。

(5) 进水闸。2孔,每孔净宽1.5米,底板高程25.2米,闸门采用平面直升木闸门。

三、工程施工

徐州专署水利局1959年12月29日以徐水计(59)字第227号文在对袁圩水库设计的

审查意见中指出:袁圩水库建于废黄河堤南拦蓄庆安水库以下废黄河滩地 57 平方公里径流,蓄水 630 万立方米,可以灌溉农田 1.5 万亩,拟同意列在农田水利补助项目修建,连同该水库的灌区工程,共补助经费 14 万元。

袁圩水库是刘圩公社自办的农田水利项目。

(一)施工组织和库区搬迁

成立袁圩水库施工团,由公社社长宋振华任团长,商振义任政工组长,李金本任财务组长,袁邦俊为施工工程员。

库区有四个自然村(周集、张庄、袁圩、周楼),189 户,822 人,700 间房屋,2100 座坟基,300 多商土地。按每间房屋 15 元,每亩青苗费 3 元进行赔偿,把 4 个自然村统统搬到水库北废黄河南堤上,单独划分一个新建大队。

(二)施工过程

刘圩公社组织 2000 人划分两个营,在袁圩水库施工团部领导下于 1959 年 10 月 3 日开工。当时仍处在"大跃进"高潮时期,加之宿迁县王集公社也在修建朱海水库,两县两社结成对子,互相开展竞赛。工地到处红旗招展,黑板报、宣传栏,遍地皆是,比比看看谁的进度快,民工行动完全是军事化,两部东方红链轨拖拉机在大坝上来回碾压,80 架片碛上上下下,号子声响彻水库上空。民工一直干到旧历年腊月 28 才回家过年,土方虽大部完成,但进度不一,标准不齐,工程只是半成品。

1960 年 11 月 15 日,组织 550 人干 45 天,到 1961 年元旦,完成土方 36000 立方米。元旦后又上工 7000 人干 25 天,完成土方 35000 立方米。1961 年春又组织 700 人干 45 天,完成土方 6602 立方米。清明节后留常备民工 250 人帮助袁圩大队搞沟渠配套。当年水库灌区配套有:干渠 1 条 1500 米,土方 34000 立方米。支渠 1 条 1500 米,土方 17840 立方米。斗渠 7 条总长 7000 米,土方 29680 立方米。干渠节制闸 1 座,2 孔,孔宽 0.9 米,高 1.2 米。支渠分水闸 1 座 1 孔,孔宽 0.8 米,高 1 米。还有支渠分水涵洞及过路涵等。

(三)强行施工无兑现政策

当时正值大办食堂,工地更是如此,除了国家给点水利粮、后方给点瓜菜外,工地不存在定额兑现和分配。进水闸和支渠涵洞等建筑物的建设,除了国家拨给一点钢材、水泥外,其余所需石头都是在"一平二调共产风"中收集来的。张庄、周集、袁圩、前后周楼等庄村,不仅收集石头,连喂牛的石槽都给搬来,直到 1963 年以后才作退赔。

四、续建、配套工程

睢宁县人民委员会在《批准续建工程》一文中说:袁圩水库是 1959 年底兴建的,当时因劳力、经费所限,大坝设计高程为 29 米,施工时只做到 28 米,通过夯实后实际坝顶一般高程只有 27.5 米,加之几年风浪冲刷,坝身塌损严重,同意续建,还要加做大坝西坡 1200 米干砌薄板石护坡,由 24.5 米护到 26.5 米,厚度 5～10 厘米,大坝迎水坡选用粘土覆盖厚度 3.5 厘米,勾坯倒毛,层坯碛实,坯头厚度为 30 厘米,坡面新老土结合处刨成台阶形以策坚固,这些工程列入 1965 年度农田水利补助工程项目,由刘圩一个公社成立施工大队部在县水利指挥部统一领导下负责施工。刘圩公社本着多受益多负担、少受益少负担的原则,组织袁圩、郝庄、刘祠、刘圩、东联、梨元 6 个大队 1500 人于 1964 年 11 月 5 日开工,到 1965 年 2 月竣工,完成三、四、五 3 条支渠,32 条斗渠和干渠排水沟。建筑物 1964 年冬备料,

1965年1月开工,3月完工。共做土方260060立方米,浆砌块石367.47立方米,干砌块石1426.18立方米,混凝土4.14立方米,总投资21328.16元,其中补助经费6000元,其余社队自筹。1975年以后又做一些零散工程,主要是对大坝进行培厚加戗,坝身安全状况基本较好。

1970年8月建成新工抽水站,装机10台套1060千瓦,抽水量5.5立方米每秒,增加该库补水供给量,提高灌溉效益。

五、袁圩水库效益、管理、报废

水库坝长3216米,淹没面积1.317平方公里,使用后最高库容量428万立方米。由进水闸控制废黄河进水量,库本身没有溢洪设施。从1965年至1991年农田灌溉很正常。

水库建成后由刘圩公社管理,70年代初收归县水利局直接管理。管理所人员7人,其中行政干部1人。

1991年冬季开挖徐洪河,穿越袁圩水库,该库即报废。1992年6月10日建成袁圩抽水站,代替袁圩水库向袁圩灌区和新工灌区(新工抽水站从此也不向废黄河南灌水)送水。1993年12月7日省水利厅下文将袁圩水库除名。

附表1　　　　　　　　　　庆安水库闸、涵维修加固统计表

批准单位	批准时间	金额/元	工 程 项 目	工程数量			
				砼/m³	土方/m³	石方/m³	工日/个
省水利厅	1966年5月	12800	废黄河节制闸(老闸)消力池维修		6000		5450
徐州防指	1966年10月	11000	南放水涵灌缝	23.4	13400		7300
徐州专署水利局	1972年2月	2500	南放水闸更换闸门	2			100
徐州专署水利局	1974年12月	36000	进水闸、南闸、溢洪闸	35	12900	180	15000
徐州防指	1977年7月	30000	废黄河节制闸(新闸)消力池护坦		30000	807	36000
省防指	1980年7月	12000	进水闸护坡		800	240	2404
徐州市水利局	1983年11月	20000	西放水涵洞护坡维修		3000	400	
徐州防指	1984年7月	8000	废黄河节制闸(老闸)闸门更新	6	500		800
徐州市水利局	1987年1月16日	60000	进水闸增做工作桥	45	5000	2000	
徐州市水利局	1988年10月28日	10000	东涵洞维修				
徐州市水利局	1989年2月28日	50000	东涵洞加固处理				
徐州市水利局	1997年	15000	东涵洞更换启闭机及排架加固				

附表2　　　　　　　　　　庆安水库大坝浆砌块石护坡统计表

批准单位	批准时间	金额/万元	工 程 项 目	工程数量及工日数		
				土方/m³	石方/m³	工日/个
徐州防指	1966年11月	6.21	西坡	13720	1000	9380
徐州市水利局	1967年2月	1.02	南坡			

续表

批准单位	批准时间	金额/万元	工 程 项 目	工程数量及工日数		
				土方/m³	石方/m³	工日/个
徐州市水利局	1972 年 6 月	16.1223	东坝两次护坡	9339	15000	54960
徐州市防指	1973 年 1 月	8.5	东坝、北坡	3603	9000	14800
徐州市防指	1974 年 6 月	13	东坝	5230	23000	21000
徐州市防指	1975 年 6 月	0.8	东坝倒滤层	298	1500	3100
徐州市防指	1975 年 9 月	4.3	北坡	1900	4000	15000
省防指	1978 年 4 月	6.8	北坡、东坡	2318	55000	15000
徐州市水利局	1979 年 8 月	4.5	西坝	1718	5000	8400
省水利厅	1980 年 7 月	9.8	北坡	4570	15000	20000
徐州市水利局	1984 年 7 月	8	东北坡	1880	8430	21000
徐州市水利局	1985 年 7 月	11.5	东北坡	2406	3000	
徐州市水利局	1985 年	6.0	沿废黄河侧闸护坡续建 1000 米	2406		
徐州市水利局	1986 年 2 月 21 日	10	西涵洞二侧护坡	2500	5000	
徐州市水利局	1988 年 3 月	7.0	西坝坡石护坡翻修 1000 米及东涵洞工作桥加固维修			
徐州市水利局	1990 年 3 月 19 日	7.0	东坡护坡块石翻修	3456		
徐州市水利局	1997 年 6 月 17 日	5.0	东坝高程 28～29 米护坡维修,计 2500 米			

附表3

睢宁县小型水库基本情况表

水库名称	所在乡镇	集水面积/公里²	施工时间	重现期	库容/万立方米		水位/米			大坝/米				溢洪道、闸			灌溉涵洞		灌溉面积/亩		投资/万元			说明
					总库容	兴利库容	校核	兴利	汛限	坝顶高程	坝顶宽度	最大坝高	坝顶长度	堰顶高程/米	底宽 孔×宽/米	最大流量/m³·s⁻¹	进口高程/米	断面尺寸 孔×高×宽/米	设计	达到	合计	国家	乡村	
合　计					2447.6	1573																		
小(一)型					2078	1335																		
清水畔	姚集	1.89	1956		827	456	30.0	28.0	28.0	32	6.0	7.5	1500		20	87	24.2	1×1.0×0.8	25000	20000	31	16.73	14.27	
梁山	张圩	7.0	1965	100 500	283	169	47.3	45.5	45.5	48.4	6.0	11.2	900	46.2	20		40.2	1×1.7×1.0	9000	2800	41.7	18.2	23.5	
锅山	张圩	4.0	1976	100 500	182	115	47.1	45.5	45.5	48.2	6	10.2	950	45.5	21	64	39.0	1×0.6×0.8	5000	2000	52.5	23.5	29	
土山	岚山	2.34	1965	100 500	141	95	32.6	31.5	31.5	34.0	4	6.0	1650	31.5	5	8	28.0	1×1.5×1.0	3000	3000	24.0	14.0	10.0	
袁圩水库	刘好		1959		645	554	27.5	27.0	26.3	29.0	5	5.5	3216				24.2	2×1.7×1.0	15000	8000				1992年报废
小(二)型					369.6	238																		
万庄	岚山	0.624	1957	50 300	73	64	28.5	27.8	26.0	30	5	5.3	2730	26.0	4×1.5	35	24.4	1×2×1.2	3500	2600				1994年报废
乔山	岚山	2.78	1957	50 300	48	27	28.7	28.0	28.0	29.5	4.5	2.5	1585				26.9	1×1.2×0.8	2000	1000				1994年报废
大寺	岚山	0.84	1957	50 300	30	20	39.4	38.3	38.3	39.8	5	5.8	580	38.3	11	19	34.8	1×1.2×0.8	1000	400				
项窝	岚山	1.4	1957	50 300	45	28	44.5	43.0	43.0	45.3	3	7.3	470	43.0	9	25	37.6	1×1.2×0.8	1000	400				
孙庄	岚山	1.15	1957	50 300	30	14	42.5	41.0	41.0	43.5	5	6.5	580	41.0	6	17	37.4	1×1.2×0.8	1000	400				
二堡	姚集		1979		90	54	26.7	25.5	25.5	27.5	3	4.5	1630				23.3	2×1.5×1.2	6000	5000				
韩坝	魏集	1.7	1956	10	7	7		24.0		25.5	3	25.5	3800						1000	0	13.0	10	3.0	工程失修不配套
位工	魏集	0.233		10	46.6	24		25.0		28.0	7	29.0	1700											废
旧城湖	古邳		1958				23.0			24.0	4		8915				20	1×1.7×1.1	1000		8.0		8.0	古邳部沉而成湖 1958年建成库 1970年后报废

附表 4

睢宁县机电排灌站情况汇总表（1997 年底）

单位：座/台/千瓦

单位	（按管理性质）					（按提水性质）					
	小计	县管站	乡(镇)管站	村管站	备注	小计	单排站	单灌站	排灌结合站	单排灌中补水站	备注
合　计	449/746/31126	5/39/10295	36/102/5320	408/605/15511	1. 因废黄河无水，双沟镇9座机电设备拆回，此双沟镇9座机电站均作为临时站。2. 固定的柴油机站在此次普查中均作为流动处理26座（22座台套493干瓦）。3. 与1996年相比固定站据废变为流动散机共18座。	449/746/31126	3/7/246	436/700/26610	10/39/4270	10/58/10915	1. 单灌站中补水站10座，合东西邱站、古邳站东西站属干排灌结合站，也属干补水站。2. 国营站中袁圩站仅作为灌溉站用
睢城乡	21/44/1152		3/9/335	18/35/817		21/44/1152		21/44/1152			
官山乡	34/55/1344		1/3/165	33/52/1179		34/55/1344		33/52/1179	1/3/165		
李集镇	4/11/435		2/8/365	2/3/70		4/11/435		4/11/435		1/6/255	
黄圩乡	10/13/295		1/2/110	9/11/185		10/13/295		9/11/185	1/2/110		
邱集乡	24/44/1065			24/44/1065		24/44/1065		23/42/955	1/2/110		
王林乡	17/26/707		1/2/110	16/24/597		17/26/707		17/26/707			
凌城镇	24/37/1926		2/5/575	22/32/1351		24/37/1926		24/37/1926			
沙集乡	29/50/1710		4/11/675	25/39/1035		29/50/1710		29/50/1710			
刘圩乡	7/13/380		2/4/120	5/9/260		7/13/380		7/13/380			
高作乡	24/32/742		1/2/60	23/30/682		24/32/742		24/32/742		1/2/60	
梁集乡	16/22/589		2/4/120	14/18/469		16/22/589		16/22/589			
浦棠乡	24/52/1851.5		4/15/795	20/37/1056.5		24/52/1851.5	1/3/165	20/36/971.5	3/13/715		
魏集乡	9/13/381		2/5/200	7/8/181		9/13/381		9/13/381			
古邳镇	40/71/2837		4/14/850	36/57/1987		40/71/2837		37/61/2287	3/10/550	1/8/440	
姚集乡	24/26/650			24/26/650		24/26/650		24/26/650			
龙集乡	8/13/343		1/2/110	7/11/233		8/13/343		8/13/343			
张圩乡	7/14/403		1/2/80	6/12/323		7/14/403	2/4/81	5/10/322			
双沟镇											
王集乡	13/21/463.5		1/2/110	12/19/353.5		13/21/463.5		13/21/463.5		1/2/110	
高集乡	12/16/300.5			12/16/300.5		12/16/300.5		12/16/300.5			
桃园乡	1/2/110		1/2/110			1/2/110		1/2/110		1/2/110	
朱集乡	59/73/1652.5			59/73/1652.5		59/73/1652.5		59/73/1652.5			
岚山乡	3/4/170		1/2/110	2/2/60		3/4/170		3/4/170			
苏塘乡	1/2/44			1/2/44		1/2/44		1/2/44			
朱楼乡	27/44/1048		2/8/320	25/36/728		27/44/1048		27/44/1048		1/2/110	
庆安乡	5/7/122			5/7/122		5/7/122		5/7/122			
睢城镇	1/2/110		1/2/110			1/2/110		1/2/110			
国　营	5/39/10295	5/39/10295				5/39/10295		4/30/7675	1/9/2620	4/36/9830	

第五篇
农田水利

第一章 发展历程和典型样板

睢宁县境内没有大江大河治理,其所属范围内的水利工程大多属于农田水利工程。小型农田水利是一项政策性很强的群众性工作。为充分调动广大群众的治水积极性,引导农田水利工程健康发展,先典型引路,然后全面推广,是多年来行之有效的办法。

第一节 发展历程

一、农田水利发展的每个时期都有明确的指导思想

建国前没有像样的水利工程,建国后农田水利工程是在一张白纸上起步的。1955年以前国民经济处于恢复阶段,县内开始疏浚河道,加固堤防。1955年在彭艾山搞沟洫圩田,标志着睢宁县系统的农田水利工程开始起步。

1956年中共中央公布全国农业发展纲要,提出在十二年内基本消灭普通水灾和旱灾。此后各地进一步提出了不同地区、不同类型的治理方案。睢宁县大部分属于平原缓坡地区,选择朱楼圩作治理典型,在炬星社沟洫圩田基础上,进行高标准河网化的试点。1958年中共中央明确提出"小型为主,以蓄为主,社办为主"的"三主"治水方针。省制定了以建设梯级河网化为中心的全省水利规划。据此睢宁县制定了三年水利规划,这是建国后第一次完整的全县水利规划。从1958年以后连续三年"大跃进",县内不但干了一些骨干工程,也相应开挖了大、中、小沟等农田水利工程。

1961年国民经济实行"调整、巩固、充实、提高"的方针,水利骨干工程减少,小型水利按照花钱少、收益大的原则,兴办当年收益的配套工程。从60年代初开始不断搞排涝工程试点。1963年夏季大涝以后,秋季在古邳、李集、王集3个公社进行公社一级全面的、系统的排水规划试点,冬季全县即开展大规模的农田水利土方工程。广大农民群众发扬自力更生、艰苦奋斗的精神,出现了挖"干菜河"、"山芋干河"的动人场面。1965年贯彻"大寨精神,小型为主,全面配套,狠抓管理,更好地为农业增产服务"的建设方针。农田水利系统配套工程已为广大群众所接受,1966年"文化大革命"开始,农田水利一度受到一定影响,但打井配套工程仍有所发展。

1970年国务院召开北方地区农业会议后,全县大力开展以治水改土为中心、以建设高产稳产农田为目标的农田水利建设。县在姚集公社二堡大队,双沟公社的焦营、孟圩大队,王集公社的王营大队,王林公社的高楼大队等地进行以内三沟为重点的配套试点工程,进行深沟密网、深翻土地、大面积的平田整地等治水改土工程。在小面积配套试点工程的基础上,县抓了城北10万亩大连片工程。全县农田基本建设严格按照省提出的"六条标准"执行,即:(1)日雨150至200毫米不受涝;(2)70天不雨保灌溉;(3)地下水位控制在田面以下1米至1.5米;(4)灌排分开,建筑物配套,能灌、能排、能降;(5)因地制宜平整深翻土地;(6)粮棉全面超"纲要"。县、社均据此制定农田水利规划,都绘制"三张图"(原状图、现状

图、规划图）。不仅奋斗目标明确,而且有计划、有步骤地组织实施。

1977年根据全国第二次农业学大寨会议精神,在原来制订的山、水、田、林、路统一规划的基础上,进一步实行洪、涝、旱、渍、碱综合治理。县在城北10亩大连片之后,又进行围垦灭荒工程。特别是中共十一届三中全会以后,全县大力实施梯级河网规划,进行全面的综合治理。县在官山东片和凌城公社搞河网化试点,全县大面积推广。连续15年,梯级河网全面形成,农业实现了高产稳产。起初要求粮食生产超"纲要"(即农业亩产500斤以上),80年代发展为"双纲田"(即千斤田)、"吨粮田"(即双千斤田)。水利服务功能也发生了根本性的变化,从单纯为农业服务,进而发展为为全社会服务。

建国以来,全县农田水利经历了从除害到兴利,从零散的单一治理到全面规划、综合治理,由低级到高级,不断发展和提高。在规划和实施中,严格执行国家和省、市有关的方针、政策,几十年来水利治理路子没有大的反复和变化。

二、保证农田水利发展的配套政策

农田水利工程面广量大,国家对此的一贯政策是发扬艰苦奋斗、自力更生的精神,"自办为主"。农田水利发展的逐阶段、逐年,甚至分项工程,都有一套相关的政策作保证。各地经常在农闲季节发起农田水利建设高潮。农田水利建设实质上就是发动群众,所以各相关政策的集中点是用工问题。50至60年代有用工政策,但每当任务紧张时,就会出现行政命令,有很大平调成分。70年代用工政策逐渐完善。如1975年省委提出"统一领导,全面规划,分期实施,互助互利,合理负担,换工还工,先后受益,大体平衡"的原则。针对连片的治理工程,提出"互助互利,等价交换,推磨转圈,轮流治理"的原则。乡级连片工程一般3～5年轮流一遍。80年代初农村推行联产承包责任制,国家和地方不断制定农民负担的相关政策。90年代更加完善。如1991年12月7日国务院颁发《农民负担费用和劳务管理条例》,其有关规定:"农村义务工,主要用于植树造林、防汛、公路建设、修缮校舍等。按标准工日计算,每个农村劳动力每年承担5～10个农村义务工。""劳动积累工,主要用于农田水利基本建设和植树造林,按标准工日计算,每个农村劳动力每年承担10～20个劳动积累工。"1993年7月2日颁布的《农业法》中规定:"农业的生产投入和农田水利基本建设,应当由农业生产经营组织和劳动者投入资金和劳动积累。"1994年8月31日颁布的《徐州市农民负担监督管理条例》规定:"每个农村劳动力每年承担15～20个工日的劳动积累工和5～10个农村义务工,但两项合计一般不超过25个标准工,均在本乡村范围内统筹使用。""以资代劳一般不超过5个标准工。"

第二节　农田水利典型介绍

农田水利的工作方法是以点带面,典型引路,全面推广。建国后睢宁县几乎年年搞点,有单项工程或单项工作搞点,有农田水利连片治理百亩片、千亩片、万亩片的试点。农田水利是没有历史经验可循的,每前进一步,必须探索新的路子。即使是从外地学来的经验,也必须在本地先进行检验。对于探索、检验最好的办法是先搞点,取得经验再由点及面。搞点是领导指导全面工作的前奏,搞点是让群众认识然后付诸行动的过渡阶段。多年实践证明"榜样的力量是无穷的",搞典型、树样板的经验是成功的。农田水利发展的各个时期的典型,是在一定的时代背景下形成的,代表一个时期的发展水平。研究这些典型,纵可以了解睢宁县农田水利的发展史,横可看出广大劳动人民艰苦奋斗的创业精神。

一、彭艾山沟洫圩田

1955 年兴办的彭艾山沟洫圩田是睢宁县农田水利系统配套的开始,当时收到明显效益。下面将 1957 年 11 月县调查总结材料予以节录。

勤俭治水的典范——彭艾山

彭艾山(现朱集公社光明大队)1955 年前是历史上十年九淹的洼地老灾区,由于 1955、1956 两年依靠党的领导和群众的克勤克俭、艰苦奋斗,依靠群众智慧兴办了沟洫圩田,根除了涝灾。1956 在年百年不遇的大水侵袭下,农业生产获得了丰收。

该队在睢城西南,老白马河西岸,是该河流域的洼地中心,每年汛期暴雨成灾,平地积水一公尺。秋季年年无收,群众贫苦万分,年年打完场农民便纷纷逃荒。仅 1950 年全庄共有农户 104 户,就有 49 户 158 人逃荒要饭,有 41 户没有被子,有 300 多人没有棉裤。1951 年虽经土改,农民分得了土地,但由于水利未获得解决,连年遭受严重水灾,群众生活仍很困难,全村有 70% 的农户是解放以来的老灾户,依靠政府救济度日。

1952 年白马河改道后,该队位于新旧白马河之间。1955 年 8 月办社以后,社员们在党的领导下,充分运用农业生产合作社的优越性,下决心改造这块洼地。

两年来,他们利用农闲,采取迎水开沟、背水筑堤的办法,共开了 39 条小沟,一条大沟,筑了一条大圩和 7 座小涵洞。共做土方 17321 公方(1 公方＝1 立方米,下同),石方 50 公方。用去群众自筹经费 100 余元。把全社 1500 亩土地分割成 10 片,每片土地都有小沟通大沟,大沟通河。这些工程经过两年来暴雨的考验,都能做到泄洪迅速,雨停田干,从而使这个社根除了涝灾。在生产上出现大跃进,连续两年获得增产。1956 年,全县有 10 万亩低洼地因涝成灾,严重减产甚至绝收。气县当时贷款救济户占 80% 以上,粮食供应户 90% 以上。但处于洼地中心的彭艾山社却得到十年来未有的大丰收。粮食总产量比 1955 年增加50%。这个社不但未要国家供应,反而卖出余粮一万多斤。1957 年汛期虽然先涝而后旱,但该社仍获得丰收。社内除去公粮、籽种、饲料、饲草外,平均每人分得粮 389 斤,烧草450 斤,足够一年吃用,已开始过着丰衣足食的生活。群众说兴修水利带来八多:① 社员分配多;② 养猪的多;③ 穿胶鞋的多;④ 添布做新衣服的多;⑤ 盖新房子的多;⑥ 吃肉的多;⑦ 订婚结婚的多;⑧ 学习文化的多。

该社能够在短时期内,自行兴修水利,达到农业生产大跃进,是有许多成功经验的。彭艾山社治涝并不是一帆风顺的,相反,由于连年涝灾,群众底子薄,生活苦,困难重重。但是,由于从始至终坚决掌握住"相信群众,依靠群众"这条原则,使许多问题都迎刃而解。比较突出的有如下几点:

1. 自己动手解决技术问题。这个社既没有工程师,也没有技术员,既没有仪器,也没有地形图。面对这些困难他们并没有低头。党支部首先找了一些老农,与他们一起仔细研究了每块土地历史上的水灾情况,然后再进行座谈。没有地形图,就依靠老年人记忆,探寻出每块土地高度和潜水面。用眼睛当水平仪,用竹竿当皮尺,用铁锨计算挖沟深度,用脚步来量算距离,边测量边施工。在工程进展中也走了些弯路,有的沟第一年挖的方向不对头,第二年又把它填平。有一座涵洞，从路东搬到路西，小了再建大，一连返工三次。虽有上述困难，但他们却没有被吓倒，仍鼓足勇气以百折不挠的精神与水灾作斗争，终于战胜了水灾。

2. 依靠群众的力量就地取材，土法自建，节省工程费用，是解决经费不足，加快农田水利建设进度的主要办法。该社共建筑涵洞 7 座，完成石方 50 余公方，所用石料主要是就地取材，拆除废便桥石料 10 余方，发动社员捐献一部分，其余到官山去购买。石料运输是依靠自己的劳力和畜力自推自拉。没有水泥用石灰代替，或采取干砌块石。经费问题是遵照谁排水谁出钱的原则解决，也根据各家具体情况进行投资，共自筹了 100 多元。同时还用副业生产的收入来支持兴修水利，去年社内副业组编了一万多斤腊条筐到明光、盱眙等地出售后，买回洋锹 40 把，解决了工具不足的困难。修涵洞没有技工，就组织社内稍有经验的社员边学边干，从而大大节省了工程费用，加快了兴建农田水利的速度。

3. 全面规划，适当安排，抓住冬春季节与农忙空隙时间及时施工，是解决劳力不足，达到兴修水利与农副业生产两不误的重大关键。该社为了统筹兼顾，做到兴修水利与农副业生产两不误，对劳力安排也有细致的分工。去年全社 201 个劳动力，分配 28 个负责 218 亩春田的冬耕冬种工作，23 人编腊条筐搞副业生产，150 人搞农田水利。同时还抓住农忙空隙时间及时施工。如今年麦收时夜间降雨，第二天地烂不能收割，便将劳力全部投入农田水利，突击施工两天，待地干后又去收麦。

4. 党委重视，亲自动手，是完成农田水利的重要保证。彭艾山农业社支部书记李凤殿同志不但亲自参加勘测规划与施工工作，而且动员全体党团员带头。同时紧抓思想教育工作，以当地历年受灾逃荒、饿死外地的姚守银等实际事例教育社员，以调动社员兴修农田水利的积极性。还帮助社员算清几笔账：(1)依靠自己不能等待的账。说明等待政府给了贷款还要我们去还，也是我们的负担。惟一的只有依靠自己的劳力，采取土办法来解决，克服了群众的等待思想。(2)算怕挖青苗账。今年春季麦子长得很好，要挖掉群众舍不得。社员杨庆铃说："麦子长得很好挖掉了，人家不骂我们吗？不如等了一季再挖。"李书记给他算了一下增产账，并说明任何时候施工都要损失青苗，如果这季等那季，要等到何时才能解决问题呢。从而克服了怕挖青苗的思想。(3)算怕生活困难账。首先找出生活困难的主要根源是历年水灾造成的，如果不忍受暂时的困难，不积极搞好农田水利，汛期还要淹庄稼。从而克服社员畏惧生活困难的思想，坚持吃野菜，吃山芋叶，喝稀饭也要上工。奠定了社员兴修水利的信心，保证了农田水利工程胜利完成，打下了农业增产的物质基础。

1957 年 11 月 5 日

二、炬星社沟洫圩田和朱楼圩高标准河网化

朱楼圩高标准河网化工程是 1958 年集中全县的劳动力开挖的高标准农田水利配套典型，其标准之高，已过近 40 年尚不落后。特别是中沟工程，直到 90 年代，全县的中沟都无法和朱楼圩的中沟相比。在朱楼圩高标准河网化之前一年，即 1957 年，在兴仁乡朱楼圩内的炬星社搞了沟洫圩田工程试点。此处沟洫圩田在前，高标准河网化在后。1957 年之前称为沟洫圩田工程，全县完成比较完整的沟洫畦田 35 万亩。全县各区乡有 8 个典型，炬星社圩田工程是其中之一。下面将县水利局试点工作组的炬星沟恤圩田的材料予以节录，对朱楼圩河网化施工总结予以全录。

睢宁县炬星社沟洫畦田试点工程概况

一、基本情况

朱楼圩在县城西南约 10 华里,系一平原坡地。地势东北高,西南低。地面高程在 20 至 21 米之间,东北部地形略有起伏。地下水深度,夏季小于 1 米,冬季 2 米左右。

炬星农业生产合作社共 866 户,3587 人,男女整半劳动力 1046 人。共划分 16 个生产队。圩内土地总面积 10032 亩,可耕地 9180 亩。境内排水干河有两条,东部为小滩河,西部为白塘河。旧有南北排水沟两条,涵洞一座(位于小滩河西岸)。原有汪塘 28 个,蓄水面积约 201 亩,一般水深 2 至 3 米。干旱时利用塘水浇灌作物,大旱年份,塘水干涸。1956 年打井 84 眼,一般井筒深度约 5 米。

圩内主要灾情为涝灾,大雨大灾,小雨小灾。如连续降雨,土壤含水饱和,极易受渍成灾。

二、工程规划布局

根据圩内自然情况,分成甲、乙、丙、丁四个区。甲区内地形起伏,并有部分洼地;乙区内地势低洼;丙区内碱土较多;丁区内系缓坡地。排水系统划分:甲区及丙区北部划为一个排水系统,全部径流由第一支沟排入白塘河。丙区盐碱地,加大沟深,降低地下水位,以达到淋碱、灭碱的目的。乙区和丙区南部划为一个排水系统,全部径流由第二支沟排入白塘河。在外河洪峰到达前将积水尽量排出,多余雨水暂时就地存蓄,结合作物改制,发展水稻。丁区为一排水系统,以开展沟洫为主,全部径流由第四支沟排入小滩河。在第一支沟、第二支沟入白塘河处各新建涵洞一座,第四支沟利用旧有涵洞。沟通圩内汪塘,使沟塘相连,便于汛前腾空底水,汛期可容蓄部分雨水。

设计依据:由于徐淮地区尚无地表径流实测资料,采用 1956 年全省水利会议印发的暴雨分析资料,推求五年一遇三月雨量 173 毫米,其净雨量为 54 毫米,根据圩内各区不同要求,分别计算断面尺寸。堤防高度按历史上最高洪水位确定。

雨水处理:全圩 10000 亩地,径流水量 36.018 万立方米,沟池蓄水量约 12 万立方米,需排入外河水量约 24 万立方米。涵洞三座,排泄能力共 5.3 立方米每秒,6 小时可排出 11.448 万立方米,尚余水量 12.52 万立方米无法排出。圩内有汪塘 200 亩,估计平均可增加蓄水 1 米深,计可蓄水 13.34 万立方米。多余水量全部存入汪塘,圩内不致成灾。

假如降雨量为 200 毫米,依照设计标准超出净雨量为 27 毫米,全圩 1 万亩,共超出水量 18.009 万立方米,圩内改种稻田 1000 亩,每亩平均以蓄水深 100 毫米计算,可蓄水 6.667 万立方米,尚余水 11.339 万立方米无法解决。采用牺牲小块特洼地,保全大块的办法。平均以蓄水深 500 毫米计算,需牺牲田块 310 亩。

沿小沟背水坡布置主风林,沿支沟布置副风林,计划大部分地区种成速成桑林带,发展养蚕副业。在含碱较重地区种植紫穗槐、洋槐、臭椿等树林,并于树林中夹种苜蓿等,以增加饲料和肥料。

三、工程标准

1. 沟洫等级。根据地形及圩内排水系统划分情况,全部分为两级排水,即沟洫分小沟、支沟两级。地面径流排泄由小沟流入支沟,支沟直接排入外河。

2. 沟洫方向。小沟基本上沿等高线开挖,部分地区限于地形与等高线斜交,避免垂直等高线,防止冲刷泥土。

3. 沟洫长度和间距。为了满足将来机耕和灌溉的要求,小沟长度一般为 850 至 1350 米,间距一般采用 200 米,特殊情况最大不超过 300 米。

4. 沟洫断面。主要根据排水需要决定,同时照顾一般沟洫尺寸等条件(如沟底一般不小于 0.3 米,沟深应超过作物生长深度 0.2 至 0.3 米,边坡及底坡根据土质情况决定等)。一般小沟迎水开沟,背水筑圩,高约 0.8 米。如两面坡地可扒成坡形,支沟一般亦在背水面作圩,也可两边作圩。一般地区小沟深 1 米,支沟深 1.5 米。盐碱地小沟深 1.5 米,支沟深 1.8 米。包浆土地区小沟深 1.2 至 1.3 米。边坡:淤土地 1 比 2.5;沙壤土 1 比 1.5;沙土地 1 比 1.75 至 1 比 2。沟底比降三千分之一至五千分之一。这样既可满足不同地区排涝、淋碱、降低地下水位的要求,又可避免水流冲刷沟坡及淤淀现象。

5. 畦田。畦块大小根据地形决定,最好在一个畦块内的地面能大致相平。如地面有倾斜,畦块大小应以低处积水不超过作物耐淹深度为标准。畦埂大小一般高为 o.2 至 0.3 米。

根据以上工程标准,全部工程计划土方 12.4523 万立方米,每市亩需挖土方约 13.5 立方米。新开小沟 23 条,新挖支沟 1 条,共计长度 25490 米。新做畦田 2572 亩。工程若以每个整劳动力平均每天 4 立方米计算,共需 3.1142 万工日,每亩应做 3.4 个工日。本工程完成后,挖废耕地 140 亩,约占耕地总面积的 1.5%。压废 207 亩,约占耕地总面积的 2.2%。

工程设计以排为主,适当兼顾蓄水。圩内原有汪塘约可蓄水 25 万立方米,大旱时每亩以需水 200 立方米计算,可浇地 1250 亩。抗旱时每亩需水以 100 立方米计算,可浇地 2500 亩。旧有沟洫可蓄 9 万立方米,新开沟洫可蓄 11 万立方米,共蓄水 45 万立方米。不仅可以减少地面径流,避免积涝成灾,并可利用沟洫蓄水,约有 5000 亩地可以保潮防旱,增加抗旱能力。

四、工程施工

1956 年 9 月初,由县水利局组织试点工作组,省专派技术干部协助。于 9 月 3 日着手调查资料进行规划,9 月底开始施工。为了不影响该社农业生产,1956 年冬季工程分两期施工。第一期动员 860 人,于 9 月 30 日开工,10 月 25 日结束。第二期动员 420 人,于 11 月 20 日开工,12 月底结束。两期合计完成支沟 4 条,长 4510 米,小沟 23 条,长 24668 米,共计完成土方 73380 立方米。共计挖压废土地 373 亩,约占耕地总面积的 4%。此外,结合绿化在支沟、小沟圩堤上种植速成桑 6 万棵。

为控制外河水倒流,及适应沟洫开挖后的交通情况和结合稻改,在第一、第二支沟各新建 8 公寸(旧制,1 公寸=1 分米,下同)水泥圆管涵洞一座。整修交通干路 3 条,新建便桥两座。在后楼村汪塘上修建透水井 5 眼。灌溉渠道 4 条,长约 3000 米。平整水稻田 150 亩。旧井下泉 2 眼,整修汪塘 2 处。全圩总计完成土方 102380 立方米,石方 150 立方米。实做 36790 工日,占该社全年预支总工日数 158850 工日的 23.1%。共支出经费 28680 元,其中政府补助 10820 元,社内支出水利基建工分折合资金 17870 元。

五、工程效益

今年汛期省水利厅在本地区派有水利土壤改良试验小组,进行工程效果观测及径流测验。淮委水文组亦曾派员参加。因时间短,降水频率、工程标准分析尚未形成材料,其当年观察结果如下:

1. 本年汛期降雨 30 毫米以上的共有 7 次,根据群众反映,历次雨量除特注地外,一般均在雨后 2 至 3 小时地面即无积水。其中最显著的是乙区张毛桃庄一带,因地势特洼,历史上是圩内严重的积涝地区,每年汛期经常积水约 2000 亩以上,积水时间约 15 天。今年汛期因全圩分区排水,开挖沟洫后,涝灾已基本消除,并已种上山芋。丙区南部及丁区北部小陈庄一带碱土地,经过历次雨水冲洗,盐碱化程度有所改善。全圩内仅零星死洼地,因临时排水沟挖得较浅,积水未能全部排出。晚秋玉米有不同程度受渍成灾,面积共约 200 亩。

2. 地下水位情况。在汛期初期,一般在地面下 1.8 米左右。在汛中地下水位最高在地面下 0.1 至 0.2 米,最低在地面下 1 米至 1.2 米。地下水一般在雨后第二日急剧上升,雨后约 7 日左右下降至雨前水位。

3. 土壤含水率。根据在丙区沙壤土地区测验资料,雨前一般在 15% 至 20% 之间,雨后一般在 30% 至 40% 之间,对农作物生长还是比较适宜的。

4. 农业增产效益。全圩经常受涝土地 3000 余亩,经过沟洫工程的开挖,今年已大部消除涝灾。1956 年冬决算分配时,全社粮食总收入为 135.664 万斤,今年初步统计为 180.7865 万斤,增产 45 万余斤。

1957 年冬

朱楼圩高标准河网化施工总结

睢宁县睢城人民公社朱楼圩是平原缓坡地区,属于淮河水系支流安河上游。全圩耕地面积为 9180 亩,历来易旱易涝,农业产量低又不稳定,真所谓小雨小灾,大雨大灾,无雨旱灾。群众形容是:"满天日光,遍地汪洋,蛤蟆撒泡尿,庄稼就淹光;五月端阳还好过,八月十五泪汪汪,有钱人家买田地,穷人带着老婆孩子去逃灾荒;五天一小旱,十天一大旱,半月不下雨,庄稼就难看。"因为旱涝双重威胁,800 多户人家除了 30 户地主富农外,广大人民群众长期过着糠菜半年粮的贫苦生活,群众对自己处境形容是:"七个月白芋,三个月的南瓜,两个月的粮食还节节巴巴。"为了使这块低洼易涝易旱地区的人民摆脱贫困生活,解放后几年来在共产党的领导下,对水利工程积极地进行治理。1955 年冬在白塘河与小滩河之间迎水开沟背水筑堤,修筑两道圩堤;1956 年冬依靠组织起来的初级农业生产合作社的优越性,又进一步提高标准,进行全面的整修治理,成了一块比较完整的沟洫圩田和畦田,计划挖 4 条支沟,23 条小沟,打砖石井 84 眼;去冬明春又在原有水利工程设施基础上,进行提高标准整修治理,做到沟塘相通,井沟相连,内外相通,上下相通,成为平原坡地典范水利工程之一。1958 年全省平原坡地水利会议在睢宁召开时,曾参观该圩农田水利工程,由于不断参观促进,朱楼的名称不断传开了。

一、克服麻痹自满情绪,向高标准水利化迈进

朱楼圩自从兴办沟洫圩田发展打井以后,取得了初步的成果,基本消除了一般旱涝灾害,连续获得农业生产的大丰收,加上外地不断参观促进,存在着不正确的思想认识,因而在群众中产生一种新的骄傲麻痹自满情绪。在贯彻高标准河网化时,有些人存在畏难犹豫抵触思想,认为朱楼圩水利工程已经做得不错了,累死龙王也不会再受淹了,何必再做这样大的高标准河网化工程,一年不雨、日雨 500 公厘(旧制,1 公厘 = 1 毫米),也只是绝无仅有的事情;另外顾虑工农业生产大跃进,做这样大的水利工程投入劳动力多会妨碍其他各项工作,怕挖、压废土地等等。党支部针对这些思想情况,从党内到党外,从干部到群众,广泛深

入地开展宣传教育,说明只有实现高标准河网化,根除旱涝灾害,综合利用水利资源,发展灌溉交通航运,才能最大限度地满足工农业生产发展的需要,大搞水利只要对劳动力进行合理的统一安排,不仅不会影响各项工作,反而会促进其他各项的全面跃进。通过反复的宣传教育和鸣放,基本上统一了思想认识,一致认为只有实现高标准河网化,根除旱涝灾害,才能最大限度保证工农业生产的发展,麻痹自满是没有根据的,以高速度工农业生产需要来衡量水利工程不是差不多,而是差得很多。从而鼓舞了群众实现高标准河网化的积极性,群众提出的口号是:"天不怕,地不怕,只有实现水利化!"

二、大破大立坚决贯彻省委六大要求、八大标准、十大结合

在规划施工放样时,又出现两种思想情况:一种思想主张在原有沟洫圩田基础上进行修补,随弯就弯,零打零敲,小手小脚去做工程;另一种思想主张大破大立,坚决执行高标准河网化,规格要求直线开挖,一劳永逸。通过前一段思想教育,在已经取得思想工作胜利的基础上,进一步开展鸣放和辩论,算土地挖压综合利用发展生产账,算少种高产多收账。经过反复算账对比,决定采取后一种办法,绝对不迁就原有沟洫而减低规格标准,小沟按照间距200公尺(旧制,1公尺=1米,下同),中沟按照1000公尺直线开挖。如原有第二中沟因有部分弯曲不直,扒掉近百间房屋另行直线开挖,这样等距均匀开挖的沟才符合规格标准。

三、大闹技术革命,狠抓工具改革,保证高速度、高工效施工

在朱楼圩河网化试点工程中,为了保证高速度、高工效施工,紧紧抓住依靠群众大搞技术革命、狠抓技术改革一环,发动广大群众献木材、献铁料、献智谋计策,来搞好工具改革。高作大队一次发动群众即献出织布机500多张、木料500多立方米,组织了50多名铁工,1200多名木工,以工地为工厂,技术力量不足以师傅带徒弟的办法,采取边改边用、边用边改的办法,计制造绞关轨道列车700多套(按每套1部绞关、4部四轮平车、70公尺长轨道计算),并创造出丁字形顶珠绞关、卧式绞关、立式绞关及人推、畜拉、手摇等绞关,以及其他先进工具等20多种。炬星连使用绞关轨道平车的最高工效平均达到34立方米,比旧式木轮车提高工效10倍以上,李集大队星火班用绞关轨道列车一次运土500斤。高作大队刘益友班在4公尺爬高的情况下,仍保持平均19.6立方米的高工效。在5公尺塘深爬坡困难时,群众又创造出滑轮拉倒车,变阻力为动力,一个人能拉5至7辆木轮车,比用人力直接拉木轮车提高工效5到7倍。这些工具构造简单,使用轻便,可就地取材,且能减轻体力劳动强度,提高工效,颇受群众欢迎。民工歌颂是绞关列车轨道省力提高工效,有了绞关轨道列车,车绊扣头的日子一去不复返了。

13700名民工于10月3日开工,11月底完工,经历时间60天(包括10日阴雨天)投入635000多个劳动日,完成土方1537360立方米,最高工效为5.4立方米,最低以60%以上民工投入戽水平均工效0.3立方米,总平均工效为2.4立方米。

四、没有抽水机也能挖深河

今年麦秋雨水较多,地下水位很高,从地面向下1公尺左右即见地下水,处理地下水不致水里捞泥是开挖深河提高工效的关键,不少人反映只有用抽水机才能抽低地下水,今年面广量大地开展高标准河网化工程,不可能有这样多的抽水机来抽水,当即组织群众讨论想办法,组织了1500多部戽水斗,210多部解放水车和龙骨水车来戽尽地下水,河挖深了解放水车一节抽不上来水用两节,戽水斗一层戽不上来,用两层、三层、四层、五层,逐层向上传送,把6公尺以下的地下水戽出塘外,保持塘内无积水,梁集大队在5公尺以下戽水困难时,干

部党团员 90 多人自告奋勇组成奋勇队带头下塘抽。冬天气温在零摄氏度左右,人们穿着棉袄棉裤还觉得冷,奋勇的治水战士们身披棉衣赤着胳膊,下身脱掉长裤站在水里,与地下水和粘泥、流沙搏斗,他们的豪迈口号是:"心热不怕天冷,英雄不怕难工,干劲冲破斗牛宫",大风小雨不停,经过五天六夜的苦干,终于战胜地下水,全工地庢水战士们都是夜以继日通宵不停、歇人不歇工具来庢尽方塘水,保证正常施工,不少工段都采用全大队协作集中一线突击一点的办法,开挖畅通龙沟,保证塘内无积水,完成 6 公尺的深度。

五、不断组织"三旗五比"竞赛

在整个施工过程中,从始至终贯彻执行"三旗五比"竞赛,开始比工具,中间比工效,后期比标准,水多比龙沟,经常比思想。在比先进工具时,提出创造多、用得多、方向好、工效高作为评比条件;比工效时提出 20 方的大队、30 方的连、50 方的班、100 方的个人;比标准是:直、平、深、齐。直为沟渠路线直;平是沟渠面、滩面、边坡平;深是小沟深 2 公尺,间距 200 公尺,中沟深 5.5 公尺,间距 1000 公尺;齐是河口、路边、边坡脚齐。比龙沟是畅通无阻水排尽。比思想是比共产主义协作声势大,干劲足。提出"思想插红旗,跃进创奇迹,卫星放上天,全县争第一"。"以孙悟空大闹天宫的声色,以诸葛亮六出祁山的智谋,以景阳岗武松打虎的劲头,以大禹王三过其门而不入的决心"来完成高标准河网化。这样根据工程进展,及时提出不同评比内容,中心明确,内容具体,三天一查五天一比,鼓励先进,带动中间,促进落后,大大地推动了工程进展。如姚集大队工程进展缓慢,落后于其他单位,经过检查评比,找出原因,三天赶上其他先进单位,结果比其他各个大队早完成 25 天,李集大队红旗被拔走,连以上干部刺破手指揿血指模,决心夺回红旗,五天五夜赶制出 33 套先进工具。

六、依靠群众掌握技术,严格标准培训骨干

朱楼圩试点工程基本要求达到三个目的:

① 树立高标准河网化样子,借以组织参观并推动指导全县河网化运动的开展;

② 以工地为课堂,以工程为教材,贯彻河网化规格标准技术培训水利技术骨干;

③ 以工地为工厂,边改边用,制造大批先进治水工具。

培训方法是边讲边学边做,达到讲、教、学、做四结合。通过现场实际传授水利技术,培训采用五自:即自规划、自设计、自放样、自施工、自验收,经过试点工程 12000 多名民工对河网化的规格和先进工具制造使用,基本达到能修、会讲、会做,23 个人民公社 23 架水准仪,通过试点训练均能自己测量操作使用。群众说朱楼圩试点工程是一座红专劳动技术大学,不仅做起了高标准河网化的样子,而且学会了技术,在执行技术规格标准方面,以连为单位组织民主验收小组,大队组织验收委员会,民主初验后大队复验,总队核验,合乎标准的发给验收证。小沟放 12 条线,中沟放 16 条线,验收做到寸土不让,分毫必争。为了保证工程质量,一公尺流沙层采取挖沙换淤,粘土护坡。刘圩大队提出精雕细刻、描龙绣凤、铜帮铁底,做好工程标准。

七、宏伟的理想,灿烂的图案

朱楼圩试点工程是根据省委提出的"一年不雨保灌溉,日雨五百公厘不成灾,千年洪水不出险,普植林带防台风,水力、风力、水面都利用,县、市、乡、社通车船"的总要求和深、网、平的原则执行规划的。从 10 月上旬开工,依靠人民公社的优越性,发扬共产主义大协作精神,调集全县 23 个人民公社 12000 多名民工在中国共产党的领导下经过两个月的努力,计完成 40 公尺宽、5.5 公尺深的中沟 3 条,全长 1 万多公尺,9 公尺宽、2 公尺深的小沟 25 条,以原有河道，西边的白塘河东边的小滩河作为大沟。构成一块完整的水系网，2条干渠、3条支渠、25条斗渠组成一个灌溉网。25条4公尺宽的能行驶单行拖拉机的农道。3条8公尺宽的干道，能并排行两辆汽车。中间衔接起邳泗公路，构成一个交通运输网。中沟已蓄水2.5米深，可行驶百吨以上木船，外通徐洪运河，构成一个四通八达的航运网。小沟植树7行，中沟植树16行，已栽植桑、榆、柳、桃、杏等树150多万株，实行高矮搭配、分层密植，组成一块防风林网。实现沟、渠、路、林、航运五网结合。总共挖土153万多方，平均每亩耕地挖土170多立方米。挖压面积1900亩。已利用植树550亩。堤压余土变为高产基本田，并增加300多亩水面可综合利用，发展水产。

　　朱楼圩实现高标准河网化以后，从根本上摆脱了易旱易涝的旧有面貌，明年计划改种水稻4000亩。通过旱改水和农业生产上一些措施，将使贫瘠的3000多亩花碱地变为肥沃的土壤，成为水旱无忧的稻麦鱼米之乡。群众歌颂是"河网化气魄大，水旱灾都不怕，沟、渠、路、林连成网，住宅安排集体化，努力苦干二三年，实现机械化和电气化，朱楼圩大变样，共产主义放光芒，从今一片好风光，孬地变好地，洼地变粮仓，渠道成为花果园，沟渠成为养鱼塘"。"过去吃三个月南瓜，七个月山芋，今后是大米干饭烧鱼汤，住的是楼房，穿的新衣裳。过去像地狱，今后赛天堂。幸福多亏毛主席，感谢恩人共产党。"

1958 年 12 月

三、城北十万亩大连片

　　70年代初因为发展灌溉工程，原有单一的排水典型已不适应农业发展的需要，此时出现了城北10万亩农田水利建设大连片。该典型是在原有小片井灌试点基础上扩大而成的，其特点：

　　1.面积大。在以往各小片试点取得经验的基础上，发展为超过10万亩的、按水系按灌区的配套试点。

　　2.标准高。以"两河三路"为南北主线（即东侧西渭河，西侧白塘河，中间三条路，中为睢魏公路，西为虹光路，东为梁集路），实行沟、渠、路、林、田及桥、涵、闸、站、井全面布局，统一规划，统一放样，统一施工，统一验收。农田水利工程全面配套，田成方，地成块，土地平整。

　　3.内容多。城北片是以井灌为重点的农田基本建设试点，除了挖沟、筑渠、平田整地等大量基础工作外，内容有新发展：① 在打井、配套、单井灌溉的基础上，大搞防渗渠，实现群井汇流，扩大效益。② 试验成功5至6米跨径板拱小沟桥，7立方米块石，3立方米混凝土，体积小造价省，外形美观大方，后在全县范围内推广。③ 大力推广地下灰土渠，按石灰、粘土1：10比例，人工夯实。在梁集的七井和魏集的集南，修建了部分毛沟灰土桥，坚持20余年。④ 进行多种灌水试验，取得效果，汇成资料。有万亩喷灌，小面积地下渗排渗灌，小麦、玉米灌水试验，小麦抗干旱风灌溉试验。

　　城北片的发展，引起了省、市的高度重视，经常来睢宁召开农田水利现场会，外地也经常来参观学习。现将1976年的介绍材料全录如下。

城北片农田基本建设介绍

　　城北片地处废黄河南岸，西渭河、白塘河之间，南到徐沙河，总面积120平方公里，耕地面积 11.7 万亩。4 个公社(场),40 个大队,385 个小队,8 万人口。这个地区和本县其他地区一样是废黄河冲积平原坡地,地势高洼不平,土质盐碱泡荒。过去也是"旱天白茫茫,雨天遍地汪,群众生活苦,糠菜半年粮"的穷地方。

1970 年北方地区农业会议以后,各地开展轰轰烈烈"农业学大寨"的群众运动。各级党委深入基层蹲点劳动,从大搞农田基本建设着手,层层拿出样板带动面上的工作。城北片 10 万亩配套工程就是在这种形势下产生的。具体时间是 1975 年 9 月进行全面规划、测量放样,实行三不迁就:不迁就原有工程,不迁就村庄道路,不迁就坟地。千米一条线,万米不转弯。沟、渠、路、林、方块田等,一次性放样定点,给冬季全面施工做好准备工作。在 1974 年完成 16 个大队土方工程的基础上,1975 年秋播开始,魏集、梁集等公社继续开挖大、中、小沟,结合三麦播种进行平田整地,同时开挖毛、腰、墒沟,做到沟成、渠成、地平再播种三麦。由于三麦播种基础好,使 4.2 万亩三麦取得了亩产 500 斤的好收成。经过冬春的努力基本完成六级排水沟的土方工程,计有东西大沟 14 条(其中新开挖 3 条),南北向 500 米间距中沟 133 条,东西向 200 米左右的小沟 665 条,南北向 100 米间距毛沟 3356 条,计新挖土方 454 万方。包括原有老断面共挖土 610 万方,平均每亩有效土方 61 方。平整土地 6.8 万亩,达到沟成、路成、渠成、绿化成,畦面平整,四沟相通。由于大挖土方提高了排涝能力,使 7 万亩面积在外河不顶托的情况下,可抗日雨 200 毫米。同时由于大搞田间工程,有效地控制了地下水位,提高了防渍能力。在初步解决涝渍的同时,搞好灌溉工程。1975 年大搞地下灰土防渗渠道,组织 2500 人专业队,用 84 台拌土机及 204 套壳模,完成 86 条计 10.12 万米 40 厘米×40 厘米地下灰土渠道。同时搞好配套,计安装混凝土放水亮井阀门 1009 套。在九个连片区 4 万亩土地内有 157 眼机井,配好井台、井池,达到群井汇流。新打机井 140 眼,新建井房 423 间,同时搞好井、机、泵配套。在 644 眼机井中,已配套柴油机 242 台,电动机 293 台,水泵 473 台。井灌控制面积 55930 亩,加上河水调剂,可灌面积 6 万余亩。又组织施工专业队,常年搞建筑物配套,完成大沟桥 5 座,中沟桥 105 座,小沟灰土桥 108 座。

为了搞好科学试验,继续探讨农田基本建设,在梁集公社七井大队搞 30 亩地下渗排、渗灌工程。经过种植玉米试验,由于排灌自如,土壤湿润,长势大大超过邻田。万亩喷灌田购进 75 台喷灌机,深受广大群众欢迎。

在城北片农田基本建设施工中,有如下三点体会:

1. 搞农田基本建设必须发扬自力更生精神。搞社会主义大农业,打破行政区域界限,建设大连片基本田,是百年大计。对此,只有发动群众,依靠群众,才能顺利办成。特别要发扬自力更生、艰苦奋斗的精神,强调有条件要上,没有条件创造条件也要上,不能单纯依赖国家支持。在城北大连片施工中,普遍采取"规划自己搞,技术自己学,材料自己备,土方自己挖"的"四自"方法。梁集公社七井大队近几年打机井 32 眼,配套柴油机 13 部,电动机 23 部,建桥 17 座,灰土渠道 7000 米,渗排、渗灌工程 30 亩,合计投资 99349 元,其中国家支持 36467 元,自己解决 62872 元。1975 年,全大队现金总收入 13 万元,社员分配仅占 2000 元,其余用于归还贷款和农田基本建设。1975 年冬和 1976 年春,全灌区建筑物工程总造价 653385 元,国家投资 207180 元,占总需款的 30.8%。许多农民把卖树钱及年轻人准备结婚的钱都投入到农田基本建设中去。

2. 大连片工程必须有领导亲自抓规划、抓施工。各级党委重视,部门支援,有专门机构,专线领导,是搞好大连片农田基本建设的重要保证。县委对城北片配套工程作过数次研究,在统一思想认识的基础上,首先成立"睢宁县城北片农田基本建设指挥部",发动物资、商业、银行、工业等有关部门大力支援,做到要人有人,要物有物,银行给予贷款支持。县委经常召开城北片公社、大队负责人会议,部署农田基本建设和农业生产工作。县委常委和机关干部定期参加劳动,各公社党委书记分在哪里就干在哪里,和群众同学习同劳动。在规划施工上,各级党委都坚持着眼于长远,着手于当前,全面布局,综合治理,分期施工,限期完成,加强管理,发挥效益。为杜绝"领导变动,水利重弄"现象,这次是规划定型,全面施工,一次干好,不再返工。群众、干部、技术员三结合的规划队伍由负责人带队,共同勘察、测量,定点放线,插标布阵。

3. 加强工程管理,发挥工程效益,是搞好大连片工程的关键。城北大连片水利工程建设,不仅是城北片自身的需要,更重要的是典型示范普及推广。能否普及推广开,归根结底是看能否发挥效益。而能否发挥效益的关键在于加强工程管理。城北片的特点之一就是"一建就管,建管结合"。县决定城北片建立工程管理站,下设9个管理段,负责全片40个大队、385个小队11.7万亩耕地上的工程管理,管好沟、渠、路、林、田及井、机、泵、房等建筑物。

1976 年 10 月

四、围垦灭荒工程

围垦灭荒工程是继城北10万亩大连片工程之后,于70年代末进行的一次较大规模的农田水利专项工程。该项工程的兴办,弥补了我县农田基本建设中的空白,促进了全县农田水利建设的平衡发展。

（一）围垦项目的由来

在县内大面积黄河冲积土中,废黄河两侧堆积最厚,土质最差。泡沙盐碱,土地贫瘠,"旱天白茫茫,尘土飞扬,雨天遍地汪,只长茅草不长粮"。建国初期治水的重点一直在下游低洼地区,按先下游后上游的原则,废黄河两侧一直未来得及系统治理。至70年代,全县各地农田水利都有很大进展,但废黄河两侧始终进展不大。成片的全荒地、半荒地或沼泽地,盐碱成分重,只长茅草或稀疏的旱芦苇。农民自发垦植的小片农作物,产量极低。原县委书记王恒山任省农委主任时,兼任省围垦指挥部指挥,1979年在临睢宁视察工作,亲自查看了废黄河一线工程,当即允许将我县废黄河两侧列入垦荒试验项目。随后睢宁县委成立了"睢宁县围垦指挥部",县委副书记徐广庆任指挥,王行泰、姚海述任副指挥,开展了连续五年的围垦灭荒工程。

（二）围垦范围

1980年夏季,睢宁县废黄河两侧工程治理正式被列入省垦荒试验项目,1980年冬首先在姚集北片2.1万亩荒地上搞试点,姚集公社组织5000人,经过一个冬春的苦干,完成南北大沟2条,东西中沟2条,南北小沟25条,包括内三沟和平田整地工程在内,计做土方150万立方米。配套建筑物有中沟桥12座,小沟桥50座,另有一些放水闸及斗、农门工程。1981年种植水稻9000余亩,亩产达千斤。并且还利用各级工程植树2.1万株,植条2万穴,种植金针菜450亩。由于姚集北片工程做得好,当年工程当年发挥效益,县围垦工程项目得到了省围垦指挥部的认可。以后连续五年支持经费200余万元,先后开垦了姚集的集北片、集西片、仲山湖片、二帝庙片；魏集的沈湖片、韩坝片；苏塘的马浅片、李埝片；双沟的陈王片、张楼片；王集的马营片、王营片；古邳的象山片；浦棠的五工片、夏行片等。合计 16 片，计开垦荒地 66328 亩，开垦半荒地 16668 亩，配套低产田 60820 亩，治理总面积达 143816 亩，占全县总耕地面积的 10％ 左右。这些荒地经过五年治理，六年配套，基本做到了配套成龙，旱涝保收。变荒地为良田，效益可观。

（三）工程措施

（1）开挖截水沟。废黄河堤、滩较两侧正常地面高出 7～8 米，高水地下渗透是造成两侧盐碱化、沼泽化的主要原因。垦荒必治水，治水必须首先沿废黄河堤下开挖截水沟，群众称为"截碱沟"，使河滩地高水导渗入截水沟，并使沟水位低于地面 1.5 米，脱离以往长期受渍状态，为垦荒造田、改造盐碱创造有利条件。

（2）深沟降水。垦荒地区排、灌系统的布局与一般地区相比没有很大差别，但要突出抓好两条措施：一是沟要深，目的是降低地下水位。特别对小沟的标准要求特别严格，一般地区小沟深度 1.5 米，高亢地区只有 1.2 米，而垦荒标准要求深度大于 1.5 米，有的甚至达到 2 米。二是提倡挖沟引水，抽水站建在大、中沟里，抽水灌溉结合降低地下水位。

（3）采取综合措施治理盐碱。改土治碱，治水是基础，还必须多种措施一齐上才能收到很好的效果。垦荒工程后，大量扩种绿肥、改种水稻，在增加有机肥料的同时增施化学肥料，其目的是改变土壤结构，使易板结的泡沙土变成水、气条件良好的肥沃土。

（四）工程效益

垦荒的直接效益表现在农业和多种经营方面。

改种水稻，产量高收效快。姚集北片、西片利用姚龙干渠引废黄河水扩种水稻 1.5 万亩，亩产超千斤；魏集沈湖片在西渭河上兴建沈湖闸，沿线兴建五座电灌站，利用拦蓄水栽水稻，实行稻麦轮作，使片内遇风飞扬的沙碱土变为绿洲；浦棠五工片，利用花庄南站、花庄北站提取小阎河水，使十年九不收的盐碱洼地变为稻麦两熟的吨粮田；西部苏塘、王集垦荒片，利用打井提水灌溉的办法，使沙荒变良田。

因地制宜开展多种经营，宜林则林，宜牧则牧，宜渔则渔，增加效益。荒区利用开挖的大、中、小沟及灌溉渠道进行三边绿化，植意杨 72.39 万株，栽插紫穗槐和杞柳 112.67 万穴，开挖鱼塘近千亩。既解决了水土保持，又增加了经济收入。

五、官山、凌城河网化工程

官山东片农田水利配套工程和凌城井字形河网化，是 1975 年以后全县农田水利工程配套的典型，也是县内建国后农田水利排灌网络的最高标准和最高布局形式。1977 年提出、1980 年定局的全县梯级河网工程规划就是在这两个典型的基础上制定的。

（一）官山东片农田水利配套工程

1975 年，因为灌溉工程的发展，排、灌标准均要求提高，更需要解决排和灌的关系，此时原有的典型都不能满足农业发展的需求了。当时全县都在探讨新的标准，但形形色色标准很不一致，难以发挥高效益。于是县委选择了官山这块洼地进行高标准农田水利配套试点。官山东片跃进河与白马河之间，耕地面积约 2 万亩，过去是有名的"官山荡"，汛期常积水成灾。70 年代初，凌城抽水站建成后引水灌溉实行稻改，此时排灌标准和布局均需要调整、提高。1976 年夏季，县水利局和官山公社共同进行了查勘、规划，形成了完整的规划材料，有文字,有数字计算,有历史面貌、现状、规划三张图。规划完成后经徐州地区水利局核准,定为农田水利补助工程项目。1976 年 10 月秋种时土方工程开始上马,当年冬季全县集中劳动力到泗洪县开挖第一期徐洪河,原计划所有公社全部上工,县委照顾官山东片工程,将官山公社单独留下搞东片土方,免去其第一期徐洪河任务。冬季官山集中全公社劳动力,按上大河工的组织形式,开挖东片土方工程。1977 年春季又组织专业队常年进行建筑配套。经过两年的努力,官山东片水利工程全部完工。该片工程的突出特色是:

(1) 排水系统规范化。南北方向开挖 3 条大沟,即吕洼大沟、白顶大沟、汤集大沟,大沟间距 2 至 3 公里。每条大沟为一个独立系统,东西方向间距 1000 米开挖中沟;南北方向间距 200 米开挖小沟;东西方向间距 200 米开挖毛沟。按 200 米×200 米形成方块网。在方块内南北方向间距 50 米开挖条沟,东西方向间距 50 米开挖腰沟,形成 50 米×50 米的田块。田块内旱作物南北方向种植,南北方向开墒沟。水稻东西方向栽插,田块内可打埂,不挖墒沟。七级沟的布局,五级固定。布置整齐,标准统一。

(2) 渠系配套系统化。开挖五级固定的排水沟,结合筑好干、支、斗、农、毛五级渠。除末一级毛渠与条沟可以相间排列、呈“非”字形灌溉外,其余四级沟、渠均按沟、渠、路形式布置在一起。干、支渠放水闸及斗门、农门、毛门配套齐全。

(3) 机电排灌模式化。整个排水系统的设计标准为可抗日雨 150 毫米以上,由于地势低洼,按机电排灌的要求安排建筑物,超标准降雨实行机排。大沟北端做引水涵洞,将跃进河水引入大沟,在大沟内建抽水站向干渠抽水。大沟南端做排水涵洞,降雨时自排入白马河。当上游来水倒灌时实行机排。即将南、北端两涵洞全部关闭,此时抽水站开机抽内水入干渠(各支渠闸关闭),干渠南端有退水涵洞,将机排之水经干渠退水涵洞流入白马河。一条大沟范围是一个大圩,一条中沟范围是一个小圩。中沟头建圩口闸,大沟排涝站抽水,各圩口闸按先急后缓的原则有计划地起落,确保各小圩区内积水的排除。

(二) 凌城河网化工程

1977 年冬季第二期徐洪河工程经过凌城公社境内,不仅沿线集中挖、压不少土地,而且原有水系被打乱。虽然挖河一时给凌城公社带来一些困难,但徐洪河开挖后,该公社离水源最近,排水属最下游,引水却是最上游,给工程再提高、再发展提供了新的机遇。经过调整布局和连续三年的实施,成为全县第一个实现梯级河网化的公社。与官山东片相比,其小沟以下配套标准大致相同,重点在大、中沟上有新的突破,主要有如下几个方面的发展:

(1) 深沟密网。该公社东部有徐洪河,西部有新龙河、中渭河。原东西方向间距 1000 米都有中沟,调整规划后,每隔一条中沟加深一条。即虽是中沟布局,但标准提高一级,按引水大沟标准开挖,保持引水深度 2 米。深沟平底,中沟引水分散建小型抽水站。改变了在大沟头河边建站的局面,灌区大大缩小,直接提水进田,减少了灌溉成本。

(2) “井”字形布局。按理两侧有河,中间有凌北、凌南、新李、旗杆等几条引水中沟,中沟两头接河均建闸涵控制,也算是配套齐全。后来在凌城集镇东侧扩大、延长凌东大沟,西侧新开挖凌西大沟。利用两条南北方向大沟把几条中沟连串起来,成为“井”字形河网化。每个十字交叉处建节制闸,闭闸时各沟独立,开闸时相互连通。在配套全的基础上增加调度工程,从而使梯级河网成为全面实现“蓄、引、提、调”的完整系统。由于“井”字形河网化作用大,效益好,被普遍加以推广,邱集、王林、高作、李集、古邳等公社均不同程度采取“井”字形模式。

（3）建筑物配套标准化、系列化。凌城的梯级河网建筑工程有三个特点：一是干、支河及大、中沟的建筑物按通农船的要求，孔径加宽、加高。大、中沟节制闸孔径3.5至4米，灌溉水位以上孔净高不小于2米。生产桥多为双曲拱或桁架拱、单孔桥。二是小沟以下的建筑物和渠系干、支闸及斗、农、毛门预制装配化、定型化。统一图纸，统一在水利站加工。仅混凝土管就有多种规格，后来又发展成用机械加工。当年凌城水利站最大的建筑物是新龙河夏圩桥，双曲拱跨径60米。最小的建筑物是从毛渠向田间送水的毛毛门，价值只几角钱。整个配套，标准十分完善。三是机电抽水站工程形式多种多样，有六角亭式、圆形天坛式，既有实用价值，又点缀了农村环境。

（4）利用河堤滩面植树植桑，提高经济效益。由于开挖徐洪河和大、中沟引水工程，占用土地较多，除了发展灌溉扩种水稻提高单产外，重点在河、堤利用上做文章。凌城境内有徐洪河、新老龙河、中渭河四条大河，全长33公里，占地11597亩；有纵横大沟12条，长度57.8公里，占地4618亩；有中沟42条，长度57.5公里，占地3034亩。合计沟、河占地总面积19249亩。80年代初的利用情况是：河堤滩面植林75万株，5110亩，放植芦苇3400亩，植桑580亩，栽三条50亩，放鱼500亩，共利用9640亩，约已利用50％。后在此基础上全面规划，利用率约为76.5％，其中徐洪河利用率最高。徐洪河贯穿凌城境内12000米，挖压土地面积4608亩，按五层楼形式布置：① 从正常水面高程12.5米，到排洪水位17米，两河坡放植芦苇（芦苇在水深处不能长，旱处也不能长，只能长在水面附近，这样河中间流水不阻，河坡又能得到保护），利用面积468亩；② 从高程17米到河口植枣，利用面积288亩；③ 两滩面宽40米植桑，利用面积720亩；④ 堤迎水坡和路两侧植树，利用面积720亩；⑤两堤顶面宽80米全部植桑，利用面积1440亩。合计利用面积3636亩，利用率近80％。地处凌城乡徐洪河东侧的新河村李庄组，是植桑养蚕致富的典型。该组在开挖徐洪河之前的1977年，有17户，82人，土地98亩。人均土地1.2亩，人均粮食255斤，经济纯收入人均分配83.7元。徐洪河开挖后土地减少，他们逐年扩桑养蚕，效益越来越好，连续八年取得了巨大变化。1985年这个组有21户，91人，耕地51亩，桑园72亩（其中河堤、河滩64亩，大田8亩）。人均粮田0.56亩，人均桑田0.79亩。当年养蚕304张，总产11065公斤，桑茧收入14.55万元，加上3亩桑苗、粮食和其他副业收入，人均纯收入达1100元（当年一般村组人均分配水平只300至400元），人均粮食500斤。

第二章　农田水利配套

农田水利工程布局、工程标准和分片治理情况各阶段略有不同。本章所述是指 70 年代实行梯级河网以后一直使用的布局、标准。

第一节　工程布局

一、七级沟和六级沟的布局

起初排水系统工程的统称叫"六沟配套"，后来称"内、外三沟配套"，而睢宁县有七级配套和六级配套两种，并且多数是用七级配套。这与地理环境和耕作习惯有关。建国后是从治河开始，然后是顺着地势挖大沟（或叫支河）。1963 年大搞排水工程，开始出现七级或六级一套沟工程的完整概念，即大沟、中沟、小沟、毛沟、条沟、腰沟、墒沟七级（六级配套中没有条沟）。下一级沟一律垂直于上一级沟开挖。农田水利排水系统中是先有大沟工程。睢宁县大部分地势是北高南低，建国后挖大沟多是顺着地势南北方向开挖，而农作物耕种大部分也是南北方向，大沟方向和耕作方向（也可理解为墒沟方向）平行，自然形成了七级。大沟、小沟、条沟、墒沟和耕作方向平行，中沟、毛沟、腰沟和耕作方向垂直。经过多年实践，全县农田水利排水系统的布局大致有如下几种：

1. 大沟南北向开挖，农作物南北方向耕种，七级配套五级固定。这种形式全县形成最多。

2. 大沟东西方向开挖，农作物南北方向种植，六级配套四级固定。即大、中、小、毛四级沟固定，腰、墒沟为不固定工程。大、中、小沟为外三沟，毛、腰、墒为内三沟。这种形式最好，也最省（省挖废土地、省土方量），后来开沟的大沟工程，大部采用此种形式。但这种布局没有第一种布局多。

3. 大沟南北方向开挖，农作物东西方向种植，六级配套四级固定。此类型较少。

4. 大沟东西方向开挖，农作物东西方向耕种，七级配套五级固定。此类型极少。

小型水利工程是群众性的工作，事前并没有理论上成熟的、可靠的硬性标准，大部分是在摸索中干成的。对农田水利工程标准，最通俗的提法是四沟相通（即田四周有沟，沟沟相通），能排、能灌、能降。此提法简单、形象，在群众中容易推广。不论采取那种布置形式，只要能达到这样起码的要求，便能收到很大效果，在由点及面的推广中，由于地形地貌、行政区划界线千变万化，很难"一刀裁"地采用一个标准，只要能"四沟相通、能排能灌"，其布局形式、标准尺寸可以"因地制宜"。

二、沟、渠、路三者的关系

50～60 年代的水利工程，一直探讨沟、渠、路的布置形式。当年毛泽东主席说："水利是农业的命脉。"还说："农业的根本出路在于机械化。"兴办农田水利基础产业，必须把机耕道

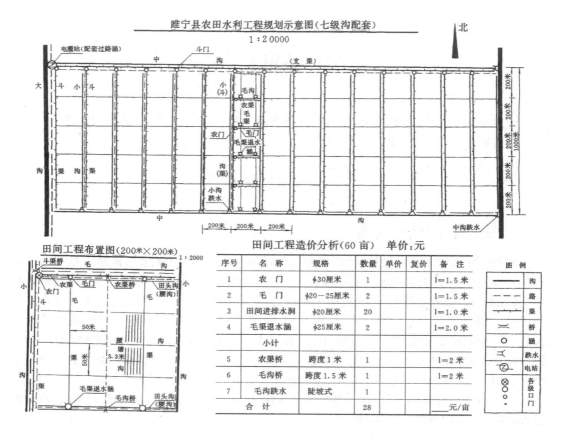

睢宁县农田水利工程规划示意图（七级沟配套）

1∶20000

田间工程布置图（200米×200米）　1∶2000

田间工程造价分析（60亩）　单价：元

序号	名　称	规　格	数量	单价	复价	备　注
1	农　门	φ30厘米	1			l=1.5米
2	毛　门	φ20—25厘米	2			l=1.5米
3	田间进排水洞	φ20厘米	20			l=1.0米
4	毛渠退水涵	φ25厘米	2			l=2.0米
	小　计					
5	农渠桥	跨度1米	1			l=2米
6	毛沟桥	跨度1.5米	1			l=2米
7	毛沟跌水	陡坡式	1			
	合　计		28			元/亩

图　例	
———	沟
- - -	路
┴	渠
〉	桥
◦	涵
⊿	跌水
⊗	电站
⊗◦	各级口门

路考虑在其中。迎水开沟，背水筑堤，沟、渠、路三者的关系实质上是渠和路的关系，只有两种布置形式。

1. 沟、路、渠排列。路在中间，沟、渠分列两侧。此排列的好处是渠和沟距离较远，可避免渠道内高水对沟坡的浸透作用，适用于粉沙土透水性强的地区。此排列的缺点是路在中间，渠道靠田，从路上转进田的地方，渠道上必须建桥。

2. 沟、渠、路排列。即渠在中间，沟、路分列两侧。由于路靠田，机耕、进田劳动十分方便。但由于渠在中间，送水进田必须穿路建灌溉涵洞。

在多年实践中大都采用第二种沟、渠、路的布置形式，其主要原因是进田方便。

三、条沟与毛渠

条沟是七级排水系统中的第五级，也是五级固定沟最末一级。毛渠是五级渠道中最末一级。排、灌系统的上四级都是沟、渠结合并行排列。如大沟结合筑干渠，中沟结合筑支渠，小沟结合筑斗渠，毛沟结合筑农渠。惟有条沟和毛渠因田间耕作和排、灌需要，布置与上四级不同，其形式有两种：

1. 条沟、毛渠相间排列。条沟与小沟平行，小沟间距200米，在中间开条沟，每边各100米。取100米中间筑毛渠，毛渠两侧各50米，"非"字形灌溉。条沟与毛渠间距50米。

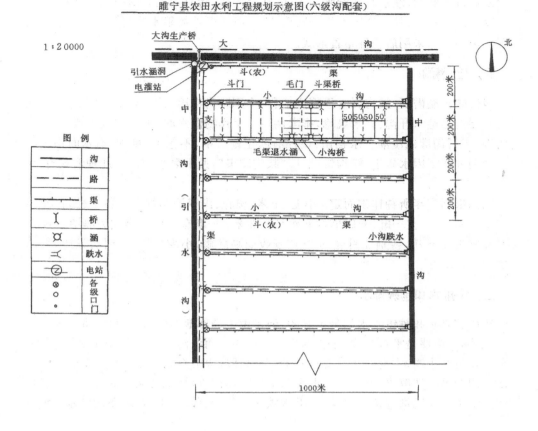

睢宁县农田水利工程规划示意图(六级沟配套)

田间工程造价分析(300亩)

序号	名称	规格	数量	单价	复价	备注
1	斗门	Φ40—50厘米	1			1=4.0米
2	毛门	Φ20—25厘米	10			1=1.5米
3	田间进排水涵	Φ20厘米	100			1=1.0米
4	毛渠退水涵	Φ25厘米	10			1=2.0米
5	斗渠桥	净跨1米	9			1=2.0米
6	小沟桥	净跨2米	9			1=2.0米
7	小沟跌水	陡坡式	1			
	合计		140			

说　明：

1. 本图为睢宁县农田水利配套的第二种布置形式,即"六级沟配套",六级沟为"大、中、小、毛、腰、墒",其中毛沟结合作毛渠,腰沟、墒沟均为排、灌结合不固定沟;

2. 此种布置形式适应于大沟东西向、中沟南北向布置地区,如岚山、王集、李集、梁集、黄圩等地部分地区;

3. 图中如中沟挖成引水沟(南北向)小型电灌站可相应改成分散小站或散机泵,同时,为避免在中沟深挖后小沟排水不致造成水土流失,除可配齐沟头跌水外,可重新增加开挖南北向中沟。

4. 内三沟工程布局用"七级沟配套田间工程布置图"。

2. 条沟、毛渠合二为一。在小沟间距 200 米中间筑一条生产路,两侧各有 100 米。在 100 米中间开挖半地下沟,筑半地上渠。上接农渠处建毛门,引水入毛渠,为"非"字形灌溉。下接毛沟处建排水涵洞,灌水时涵洞闸门关闭,作毛渠用,涝时提涵洞闸门作条沟用。

以上两种布局,前一种因毛渠和腰沟交叉,排水时毛渠阻水临时扒堵,使用不方便,一般不用。全县大部采用后一种布置形式。

四、腰、墒沟

因机耕长度需要,腰沟属于不固定工程。个别腰沟与田头沟结合,需要生产路,腰沟相对固定。腰沟是迎水开沟、背水筑埝,排灌两用。旱作物灌水时,毛渠水放入腰沟,然后由腰沟进墒沟,实行沟灌或漫灌。水稻田只打隔埂,土地成框,不挖腰、墒沟,灌水时由毛渠直接进框。个别井灌区因水量小,腰沟带渠,即"腰沟腰渠",便于灌水到田。此种形式有,但为数不多。

墒沟根据当年所种作物而定。小麦、玉米、棉花、山芋等作物要求各不相同。全县最普及的是麦田墒沟,一丈一畦,麦田墒沟间距是 3.3 米。一度有人将墒沟改为隔埂,不挖墒沟。因睢宁经常发生春涝,特别 5 月底、6 月初麦收前易降雨,小麦受涝、渍时有发生,因而后来坚持挖沟不筑隔埂。

五、倒排水和越级排水

按理倒排水和越级排水都是不好的,但是由于局部地形所限,只好变通。布置各级排水沟,由于隔一级便是平行布置,布置到最后一框必有两级沟并列现象,即所谓子母沟。如大沟迎水面要再开小沟,中沟迎水面要再开毛沟。这种现象群众认为太机械,都不愿意这样布局。对此采用两种办法解决,一是末一框水向临近一框倒排,增加交叉小涵管。二是越级排水,加做沟头防护。如毛沟直接入大沟,做毛沟跌水。条沟直接入中沟,做条沟跌水。实践中后一种办法使用较多。

六、水土保持

大、中、小、毛四级沟栽树,一般在滩面、渠边、路边栽树。迎水沟口外不栽树,毛沟在沟渠之间栽一行树。

引水大、中沟沟坡提倡栽芦苇,因中间水深芦苇长不到,不影响水流量。其余排水沟、灌溉渠不宜放植芦苇,因阻水严重。

大、中、小、毛四级沟迎水沟口外必须做小子埝,防止田间滚水塌坡淤沟。一般大沟迎水面子埝高 0.8～1 米,中、小沟子埝高 0.3～0.5 米。

第二节 工程标准

一、沟、渠标准

七级沟、六级沟标准表 （单位：米）

沟 名	底 宽	深 度	边 坡	口 宽	滩 面	间 距	备 注
大沟	5	4	1：2.5	25	3～5	3000 左右	平底引水大沟深度不固定
中沟	3～3.5	2.5～3	1：2	13～15.5	2～2.5	1000 左右	
小沟	1	1.5～2	1：1.5	5.5～7	1.5	200 左右	
毛沟	0.7	1～1.2	1：1.5	3.7～4.3	1	200 左右	六级配套毛沟间距 100 米
条沟	0.5	0.8	1：1	2.1	0.3	100 左右	六级配套中没有条沟
腰沟	0.3 或 0.2	0.5 或 0.4		1 或 0.6	0.2	50 左右	1、3、5 或 2、4、6
墒沟	0.2	0.3		0.4		3.3	人工开挖
	0.2	0.3		0.2		3.3	机械开沟

（驴耳铣是开挖墒沟专用工具，和机械开沟标准一样，后驴耳铣被淘汰。）

五级渠道标准表 （单位：米）

渠 名	底 宽	深 度	边 坡	口 宽	渠顶宽	控制耕地面积/亩
干渠	3	2	1：2	11	2	≥10000
支渠	1.5	1.5	迎水 1：2 背水 1：1.5	7.5	1.5	约 3000
斗渠	1	0.8	1：1.5	3.4	0.8	约 200～300
农渠	0.5	0.6～0.8	1：1	1.7～2.1	0.5	约 60
毛渠	0.3	地上 0.4 地下 0.4	排、灌结合，半地上半地下			约 30

"井"字形河网出现后，方块田的标准见第二篇第二章第二节中"梯级河网规划"部分。大、中、小沟标准断面示意图：

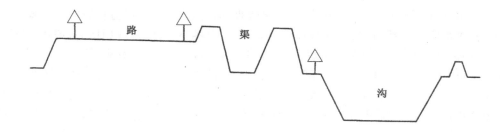

二、定额指标

以官山东片、凌城中片为依据，按照上表断面标准，计算 1 万亩耕地（总面积 15 万亩）工程数量,即万亩定额。

（一）土方工程量

1万亩耕地中有大沟1条,中沟3条,小沟45条,毛沟180条,条沟225条。

大沟1条,长度3050米,土方19.8万立方米,占总土方数的20.3％。

中沟3条,土方24.705万立方米,占总土方数的25.4％。

小沟45条,土方39.6万立方米,占总土方数的40.7％。

毛沟180条,土方8.052万立方米,占总土方数的8.3％。

条沟225条,土方5.148万立方米,占总土方数的5.3％。

合计五级固定沟土方97.305万立方米,按1万亩耕地计,平均每亩需挖沟土方97.305立方米。按毛面积1.5万亩计,平均每亩需挖沟土方64.9立方米。

70年代全县进行平田整地,因各地工程量不平衡,1978年测估,每亩约动土深0.1米,平均每亩约动土方66.7立方米。这样每亩耕地需做土方97.305＋66.7＝164.005立方米。按毛面积计算每亩需做土方64.9＋44.4＝129.3立方米。

以上计算为必须配套土方数,腰、墒沟属不固定工程,每年必须重复做,不包括在上述土方内。渠道工程一般都是挖沟结合筑渠,不另外计算土方。

按上述标准推算,全部农田水利土方约2.5亿立方米(理论数字),各乡搞点片基本能达到上表规定标准,其余标准都偏低,实际完成土方量应小于此数。建国后全县累计挖土方6.3亿立方米(有效土方3.19亿立方米)。由此对照差别较大,其原因一是重复工程量大,土质差,常淤常挖。一些河、沟挖时很大,不几年几乎淤平。有些引水河开挖后要巩固两到三次才能成功。二是土方统计数字报不实。有的年份显著受各种因素影响,以虚代实。按标准每亩耕地需做土方近百方,据有些典型调查发现,布局合理标准偏小,平均每亩只做60～70方土,只要级数齐全,效益仍然很好。

（二）挖、压土地面积

大沟挖压土地277亩,占挖压总数的7.85％。

中沟挖压土地494亩,占挖压总数的14％。

小沟挖压土地1520亩,占挖压总数的43.1％。

毛沟挖压土地560亩,占挖压总数的15.85％。

条沟挖压土地678亩,占挖压总数的19.2％。

合计总挖压面积3529亩,占耕地面积的35.29％,按毛面积算占23.5％。

（三）建筑配套工程

在农田水利工程中,挖土方较易,做建筑较难。前者农民可以"以劳代资",后者购买建筑材料需要大量资金。所以往往集中精力一片土方一个冬、春可以按规划挖完,但建筑物配成需2～3年甚至更长时间。各地情况不一,所需配套数量有差别,究竟配套多少为宜,开始没有统一定量。1978年在制订梯级河网规划时,为了有统一的奋斗目标,曾参考官山东片和凌城中片模式,估列万亩建筑配套工程项目规划表,后来凡是典型片均能按此完成,面上的工程大部分不能如此完善。现全录1978年编制的万亩建筑估列计算表如下:

项目名称	座数	占总数/%	砌石方	砼方	总体积	/%	备注
1. 大沟桥	2	0.17	290	90	380	6.26	1.5公里一座
2. 中沟桥	公路桥3 生产桥6	0.78	195 270	75 150	270 420	11.38	1公里一座
3. 小沟桥	100	8.7	1090	410	1500	24.7	500米一条路
4. 干渠桥	2	0.17	40	20	60	0.99	
5. 支渠桥	公路桥3 生产桥6	0.78	22 49	13 17	45 66	1.81	
6. 斗渠桥	100	8.7	300	200	500	8.23	
7. 干渠闸	1	0.09	30	20	50	0.82	
8. 支渠闸	3	0.26	40	20	60	0.99	
9. 斗门	45	3.91		90	90	1.48	
10. 农门	150	13.03		37.5	37.5	0.62	
11. 毛门	300	26.5		16	16	0.26	
12. 中沟涵	3+3	0.52	1392	198	1590	26.2	排引各3座
13. 沟头防护	346	30.5	50	450	500	8.23	见说明①
14. 下水道	75	6.25		64.5	64.5	1.06	见说明②
15. 大沟涵洞	1	0.09	300	120	420	6.91	
合计	1149	100	4078	1991	6069	100	

说明：① 第13项"沟头防护"一栏346座，其中大沟1座，小沟45座，毛沟150座，条沟150座。
　　　② 第14项"下水道"一栏75座，系水土保持工程，指滩面水做下水道入沟，其中大沟30座，中沟45座。
　　　③ "砌石方"、"混凝土方"、"总体积"的单位均为立方米。

每万亩需做建筑物1149座，建筑体积6069立方米。按1978年材料价格计算，石方每立方米造价约35元，混凝土每立方米造价约55元（农水标准），每万亩建筑造价29.76万元。平均每亩耕地需做建筑1.149座，每亩建筑体积0.6069立方米，每亩建筑造价29.76元。

第三节　分片治理和灌区布置

梯级河网规划中全县分五个治理片，即睢南片、睢北片、西北片、废黄河滩地片、黄墩湖片。分片的作用：一是每片地理环境、工程进展、技术措施等相类似，便于推广工程技术标准；二是分片后治理各有侧重，便于制订实施计划，"推磨转圈"谁先谁后，十分明确。

一、睢南治理片

指徐沙河（白塘河东是徐沙河，以西为徐沙河支线）以南广大地区，是五片中最大的一个治理片。包括凌城、邱集、王林、黄圩、官山、李集、桃园、朱楼、朱集9个乡镇和五一棉花原种场，还有沙集、高作、睢城一部分。该区共有247个村，2084个村民小组，耕地面积近60万田。

该片排水主要节制工程是凌城闸,还有潼河杜集闸、老龙河汤集闸、白马河张山闸。片内地面高程 18~24 米,地势低洼,西部稍高,有零星山丘。西部多沙土,中部多淤土,东部多盐碱土。该片特点:

1. 地势低洼,凌城东南部七咀、皇庙等地,邱集南部老龙河沿线,黄圩东部二郎庙附近,地面高程都在 18~18.5 米之间,是全县最低洼的地方。废黄河南 10 余条河流均汇集于该片洼地,并从此处流出县境。由于历史上长期排水出路不好,南部洼地洪涝灾害频繁,建国前、后,只能保住一季麦收。

2. 建国后治水重点一直是下游地区,除了整治骨干河道、建防洪涵洞外,涌现出不少农田水利典型工程。50 年代有朱集区的彭艾山,睢城乡的兴仁,朱楼圩的炬星,邱集区的吴集、王宇、吊桥,李集区的官山、荆赵,凌城区的凌南等。70 年代实行系统配套的有:王林东片,官山东片,凌城中片等。

3. 经过多年重点治理,兴办了大量的水利工程,农田由多灾低产田变成了高产田、旱涝保收回。在全县 82 条引水大沟工程中,睢南片有 38 条。凌城、李集是梯级河网化中工程最完善、受益最明显的两个单位。凌城地处县东南低洼地区,实行"井"字形河网化后,用水最方便,农业作物改制,稻麦两熟,农业产量迅速提高。李集地处西南边境,是睢南片地势最高、引水最远的末梢地区,实行梯级河网全片引水沟底相平,李集引水工程的相对深度最大,土方量多。从 1977 年以后连续 10 年挖了 10 条引水大沟,水利条件发生根本性的变化:一是 10 条大沟蓄水、从凌城抽水站引水和利用降雨调节补充,可改种水稻 1.5 万亩。二是沟多、沟大,排水能力大大增强。过去李集南部高水压集镇区,西部上游安徽来水也汇集李集中部地区,实行梯级河网后,内、外矛盾大大缓解。

睢南片灌溉工程绝大部分是机电站提水灌区。最大的是凌城灌区,凌城抽水站是一级抽水站,抽水入河后再引入大沟(或中沟),然后分散建小型抽水站,属二级提水到田。李集南部地势高亢,需三级提水到田。徐洪河以东的南北狭长地区在徐洪河上建小站,一级抽水直接到田。凌城站控制灌溉面积 36 万多亩(南片的其余地区属于沙集站灌区),该区干河、支河、大沟(部分中沟)全部能够引水,其中有龙、潼河两水系跨流域调度引水。如跃进河是沟通龙、潼两水系的调水工程,官山北龙山闸是两水系的节制工程。跃进河引水入白马河,从官山南睢泗路西侧开挖大蒋引河,将白马河水再引入潼河,供黄圩乡用水。从跃进河南侧、桃李公路东约 1.5 公里处(桃园乡汤庄东)开挖李集引河,引跃进河水入潼河(利用四里桥闸节制),供李集用水。李集在潼河南侧建站,提高水位送入李南大沟,供李集南部用水。凌城抽水站建成后,即进行凌城灌区规划,当时按凌城站每天抽水 16 个小时,灌区内各小站按每天 8 小时同时抽水计算,这是与当时的供电能力相配套的。起初多在河道沿岸大沟入河处建站,其小灌区多在 1 万亩左右。1977 年实行梯级河网后,大、中沟引水,原大沟头集中建的站又多拆除,改在大、中沟上分散建站。80 年代"挖大沟,建小站,当年栽稻,当年增产"就是从低洼地区开始兴起的。

二、睢北治理片

睢北片范围指姚龙干渠以东,徐沙河和废黄河之间。包括庆安、梁集两乡全部,姚集、龙集、高集、睢城、高作、沙集、刘圩、魏集等地之部分,还有西关农场、张行果园场。计有 163 个村,1344 个村民小组。耕地面积 33.94 万亩。

沙集节制闸是该片总的排水口门,是排水、引水总控制工程。老龙河以东各南北方向河道均被徐沙河截分为南、北两段,其交叉处均在徐沙河南侧建节制闸(或打坝堵死),使徐沙河形成完整的一级。白塘河穿徐沙河处做地下涵洞,排水时立体交叉,互不干扰。

该片土质差,除少量的两合土、淤土外大都是沙土、飞沙土、花碱土。土壤有机质少,雨季极易包浆,形成渍害。该片围绕治理涝渍灾害做了大量工程:

1. 白塘河上游是白塘湖,多次疏浚河道未能彻底解决积水问题。为了照顾洼地排水,1976 年春兴建白塘河地下涵洞,"高水高排,低水低排",白塘湖排水才比较顺利。

2. 长期为解决庆安灌区排灌矛盾做大量的水利工程。庆安灌区地势复杂,历史上牛鼻河改道数次,遗留下来多处废牛鼻河。灌区渠首地面高程 23 米,但灌区中部、南部仍有成片23 米的地面。不是南北一面坡,而是有起伏。灌区中间南北一条干渠,然后"非"字形两侧设支渠。此工程布局后形成了三个突出矛盾:一是排、灌矛盾。非字形布置渠系后,渠西之水应入牛鼻河,由于地形总趋势是西高东低,向西排水十分不顺,后陆续改向东排。即疏通渠西干沟,在支渠与渠西沟交叉处建渠下排水涵洞,在干渠一闸北、二闸北各建干渠地下涵洞,使干渠西水东流入白塘河。二是高、低地供水矛盾。支渠本是向南一侧呈半"非"字形灌溉,由于一些局部高地距离支渠远,水送不上,必须从下一条支渠倒灌,为此增加不少支渠渡槽。灌区流沙土多,渡槽接头长度往往做得短而且还土不夯实,在使用时常突然倒塌。庆安灌区的渡槽修得多,教训多,走过一段弯路。三是排灌渠系和生产交通的矛盾。干、支渠等工程完成后,缺少南北机耕路。该灌区南北狭长,30 多华里只有中间干渠上一条南北路,从一框地到另一框地,必须从支渠路返回干渠路环绕行驶。70 年代规划在干渠西至牛鼻河之间搞一条南北方向机耕路,在干渠东至白塘河之间搞一条南北方向机耕路。先后十余年修路、建桥,机耕路才形成。

3. 在县城周围等显要地方搞农田水利试点,影响面比较大。睢北片出现过两处规模较大的典型:一是城北片十万亩丰产方,从城东汤刘、梁集七井等井灌小点扩大到 10 万亩大连片。二是徐淮路一条线连片工程,东从沙集与宿迁交界起,西至双沟与铜山交界止,两侧各一公里范围内,统一规划,统一标准,形成一条线 10 万亩大连片。1976 年提出规划并开始行动。80 年代初期,从睢城至沙集先形成规模。80 年代后期转移到西部,在王集段搞点。90 年代将该路两侧作为示范带,年年巩固,年年标准有所提高。

睢北片灌区是典型的南水、北水、井水三结合的地区。下面按灌区类型分别介绍:

(1)井灌区。城北片沿睢城、梁集、魏集中间部分是井灌集中地区,机井配套全,防渗渠道多,井口综合利用好。

(2)南水灌区(即沙集站灌区)。1984 年沙集抽水站建成后,沙集站灌区即形成。该灌区面积 31 万亩,其中徐沙河以南约 20 万亩,和凌城灌区一样,分散建小站提水到田。其余10 余万亩分布在徐沙河以北,是南水、北水结合区。

(3)北水灌区。由废黄河北古邳、新工两抽水站抽引骆马湖水,经废黄河中泓和庆安、袁圩两水库,形成提水后的自流灌区。

① 庆安灌区。古邳抽水站抽水入庆安水库,形成庆安水库灌区,有 3 条干渠,分成 3 个灌区。

中干渠。指最早建成的庆安干渠。灌区处于白塘河和牛鼻河之间,南北长 17 公里,东西宽约 7.5 公里,总面积约 130 平方公里。1958 年庆安水库建成后,于当年冬至 1959 年

4 月进行灌区渠系配套。完成灌区配套土方 918 万立方米，建筑物 313 座。干渠渠首最大流量 11.25 立方米每秒，渠首渠底宽 8 米，渠高 2.8 米，渠底比降万分之零点五。干渠上设 4 座节制闸，其中一闸水头差大，设计搞水力发电，一闸施工时配有发电设备，后没有使用而拆除。干渠两侧设 32 座支渠闸。干渠末端穿过徐淮路，灌到路南侧鲍庙鱼场。由于干渠向两侧灌水不顺，60 年代曾酝酿将干渠向南延伸至官山，向洼地供水，后干渠只延长到朱集东部。干渠向南伸向朱集的王营，转向西，接老龙河东堤再转向南，直至朱东桥。当时朱集东部用水库水栽稻，由于放水线路长，用二三年后即逐渐回缩。灌区西部牛鼻河上曾建邱圩渡槽和张庄渡槽向西龙集境内送水，因地形不顺，逐渐作废。

东干渠。1959 年初庆安灌区配套时就筑一条东干渠，从一闸上干渠东堤开口建放水闸，向东穿白塘河有杜巷渡槽，再向东约 1.5 公里转折向南直至梁集的毛庄。此渠 60 年代使用，水量不足，且穿过白塘河向东是逆地形送水，灌水效益不高。1978 年重筑新的东干渠（老东干渠废），利用庆安水库东南角泄洪涵洞直接从水库放水，涵洞出口向东筑 3 公里干渠，再折向南直对县城中山路筑南北方向干渠。干渠全长 18.9 公里，灌区南北长 15.7 公里，东西宽（干渠至白塘河）3 公里，控制面积 51.1 平方公里。干渠渠底高程 23～22 米，底宽 10～3 米，灌溉流量 10 立方米每秒。干渠上游是半地上半地下，高水位供魏集使用，低水位向南端睢城送水。规划在城北沟做穿沟涵洞，可向城河供水冲污。灌区东高西低，一律由东向西灌水。

西干渠。1979 年从庆安水库西北角做西放水涵洞（由于发生质量事故，第二年重建），向西送入二堡小水库，再折向南沿牛鼻河东堤筑西干渠，渠长 23 公里。因为中干渠向西送水不顺，建西干渠改为由西向东送水。后姚集境内使用很好，龙集、庆安两乡境内未使用。

庆安水库原设计灌溉面积 15 万亩，三条干渠完成后灌溉面积可达 16 万亩，因渠系配套不全和管理不善等原因，实际灌溉面积只有 11.2 万亩。

② 姚龙灌区。"文革"后期姚集公社在废黄河中泓建房弯闸，在闸上废黄河南堤建房弯引水涵洞，涵洞向南筑干渠，再东西筑支渠。拦蓄废黄河上游来水，从房弯涵洞放出，在姚集北片灭荒稻改。因东西支渠地面比降陡，灌水十分顺利，而且在泡沙盐碱地上稻改效益十分显著。1977 年春将姚集灌区改造加大为姚龙灌区。水源是古邳抽水站抽水入废黄河，然后再引入姚龙灌区。干渠从房弯涵洞向南穿牛鼻河、老龙河均做渡槽，进入龙集境内仍向南，直至龙集和高集交界止，灌区设计面积 7.5 万亩。因古邳抽水站设备偏小，姚龙干渠只能保住姚集境内灌溉，龙集用不上水。

③ 新工灌区。1971 年夏季新工抽水站建成，该站位于废黄河北侧，抽引骆马湖水送入废黄河中泓，灌区主要在废黄河南。新工干渠分为两部分：一是在废黄河滩地开沟，并在废黄河南堤建夏庄闸节制；二是废黄河南从袁圩水库西侧向南筑渠，穿魏集公社东部和张行果园场中间，经梁集公社东马桥、刘圩公社西南李庄，达高作公社西北朱楼后转向东，基本沿高作、刘圩交界，直达沙集公社最北部（接近睢宁、宿迁交界）。该渠走向呈"L"形，因线路长且送水流量小，再加上该渠沿线地面高程是首尾偏高、中间偏低等原因，新工站抽水只能达南北干渠，东西段刘圩、高作、沙集等用不上水。新工干渠使用近 20 年，计划灌溉面积 5.5 万亩，实际只能灌 3.5 万亩。1991 年开挖徐洪河后，新工站交浦棠乡管理、使用，只灌废黄河北滩部分高地。废黄河南新工灌区改为袁圩站灌区。

④ 袁圩灌区。1991 年前是袁圩水库灌区，1991 年开挖徐洪河从袁圩水库穿过，该库退

水还耕。以后建立袁圩抽水站灌区。

　　袁圩水库灌区：1959年底刘圩公社建成袁圩水库，灌区耕地面积3.5万亩。灌区虽小效益较高，刘圩公社可稻改8000亩。

　　袁圩抽水站灌区：1991年开挖徐洪河，将袁圩灌区打乱。建立袁圩抽水站代替袁圩水库。干渠分两支：一是东干渠，沿徐洪河西堤外筑渠，与原有东西支渠相接，使原有的灌区恢复；二是西干渠，即原来的新工干渠，改用袁圩站抽水。

三、西北治理片

　　位于县西北部，废黄河以南，姚龙干渠以西（干渠南以田河为界），南与安徽省灵璧县交界，西与铜山县接壤。该片包括高集、岚山两乡和苏塘果园场全部，双沟、苏塘、王集三乡之大部，姚集、龙集两乡之部分。计有122个村，872个村民小组，耕地面积约28.61万亩。

　　该片特点：一是土质瘠薄，除少数山区属山淤土外，大部分是沙土、飞泡沙土、盐碱土。二是地势高亢，地面高程25.1～31.3米。地面比降陡，约达三千分之一（全县大部分万分之一左右）。南北方向一面坡，北高南低。东西方向以闸河一线高，两侧渐低，即中间高两侧低。三是水资源缺乏，常遭旱灾，甚至人畜饮水困难。

　　该片规划、治理偏重于三个方面：

　　1. 调整排水规划布局。地势虽高，由于河道标准小，排水不顺，加上边界矛盾多，局部水无出路，又因黄泛冲积，西北片沙土层最厚，易包浆受渍。闸河、田河（田河支流双洋河）、白马河、新源河等都属上游河道，弯曲狭窄且标准小，水土保持差，河道淤积严重，常挖常淤。建国后虽做大量工程，如50年代末、60年代初，双沟南部、高集西南部做了一些台田工程，王集等地搞了六级或七级沟配套，但布局调整上规模、上标准还是在实行梯级河网以后。首先是开挖好徐沙河，以此河为骨干，分段废除田河、双洋河，取直开挖了王东大沟、王西大沟、苏东大沟、双洋河、汪陈大沟、青年大沟、岚西大沟等工程。其次是完善西北片封闭建筑物，内部实行多级控制。高集节制闸是排灌总控制工程，还有郭楼闸、青年沟闸、散卓闸、魏洼闸，五座闸组成西北片的封闭工程。五座闸上游河底均按西北片规划标准挖成平底，高程21.5米。为消除内部地面比降陡的影响，片内部实行再分梯级。如王东大沟中间朱庄闸将王东大沟上游沟底抬高再分一级。王西大沟王西闸、苏东大沟赵集闸、双洋河南端的双洋河闸等均较徐沙河底再抬高一级。

　　2. 多方开辟水源。上游高亢地区，引水离水源远，地下水亦不丰富。规划治理也是井水、南水、北水三结合的路子。因治水先下游后上游，地面引水比其他片晚。1989年以前一直是以井灌为主，该片地下静水位约8米，动水位15米，单井抽水量每小时约30立方米。由于出水量少，又别无水源，打井密度较大。70年代大部分生产队有2眼机井，双沟南片有些生产队有3眼机井。从井灌效果看，开始效益比较显著，后来由于井密争水，加上取流沙层水易淤塞，井的寿命短，损坏多，井灌面积逐年缩小。1989年兴建高集抽水站，计划控制面积15万亩，从此引进了南部洪泽湖水。高集站是接沙集站抽水的二级站，抽水入徐沙河上段和诸引水大沟后，设小站抽水到田，属三级提水。片内有小面积再分梯级的地方，必须再增加一级提水，属四级提水到田，成本较高。为减少提水级数，增引北水，即扩大古邳抽水站，疏浚废黄河中泓，向西北送水。如王集在废黄河南滩挖引黄大沟，并在南堤建引黄涵洞，可灌王集以北地区，并可伺机再向南调剂补水。再如规划已定尚未实施的马浅引水涵洞，是向苏塘送水。

3. 山区治理。西北山区主要指岚山山区,有时泛指西部山区也包含张圩山区。山洪水不仅使山区水土流失,成为荒山秃岭,也给下游平原地区造成洪水威胁。1958年大跃进年代开始治山,岚山人民自办了孙庄、羊山、项窝、土山、万庄、乔山六座小水库。到了60年代初接着"从上而下,沟坡兼治"。山上封山育林,山下修筑梯田。山腰做等高截水沟,库沟相连,长藤结瓜。山脚开挖环山沟,排山水截洪水,解除了下游平原地区20平方公里的洪水威胁。

四、废黄河滩地治理片

废黄河滩地包括张圩乡、刘集果园场、张圩林场全部和双沟、苏塘、王集、姚集、古邳、浦棠、魏集、刘圩部分村、组。共有101个村,693个村民小组,耕地面积21.39万亩。废黄河中泓为飞沙土,滩地有沙土,有淤土。滩地高程30~35米,高于河两侧正常地面。

建国后废黄河治理工程大体分为三个阶段:

第一阶段,50~60年代以防洪保安为主。虽然1855年黄河北迁,由于黄河堤宽滩广,从河南到江苏,自身产生的降雨径流仍给下游造成洪水威胁。县境内从上至下有10处险工地段,每当汛期形势紧张,即组织人力加土护岸。有的是上土加高加宽,有的是做丁坝改变水流冲刷方向,还有的是做块石护坡。50年代末,在废黄河两侧先后兴建三座水库,拦蓄废黄河洪水,减轻了堤防压力。

第二阶段,70年代以利用为主。即利用废黄河地势高和已建三座水库的有利条件,兴办古邳、新工、清水畔三座抽水站,抽引骆马湖水。废黄河是一条纽带,将站、库衔接起来。利用三站抽水,滩地部分面积有了灌溉水源。

第三阶段,80年代后以开发为主。即对废黄河中泓、滩地直接治理,开发河道自身价值。首先在规划上确立分三个梯级治理,每段河底平,水深不小于2米。其次对两侧滩地农田水利按六级标准配套,以中泓为大沟,南北方向开中沟,东西方向开小沟,再南北方向开毛沟。从1984年冬季开始,连续五年五期分段治理废黄河,河成、两侧滩面治理成,林、牧、副、渔也随之而兴起。

五、黄墩湖治理片

黄墩湖片位于废黄河北侧,包括古邳、浦棠之大部和姚集、张圩的部分村、组,共有53个村,252个组。耕地面积12.46万亩。

该片西北部分布着岠山、望山、半山、羊山等小丘岗,最高山头高程为203米。其余都是湖洼地,地面高程20.8~23.7米,古邳镇东侧旧城湖是原古下邳沉陷之后形成的,其湖底高程在20米以下。土壤多系沙土、盐碱土,有少量的两合土、淤土。

黄墩湖地区最突出的问题是地势低洼,下游洪水出路不好,上游邳州境山区来水快,常泛滥成灾,历史上当地农民只有收一季麦的习惯。建国后一直作为滞洪区,一方面大兴水利提高农业产量,另一方面还要有为滞洪作牺牲的准备,每当汛期十分紧张,针对湖地具体情况,多年来主要围绕防洪抗洪、圈圩机排两个方面做工程。

(一)防洪抗洪工程

除了挖河筑堤挡洪外,做了大量的庄台和避洪楼。建国后华东水利部规划将黄墩湖定为分洪区,水位 22.5 米时分洪,分洪最高水位 23 米。当时发动群众提高宅基,即加筑庄台超过 23 米。50～60 年代每当分配冬季大河工任务时,经常减少黄墩湖地区群众的河工任务,让其留一定的劳动力在后方筑庄台。1985 年国家治淮委员会规划黄墩湖地区为非常洪水滞洪区,规定当骆马湖洪水位已达 25.5 米,预报上游来量大将要超过 26 米时,黄墩湖滞洪。滞洪水位提高后,再加筑庄台已不现实,后即提倡兴建避洪楼。三底两顶,水泥砌砖墙,钢筋混凝土楼板,楼顶部高程高于 26 米。

（二）圈圩机排

建国后历次水利规划都把圈圩建站实行机排作为黄墩湖地区的工作重点。50～60 年代即兴建了花庄、陈平楼、蔡桥三座固定机站。当时没有电,全用柴油机带动。70 年代张集公社(浦棠)建了张集、花庄电站,排灌结合。古邳东片建了崔瓦房、陈老庄、陈平楼三座电站,即一、二、三站,排灌结合,并且将三座站干渠连通一起,提高排灌效益。圈圩机排的布局先是"三分开一控制",后来完善为"四分开、二控制、三配套",即洪涝分开,内外分开,高低分开,排灌分开;控制内河水位,控制土壤含水量;机电动力配套,堤防标准配套,水利设施配套。圩内形成排、灌两个系统,古邳东片多是六级配套,浦棠东片多是七级配套。

第三章　水利科技

科技兴水,是水利事业发展的重要战略。没有科学技术作指导,水利事业就会走弯路,甚至停滞不前。建国后水利建设速度很快,而历史上又从未留给我们整套的技术经验,因此每当水利事业需要有重大进展的时候,除了积极向外地学习、引进科学技术外,大部分是边干边学,经常总结经验,从实践中吸取营养。县水利局先后多次进行专题试验,从中找出一些科学数据。

第一节　治水改土

建国前后,县内曾经有大面积的盐碱土,成片的土地不长庄稼,或即使有苗也很稀,群众称为"花秃子",严重制约农业的发展。建国后随着水利事业的发展,盐碱地面积不断缩小,以至基本消失。过去人口少,土地面积大,粮食产量低,群众口粮严重不足。到了 80 年代以后,人口多,人均土地少,农业产量高,粮食能够满足生活需要。今昔对比,农业发生了根本性的变化。治水改变了土壤结构,70 年代末期,盐碱地治理路子成熟,已收到明显效果。睢宁县水利局 1978 年 6 月 4 日在水利部主办的"南水北调"初审会议上的汇报材料,比较系统地总结了睢宁县盐碱土改良的过程及其经验,摘录如下。

睢宁县关于盐碱土改良情况的汇报

建国前,本县长期遭受涝渍、干旱等自然灾害的交替侵袭。"大雨大灾,小雨小灾,无雨旱灾","涝时水汪汪,旱时白茫茫",广大劳动人民长期处于极端贫困状态。建国以来,开展了规模巨大的水利建设,掀起了一次又一次的治水高潮,经过不断实践、摸索治理,逐步掌握了与自然灾害作斗争的主动权,使我县广大地区的农田基本建设从根本上发生了很大变化。

本县土质多系泡沙土,易旱易涝,多雨包浆,雨后板结,干旱时反碱冒碱,保水保肥能力不强。盐碱化程度很大,过去一些群众吃盐就靠自刮自淋自晒成盐。建国后我县不断对盐碱地进行改造,收到了很好的效果。建国初期全县有花碱地70万亩左右(其中重盐碱地40万亩左右),现在已减少到22万亩。所采取的改良措施有三条:一是开沟洗碱。开沟排水降渍,使土壤不致造成包浆。盐碱地下面一般都有一层粘土叫夹板层,群众称"碱根",挖通以后对降低土壤水大有好处。二是灌溉压碱。旱时冒碱,土地成片像是霜雪,但灌水后可以压下去。群众讲:"碱是随水来随水去",就是灌溉压碱的道理。三是种绿肥、扩水稻改碱。通过作物改制,种绿肥可以提高土壤肥力,改变土壤成分。改种水稻,由于经常灌溉可以压碱。稻改后农民普遍反映不仅土壤能够改良,同时可以提高小麦产量,从而实现稻麦两熟,全年增产。

以上三条,第一条开沟是基础,不开沟既不能洗下去,也不能压下去。但是单独搞一种措施效果是相当缓慢的,三条措施同时进行效果非常明显。所以我们总结的三条措施,概括起来就是一套"洗碱、压碱、改碱"的综合性治理措施。下面举几例说明。

1. 我县在水利方面的主要矛盾是涝渍,所以多少年来是以排为主,排灌结合。1966年以前重点是治涝,灌溉工程较少。后来在排水标准逐步提高的基础上发展灌溉,1970年起灌溉工程大发展,稻改面积加大,绿肥的种植面积也逐步增加,今年已扩种越冬绿肥50万亩,夏绿肥40万亩。1966年前因重点治涝,虽挖了不少沟,同时又在古邳公社中兴大队和王集公社王营大队搞改良盐碱试点,但总的进度不快。建国初期全县重碱地面积40多万亩,到1966年统计时还有38.5万亩。1970年以后,灌溉面积迅速增加,盐碱地面积大幅度下降。据统计,70年代上半期一般年份盐碱地面积只有近20万亩,在水稻面积较大的1973年,也是盐碱地面积最少的一年,全县只有17万亩,与1966年相比减少了一半还多。近两年由于受水源少等因素影响,灌溉面积减少,个别地区盐碱地面积又有所回升,去年统计全县盐碱地面积22.5万亩。实践证明,只有灌溉工程发展了,才能给快速治理盐碱创造条件。本县灌溉水源重点靠引水和地下水,对于改良盐碱都是适宜的。

2. 我县西部高地、废黄河沿岸是盐碱地较重的地区,1975年我们总结了两个改碱典型。第一是王集公社王营、陈楼二个大队,从1963年开始挖沟治碱,盐碱虽有减轻,但程度不大,因而农业没有显著高产。直到1970年在原有沟洫基础上进一步配套,发展了灌溉,改种水稻,盐碱化程度才大大减小,农业产量才有显著增加。第二是和上述条件差不多的双沟公社孟圩大队,从1969年开始搞沟渠配套,同时发展灌溉工程,当年进行作物改制,实行稻改,经过连续三年的努力,土壤发生了较大变化,农业产量增长也快,1971年超"纲要"(亩产500斤),1972年"过长江"(亩产700斤)。王集公社王营大队在1963年是按平均每亩90方土标准开挖的排水沟,由于综合措施未及时跟上,将近十年才有明显效益。双沟公社孟圩大队是按平均每亩62方土标准开挖的排水沟,由于综合措施紧紧跟上,三年大见成效。王营变化幅度小,孟圩变化幅度大,这充分说明开沟只是基础,关键在于三个措施同时进行。

3. 我县城北十万亩大连片,原来也是泡沙盐碱较重的地方,我们在大连片的农田基本建设中,注意了盐碱土改良问题。由于近几年的发展,沟多渠多,土地成方,田块平整。排涝、降渍、灌溉条件都大大改善,加上采取种植田菁(绿肥)和个别严重的地方深翻或盐碱土搬家等措施,经过五年左右的努力,土壤结构逐步得到改良,盐碱成分由原来的千分之五降到千分之二,盐碱地面积由40%减少到5%左右。这块地区是我县近几年采用综合性治理措施改良盐碱土的最好典型。

1978年6月4日

第二节　灌溉试验

县级不专门设科研站,水文测量站也是属省、市管理,所以县水利局没有大量的、系统的科研资料。1957年在省、地帮助下于朱楼圩设立灌溉站,测试水稻等作物生长期用水量,不长时间即撤销。1966年在庆安灌区搞水稻灌溉试验,后因天旱水库放不出水,只进行了半季而告终。两次试验虽不完善,但粗略的数据对以后的用水管理工作带来了很大方便。例如本县水稻的泡田定额,沙土约150立方米水,粘土约120～130立方米水。水稻生长期每亩平均需用450～500立方米左右的水,在计划用水和调度引水中经常使用这些数字进行估算,基本正确。因农业生产需要也曾做过单项试验,积累了一些经验数据。城北片三麦喷灌试验、玉米渗排渗灌试验和水稻节水控制灌溉试验有完整的成果,是县水利科研工作的典型。经过整理记载如下。

一、城北片三麦喷灌试验

这是1979年记载的资料。当时城北片有移动式喷灌机组80台,每年可喷灌三麦1.2万～1.8万亩(其中固定式喷灌两组60亩)。喷灌范围都在梁集公社境内,小区试验在刘场队乔庄生产队,其余分布在七井、傅楼、高楼、张楼等大队。

灌溉技术主要是掌握土壤含水量,正常的土壤水分保持在20%左右,低于15%偏旱,长期高于25%即渍。是否需要喷灌补水和补水度数掌握,都要视土壤水分而定,一般在三麦生长期喷灌5次水:

1. 播前造墒水。三麦秋播时往往遇到干旱,土壤缺水影响出苗率,严重干旱时都是下种后等下雨,受大自然制约严重。采取喷灌播前造墒,每亩喷水量10立方米左右,使土壤水分提高到20%以上,然后整地下种。连续几年梁集喷灌的2万多亩三麦,都取得了全苗。畦灌造墒灌水不匀,干湿不均,影响整地时间。喷灌水量均匀,可及时整地,不误农时。

2. 越冬水。一般在封冻前20天左右,即小麦三叶一蕊时喷灌,使土壤水分上升到23%～25%(略高)。此时灌水可保证三麦有足够的水分越冬,避免冻害、旱灾、返碱死亡等现象发生,确保三麦生长。

3. 返青拔节水。在三麦拔节前10～15天喷灌一次。这时三麦需要足够的水分和肥料,既促分叶,又促根系发育。有条件的地方还可以畦灌。

4. 抽穗水。每亩喷灌15立方米左右,促进三麦多成穗、出大穗。

5. 灌浆水。4～5天喷一次,每天10点钟之前喷,每亩喷水6立方米左右,以促进籽粒饱满,增加千粒重,抵抗干旱风。

70年代,喷灌是比较先进的灌水技术,睢宁县试用较早,收到很好效果。后来有几个公社推广,以水利站为单位,组织喷灌专业队。与以往粗放的灌溉方式相比,有如下几点好处:

1. 减少灌溉成本。通过试验对比,喷灌比以往采用的分畦淹灌、"跑马水"漫灌节水一半以上。喷灌减少田间渠道配套,省地、省工、省土建配套经费。

2. 保证灌水质量。喷灌俗称"人工降雨",可保持土壤结构,使土壤不板结,不龟裂,不返碱。即使平田整地中有些高低不平,也能灌水均匀。喷灌机动灵活,哪里需要哪里灌,不受限制。

3. 提高农业产量。通过试验对比,喷灌三麦亩产 825.6 斤,比畦灌增产 18.6%,比不灌田块增产一倍以上。

4. 提高抗御自然灾害能力。小麦生长期除了一般的水旱灾害外,还经常遇到两种自然灾害:一是干旱风,二是倒春寒。喷灌对于克服这两种灾害有很明显的效果。

三麦黄芒期经常遇到干旱风,或称旱热风。西南风或者西北风连刮数天,空气热而干燥,往往因此减产 2～3 成,甚至更多。农民辛辛苦苦种田,本来是丰收在望,即将到手的麦子,在几天之间大幅度减产,农民大失所望。每年三麦腊熟之前,农民渴望刮东南风,但往往事与愿违,遇上西南风、西北风,眼见减产也无能为力。这个历来存在的灾害,喷灌把它克服了。例如 1979 年 5 月,西南风 2～3 级,麦田温度在 30 摄氏度以上。于是每天上午开动喷灌,时间 10～15 分钟,每亩喷水 3～5 立方米。可使株行间湿度增加 15%,地温降低 1～2 摄氏度。结果与未喷的田块相比,平均亩产增 6%。梁集连续几年喷灌,掌握了一些必要的灌水技术。如每天喷灌最佳时间是:上午 8 时至 9 时,温度开始升高尚未很高,风力开始增强尚未很强之时。这时喷灌适当的水量,使田间空气和土壤增加湿度,提前改善田间小气候,可延缓温度、湿度升高,有效时间长。通过比较,17 时至 18 时,因高温已过,不宜喷灌。中午 12 时至 14 时应避免喷灌,因在高温情况下,田间小气候急剧变化,对三麦生长反而不利。

春季冷空气经常南下,引起倒春寒,造成晚霜冻。春季回暖,三麦开始返青正常生长,遇有晚霜冻,便形成灾害。实行喷灌可以大大缓解冻害。例如 1976 年 4 月 3 日凌晨,最低温度为 0.5 摄氏度,地温 1.4 摄氏度,有霜冻。为此夜间喷灌 30 分钟,喷后株行间温度升高到 2.5 摄氏度。次日田间调查,未喷灌的麦叶叶梢呈灰白色,有轻微冻害。喷灌过的三麦麦棵显得正常。

二、城北片玉米渗排渗灌对比试验

70 年代的渗排渗灌是试探性项目,后来由于经济条件限制,没有推广,但其灌水技术、灌溉效益值得记载。该项目布置在梁集公社七井大队井前生产队,渗排渗灌面积 31.94 亩,明排明灌的对比区 14.78 亩。在同等工、种、肥、水条件下,只是排、灌水明、暗不同,进行比较。

暗管布置分毛管和腰支管。毛管是用水泥、黄沙、一号小石子,用震捣器制成的透水管,内径 12.7 厘米,壁厚 2 厘米,长 1 米。埋设时管距 3.3 米,埋深 0.6 米,管底用灰铺底夯实,管壁上周用 1 号石子铺填 5 厘米厚作过滤层。腰支管道每 60 米一道,用灰土制成 80 厘米 ×30 厘米或 40 厘米×40 厘米断面,埋深 0.7～0.8 米。还土时分层填土,层层夯实,达到支腰管相通形成地下排灌整体。

渗排渗灌工程成本:

1. 经费。渗排渗灌田间工程共投资材料费 4820.9 元,平均每亩合 151.12 元。

2. 用工。渗排渗灌区用工:① 制管用工 882 个。② 埋管用工 460 个。③ 打灰土管道用工 500 个。④ 运管、接管、铺底、填滤料等用工 260 个。合计用工 2190 个,平均每亩用工 65.5 个。

同样 30 亩明沟、明渠,挖毛腰两级沟,打支、毛两级渠,共需用工 110 个,平均每亩 3.7 个工。当年相比渗排渗灌用工多得多,可明渠明沟田间工程属于不固定工程,必须年年做,而渗排渗灌工程一年定型,从长远看是划算的。

3. 省地。渗排渗灌工程埋入地下,不影响作物种植。而明沟明渠每 30 亩地,毛、腰两级沟占地 1.42 亩,毛、腰两级渠占地 1.42 亩,合计占地 2.84 亩,比渗排渗灌少种土地 9.5%。

渗排渗灌效益:

1. 用水省,灌水快。1978 年比较结果:一个生长季节,渗灌每亩用 42 立方米水,喷灌 108 立方米水,畦灌 195 立方米水。渗灌速度快,30 亩地一昼夜可以灌完。土壤含水量易于掌握,玉米的需水规律是"苗期小,开花期大",俗语说"玉米怕芽涝",有了渗排渗灌,苗期注意渗排,花期加大渗灌水量,能够灵活掌握。

2. 增产效益明显。1976 年对比结果:渗排渗灌区亩产 855.6 斤,对照区亩产 677.6 斤。渗排渗灌区比对照区增产 26.2%,比全大队玉米平均单产 520 斤增长 64.5%。

3. 改良土壤速度快。渗排大大降低盐碱成分,试验区过去种小麦不立苗,实行渗排后第一季是 4000 平方米盐碱,第二季只有 900 平方米,到 1976 年仅剩下 19 平方米。每排走 1 立方米水就可带走盐碱 234 毫克,渗排的洗碱、淋碱作用十分明显。

三、城北片"节水高产水稻控制灌溉技术"试验

(一)试验区概况

这是 1997 年试验项目。试验区全部在梁集乡境内,分布在该乡周庄、七井、光华、车店、傅楼、刘场、毛庄、高楼八个村。面积为 4419 亩,其中河灌 2513 亩,井灌 1906 亩。所选区域为沙土,土壤肥力中等。栽培水稻品种为籼优 63,全生育期 145 天。水育秧,人工栽插,基本苗 6.5～7.1 万穴。施肥水平、田间管理方法均按常规进行。试验区内设置 22 亩作为对照区,其农业措施与控灌相同,只是采取常规方法灌溉。

(二)试验要点

该试验项目的主题在于"控制"二字,通过"控制灌溉"达到"节水高产"之目的。水稻控制灌溉就是从水稻返青以后,稻田田面不再建立积水层,按照根层土壤含水量来进行控制,实行适时适量的补水灌溉,给土壤补充水分。在试验前要根据有关试验技术资料,选定水稻各生育期控制灌溉指标,制定上、下限,以使所控制的灌水量在合理的范围之内。具体操作过程中,以气象为基础,密切注意天气变化。在控制灌溉指标允许的情况下,尽量减少灌水次数。充分利用大气降水,最大限度地提高降雨利用率。

从 50 年代试种水稻,学习外地种稻技术,又经过 60～70 年代的发展,已掌握一套水稻管理技术。泡田、整地、栽插,深水活棵,然后浅水勤灌。提倡干干湿湿,适时烤田,以便达到扎根深、抗倒伏和调节土壤水气的目的。这些灌水技术使用了几十年,都是建立在稻田田面有积水层的基础上的。由于有积水层,降雨只可利用一部分,积水深只有漫溢排走。现在试用田面不再建立积水层,有效雨量可以大大增加,显然该试验项目有很大前景。

(三)试验成果

1. 省水。水稻全生长期降雨 481.9 毫米,对比田按习惯方式灌溉,每亩灌水量 451.4 立方米。控制灌溉试验田,有效利用雨量 377 毫米,利用率 78%,每亩水量 283.9 立

方米，比对比田每亩少用 167.5 立方米水。每亩节省水 37.1％，节电 33.4％（每亩节电 22 度）。

2. 增产。对比田实测产量每亩 482 公斤，控制灌溉试验田每亩产 549.9 公斤，净增 67.9 公斤，增产 14％。

3. 技术容易推广。控制灌溉看起来技术性强，事先要定控制灌溉指标，还要有一定测试手段，测量土壤饱和含水量等物理性质。通过一年实践农民有了直观的感性认识，他们创造出"一看、二踩、三手握"的办法检查土壤含水率，从而决定是否需要补水，实践证明此法是可行的。

第三节　建筑物工程

全县小沟以上的建筑物约 5330 座，小沟以下的小型建筑物更是星罗棋布。比较而言是"挖土方易，做建筑难"，因为建筑物配套受经费、建材等因素制约，建筑物技术的发展必须与各种因素相协调。所以回顾水利建筑科学技术的发展道路，必须考虑当时的时代背景。

一、小型水工建筑

建国后水工建筑工程都是从实际出发，视经济条件、建筑原材料而定，做到结构安全合理，外形美观大方。同时小型水利配套建筑面广量大，不可能全由国家包下来，多由地方筹集或群众自办，在设计建筑结构形式时，必须考虑是否易于推广。

（一）小型水工建筑随着建筑材料的发展而逐步变化

建国初期水泥、钢材很少，水利建筑用料多就地取材。先是多木结构搭便桥，后发展为用块石砌桥涵，有的是干砌石，有的灌石灰砂浆。那时建筑物数量少，标准小。50～60 年代已经有水泥砂浆砌块石和混凝土工程，只用于河道的建筑物上，数量少，不普及。70 年代三大材（即水泥、木材、钢材）供应量增多，由于排、灌工程发展快，需用量大，三大材仍不能满足需要。特别是钢材价高量缺，除河道上关键工程外，一般避免使用。当时小型建筑工程是"土洋结合"，然后"由土到洋"逐步发展。其进展程序分三步：

梁集乡大沟闸

1. 土法上马。从50年代的干砌块石，逐渐发展到用水泥砂浆表面勾缝。到70年代用混凝土预制镶面，讲究外表装潢。如黄圩、王林、王集等地建了干砌块石半圆形拱桥。此桥单孔，不用边墩。先做40~70厘米厚基础，然后立4~5片半圆形木桁架，桁架间靠水平木条。桥孔两侧拱瓦是事先预制的混凝土，中间靠一根木条即干砌一层块石，两侧对称平衡施工。直至拱顶合龙时用一包水泥沙浆封顶，此时桥主体便砌成。小沟干砌块石桥孔径3~4米，体积14.3~26.8立方米。中沟于砌块石桥孔径4~6米，体积30.3~60立方米。土法建桥的优点：一是以块石为主体，造价小，易于群众自办；二是外观整洁，像是混凝土拱圈、浆砌块石墙。内部虽干砌块石，由于是半圆结构，比较稳定；三是施工进度快，技术容易被群众掌握。半圆形木桁架用片石垫起，椅架与木条就是半圆拱支架，干砌块石到顶后，将片石垫倒去，所有桁架、木条自行下落，拆架相当快。

2. 用无筋或少筋混凝土。70年代钢材少，而配套工程特别多，供需矛盾相当突出。各地办小水泥厂，供应有所缓和。各公社均在官山、岚山设采石厂，自采、自运块石、石子，用混凝土做工程便有了条件。城北片首先做成5米跨径板拱桥，体积仅10.5立方米。徐淮路北沟做成孔径8米无筋无肋双曲拱桥，块石墩台21.7立方米，混凝土拱13.1立方米，合计体积34.8立方米。邱集公社在小侯大沟上建一孔15米跨径三铰拱桥，体积48.76立方米。这些形式当时都在全县推广，与土法上马的工程相比，建筑体积大大减小，节省了大量的材料运输工作量。高作公社在高西大沟上兴建的三张桥，原计划建一跨拱桁架桥，后将主拱肋改用预制水泥管对接，名曰"管拱桥"，减少了钢材用量。凌城公社建成孔径10米管拱渡槽，拱肋用直径50厘米水泥管搭接，管内通水。

中沟桥，小沟涵洞

3. 梯级河网骨干工程多用钢筋混凝土结构。钢材供应逐渐好转，给70年代末开始的梯级河网工程提供了配套的好条件。如多孔、孔径5.4米，用6米长预应力空心板桥。多孔、孔径 5.4 米管柱墩或浆砌块石墩微弯板桥。多孔、孔径 6～8 米，荷载汽 15、汽 20 设计，挂车 80 至 100 校核，钢筋混凝土微弯板桥。凌城公社大沟上建成跨度 18 米桁架拱桥。徐洪河上建成三孔、孔径 30 米肋拱桥及一孔、孔径 60 米刚架桥。新龙河凌城夏圩处建成一孔 60 米单波双曲拱桥。

小沟虹吸管渡水

钢丝网引用到建筑工程，解决了水工建筑中的很多难题。首先用于闸门上，平板钢丝网闸门、立拱钢丝网闸门、波形钢丝网闸门等代替了钢筋混凝土闸门，体积小，重量轻，减少了启闭力。结合 70 年代初引用的承压胶木板、水磨石滑道、各式止水橡皮等工艺，解决了建国 20 余年来一直为难的闸门止水问题，给梯级河网蓄水排解了关键性的技术难题。其次是利用钢丝网做薄壳结构工程，体积小，重量轻，减小了地基承载力。如黄圩的大蒋"U"形薄壳渡槽，横跨潼河，引凌城站水向黄圩西部送水。

因大跨度钢筋混凝土结构的需要，从 70 年代末开始发展吊装工程。有安装闸门的扒杆吊装；有用大跨度桥梁的无支架悬索吊装。从 1991 年徐洪河工程开始，应用 16 吨以上的吊车机械吊装。

（二）水工建筑工程特色

1. 骨干工程大跨度，小型配套系列化。从排、灌工程配套到梯级河网深沟深河，县内干、支河及引水大沟工程的桥涵建筑，经历了由多孔、小孔径到单孔、大跨度的巨大变化。如大、中沟涵洞 1 孔，孔径 3.5～4 米。大沟桥 1 孔，孔径 15 米以上。以前的多孔、小孔径大部分在 1977 年以后拆除重建。排水系统的涵闸、桥梁和渠系的干、支、斗、农、毛门，均有系列的定型设计。

2. 普及使用井柱桩。县内多流沙土，承载能力差。徐沙河南侧高程 17 米以下有软粘土，承载力也很小。从 60 年代起发展井柱桩工程，即在建筑物基础底部打钢筋混凝土井柱桩，利用井柱壁摩擦力承重。井柱直径 60～100 厘米，井柱深 12～20 米。全县主要的涵闸、桥梁大都使用井柱基础。

3. 建筑物表层用混凝土预制镶面。块石建筑工程多，块石刷打上线，技术性强并且费工、费料，一般群众不容易掌握。采用混凝土预制块镶面，厚度 5 厘米左右（大型工程厚 8～10 厘米），砌建时放线拉绳，先分层在表面立预制块，然后分层浆砌块石，最后统一做缝。接缝横平竖直，竖缝错开排列。这样外层墙面整齐划一，形成了睢宁县小型建筑的一大特色。

二、建筑材料

（一）三大材

水泥：县在赵山设有水泥厂，张圩、岚山、官山等乡办有小水泥厂。1990 年前多是计划供应，按月、按季度分配计划。90 年代市场开放，取消计划。

钢材：80 年代前计划供应，一般数量不足，小型工程"以土代洋"。90 年代市场放开取消计划，但价格偏高。

木材：一般基建项目上级批给计划。小型工程用量少，多在市场上直接购买。小型桥梁多用土胎(代木)或用预制构件,减少立模,省木材。

（二）块石、石子

80年代前各公社均在山上设采石厂,组织专业队,常年采石、加工石子,自采自运。从80年代后期开始,山区地方对外地采石实行种种限制,各公社采石专业队逐渐退出。90年代采石山塘均被个体户占有。

（三）细石屑代替黄砂

睢宁建筑用黄砂都是从宿迁北运来,由于用量大,砂矿砂源逐渐减少。先是在宿迁井儿头购砂,后北移到口头购砂,再后移到新沂县小湖购砂。运输愈来愈远,用量愈来愈大。70年代全县水利建筑每年用砂3.5万～5万吨,不仅购砂经费太高,而且建筑旺季时黄砂经常脱销影响工期。于是在70年代后期开始考虑用细石屑代替黄砂。

"细石屑"俗称"石粉",是加工石子过程中退下来的细粉末。由于黄砂价贵、紧缺,一些公社做小型水工建筑时用细石屑代替黄砂使用。开始不敢多用,不敢用于主要部位。1979年县水利局工程股对细石屑代替黄砂进行系统的试验,经过反复对比,确认细石屑是很好的建筑材料:

一是强度提高。一共做138个试块,进行13次试验。在200号混凝土抗压试验中,细石屑试块强度比黄砂试块强度提高22.1%。在80号砂浆抗拉试验中,用细石屑强度提高61%。在80号砂浆抗压试验中,用细石屑提高53.5%。

二是价格便宜。到宿迁运黄砂距离远、运费高。到官山、岚山运石屑距离近、运费低。1979年以拖拉机运输计算:睢城附近使用细石屑,每吨可节省8.44元;邱集可节省9.7元;梁集可节省7.9元;王集可节省14.38元。

三是加工方便。细石屑是粉碎石子时自然产生的,不需要特别设备。1979年县水利局和各公社开山采石厂共有石子粉碎机12台,按设备能力应该每年产石子36万吨,自然产石粉量约15%,可产细石屑5.4万吨,足够当年使用。

县境内越向西,用细石屑越便宜,当时西部诸公社普遍将细石屑代替黄砂使用。如1981年冬桃园公社在跃进河上建鲁庙闸,无论是混凝土还是浆砌块石全部使用细石屑,效果很好。

三、机电站及机泵改造

全县累计兴建机电抽水站有五六百座,由于机、电、泵等产品更新换代较快,加上小型水利规划常有变动,小型机电站经常调整、改建、扩建,到90年代全县有固定抽水站470余座。水泵类型多用离心泵、混流泵、轴流泵,少数低洼地区因抽水扬程低,使用污工泵。县管理的凌城、沙集、古邱、高集、袁圩五座抽水站,除古邱站有5台立式混流泵外,其余都用轴流泵。县管理的5座抽水站,管理比较规范。如凌城抽水站,从80年代初开始,历时10年,先后进行3次技术改造。一是将400千瓦电动机改为480千瓦,并调整水泵叶片角度,使单机2.5立方米每秒增加到2.8立方米每秒,当洪泽湖水位偏高时,可达3立方米每秒。二是为了减少水泵汽蚀现象,对水泵叶轮和叶轮室进行喷涂。即涂一层由镍、铬、钨、钢、钴等稀有金属组成的合金层,效果很好。三是将水泵叶轮由铸铁件、铸钢件改为不锈钢叶片,效果更好。高集抽水站于1994年春也进行了节能技术改造。乡、村管理的小型抽水站管理比较粗放,抽水效率普遍偏低。有的电机大、水泵小,形成"大马拉小车";有的安装不合理,水泵出水口形成"高射炮";有的机泵选型与所需扬程不符,长期迁就使用等。县水利局于1984年、1988年、1990年先后几次组织技术人员,对全县机电抽水站进行装置效率测试,并进行机泵改造。

王林乡东倪电灌站

小型机电站

四、测绘、计算工具

　　县内每年都进行河道测量(导线、水准、断面测量)、画图、计算。有时也进行局部地形测量,供建筑物选址、定线使用。平时使用最多的是水准测量。按国家水准点控制河道和建筑物的高程。乡级水利站都有1台甚至数台水准仪。县水利局到90年代已备有经纬仪5台,大、小平板仪各1台,普通水准仪8台,自动水准仪3台。建筑物设计计算工具不断发展。

70年代前用"计算尺"计算，工程预算使用2台手摇计算机，平时多用珠算。工程技术人员必须有熟练使用"计算尺"和珠算的基本功。80年代普及使用电子计算器。90年代县水利局配置2台微机。对于县内水利工程建筑，水利局基本可以自己测量，自己计算，自己绘图、晒图。遇有疑难问题请省、地（市）水利部门派员指导。

第六篇
打井灌溉

睢宁县地下分布着深厚的第四纪松散堆积物,水源比较丰富。建国后为了挖掘地下水资源,打井灌溉,发展水浇地,经过长期的、不懈的努力,取得了很大成果。建国初只有村庄附近的浅层饮水井,从简阻的挖坑砌井到竹弓冲击打井、人力大锅锥打井,发展到现代的机械化钻井。井筒从砖石垒砌土井、混凝土井管,发展到现代的钢管井。井深从10米左右的土井,到50～100米的中、深井,直到500米的钻探井。提水工具从简单的人挑、畜拉、人力水车提水,发展到机电泵抽水。从以解决人畜饮水、浇菜园为主,发展到大面积的农田灌溉和扩种水稻。80年代初累计打井最高数为8019眼(配套5040眼)。山区钻石井31眼,子母井11眼(大井中套小井,试验井),饮水井下竹泉282眼。井上架设高、低压电线800多公里,修建混凝土明、暗防渗渠道60多公里,建井房1107间,井台井池等井口建设1733眼。国家投资补助加群众筹集资金总投入5000余万元。井灌最高控制面积41万亩,有效灌溉面积29万亩。基本解决了长期缺水的山区、废黄河滩地区5.5万人和1.26万头大牲畜的饮水困难。经过几十年的摸索、积累资料和科学试验,基本掌握了全县水文地质情况。全县地下水总储量为14亿多立方米,静储量为10亿多立方米,可开采利用约4亿多立方米,允许开采量为2.8994亿立方米(按干旱年95%保证率计),开采模数每平方公里15万～20万立方米。80年代初连续5年开采量统计,每眼井每年开采量1.3万～1.67万立方米。

第一章　井灌事业发展及先进典型

打井是为了发展灌溉,在没有地上引水条件的50～60年代及在刚刚开始引水的70年代,打井抽取地下水是发展灌溉事业的重要手段。在"以排为主"时期,有几座水库,除庆安水库灌区稍大外,其余几座水库灌溉面积很小,那时开展打井成了发展灌溉的惟一途径。

第一节　井灌发展历程

水利事业发展的每个时期、每个阶段,打井工作都被列入工作日程。从建国初摸索着起步,以后历经40余年,有成功有失败,有发展有停顿,起伏很大,经验和教训都很多。回顾井灌事业的发展过程,大体可分四个阶段。

一、第一阶段,从1952年至1958年,土法上马,有得有失

建国初期灾害频繁,非涝即旱,"五天不雨小旱,十天不雨大旱",不仅农作物没有灌溉条件,就是人畜饮水也经常发生困难。政府号召并支持农村打井,按照旧的传统习惯,土法上马因陋就简,依靠人力开挖大塘,垒砌砖井、石井,俗称"土井"。以自然村为单位出工,打井地点多在村头、场地,后来发展到湖野大田。井深一般在7～10米,口径1～1.2米。当时是"一穷二白",白手起家。在缺乏技术、材料、资金的情况下,还得加快进度。为此县决定抓典型样板,促进全县形成打井高潮。双沟区王允龙乡长领导19人,花60个工打成一眼两丈左右深的土井,因工效突出,县及时总结经验,并在县城西和平村组织1800人的学习班,由王允龙任教员,选拔有打井经验的5人,实地操作表演,边学习边实践,使之掌握打砖石土井技

术。鼓励群众发明创造,献砖、借砖支持打井。全县举行两次规模较大的授奖大会,从而推动全县形成打井热潮。从打饮水井发展到打抗旱井。1952年遇到干旱,县组织寻找水源,新打土井141眼,因井浅无水,只解决部分群众饮水。后来集中整理旧井,有的打善井,即在旧井底下竹管,等于旧井加深,增加出水量。有的打横管井,即在旧井底部打若干横向竹管,增加出水量。这些都起过积极作用。当时睢宁打善井是出名的,在善井基础上还发展善汪,即在汪塘底部下若干竹管,以增加泉水。

1956年春季突出抓打井工作,全县掀起打井高潮。2月22日县召开农业增产代表会议,中共睢宁县委书记王恒山在报告中对打井工作作了动员。该报告第三条指出:为保证全年农业生产计划的完成,必须大力开展小型农田水利工作,当前亟需打井,以对农作物及时浇水灌溉,这是防旱增产的有效办法。在小麦拔节和含苞时、春玉米抽穗结实时需水量最多,但在这时往往干旱少雨,这就必须打井,增加水源。为了解决这个问题,必须在今年6月底以前全县完成打砖井15000眼。3月11日至15日县召开打井灌溉工作会议,出席会议的有负责打井工作的区长、乡长、工程员及农业社的打井队长、木匠等共1000多人。会议着重传授打井灌溉技术,使一些简便而又省材料的办法得到确定并大力推广。4月5日县委发布通报:表扬魏集区官庄乡试用站砖打井,表扬李集区南部打井不再用井盘和凌城区弘毅、宋圩两乡用草盘打井等创造出成功经验。1956年还选派专人去河南商丘学习"五六打井法",并大力推广。一盘架子5～6人,利用井架竹弓人力跑动,向下冲击,冲成井孔后,用特制的弯砖下井筒,40天左右可成井一眼。全县发展47台打井架,分布在西部高亢地区和南部淤土地区。当年成井275眼,整修旧井380眼,建饮水井台300眼,掏老井80眼,下井泉9眼,子母井11眼。由于"五六打井法"工具制造复杂,立架稳定性能差,跑架人经常出危险,后来没有继续推广。

1958年为了继续推动打井工作,县人委于5月3日转发《新华一社打机井经验》。双沟乡新华一社打成了深6丈7尺一眼的机井,这是建国后出现的第一眼20余米深机井。4月初,该社组织8个人用每小时抽水25立方米的解放水车试抽水,抽了3天3夜,井内水位保持稳定。其经验介绍主要讲思想如何发动及打井工具、材料、经费、技术等问题如何解决。这眼井系2月份施工,天寒地冻。为了赶制机井用的标准砖,窑场烧热水拌泥,用煤炉将4000多块砖坯子一块一块烘烤干。从河南请两位打井技工做老师,社里组织青年骨干28人跟着学习。井架用芦席搭成挡风棚,棚里设置2个火炉,做了5副羊皮手套,2双羊皮袜子,在寒冷冬季坚持施工。

据不完全统计,此阶段共打砖石井14010眼,下井泉17眼,井底下竹管256眼。累计浇灌旱作物140100亩。提水工具从人工挑抬到手摇水车,主要保证人畜饮水和部分旱作物灌溉用水。建国初期,打井积极性虽高,但缺乏调查研究和科学根据,不分地形、土质、地下水源等具体情况,片面追求数量,致使成井质量低。有的井深不足5米,砖井垒砌不实,石井空隙太大。加之管理不善,一遇汛期淤塞殆尽。群众称之为"鸡窝井"、"兔窝井"、"干旱井"。

二、第二阶段,从1965年到1972年,初见成效,快速发展

50年代成井质量差,许多土井成了废井,群众意见纷纷。在1958年后约六七年的时间内,人们对打井失去了信心。到1965年制订第三个国民经济发展五年规划(即"三五"规划),县相应安排农田基本建设"三五"计划,打井又被重新提了出来。1965年8月,徐州专

署拨给睢宁县打井工具制造费 1 万元,实验费 7500 元,机具试制维修费 2 万元,毛竹
4000 根。8 月底由县通用机械厂制成丰县式的打井工具一套,名曰"人力大锅锥"。9 月 1 日
在县人委大院开办了一个有 15 人参加的打井训练班,培训打井技术人员,至 10 月 15 日,
45 天打成 50 米深一眼井。为了给公社培训技术骨干,于 10 月 25 日又在睢城公社城东大
队打两眼试验井。通过三眼井试打,给县、社两级奠定了大锅锥打井技术基础。到 1965 年
底推广到睢城、高作、双沟、王集、苏塘等公社,先后成井 11 眼,整修旧井 36 眼。同时在县水
利局设车间,按图纸制造大锅锥打井工具 7 套,整井工具 6 套。在新、老井上配套提水动力,
柴油机 38 台,10 千瓦电动机 1 台,4.5 千瓦电机 1 台,1.8 千瓦电机 2 台。从此停顿多年的
打井工作又重新发展起来。

　　1966 年夏,县成立"井灌办公室",抽调有打井经验的人具体负责。下设两个专业队:一
是人力大锅锥打井专业队,负责全县打井技术的指导和普及工作;二是县成立机井队,试验
机械化打深井,并增设机制车间,负责制造打井机具(主要制大锅锥)、维修工具和制作各式
各样的打捞工具。各公社相应成立"井灌办公室",或叫井灌大队部(后并入水利站统一管
理)。公社有一名副主任分管,并配一名井灌员。开始一个公社有 1~2 个打井专业队,后来
发展到 5~10 个打井专业队(双沟最多有 15 个专业队)。每台大锅锥配备机长 1 人,技术员
1~2 人,机工 45 人,实行"三班四六制"或"三班三八制",日夜轮班作业,吃住在打井工地,
行动军事化。起初由打井的生产队负责安排生活,并购买竹竿、沥青、井管等材料,县根据井
深每眼井补助 300~500 元。后改为由打井的生产队出工、出资,公社出井架和技术指导。
1966 年下半年形成高潮,全县有大锅锥 105 台,参加打井的人数,包括打井、制造水泥管、做
井盘井架等共有 1 万余人。大锅锥打井成井快,当年见效,群众欢迎。睢城公社全场大队董
林生产队 420 亩耕地用上了井水灌溉,其中栽麦茬稻 68 亩,亩产 440 斤。魏集公社红旗大
队葛庄生产队 196 亩耕地用井水抗旱,小麦亩产 321 斤,棉花亩产 146 斤,玉米亩产 492 斤。
这些在当年都是高产田。睢城镇中山居委 29 亩菜园利用井水灌溉种白菜,亩产 1 万~
1.5 万斤,比上一年没有灌溉增产 5 倍。1966 年打井成功并且形成了高潮,从此井灌工作走
向正常、健康发展之路,其主要原因是抓了六个关键性的工作:

　　1. 制定井灌规划。合理开发地下水资源,避免盲目打井。规划的依据是农田水利基本
建设规划,按农田水利小沟和毛沟间距,200 米×200 米为一方块田。沿小沟设置井眼,井位
梅花式布置,井距 400 米,影响半径 200 米,使其抽水时互不干扰。在总体安排上,根据地上
水和地下水的分布情况,分为两种类型:一是县南部下游低洼地区、黄墩湖区和庆安水库灌
区,面积约 70 万亩,是地上水丰水区,地下水虽丰富,但不作打井重点,规划每个生产队先打
一眼井,饮水结合灌溉。二是县西部、中部、北部地区,土地面积约 80 万亩,地面水缺乏,定
为井灌重点区。双沟、苏塘、岚山、王集、桃园、龙集、李集、朱集西部、梁集、睢城、高作、沙集、
魏集东部、古邳西部为打井重点。

　　2. 设计打井深度。根据水文地质和地下水埋藏深度,事先确定打井深度。县内原打过
试验井,也有钻探井,后又发展物探,根据这些资料分析,决定各地区的打井深度。如岚山、
王集向西是无砂层区(即贫水区),上部是流沙土,再向下约 20 米深是砂礓层,只能封闭上部
流沙层(防止淤井),提取砂礓层水。如果无砂礓则只好用流沙层水。该地区井深 20~50 米
不等。县中部地区为半水区。地下 15~20 米左右有厚度 1~5 米砂层(即含水层),为潜层
水。再向下有砂礓土、硬白色粘泥,穿过该类土层后又有砂层,一般可含 1~3 层砂,井深可

达 50～70 米,水量丰富。睢宁县地下含水层埋藏深度比较复杂,没有很宽的条带形分布,往往是一小块一个样,甚至一小块内也有区别。如徐淮路一线:高作以东为砂层深埋区,从地面向下 70～90 米可遇粗砂层,出水量大,一般大锅锥无力达到,需用钻机打百米深井。高作至睢城镇西关,20～30 米即遇第一层砂,但水质不好,封闭不用,选用 50 米以下砂层水。从睢城镇西关至高集,50 米以内无砂层,含水层在 50 米以下,一般井深需 70～80 米。王集以西至双沟地下则无砂层。由于地质情况复杂,各公社根据规划确定井眼位置,深度要根据透水层情况报县井灌办公室批准后,始能开钻打井。打井过程中如有特殊情况必须及时报告批准修正。

3. 注重成井质量。井眼位置确定之后,大锅锥打井注意两个关键,一是垂直竖立大锅锥机架,使机架、井口、锅锥三点始终在一条垂直线上,不允许有丝毫倾斜,稍有变形,即会因难下管而成废井。二是钻进井眼必须一气呵成,如打打停停,或井口泥浆高压水跟不上,则容易因塌井而前功尽弃。在实践中,打井队创造出"紧打砂,慢打礓,不紧不慢打粘泥"的成功经验。

4. 把好下管填料关。这是成井的关键工序。井管有混凝土封闭管和透水管两种,按土层记录排好管号,流沙层下封闭管,砂礓层和砂层下透水管。混凝土管要超过 28 天龄期,质量坚固,敲击时声音响亮。下管前将人员组织好,两侧人数对等拉绳或揽杆压绳慢慢下放。节与节之间的竹条、扶正木用铁丝绑牢,封口布、沥青胶合牢固。透水管外包芦席或回纺布,防止流沙淤井。井管下好后,即回填碎石滤料。上部流沙层不用滤料,用粘土封闭(饮水井宜下事先准备好的干燥的粘土球,因其遇水膨胀封闭效果好)。

5. 及时冲洗井。井管下完滤料填满,应立即安装机泵抽水,即洗井。因井孔四壁有泥浆,井管内水亦混浊,如洗井晚,易发生泥浆淤井,影响出水量。安好机泵连续抽水,开始抽水混浊,渐渐变清,到水完全变清后再坚持抽 6～8 小时,洗井即告结束。洗井的作用:一是打开水路,保证出水量。二是使滤料层颗粒排队,靠近水泥管壁的细颗粒被抽水带走,使碎石填料层由内而外,粒径由粗到细,形成过滤层,永出清水,不淤井。洗井抽水不仅连续进行,而且最好选大一点的机泵,这样水路易打开。当时县有空压机一台,配合四寸离心泵,冲洗抽水 24 小时左右,水清后再坚持抽 6～8 小时,洗井效果好。

6. 研制打捞工具。在打井操作中往往会出现各种事故,使正在打的井报废。这既浪费人力、资金,又耽误时间。起初元打捞设备,若打井中出现事故,当井孔浅时(约在十米以内)派人下井孔排除,人有生命危险,当井孔深时无法排除,只有拆架重新选址再打。因此研制打捞工具,及时排除事故,成为打井工作的重要环节。事故类型很多,当年也曾试过各种各样排除事故的方法,下面记述几种常用的打捞工具。

(1)直接用锅锥打捞。井口经常将工具落入孔中,一般用锅锥捞起。如锅锥本身坏半边掉入孔中,可换新锅锥捞取碎片。

(2)活舌。钻杆断落井孔中,这是最常发生的事故,用活舌打捞。活舌一般自制,每公社或每台井架都事先配备。活舌下用薄钢板焊成圆锥形草帽状,便于下井捞摸时导向。中间用一截圆形钢管(或钢板卷成圆形),管内安装两块半圆形舌片,舌片内有棱角。打捞时活舌下放,遇到钻杆自动开口,当捞到断杆上提时,活舌能硬咬住断杆,这时上提打捞即成功。活舌上部焊丝头,以便和钻杆连接下井打捞。有经验的工人可在打捞前算好断杆位置尺寸,然后下活舌,吻合后一捞即成,打捞时间短,一般不影响打井进度。

（3）双螺杆千斤顶。塌孔埋钻较深时，只有牺牲锅锥，提出钻杆。一般用双螺杆千斤顶，在井口立方木，将千斤顶置于木上，卡住钻杆，然后上顶，使底部杆和锅锥强行分离。在井孔深的情况下，牺牲锅锥仍可下管成井，井孔不报废。

（4）偏钩。当钻杆用锁接头时，因锁接头直径大于钻杆，断杆时可用偏钩打捞。偏钩口尺寸与钻杆直径吻合，但要小于锁接头直径，钩口向外水平方向呈螺旋形延伸，以便打捞时摸找断杆。偏钩上部与钻杆连接，打捞时按尺寸下到位置，用手旋转钻杆，当手感觉到偏钩拦到断杆时上提。此时提钻杆、分节卸钻杆的动作必须轻、慢，以防断杆脱钩。

（5）提管器。下管时因井孔倾斜，突然井管不下，此时必须将管捞出重新整孔。提管器中间用圆钢，四周水平方向置三个爪，向下时爪可合拢，提起时可抓紧混凝土井管内壁。该器装在钻杆上下井，每次可打捞一节。一般井管下10来米出事故时，此法打捞比较可靠，下管几十米再提管则不可靠，极有可能没有提完即塌孔埋管。井孔倾斜是钻进中造成的，必须在钻孔中做好技术处理。提管法一般不用。

（6）开丝提钻。钻杆断入孔中，在钻杆上装丝母下井捞到断杆后，强行旋转开丝，公母吻合牢时上提。此法大锅锥打井一般不用，主要用于钻机打井。

据统计，从1965年至1973年，全县成井5198眼，平均每年约650眼。井灌区平均每个生产队1～3眼井。从1968年起睢城乡等井上开始架电，配7千瓦电机带4寸离心泵。至1972年全县井上架设高、低压线路400余公里，不仅提高了井灌效益，而且促进了农村电气化的发展。1970年6月8日，江苏省革委会在睢宁县召开全省井灌工作会议，并组织与会人员参观睢宁县打井工作，从此省、地对睢宁县的井灌工作均给予充分的肯定。

人力大锅锥打井解决了普及问题，当时以生产队集体为单位，一般队都能兴办。但是锅锥打井只能提取潜层承压水，井眼密时取同一层水，遇旱普遍抽水，互相干扰影响抽水量，曾经发生过旱时四寸离心泵抽不到水的现象。为开发中、深层承压水，睢宁县又发展机械打井。县1970年开始研制小跃进钻机，上级发给泥浆泵、钢管等材料，由县机井队制造机体。县机井队还从煤矿、地质等部门引进退旧的300型、500型旋转钻和600型冲击钻，计7台，发展山区岩石井和打百米以下深井。钻机打井试验成功，但由于机体重搬运困难，加之用80马力柴油机耗油量大，农业井一般用不起。后重点用来打城镇工业井78眼（结合打山区人畜饮水井31眼），借以营利来维持县机井队的正常运转，以工补农，发展井灌事业。小跃进钻机可以使用但稳定性能差，后在其基础上改制成150型钻机，效果良好。70年代大锅锥和150钻机配合打井维持了很长时间，至此打井不仅在平面上梅花型布局，在立体上还实行深、浅井相结合，并从普及打井发展到科学打井。

三、第三阶段，从1973年至1979年，完善配套，扩大效益

此段是睢宁县井灌工作的鼎盛时期，工具定型，工艺成熟，典型多，效益好，在县内外均享有盛誉。除了正常打井外，利用队队有井的有利条件，重点在发展配套、扩大效益上做文章。

好典型不断涌现，有出水量最大的龙集公社耿庙大队单庄三队一眼井，种水稻147亩；有王集北片、双沟南片井灌区治水改土的先进典型。在小规模典型基础上发展到城北10万亩大连片，与农田水利一起统一安排沟渠配套，井灌区、井河结合区统一规划，分片实施。井灌渠道有混凝土护砌的防渗明渠，有地下灰土防渗暗渠，实行群井汇流，余缺互补，扩大灌溉

面积。为研讨灌水技术,在万亩喷灌片内进行小麦喷灌试验、小麦抗干旱风试验及玉米地下渗排渗灌和明排明灌对比试验。

除了县抓典型外,各公社都有小片井灌典型。如王林北片、高作南片、桃园中片、沙集西片、黄圩西片、高集西片、岚山北片、李集中片等。每片农田水利沟、渠、路、林统一配套。井池、井屋配全,标准整齐划一,统一编号。当年的井灌片突出显示了新农村、新气象、新的精神面貌。勤抽水可以保持井的寿命,政府号召每眼井种 10～20 亩水稻,凡是出水量好的井,都普遍栽稻,收益很大。一是常用井不淤积,保住井的质量。二是水稻较一般旱作物高产,很多地方第一年井水灌稻亩产 800 斤,最高数魏集公社娄西生产队亩产高达 1000 余斤,一亩水稻相当旱作物两亩多的产量。此前很多人怀疑井水不能灌溉,认为井水凉,"灌作物不发、不长"。经过井水种稻的实践,打消了种种顾虑,从而使农民逐渐接受了灌溉能高产的新观念。三是种稻可改变土壤结构,经水稻和绿肥轮作,大面积盐碱地得到改良。

四、第四阶段,80 年代,加强管理,巩固成果

80 年代初期,井灌工作突然走向低谷,其原因有二:一是 1980 年实行农业生产责任制,推广农业大包干,来势猛,速度快,出现了一股破坏水利工程的思潮。将原有的方块田分成一家一户的条田,原有的灌溉渠道分成一户一小段,有一户破渠耕种,则渠道不通,只好大家都毁渠种田。更有分田后户与户挖交界沟,越挖越深,田面抬高多呈圆弧状,70 年代辛辛苦苦搞的平田整地受严重破坏。此时即使渠道能送水,灌水效果也很差。到 1982 年春、秋,很多井灌区干旱,"机搬家,泵改架",有井用不上。二是徐洪河开挖后,引来了洪泽湖和骆马湖水,地上水灌溉面积扩大,河灌区原来打井千余眼此时变到附属地位。南水约灌 60 万亩,北水约 20 万亩,与井灌比较而言,扬程小,水量大,成本低,久而久之河灌区不用井水。井是越用越好,长期不用则容易退化,甚至报废。

为巩固已经取得的井灌成果,睢宁县在 80 年代重点做三个方面的工作:

1. 在普查的基础上,制定新的管理制度。在 70 年代,机井是生产队集体管理,1980 年农业推行联产承包责任制,井灌管理旧的制度被打破,一时没有新的制度代替。为有效地巩固井灌建设成果,1981 年开展机井大普查。经过几个月的核查登记,全县尚有机井 7817 眼,其中农灌井 7253 眼,配套 5040 眼。通过普查发现,井的数量减少幅度不大,但真正使用的井大幅度减少。为继续发挥井灌效益,根据国务院 80(78)号文件精神,重点制定新的管理制度,加强机井管理的手段。普查后,建立档案卡,建立健全机井管理机构和管理组织,固定专业管理队伍,层层签定承包合同。当时在能用井中,有 80% 的机井都落实了管理措施,固定了专业机手。其管理方式多种多样,归纳起来有两大类:一类是固定机手或管理员承包,实行"专业承包,单井核算",或"单井承包,分户核算"。明确承包人的"责、权、利",对其实行"五定一奖",即定设施、定任务、定质量、定设备维修保养、定报酬和完成任务奖。二类是实行"以地养井或以副养井"责任制。以井定人,在井口附近分给部分土地,收入归己但要做好井灌服务工作。利用井口机电设备和水土资源开展副业加工或多种经营,其收入用来支付管理人员报酬、抽水油电费、维修费等。尽管做了种种努力,但由于资金筹集困难、电费涨价使成本增大、更新维修跟不上等原因,能用井逐渐减少,始终不能恢复到 70 年代用井水平。1987 年再次普查,井灌配套只有 2500 眼,比 1981 年减少了一半。1992 年全县井灌配套尚有 2320 眼,一些井灌区仍在坚持使用。

2. 充分利用机电水土资源,开展井口综合经营。为了巩固阵地,自我发展,根据放开搞活的经济政策,使井灌管理适应市场经济发展的新形势,大力开展井口综合经营。以经营带动机井管理,巩固井灌效益。从 1985 年开始起步,至 1989 年初,全县搞综合经营的机井 1092 眼,其中搞种植业的 603 眼,搞养殖业的 374 眼,生产水泥制品的 56 眼,搞副业加工的 86 眼,年产值 585 万元。开展经营较好的是梁集乡,该乡机井 424 眼,开展井口经营 350 眼,占全县三分之一。其中 182 眼搞种植业,1343 亩;160 眼搞养殖业,1460 亩;8 眼搞副业加工。井口综合经营的开展,巩固了井灌事业,增加了集体积累和管理人员的个人收入。

3. 明确发展方向,解决重点地区人畜饮水。在普查加强管理和开展经营巩固阵地的同时,将水源、奇缺的山区和废黄河滩高地作为打井重点。这些地区井深,扬程高,必须发展机械打井和配套高扬程抽水泵。钻井工具主要使用 300 型磨盘钻,井径 40 厘米,起初用水泥预制管,后多用钢管。全县共打成山区岩石井 27 眼,废黄河滩人畜饮水井 191 眼,解决了近 5 万人和 1.26 万头大牲畜的饮水问题。高亢地区历史上长年缺水,打井不仅有了可靠水源,而且架电配套,带动了农村电气化,解决了照明用电和农副业加工用电。山区只要打井出了水,地方群众往往便敲锣打鼓放鞭炮,以示庆祝。如岚山乡吉宝村,成井后立石碑,记载成井经过以作为永久纪念。随着农村的经济发展和群众生活水平的提高,在井灌配套的基础上又发展自来水工程。80 年代全县共发展自来水供水工程 15 处,埋设主、支管道 5.485 万米,建简易水箱 13 个。从此,从农业供水发展到向千家万户供水,扩展了服务面。因一些饮水井深度浅,水质差,含氟量高,80 年代末县有关部门提出降氟改水。为此,县水利局安排钻机打深井,封闭浅层含氟水,取用深层水。

第二节　井灌提水工具

提水工具的发展过程,可以代表打井的发展过程,它经历了由土到洋,由低到高,由人力挑推到半机械化、电气化的过程。提水工具种类较多,下面按时间顺序将某阶段主要使用的提水工具予以介绍。

一、解放水车

是高作农具厂学习外地经验仿制的,构造简单,成本低,易推广。水车设水平圆盘齿轮,圆盘齿轮上设垂直小齿轮,相扣转动。入井处设直径两寸的铁皮管,铁皮管底部要放入井中水面以下。齿轮带动链条,环形链条在铁皮管中经过,链条上每隔一段距离设一橡皮兜水盘,在井下轮番传动吸水,经铁皮管将水提到井上。该水车用人力推动或畜力拉动,出水量每小时约 10 立方米,比起人工挑、抬水效果大大增加,是 50 年代井上多用的提水工具,全县发展近 5000 台。

二、链条泵

遇到旱天,井中动、静水位下降 4～5 米,解放水车抽水困难,甚至有的抽不到水。同时需水不断增加,打井深度和出水量增加,解放水车不能适应井灌的发展需要。因此 60 年代大锅锥打井成功后,将解放水车改造成链条泵。两者形象大同小异,只是齿轮改链轮,链条等部位加粗加大。其主要进步是由人、畜力改为机电作动力。链条泵用 4.5 千瓦电机或

5～7 马力柴油机带动,每小时可抽水 20 立方米左右,出水量提高一倍。后由于机械工艺跟不上,机电转速快链条难耐摩擦,经常毁坏,修理频繁。全县只生产 200 台即停止发展。60 年代至 70 年代初,井上配套解放水车和链条泵都可使用,但两者都眼不上井灌发展的需要。

三、离心泵

1973 年开始用 195 型柴油机带动离心泵,1975 年普及,成为 70 年代井上主要提水工具。此泵高作农具厂、县通用机械厂、县农机大修厂均能生产,它是由泵头(铸铁)、转动皮带轮和进、出水管组成。一般井上使用四寸或六寸离心泵,由 12 马力柴油机带动,吸水扬程可达 8 米,每小时出水 40～50 立方米。离心泵结构简单,安装方便,提水能力和井出水量相吻合,是理想的井用配套水泵。70 年代全县每年井上配离心泵 300～500 台,累计配套 4000 多台。离心泵也有弱点,但很容易克服。一是离心泵抽水时要先将进水管抽真空,费时间,而且对进水管安装要求严格。解决办法是提高安装质量,抽水时边开机转动水泵边通过离心泵排气孔向泵内灌水,代替抽真空。二是当天旱地下水降低到 10 米左右时,离心泵很难抽上水。此时可落井安装,即将水泵安在井口向下 2～3 米处,加长出水管,再开机仍可满管出水。离心泵优点多,弱点可适当避免,适应性强,因此被广泛采用。自 70 年代普及,直到 90 年代仍在使用。

四、无体泵

利用井筒作进水管,由井盘、轴杆、叶轮组成,安在井口上,用混凝土封实。用 12 马力柴油机或 5～7 千瓦电动机带动抽水。无体泵是根据离心泵抽水原理发展制作的,就是把原离心泵进水管省去,用井管代替。离心泵直接安在井口,泵体下落 2～3 米,在井水位高的情况下可不抽真空,开机便出水。此名曰“对口抽”,或称“对口吸”。这种方法虽好,但井管漏气难以解决。农村井都下水泥管,管本身透气形不成真空。后来下井管时在封闭管外加涂沥青,仍不能解决漏气问题。所以无论是离心泵“对口抽”,还是无体泵,只能点上使用,无法在面上推广。

五、短轴泵

从沛县购进,出水量小,每小时约出水 15 立方米,但吸程大,达 14～15 米,适合山区和废黄河滩地井上配套。由于所需动力大,出水量少,只能解决人畜饮水,不能结合灌溉,此泵只一度使用过。

六、潜水电泵

整个泵体放在井中水下,深约 18 米,通过电缆接通水下泵头电机,利用两节橡皮管出水。扬程达到 20 米,出水量每小时 50～70 立方米,可灌百亩以上旱作物或 50 亩以上的稻田。潜水电泵是迄今为止最先进的井灌配套,全县共配潜井电泵 1750 台。此泵出水量大,体积小,不需抽真空,合上开关便出水,使用方便,放入井内不占用井口土地,无噪音,易管理。惟一缺陷是电力配套经费高,当年架电、置泵、管,每眼井 5000 元左右。由于受经费限制,很难每眼井都使用。八九十年代多数井配用离心泵,条件好的用潜井电泵。

第三节 井灌典型

井水灌溉的发展和农田水利工程一样,搞典型,树样板,由点到面逐步展开。点就是窗口,代表各个时期的井灌事业发展变化。

一、王集公社北片

原有泡沙土1.2万亩,且该地多盐碱地和只长茅草的荒地。从1978年冬季开始,由省农科院土肥所列入盐碱地改良试验区,县水利局配合共同查勘,制定以农田基本建设为中心的治土改碱规划,在沟渠配套基础上重点发展井灌。1979年农田水利、打井全面动工,经过两年的努力,包括以前成井,共有井130眼,其中试验深井1眼,中深井49眼,浅井80眼。深井80米(每小时出水60立方米),中深井60~80米(每小时出水50立方米),浅井40米左右(每小时出水40立方米)。机泵配套115眼,其中电井30眼,机井78眼。水泵大部是四寸离心泵和短轴泵,少数用四寸电泵。配套动力5.5~7.5千瓦电动机30台,装机总容量165.5千瓦,195型柴油机95台,1140马力。当时的单井造价如下表:

井型		井深/m	井下部分/元				井上部分/元				合计/元
			井管	打井材料	打井及安装费	小计	低压线路	机泵配套	井房井池	小计	
浅井	电井	40	7×40=280	4×40=160	10×40=400	840	1200	1000	1000	3200	4040
	机井							1000	1000		2840
中深井	电井	60	7×60=420	4×60=240	10×60=600	1260	1200	1000	1000	3200	4460
	机井	60	7×60=420	4×60=240	10×60=600	1260		1000	1000	2000	3260
深井	电井	80	7×80=560	4×80=320	10×80=800	1680	1200	1200	1000	3400	5080

起初配套是机井多电井少,打井配套经费40余万元,平均每亩地投资33元,其中国家补助50%,其余由生产队出资投工。农田水利工程同时配套,开挖大沟1条3.2公里,中沟5条15公里,小沟20条22公里,毛沟89条37.3公里,条沟342条68.6公里,井用灌溉渠道149.2公里。完成总土方110万立方米(包括平田整地土方在内)。大、小桥涵建筑物54座。总投工48.8万工日,合计投资47.2万元,其中劳务投资37万元,国家补助10.2万元。农业先是种绿肥改碱,接着实施稻麦棉轮作,粮食单产由原来的270斤上升到500斤(当年提出农业超"纲要","纲要"标准是500斤)。水利工程全面配套,沟渠纵横,绿树成荫,荒原草地变成良田。知名度不断提高,不仅成为省、地先进单位,还两次出席国家农业部召开的黄淮海平原盐碱地改良座谈会。有了以井灌为主的王集北片农田水利基本建设样板,加速了全县井灌工作的进程。

二、双沟公社南片

双沟在县最西北部,属高亢地区,地面无水源,只能靠提取地下水。1974年确定为重点井灌区,由徐州地区水利局井灌负责人、高级工程师沈立昌协助规划。在大、中、小、毛、腰、墒六级沟配套的基础上,按百亩一眼井布局,井位设在间距200米的小沟边,梅花式布置。

县调小跃进钻机5台,大锅锥17台,分配给大队、生产队打井。该公社孟圩大队位于公社最南端,相邻的灵璧县沿边界圈圩挡水,使该大队排水出路狭小,灌溉没有水源。于是在内部开挖成深沟密网,蓄水保墒,打井提取地下水发展灌溉。全大队共有14个生产队,行动最高峰时,钻机、锅锥共14盘架子打井,两年内成井540眼,其中深井28眼(钻机井)。每70亩地一眼井,也有50多亩地一眼井。配套动力机、电并重。水泵以浅井泵为主,也有用四寸离心泵的。双沟南部属贫水区,主要取用砂礓层水或流沙层水。打井密度大,主观上想"以多取胜",结果事与愿违,由于供水量不足,一部分浅井因出水少而报废。后重点配套270眼,效果很好。每眼井灌水稻50亩,稻田最大面积1.2万亩,有的水稻亩产千斤,小麦亩产500斤。在1980年左右是省、地、县井灌区先进典型,对井灌建设起到了先进带头作用。双沟公社南部7个大队在孟圩大队的带动下,实行连片水利配套,连片打井,粮食产量大增,都取得了很大的经济效益。

三、龙集公社耿庙大队单庄三队

是70年代单井出水量最好的井。该队一眼大锅锥井,井深60米,坐落在耕地中心,用195柴油机配四寸离心泵,有井房、井池和10平方米蓄水池调节用水。配机工3人,实行三班制日夜抽水,轮番灌田,灌水稻147亩,水稻生长全期计抽水12万立方米。第一年水稻亩产740斤。单井出水量为全徐州地区之冠,为全县管井树立了榜样。

四、古邳公社周滩大队

地处古武水入泗的河谷地带,为岠山、望山、半山环抱,因黄泛冲积,武水淤为平陆,成为重盐碱地,农业生产相当落后。从1967年开始,徐州地区定为改碱实验片,由副专员汤海南负责此项目。搞农田水利配套打井灌溉。该区地下沙层厚度达20余米,从上到下有细沙、中沙、粗沙。井筒直径0.8米,井深只有20米左右,配六寸或八寸离心泵,每小时可抽水80~100立方米,灌田达百亩以上。如处汛期,水可从井口自动流出。到1970年前后,在7000亩土地上打成井32眼。在盐碱地上普种水稻,实行稻麦两熟轮作,由贫穷落后一跃而成为先进生产单位。

五、城北十万亩大连片

1974年之前梁集公社是井灌典型,后逐渐扩大成为农田水利基本建设综合性典型。具体内容已记述在本志第五篇第一章第二节,不再重述。

第二章　打井工艺　物探找水

随着井灌事业的发展,打井工艺不断提高,起初是人工淘井,后来逐步发展有:竹弓打井,"五六"打井法,人力大锅锥打井,仿苏300型、500型钻机,小跃进钻机,150型钻机,300型磨盘钻等。虽然现在使用的是后两种,其余都淘汰了,但每种工艺代表那个时期的发展水平,可以从侧面看出井灌事业发展的艰辛和人们为了找水的奋斗精神。所以只要研究打井工艺的发展过程,就能够了解井灌工作的发展历史。本章只介绍"五六"打井法、人力大锅锥、150钻机三种打井工艺,由此可以概括了解井灌发展的全过程。打井越来越深,造价越来越高,由于地质复杂,有的井打深了反而元水,造成很大浪费。后来实行物探,打井之前进行电测,以此定井口位置和打井深度。

第一节 "五六"打井法

50年代初,都用挖塘垒砖制井法,这种原始的传统方法很不适应当时的社会需求。1956年从河南商丘学习和引进的一种新型打井工具,定名为"五六"打井法。打井深度40米左右,40～60天可成井,出水量为每小时10～30立方米。

"五六"打井法大致可分为以下几个步骤:

一、准备工作

1. 打井人员要强壮劳动力6～8人。

2. 井架立柱6根,木材长5～7米,其中7米长4根,小头直径大于13厘米。

3. 木横担14根,长3～4米,小头直径13～15厘米。

4. 大弓一个,用两根圆木长6米左右,大头对大头搭接用铁丝捆绑起来,用牛皮绳把两小头拉起来成弓形。

5. 风轮一个,要求直径大于3.5米。

6. 将优质毛竹劈成4.5～5厘米宽披条,使用时用铁卡丝卡住。

7. 用2寸钢管制成2寸空心锥一个,用4寸钢管制成4寸空心锥一个。

8. 用方铁制成鱼尾形刺锥一个。

二、施工方法

1. 安装。立架,埋护井筒,泥孔60～70厘米。同时准备粘泥和高压水。

2. 打井。用两根压杆固定在竹披条上,用绳子把竹披条系在大弓的牛皮绳上,使其一压一放冲程达最大限度,打井能否顺利,取决于牛皮大弓弹力的大小。人在风轮上走动加大冲击力,促进空心锥向下钻进,并抽泥提出,轮番冲提,直至成井。

三、成井冲洗

井孔打成以后即下井筒,需用空心盘1个,下管绳3根,草席、铁丝、竹披条、弧形砖等。为解决技术问题,曾派员去南京、河南等地学习,并聘请张怀永等技术人员指导。井筒下完后,及时抽水洗井。

"五六"打井法是1956年至1958年打井的主要工具,取代了用大量劳动力人工挖井的落后技术。但此法弊端也很多:一是成井速度慢,需要一个半月甚至二个月才能打成一眼井。二是施工不安全,架子不够稳,人在弓轮上跑动,工伤事故多。三是井的寿命短,井筒封闭不好,容易淤塞形成废井。

第二节　人力大锅锥成井过程

　　50年代末至60年代初，打井工作处于停滞状态，到1965年再次发动打井时，人们对打井既抱着很大期望，又持怀疑态度。此时期打井必须成功，而成功的前提是改革工具，必须有符合睢宁实际的、能够打出成效来的打井工具，这时便研制出人力大锅锥。人力大锅锥是60年代在学习外地经验的基础上，自己制作的打井工具。其特点是：结构简单，操作方便，造价较低，成井率高，技术容易普及。特别在经济不发达而劳动力有富余的情况下，利用人力推动机械，是非常符合实际的、理想的钻进工具。

　　大锅锥打井的方法、步骤如下：

一、打井前的准备工作

　　首先是组织准备，以公社为单位组织专业队，或公社出打井技术骨干，由打井的生产队出人组成专业队。专业队配技术员1～2人，选拔青壮年40人。分三班，每班13人，实行"三班四六制"，即人分三个班，每班连续干六个小时，然后吃饭、休息十二个小时，如此轮流下去。吃住在工地，昼夜不停施工，一气呵成。

　　其次是工具准备，主要内容有：

　　1. 钻具。60厘米圆中锅锥1个，扩孔刀1副，鱼尾钻头1个，推杆器单、双各1个，泥扒1个，泥铲1个，开口平车1辆。钻杆根数按井深而定，并配花杆2根，推杆4根。

　　2. 井架。用四脚木架，主杆4根，横杆4根，斜撑12根，千斤梁1根。

　　3. 升降设备。提引器1个，5吨上滑轮1个，3吨下滑轮1个，直径12.5毫米钢丝绳70米，绞车（或称绞关）1台。

　　4. 护筒。高度1.5～2米，直径不小于1.3米，用2毫米钢板卷成圆筒。筒上端留10厘米×10厘米豁口，以利泥浆水流出。

　　5. 井盖。用长度1.3～1.5米、厚度15厘米的四根方木制成盖框，以保护井口。用坚硬木材制两块盖板，置盖框上，以便井口操作，盖板上有两个小半圆合成一小圆孔，以便钻杆上下。

二、机具安装

　　1. 立井架。井架高度6米，脚架间距不小于4米，四脚之间距离相等。靠绞车一边的两个脚架与绞车位置成丁字形。脚架注意平衡，最好用水平尺找平，脚架入土30～50厘米，脚架接地要垫木板或块石，使脚架牢固，防止沉陷。

　　2. 安装滑轮。上滑轮挂在千斤梁上，对准井口中心扎牢。下滑轮安装在距井孔5米处，以利升降钻头。

　　3. 安装绞车。绞车在距离下滑轮10米处安装，绞车、下滑轮、井口中心三者在同一平面上。

三、开孔钻进

　　1. 试车。开钻前必须具备三个条件：① 通过试车检查钢丝绳、滑轮、螺丝有无松动及运转不灵现象。② 井筒内加高压水,要高出地面50厘米以上,打井时经常加水使水面保持不变。③ 在流沙等软土易塌井地区,造泥浆水注入井孔,泥浆的泥与水的比例要适中,一般每立方米泥浆,粘土370公斤,水830公斤。

2. 下锅锥。下锅锥挂离合器,旋转钻杆,不能用力过猛,以免损坏工具。

3. 推钻。推钻人数12~14人,用力均匀,以"紧打沙慢打礓,不紧不慢打粘泥"的原则钻进。在遇到坚硬的地层或砂礓层,钻杆扭动超过90度时,应将锥头提起,减少吃泥厚度,切忌喊号猛推或用绞车硬拉,以免断杆伤人。每锅进尺以20~30厘米为宜。

四、下井管

井孔钻成后,下混凝土预制管,利用人力下管。在井的四周放四根滚木,长3米,直径30厘米。每根滚木各埋两根斜桩,两桩间距1.2米左右,桩长2.5米左右,直径20厘米,埋入土中1米,填土夯实。下井管用两根直径15.5毫米钢丝绳绕在滚木上,安上闸把控制钢丝绳使之缓慢平稳下放。下管需用青壮劳动力60~100人,分成两队分列两边,用手牵拉钢丝绳,一节一节平稳下放,约需4~6小时下完。透水管外包回纺布或芦席,水泥管公、母口接头,用沥青、布封口,并用4根竹片再用铁丝捆实。一节水泥管长1米,每三节用铁丝捆扎一组扶正木,以确保井管在井孔中心,管外留一定空隙下滤料。每组扶正木4根,长30厘米,宽5厘米,厚度视管外尺寸而定,用12号铁丝捆绑。水泥管下到孔底,抽出下管钢丝绳,下管工作即告完成。

五、填料封孔

井管下好后要立即填滤料,用小石子,其大小为含水沙层平均粒径的8~10倍,一般混合滤料粒径在10毫米以下。回填滤料要均匀,不能整车或整筐猛倒。井口倒盖铁锅(或自制锅式木塞),用铁铣慢慢地、均匀地下放,每小时填料不宜超过3立方米。一般井口向下8~10米不填滤料,而是下枯土封闭。

六、洗井

井封口后紧接着抽水洗井。洗井要先慢后快,抽水量由小到大,将井孔内和含水层内泥沙抽出来,使水路畅通,水清沙净。

洗井抽清水后,用三角量水堰或梯形量水堰测量新井出水量,既验证了新井出水能力,又积累了资料。

第三节　150型钻机设备及技术要点

人力大锅锥打井使睢宁县的井灌事业兴旺发达起来,但大锅锥需要大量的人力和很大的劳动强度。70年代用机械代替人力打井渐渐提到议事日程,首先由县水利局机井队研制出小跃进钻机。该机研制成功后,虽能打井,但缺点很多,使用一段时间即对其进行改造。

一、150型钻机是在小跃进钻机基础上改制而成的

1978年由县机井队两名技术工人利用废旧材料把小跃进钻机机架、传动齿轮、轴承座、

立轴筒等部位进行了改造,通过打试验井,在实践中逐步完善。第一眼试验于 12 月 15 日在城东开钻,于 12 月 20 日成井,井深 75 米,实际钻进时间 54 小时。在钻进过程中,机械部分损坏,又进行改进。第二次试验于 1978 年 12 月 31 日在城北进行,并与第一次改造的小跃进钻机同时开钻以便对比。150 型钻机于 1979 年 1 月 3 日成井,井深 73.32 米,实用钻进时间 24 小时 55 分,平均每小时进尺 2.98 米。第一次改造的小跃进钻机 55 小时 20 分进尺 87.43 米,平均每小时进尺 1.58 米。两者比较,改进后的 150 型钻机效率提高一倍。自此 150 型钻机定型。

二、150 型钻机的主要设备和规格

1. 10 米架腿木 3 根,大头直径 30 厘米,小头直径 18 厘米。

2. 底脚木 3 根,每根长 4 米,宽高各 20 厘米。

3. 风浪绳 3 根,用直径 12.5 毫米的钢丝绳,长 25～30 米。

4. S295－25 柴油机一台驱动钻机,用 S195－12 柴油机一台带动泥浆泵。

5. 单缸泥浆泵一台,出水用胶皮管一根长 20 米,进水四寸皮管一根长 8 米。

6. 直径 76 毫米×8 毫米钻杆带接头丝,每根长 6 米,计长约 160 米。

7. 立轴方杆一根长 6 米,捣杆一根长 3～4.5 米。

8. 钻机一台,双门滑轮 2 个,水龙头 1 个,提引器 1 个。

9. 钻头一个,直径 650 毫米或 750 毫米。一般钻机用有鱼尾钻头或三叶钻头,睢宁县 60 年代用仿苏 300 型、500 型钻机打井,开始用三叶钻效果很差,因其吃泥量大,负荷重,钻机带不动。后去山东济宁学习,回来后自行设计,形式兼有鱼尾钻和三叶钻之特点,重量较三叶钻轻,吃泥量适中。此钻头用 100 毫米钢管做芯,下部有鱼尾,中间有三个斜锥形叶片,外焊圆环,环外焊几个小叶片,上部焊小环。中间大、小叶片和下部鱼尾部分均焊合金刀头。150 型钻机使用此钻头,直到后来 300 型磨盘钻仍用此钻头。

三、安装技术要求

1. 安装前认真检查架木、底脚木等机械、工具。

2. 钻机底脚的地基要平整夯实,防止开钻后机、架变形。施工井场地不能小于 6 米×6 米,垫高至高于周围地面 50 厘米。

3. 塔架拉起后,一定校准使筒眼、天滑车、护井筒在一条竖直线上,务必要使天滑车、立轴、井口中心三点在同一垂直线上。开钻前还必须对立轴进行水平校检。

四、钻进技术要求

1. 钻孔同时做好土层记录,分类、分层描述详细。钻孔时根据机械声音、震动感觉、泥浆颜色及在提钻头时观察钻头带上来的泥土的结果等准确判断土层。

2. 150 型钻机靠钻杆重量加压钻进,对不同的土层要区别对待。沙土层易钻进,但要控制进尺;遇粘土层水泵给水量要加大,但不能任意钻进防止斜井;遇砂礓时要吊打,防止损坏机械和钻具。

3. 井孔钻到计划深度后,要将钻具提上放下往返 2～3 次,名曰扫孔。防止缩孔或斜孔,扫到原钻进深度并确认井孔符合要求后再下井管。

五、钻进中几种事故的预防与处理

150 型钻机容易发生三种事故。

1. 塌孔。原因主要是未按照地层的变化及时调节泥浆浓度，或缺少高压水。沙土层钻孔泥浆的泥水比例以 1∶2 为宜，中粗砂层、粉细砂层钻进时泥浆比例要大于 1∶2，出浆都得大于 1∶4。高压水一般与井口持平，或高于静水位 1～2 米，否则最易塌孔。

2. 井漏。钻进正在进行，突然井中高压水大幅度下降，一般原因有三：一是遇到渗透性地层，由于泥浆稀，容易引起渗透性漏失。二是有地层断裂带。三是遇到裂隙或溶洞。上述第一个原因造成的问题好解决，加稠泥浆即可。后两种情况最好打井前加强物探，把井眼选准。

3. 埋钻。上述两种事故处理不及时，便易产生埋钻事故。一般遇到上两种事故时迅速将钻头上提，如不及时提起易产生埋钻事故，埋土少可用钻机硬提，埋土多用双螺杆千斤顶使钻杆和钻头强行脱离，此时只有牺牲钻头保钻杆。

150 型钻机成井后，下管、填料、抽洗与锅锥打井大同小异，不再重述。

第四节　物探找水

由于地质构造复杂，有时打井成功但无水可抽，经济损失大，政治影响坏。为了在打井前准确定好井口位置和打井深度，避免打成废井，物探成为必不可少的测试手段。

一、物探发展经过

睢宁县井灌物探工作始于 70 年代初，当时使用的仪器是 JcA 和支农 702，只用于平原地区，用四极对称垂向电测深，根据岩体导电性能的差异分析判断地下含水层的位置。因仪器精密度低，测量要素单纯，探测有成功有失败，成功率在 70％左右。70 年代末因为需要打岩石井，要求采用更高的测试手段，物探仪器和物探方法均有很大改进。一般使用激发极化电位仪（JJ－3A）、声频大地电场仪（DDS－2）和甚低频电场仪（SD－1）等仪器，实行查勘地质和物探测量相结合的立体勘探法，成功率在 90％以上，从 80 年代起一直使用这种方法。

二、物探工作为井灌事业做出很大贡献

（一）准确掌握土层提高成井效果

有了物探，在地层资料有疑问的地方打井可以事先测量，找准井口位置和需要打井的深度。特别是经过多年测量，汇总分析，可以系统地、准确地了解含水层的分布。如 1980 年通过黄河滩地测量，发现了废黄河断裂在县内的走向、影响范围，确定了双沟柳元头区域有地下暗河（熔岩）存在。当即在此区域内定 5 眼井位，后来打了 3 眼均获成功。其中双沟柳元头井深 232 米，静水位 7 米，动水位 14 米，涌水量每小时 150 立方米。这在十分缺水的黄河滩地是个奇迹。物探为全县测井位近 70 余次，决定井位打成井 45 眼，且大大丰富了县内地质资料。

（二）物探是山区打井不可缺少的一道程序

山区缺水，特别干旱季节人畜饮水十分困难，经常是排队等水或到一二十里以外去车拉

人抬,缺水之苦千百年来困扰着山区人民。没有物探之前也曾多次尝试打井,均不成功。睢宁县山区多是石灰岩,从概念上讲是裂隙溶洞发达地区,曾用地质钻探 300 型钻机取直径 146 毫米岩芯。岩石井能打成功,但碰不上裂隙溶洞根本无水。山区岩石井比平原地区土层井造价高得多,不找准位置是不能轻易开钻的。自从实行物探后山区打井才普遍开展。如张圩乡黄山村山前组,过去每遇干旱,井、河干枯,人畜无法饮水。经过物探后打成 78 米深一眼岩石井,静水位 5.2 米,每小时出水量 50 立方米。张圩乡油坊村也是水源奇缺地区,先后两次物探,打了一眼 68 米深的岩石井,出水量每小时达 120 立方米。岚山乡吉宝村是有名的贫水区,常年有八个月饮水困难,经过地质勘探和物探测量,成功地打一眼岩石井,每小时出水量 50 立方米。百姓饮上甘甜的地下水,为感谢中国共产党和人民政府的关怀,群众自筹资金立碑纪念,省、市报刊均进行报道。经过多年努力,山区共打成井 27 眼,大大缓解了山区的饮水困难。

（三）物探促进了旧井、破井整修

经过 20 余年的积累,到 80 年代中期全县井眼数已接近饱和状态,但由于各种原因,病井逐渐多起来。有的在正常使用中突然出水混浊,渐渐抽不出水。经过物探测量可以找准破损位置,从而进行修复重新使用。群众称为"起死回生之术"。如 1985 年睢城南二里赵一眼机井,担负着 60 亩水稻灌水任务。正值水稻扬花大量用水季节,突然浑水并有滤料涌出,井旁出现塌方,危及井房安全。眼看井要报废,60 亩水稻没有指望。经物探测量确定此井破洞在 6 米和 13 米位置。后连夜下套管修补,安泵抽水不到一个小时,水清如初,挽救了 60 亩水稻。80 年代全县修补旧井 200 余眼。县内、县外物探为修旧井测量共 500 余眼。

（四）物探为机械打井创收服务

80 年代经济大发展,机械打井从单纯打农业灌溉井发展到走出去打工业井、城市井。每打一眼井,或接受一批打井项目,必须签订合同。包打井深度和成井出水量,此时物探测量显得尤其重要。工业井按国家定额计算,造价高利润大,但物探找不准,便要赔井贴钱。多年来县水利局机井队除在县内跳出行业打降氟改水井外,出县、出省打井 60 余眼,均事先物探找准。另外还为省、市其他系统钻探、打井进行物探 30 余次,成功率也很高。

附表　　　　　　　睢宁县 1987 年机电井统计表　　　　　　1987 年 9 月

单　位	现有能用井数				现已配套井数				灌溉面积/万亩		
	总井数	其　中			小计	机配/台	电配/台	水泵/台	控制	有效	纯井灌
		农灌井	饮水井	改水井							
合　　计	7135	6482	607	46	2500	782	1718	2950	41.0	29.0	22.50
睢城乡	362	354	8		281		281	281	2.0085	1.4069	0.6843
官山乡	163	147	16		14	12	2	32	0.904	0.7315	0.16
李集镇	507	504	3		59	41	18	37	1.506	1.006	0.55
黄圩乡	339	324	15		39		39	103	1.5866	1.2241	1.2241
邱集乡	141	136	5		22	8	14	20	1.0141	0.9024	0.003
王林乡	243	243			117	25	92	125	1.3575	0.542	0.3
凌城镇	114	112	2		28	23	5	28	0.6436	0.6062	

单　位	现有能用井数				现已配套井数				灌溉面积/万亩		
	总井数	其　中			小计	机配/台	电配/台	水泵/台	控制	有效	纯井灌
		农灌井	饮水井	改水井							
沙集镇	234	146	88		56	48	8	56	1.3796	1.0694	0.6798
刘圩乡	73	69		4	15		15	、15	0.639	0.3715	0.2115
高作镇	432	388	44		177	9	168	156	2.379	1.391	0.958
梁集乡	422	416	6		347		347	204	2.6145	0.7803	0.547
浦棠乡	55		13	42	18	7	11	29	0.3085	0.1726	0.1726
魏集乡	202	188	14		59	22	37	58	1.457	1.4195	0.906
古邳镇	223	158	65		50	5	45	108	1.20	0.97	0.714
姚集乡	165	126	39		72	62	10	70	1.401	0.977	0.713
龙集乡	162	162			58	49	9	48	1.293	0.867	0.867
张圩乡	186	141	45		58	2	56	172	1.2481	1.11	0.7931
双沟镇	546	515	31		93	2	91	230	2.2943	1.6048	1.6048
王集镇	506	482	24		214	82	132	365	3.1969	2.4303	2.4303
高集乡	323	305	18		103	47	56	205	2.4951	2.1896	2.1896
桃园镇	433	417	16		309	132	177	166	2.1289	1.6631	1.5909
朱集乡	324	313	11		31		31	50	2.405	1.87	1.69
岚山乡	392	366	26		101	84	17	152	2.118	1.439	1.439
苏塘乡	244	227	17		101	80	21	103	1.6781	1.3143	1.3143
朱楼乡	60	60									
庆安乡	58	52	6		5		5	5	0.233	0.2	0.003
睢城镇	53	53			47		47	47	0.39	0.28	0.28
苏　果	70	68	2		42	42		67	0.3631	0.1891	0.1891
刘　果	6	2	4		2		2	2	0.03	0.0024	0.0024
西关农场	5	4	1		5		5	5	0.016	0.085	0.085
县林场	4	4							0.025	0.02	
县　直	88		88								

第七篇
防汛抗旱 工程管理

第一章　水旱灾害

　　睢宁县历史上是水、旱灾害频繁的多灾县,洪、涝最重,干旱次之。自然灾害种类很多,本章着重记述县内发生的洪、涝、旱、风、雹筹灾害。

第一节　建国前洪、涝、旱灾害

　　查阅有关历史资料,明朝以前文字记载灾害较少。从明朝起,由于有了县志,对灾害记载较多。特别是对黄河形成的灾害和黄河河防记载较详。根据睢宁县旧志(康熙、光绪本)、《行水金鉴》、《淮系年表》、《灵璧县志》、同治《徐州府志》、《邳州补》、《徐州旧志》、《江苏省近两千年洪涝旱潮灾害年表》(1976 年编)、《徐州自然灾害史》(1994 年编)、民国本《睢宁县志稿》等历史资料,将县内水旱灾害编列如下。

一、东汉

　　建安三年(198 年),曹操击吕布至下邳,堑围之,壅沂、泗水灌其城(下邳故城在今睢宁县古邳镇)。

二、北宋

　　开宝二年(969 年),睢河大水,睢陵秋禾淹没。

三、元代

　　世祖至元一年(1264 年),秋霖雨连旬,坏民庐舍千间。

　　至元三年(1266 年)五月,睢水溢,庐舍麦禾尽淹没。自八月至次年二月不雨。

　　至元二十五年(1288 年)三月。己酉,徐、邳、睢宁屯田处,雨雹如鸡卵害麦。

　　大德元年(1297 年)三月,徐、宿、邳、睢等州县河水大溢,漂没田庐。

　　大德六年(1302 年)五月,徐、邳、睢宁雨 50 日,沂、武二河合流水大溢。

　　至正元年(1341 年)五月,睢水汜溢。

四、明代

　　洪武九年(1376 年)夏大旱,民多疫病。

　　景泰六年(1455 年)秋,蝗灾。

　　成化六年(1470 年)夏大旱,蝗虫又为害。

　　弘治二年(1489 年),黄河决口,黄水入睢宁西部,田禾全淹没,民多溺死。

　　弘治四年(1491 年)夏大雨雹,顷刻盈尺,禾尽伤,人畜在野者多击死。

　　弘治十四年(1501 年),雨雹平地五寸,夏麦俱烂。

　　正德九年(1514 年),睢宁旱,菽谷不登。

嘉靖十四年(1535年),旱灾,睢水干涸不流。

嘉靖三十一年(1552年)秋,睢宁大水,庄稼尽淹,次年春大饥,人相食。

嘉靖四十年(1561年)夏,大雨雹,禾尽伤,大饥。

隆庆四年(1570年),黄河九月决邳州,自睢宁白浪浅至宿迁小河口,淹没180里。

隆庆六年(1572年)七月,黄河暴涨决口,徐砀以下悉成巨浸,邳宿睢受灾尤甚。

万历二年(1574年)七月十五日,睢宁、宿迁大风雨,屋瓦皆飞,人畜死者甚多。

万历四年(1576年)七月,河决大水浸城3尺许。九月黄河决口,睢宁田庐漂没。

万历六年(1578年)秋,大水,民饥(为加固黄河堤,尚书潘季驯在徐、睢、邳、宿、桃、清境,两岸筑遥堤5万6千余丈,次年十月工成)。

万历九年(1581年),三月十五日起霪雨连绵至十九日,暴雨冰雹伤禾。秋大水,民居尽没。

万历十一年(1583年)夏,蝗灾。

万历十四年(1586年),大雨雹。

万历十七年(1589年)春夏,亢旱,六月初五黄水大发,合睢水注县城,平地丈许。

万历二十一年(1593年)五月,河决邳州,河溢陷城。又黄河决于徐州小店,坏庐舍,睢宁民多溺死。

万历四十年(1612年),邳、睢河水耗竭。

万历四十一年(1613年)十一月七日,黄河决徐州祁家店,睢宁大水。

天启二年(1622年),黄河决口于双沟可怜庄,同时上游河决徐州小店,平地水深7尺,睢、灵人民溺死很多。

天启三年(1623年)七月,河决徐州青田、大龙口。九月徐、邳、灵、睢并淤。双沟决口,亦满上下50里,悉成平陆,寻塞之。

崇祯二年(1629年),黄河决口于石碑,睢宁城淹没(一说:河复决辛安口,睢城尽圮,民居漂没一空)。

崇祯十三年(1640年),睢宁先大旱,黄河水涸,后雨注河决,流亡载道,人相食。

五、清代

顺治六年(1649年),黄河二次决口于半山。

顺治九年(1652年),河决于睢宁鲤鱼山下逼武官营(南岸),冲断遥、月等堤18道,越三载始塞。

顺治十二年(1655年)、十五年(1658年),河均决峰山口,小河(即睢河)淤为陆。

顺治十六年(1659年),四、五、六、七月间大雨倾盆,平地水深数尺,麦、秋颗粒未收。

康熙元年(1662年),徐州府睢宁河溢,是年黄河决睢宁。

康熙二年(1663年)七月,睢宁雨雹如拳,伤禾稼,山林鸟兽击死无数。河又决武官营,旋塞。

康熙三年(1664年),河决睢宁。

康熙四年(1665年),春夏亢旱,六月雨涝,睢河决。七月飓风大作,发屋拔木,河船覆溺,不可胜计。

康熙七年(1668年)六月十七日,地大震,土裂泉涌,地起黑坟,民舍倾塌,伤人无数。七月十二日河又决睢宁花山坝,邳州城廓庐舍尽陷于水,古下邳就此沉没而为旧城湖。

康熙八年(1669 年)七月初六日,烈风暴作,昼夜不息,发屋拔树,张山有古树一株,历数百年,围丈余,是夜脱根折之。

康熙十一年(1672 年),河决邳州塘池,复陷邳城。

康熙十四年(1675 年)六月,河又决睢宁花山坝,漫淹邳宿。

康熙十七年(1678 年)阴历十二月,睢宁大雨。

康熙二十二年(1683 年),睢宁春霾雾,麦尽枯,该岁大饥(是年睢宁迭雨,麦生黄黑丹霜)。

康熙二十三年(1684 年),睢宁霪雨成灾,岁饥,民粥儿女。

康熙二十四年(1685 年),睢宁霪荡,岁饥,民粥子女。秋水暴涨,平地丈许,庐舍尽没。

康熙二十八年(1689 年),睢宁夏秋霪雨,平地水深二三尺,岁饥。

康熙三十年(1691 年),春旱。

康熙三十八年(1699 年)秋,河决睢宁南岸王家堂,赔修堵闭。

康熙三十九年(1700 年)七月,邳州、宿迁、睢宁大雨三昼夜,平地水深数尺。

康熙四十二年(1703 年),睢宁大水灾,宿迁则干旱。

康熙四十四年(1705 年),徐州、睢宁、宿迁三月份大雪。秋又大水灾。

康熙四十八年(1709 年),睢宁夏、秋霪雨。麦、秋无收,冬春人民饥死无数。

康熙五十一年(1712 年),睢宁大水。

康熙五十二年(1713 年),睢宁大水。

康熙五十三年(1714 年),春旱。

康熙五十四年(1715 年)秋,睢宁大水。

康熙五十七年(1718 年),春旱(康熙在位 61 年,睢宁有 7 次黄河决口,9 年大涝,3 年大旱,2 年大风、地震灾害)。

雍正元年(1723 年),黄河决口于朱海,冲成东渭河及沿岸大片沙土荒地。

雍正三年(1725 年)六月,河决睢宁朱家海,睢、宿被水淹。

雍正七年(1729 年)九月,毛成铺决口,黄水入睢。

雍正八年(1730 年),邳、宿、睢大水,河复溢睢宁。六月,海州大水逼城,海潮逆灌睢宁,卤水坏田。

雍正十一年(1733 年)秋,黄水入睢,田禾被淹(雍正在位 13 年,睢宁 5 次受黄水灾害,2 年大涝,遍地是水,民饥)。

乾隆四年(1739 年)七月,冰雹灾,伤稼,民饥。

乾隆六~七年(1741~1742 年)2 年黄河溢伤稼。六月睢宁大雨,连绵数日,三麦未刈被淹,连秋禾也被淹完。

乾隆十三年(1748 年),黄水入睢,禾尽淹没,岁大饥。

乾隆十五年(1750 年)夏秋,大雨连绵。北部受山东洪水影响,宣泄不及。

乾隆十六年(1751 年),大雨连绵,水灾。

乾隆十九年(1754 年),因上一年全徐州府境内大雨积水未涸,仍涝灾。

乾隆二十二年(1757 年),睢宁大水。

乾隆二十六年(1761 年),黄河水涨,睢宁水灾。双沟水灾(有载:乾隆十四年、十六年、十九年、二十二年、二十三年、二十六年皆灾荒年)。

乾隆三十一年(1766年)八月,河决铜山韩家堂,经睢宁、宿州等地入洪泽湖。

乾隆三十六年(1771年)六月,黄河盛涨,启放毛城铺、苏家山及峰山闸。

乾隆四十一年(1776年),因雨水频繁和山东水过境受灾。

乾隆四十五年(1780年)六月,河决睢宁郭家渡。七月又决睢宁。

乾隆四十六年(1781年),黄河于魏工决口冲成西渭河(原名沈河),到沈集又分支出中渭河,形成魏集、梁集、高作沿河两岸荒地。又载:六月河决睢宁南岸魏家庄(在郭家渡稍东),孟山诸湖、归仁堤河,均冲塌淤没,归仁闸废,睢河由归仁闸缺口达安河。

乾隆四十八年(1783年),黄河决口黄家马路,睢水古道全淤没。

乾隆四十九年(1784年),睢宁旱饥。

乾隆五十年(1785年),春旱,地震,四月黑风自西北来,咫尺不见,麦禾伤,岁大饥。次年春,大饥,斗米千钱,夏大疫。

乾隆五十二年(1787年),有蝗伤麦。

乾隆五十三年(1788年)六月,黄河水涨,启峰山四闸。

乾隆五十四年(1789年),河在睢宁境周家楼漫溢,宿迁水灾。

乾隆五十五年(1790年)河决砀山,睢宁被水淹(乾隆在位60年,睢宁黄河决口7次,上游决口水入睢宁4次,涝灾9年,旱灾3年)。

嘉庆元年(1796年)、四年(1799年)、五年(1800年)、七年(1802年),4年黄河溢,睢宁水淹。另六年(1801年)六月河溢,启放峰山二、三闸。

嘉庆十年(1805年)六月,黄水涨,启发峰山闸。睢宁大旱。

嘉庆十一年(1806年)七月,河决睢宁南岸(周家楼、郭家房),旋塞。房弯决口,冲成河南岸的金潭、银潭及姚集周围大片荒滩盐碱地。

嘉庆十六年(1811年),河决睢宁,一是决南岸周楼和郭家房,一是决邳州棉拐山。

嘉庆十七年(1812年),睢宁大旱。

嘉庆十八年(1813年),睢宁大雨雹。

嘉庆二十年(1815年),河溢睢宁北岸叶家社,修筑之(嘉庆在位25年,睢宁4年水灾,7年河水泛滥成灾,2年大旱2)。

道光元年(1821年)五月,睢宁大雨,伤稼,大饥、疫。

道光五年(1825年)六月,睢宁大水,平地水深一二尺。禾稼皆伤。

道光十年(1830年)四月,阴雨十四日麦多苗而不实。闰四月地震。

道光十二年(1832年),夏秋大水,冬大饥。次年春大饥,疫。

道光十七年(1837年),狂风毁民间房舍、树木。

道光二十五年(1845年)六月,邳州、宿迁大水,沂运两河决口数十处,河湖合为一,睢宁大水。

道光二十八年(1848年)、三十年(1850年),这两年睢宁大水,田禾无收(道光在位30年,睢宁7次大水,5次地震)。

咸丰元年(1851年)正月三十日至二月十五日,每日暴风,日赤无光,秋大水,田禾无收。

咸丰二年(1852年)春,饥、疫。夏阴雨连绵80余日,田禾尽没,冬地震,桃李开花。次年春荒,人相食,三月地震,竹子开花。

咸丰五年(1855年)夏大旱,蝗蝻作,秋大水(当年黄河改道北徙,从山东利津入海)。

咸丰六年(1856年)夏旱,蝗又作。

咸丰八年(1858年)八月飞蝗蔽日,禾苗尽伤。

咸丰十年(1860年)夏大雨,田水高二三尺许。次年春大饥(咸丰在位11年,睢宁有3年水灾,2年旱灾、蝗灾,2次地震)。

同治元年(1862年)四月飓风作,二麦尽伤。十一月雷电自东南来。

同治四年(1865年)春大雨雹。秋大水,桃李开花。十二月迅雷大雪。

同治五年(1866年),秋大水,麦禾尽淹。

同治六年(1867年)春饥,疫盛行。秋大水,十月桃李开花。

同治九年0870年)四月雨雹,大如鸡卵积2寸。九、十月大水。

同治十年(1871年),山东侯家林黄河决口,大水流至睢宁,旧黄河北岸水灾。

同治十三年(1874年),山东石花户黄河决口,河北大水(同治在位13年,睢宁有6年大水,2年较大的冰雹灾害)。

光绪二年(1876年),夏大旱,秋蝗虫成灾。

光绪三年(1877年),蝗虫成灾。

光绪五年(1879年),闰三月雨雹,大如鸡卵,二麦并伤。夏大雨。

光绪六年(1880年),大旱。

光绪八年(1882年),夏大水。

光绪九年(1883年)春旱,秋大水,平地深数尺。

光绪十年(1884年)夏旱,秋大水。

光绪二十二年(1896年)五、六月间大水,平地深尺余,麦无收。

光绪三十年(1904年),大涝,年雨量1068毫米。

光绪三十二年(1906年)闰四月二十三日起,连续阴雨,至八月十五日始晴,田禾尽淹没,大饥,野有饿殍(光绪在位33年,睢宁有6年先旱后涝、大水成灾,2年黄灾,1年雹灾)。

宣统二年(1910年)夏大水,庐舍倾倒无算,饥疫。

六、民国年代

民国二年(1913年)六月,大雨成灾,局部水深4尺,秋后农民流离失所,外出谋生。

民国五年七月七日(1916年8月5日),"夜,子丑之交,忽烈风雷雨自西北而东南。仅30分钟时间,发屋拔木无算,禾尽堰,草屋摧坏十居八九,瓦屋脊檐亦多摧塌。城内邱氏孝子石坊,折落上半;县署门前右偏石狮亦撼倒。又自月之十四、十五、十八至二十二等日,大雨连绵,汪洋一片,飓风大潦,罕有之奇灾也。"《民国本(睢宁县志稿)》。

民国六年(1917年),大旱。

民国七年(1918年),大旱,年雨量442毫米。

民国八年(1919年),大旱,年雨量359毫米。

民国九年(1920年),大旱。六月二十二日,狂风雨雹。

民国十年(1921年)七、八月间,连旬暴雨,大水,饥民众多。

民国十一年(1922年)十二月大雪,深2尺余。

民国十二年(1923年),大旱。

民国十三年(1924 年),春旱夏蝗。

民国十五年(1926 年)六月,大雨水,秋季庄稼尽淹。

民国十六年(1927 年),大旱。

民国十七年(1928 年),大旱,年雨量 286 毫米。

民国十八年(1929 年),大旱,年雨量 169 毫米(是有记载以来最旱的一年)。

民国二十年(1931 年),睢宁大水,城乡低处多成泽国,塌房屋千余间,大风拔树万余棵。数十处平地汪洋,秋收绝望。

民国二十一年(1932 年),大旱,年降雨量 320 毫米。麦后刮 18 天西南风,玉米枯死。瘟疫严重,死人甚多。个别地方从头年种麦开始,直到麦后几乎元雨,撒下地的种子未霉变。

民国二十二年(1933 年),春荒严重,粮米昂贵,饿死数千人。四月初九下冰雹,时天旱,雹子把麦草打碎。受灾地区为刘圩、沙集一带。

民国二十三年(1934 年),小满节,张集(今浦棠集北一二里,1978 年挖徐洪河,张集被扒掉)在四月初八天黑前 1 小时许,下冰雹,房屋打坏,树叶打光,树皮剥光。

民国二十四年(1935 年)四月初一下冰雹,损失很重。七月十五日下雨,八月二十一日放晴。八月十六日河北来客水,庄稼整个淹光,张集街在老埝上逢集。秋季草籽未收,后又大旱,麦子种不下。

民国二十七年(1938 年)七月十四日下雨。十五日发大水,水深数尺,十六日雨停。

民国二十九年(1940 年),双沟从八月十六日下雨,九月初一放晴,秋熟作物受灾。

民国三十五年(1946 年)秋,阴霪雨 43 天,平地积水约 1 米。八月十六日,双沟暴雨,平地行船。

民国三十六年(1947 年)七月,大雨成灾,平地水深数尺,有的地方竟至没及高粱。四、五、六、七、八区最为惨重。一、二区也大部被水淹没,房屋倒塌不计其数。全县 59 个乡镇受灾的达 56 个,减收成数高达 80%以上,灾民无法生活者达 40 万人。

民国三十七年(1948 年)五月,高作、王林等地降冰雹,大的如拳头,3 万亩三麦受灾。九月十七日普降暴雨,平地积水尺余,全县 40 万亩在田作物受灾,倒塌房屋 2600 余间。

第二节　建国后防灾抗灾

建国后中国共产党和人民政府一贯重视防汛抗旱工作,带领广大群众坚持不懈地兴办了大量的水利工程,形成了防洪、排涝、灌溉等网络系统。随着水利事业的发展,防灾抗灾能力不断加强,抗灾的标准不断提高。但由于诸多客观因素,灾害仍时有发生。建国 49 年来,受涝灾 28 年,其中大涝 7 年(即 1954 年、1955 年、1963 年、1965 年、1974 年、1982 年、1996 年)。旱灾 21 年,其中大旱 3 年(即 1978 年、1988 年、1994 年)。有旱有涝 11 年,不旱不涝 11 年。风灾 20 次,雹灾 16 次,蝗灾 4 次。

一、灾害特点

睢宁历来是易涝易旱,涝渍干旱交替为害。无论是建国前还是建国后,涝灾是主要威胁,多是雨涝,低洼地区也有因洪致涝。由于土质多是泡沙盐碱土,遇雨即包浆,水土融为一体长时间呈饱和状态,使农作物受渍害。地表积水是明涝,受渍是暗涝,连续数日阴雨甚至数月连绵阴雨,土壤严重饱和,称为"恶性内涝"。涝灾经常发生,渍害面广量大,所以长期以来涝、渍灾是睢宁主要的自然灾害。大旱之年群众也是苦不堪言,但大旱的机遇比涝少。一般稍偏旱的年份,与涝年相对而言,算是丰收年。睢宁历史上就有"旱死怕涝"之说,说明睢宁人民深受涝灾之苦。睢宁属于暖温带半湿润气候,年平均降雨量为800多毫米,由于时空分布不均匀,经常有水旱灾害。一是年际不均,如建国后降雨最多的是1963年1348.5毫米,降雨最少的是1978年588.4毫米,丰枯2.29倍;二是年内不均,6至9月主汛期降雨量一般占全年降雨量的70%左右,汛期经常发生超标准降雨或旱涝急转突发性灾害。有些年份出现一些反常现象,如夏季基本无雨,汛期无汛。或春季大雨、连阴雨,桃花汛似主汛期等。风灾、雹灾时有发生,或风雹同时发生,但多是局部灾害。建国初期有蝗灾,多在旱期产生,也是局部灾害。

二、防汛重点

(一)废黄河险工地段

黄河北迁以后,在睢宁留下的废黄河,由于河泓、滩地高于两侧地面,形成一条悬河。北迁前经常决口,河中泓忽而偏左,又忽而偏右,河泓直抵河堤(没有滩面),形成了险工地段。废黄河虽成为独立水系,上游滩地形成的洪水仍给下游造成很大威胁。县内比较薄弱的地段有:双沟的炮台、可怜庄,苏塘的马浅,姚集的石碑(朱湾)、王塘、房弯,古邳的洪大庙(九堡)、双河(顾湾、马路口),魏集的魏工,浦棠的崔埝(新工、王马路)等10余处。建国前在姚集的王塘设有铁牛以镇洪水,虽是迷信、消极之举,但客观上也反映了险工地段给人民造成很大的心理压力(此铁牛建国后尚存,60年代"文革"中被毁)。建国后对10余处险段年年检查、年年维修、年年汛期昼夜专人看管。每年做得最多的是上土方加固堤防。其次,有的搞块石护坡,有的植草皮,有的在险堤处搞丁坝,将水流逼向中泓(远离堤防)。黄河堤杂草丛生,有好多獾狗洞,形成很大隐患,每年除经常检查外,必备草包、塑料袋等防汛物资。由于年年加固堤防,建国后虽出现多次高水位,只是有惊无险,没有发生决口事故。

(二)下游低洼地区和两湖一荡

1976年徐洪河未开挖之前,由于安河标准太低,严重限制了睢宁的排水速度,下游低洼地区新龙河、潼河沿岸经常遭受洪涝灾害。凌城、邱集、王林、官山等地,每当汛期经常是上游客水压,下游高水顶,河中高水外溢淹田。建国前后只能保住一季麦收,秋季往往因为雨涝颗粒无收。建国后的治水方略是"先下游后上游",下游是治理的重点。挖河同时筑堤建涵,到1973年全县建涵洞231座,大部分集中在南部低洼地区和黄墩湖区。涵洞的主要作用是抢排和防止洪水倒灌,每到汛期堤防和涵洞都安排专人管理。70年代发展引水,低洼地区先大面积实行稻改,改变水旱作物比例,水田增加,相对提高了排涝标准。建国初期上游高亢地区相对是农业高产区,如岚山等山地和姚集的陆庄、赵场等废黄河滩地都是有名的"粮食屯"。70年代以后逐渐发生了变化,排水属下游的低洼地区引水变成了上游。发展水稻既提高了排涝能力,又大幅度提高了农业产量,从而使下游好于上游地区。下游低洼地区的变化,是多年水利工程建设和重点防汛抗旱的结果。黄墩湖、白塘湖和官山荡是县内有名的洼地,过去常遭灾,建国前后也只能保一季麦收。建国后是防汛重点地区。随着水利工程的发展,抗灾能力逐步提高,但超标准降雨时,还是这些洼地首先成灾。

（三）县周边地区

与邻省、邻县交界地带，由于水利规划难统一，上、下游实施的步调难一致，水利工程进展缓慢。建国初期由于水利尚待治理，边境地区时常发生水利纠纷，有时甚至很尖锐。上级对处理水利纠纷的态度十分明确，规定"上不扒沟，下不打坝。"沿边界10公里内，不经双方协商一致，不予兴建新工程。由于客观条件限制，周边地区多年、多次出现水事纠纷，双方均有损失。随着水利事业的发展，经上级多次协调，边界地区水利条件逐步得到改善。至90年代灾害较重的尚有三块地区：一是西南李集、黄圩地区。西是安徽省灵璧县，南是安徽省泗县，一条潼河贯穿其中，睢宁处于中间。潼河下游泗县标准很低，上游灵璧县已数次扩大疏浚，一条河标准不统一，上大下小，每到汛期洪水上涨，睢宁西南地区受上压下顶之苦。1966年经国家计委批准潼河疏浚一次，但泗县境内潼河只有三年一遇的88%的标准，只能抗日雨100～110毫米。二是双沟南部地区。新源河入运料河，下游在灵璧县境内，河道标准不足三年一遇，只能抗日雨100毫米。运料河上游系铜山县来水，铜山县房村一带排水本应南去安徽，由于安徽方面沿边界筑圩，排水受阻，所以逐渐向东往双沟排水。双沟在县西北部，是最高亢地区，然而常积水成灾，一般受灾面积5万余亩，严重地区3～3.5万亩。三是张圩山北地区。与邳州（原邳县）交界，排水本应入民便河。张圩山地之水汇流较快，民便河上游常淤积。后邳县方面在民便河北另开新道，原有民便河上段淤平，使张圩山北地区水无出路，成为排水死角。每逢降雨一片汪洋，积水成湖，重灾4000余亩。这三块地区工程进展较缓，当地采取较积极的办法是圈圩，汛期临时架机抽水，灾情可以缓解。

（四）高亢地区、山丘区

废黄河以南、高集以西约30余万亩土地为高亢地区。最高点在苏塘北部峰山南侧（古闸河的起点处）。睢宁县东半部正常地面比降万分之一左右，而西北高亢地区地面陡，约五千分之一，最陡有三千分之一。降雨后汇水快，特别是实行梯级河网后，平底深沟，因上游沟深排水流速明显加快。一般暴雨后3至5小时，高集等闸水位陡涨，曾发生因夜间提闸不及时，水漫闸顶，工程失事。每逢暴雨，对高集闸、郭楼闸、青年沟闸、散卓闸、魏洼闸等必须严加看管，经常通讯联络掌握水情。山地汇水时间更快，往往洪水下冲，山脚地带所有耕作层被水冲走。建国后山区做一些小水库，对防洪起了一些作用。又开挖环山沟，把水库连起来，形成"长藤结瓜"。如岚山小水库群，项窝水库西截水沟，底高程44米平，堤顶47米；项窝水库至土山水库截水沟，底41米平，堤顶44米平；土山水库至大寺水库截水沟，底39米平，堤顶42米；大寺水库至孙庄水库截水沟，底39米平，堤顶42米。截水沟拦截山洪水入库，基本解决了山区洪水对下游平原地区的威胁。这些库、沟是山区的命根子，平时修，汛期保，成为年年必做的防汛工作。张圩山区梁山水库至锅山水库之间的截水沟，两头已挖，中间在白路山后差106米未做成，只能发挥部分效益。

（五）水库联防

水库防汛是分级负责，县管庆安、袁圩、清水畔三座水库。在平时用水季节水库按兴利水位蓄足，汛前适当放空，汛中超过汛限水位水库即溢洪，以保水库安全。庆安水库建成之初，因西坝土质差，汛期一度紧张。1974年大雨，西坝北头外坡土壤饱和，组织人员看管、加固。1979年水库大坝外加做戗台，顶高27.5米，顶宽10米。西坡外戗台因几次扩宽公路，宽度大于戗台标准。从此水库大坝比较安全。1996年大雨，清水畔水库大坝先后两次产生纵向裂缝，缝较长，幸好水库蓄水较低。经专家鉴定，认为水库大坝曾两次筑成，因土夯不实,遇大雨造成下陷。当年冬季大坝加做戗台,顶宽 8 米,顶高 28.0 米,从此土坝较安全。两水库实行专管、群管相结合,县专设管理所,每年搞岁修,对涵闸、护坡进行维修加固。汛期库周有关乡对水库实行联防,由县武装部负责领导,有关乡武装部组织基干民兵成立联防突击队,水库一旦出现险情,可以召之即来。

(六)防渍抗渍

面广量大的泡沙土极易造成渍害,靠两种办法解决:一是挖沟增强排水功能,主要指腰、墒沟,墒沟适当加密,深度深于耕作层。二是多施有机肥,改变土壤结构,增加土壤空隙,60～70 年代扩种绿肥、改种水稻是改变土壤结构的好办法。此二种办法必须和农作物品种、布局相结合,是一项综合性措施。为防渍害每年两次突击搞田间工程。第一次在 6 月下旬至 7 月初,10～15 天时间,突击开挖秋季旱作物田间一套沟。第二次是 9 月底至 10 月中、下旬,突击开挖三麦田间一套沟。由于旱、涝难以预测,有时开了大量的田间工程,却遇到了大旱。有些农民心存侥幸,不愿意多开沟。一旦大雨到来,各级要求临时挖沟,排除局部积水,而有些农民惜苗,尽量少开或不开沟。本来一年两次突击是能够完成的事,往往拖的时间较长,有“田间一套沟,从种喊到收”之说,说明田间工程任务是艰巨的。年年都事先搞点,然后典型引路,此项工作每年都花很大精力。

废黄河北黄墩湖地区,是防洪、涝的重点地区,又年年为滞洪做了大量工作。排水入运,由于下游出路不好,受运河水顶托,黄墩湖地区常受灾。1991 年开挖徐洪河后,调度能力增强,洪、涝灾害有所减轻(黄墩湖滞洪将在本篇第二章专题叙述)。

三、防汛抗旱工作

随着水利工程年年积累增加,防汛抗灾的能力愈来愈强。回顾建国后近 50 年防汛抗旱工作,大体也经历三个过程。

其一,50 年代由于水利设施很少,防汛抗灾处于被动应付局面。那时做得比较多的工作:一是汛期临时加固堤防,堵复缺口。河道狭小,堤防薄弱,只能临时应急。二是遇到旱灾,由于水源少,用肩挑人抬的办法,效率很低。三是灾后做大量的救济工作。物质生活很差,天灾以后大量的灾民生活无着,各级政府都尽力拿出财力、物资、人力从事救灾工作,保障灾民最基本的生活水平。

其二,60～70 年代,随着排水工程的增多,防汛工作由被动应付转为主动疏导。汛前防,汛后补。“防重于抢”,大力疏浚干、支河,上标准筑好堤防。下游地区做涵洞,抢排涝水和防止洪水倒灌。那时经常受涝,大多实行灾后补种晚秋作物,如胡萝卜、荞麦、晚绿豆等。

其三,80～90 年代工程增多,措施增强,重在调度。由于形成梯级河网,增加了调度手段。调度就是提高标准。由于排涝标准提高,大面积受涝的现象大大减少。80 年代后虽有水、旱灾害,如有的地方超标准降雨,短时局部积水,1988 年、1994 年遇到了少见的干旱,但农业都是年年增产。防汛抗旱的工作内容和服务对象起了变化。从防汛重点保农业,发展到保城市,保工矿企业,水利从为农业服务发展成为全社会服务。

防汛抗灾多是突发性的紧急任务,为了取得抗御自然灾害的主动权,必须立足于防灾。无灾防灾,有灾抗灾。建国以来各级政府每年都为防汛抗旱做好如下几项工作:

(一)建立防汛防旱组织机构

县水利局是县政府的一个部门,是主管水利工作的专门机构。但就防汛抗灾而言,远远不是水利一个部门所能包办得了的,必须由行政首长负总责,成立一个综合性的指挥机构。早在50年代建国初期,县每年就成立防汛防旱总队部,由县长任总队长(或由县委副书记任政委,县长或副县长任总队长),水利局长和有关部门负责人任副总队长。各区成立防汛防旱大队部,各乡相应成立中队部。60年代以后,县每年成立防汛防旱指挥部,由县长任指挥(或县委分管农业的副书记任政委),副县长和人武部长等任副指挥,水利、农业、财政、交通、商业、物资、粮食、公安、卫生、供电、邮电等部门为指挥部成员。指挥部下设防汛防旱办公室,地点设在水利局,由水利局长兼任办公室主任,分管工程管理的副局长任办公室副主任。

县水利局于60年代设有排灌机组并配备技术工人。70年代正式成立抗旱排涝队。汛期对积水严重地区临时架机排水,平时用于抗旱抽水。

黄墩湖滞洪区,每年单独成立指挥机构。省成立骆马湖联防指挥部,由徐州、淮阴、连云港三地区(后来是三市)中共党委书记为正、副指挥。各市、县相应成立指挥部。睢宁县每年都成立黄墩湖地区防洪指挥部,由县委书记任指挥。

80年代后每年还成立城区防汛指挥部,在县防汛防旱指挥部的统一部署下,单独负责城区防汛工作。

(二)健全防汛岗位责任制

建立防汛组织以后,必须有一系列的规章制度作保证。经过多年实践,逐步完善,形成了一整套的岗位责任制。首先是行政首长负责制,各级行政一把手负总责。在行政首长的领导下,实行6个方面责任制:一是分级管理责任制,哪级使用的工程,哪级负责管理;二是各级防汛人员岗位责任制,明确职责范围;三是工程管理责任制,管理人员务必在岗,尽其职能;四是防汛物资责任制,各种防汛抢险物资器材在计划、调运、储备、保管等各个环节都要有责任人;五是防汛抢险责任制,病涵、病闸、险工地段,事先明确抢险人员,一旦出险迅速上岗;六是防汛技术人员责任制,防止出现技术性事故。岗位责任制是保障防汛指挥机构有效运行,实行强有力指挥的关键,每个人任务明确,责任明确,出了问题有责任人可查。

县防汛防旱指挥部下分5个组,有关部门防汛任务各有分工。一是情报通讯组。邮电局负责通讯;气象局提供天气预报;水文站负责雨情、水情测报、预报;广播电视局负责宣传报道;农业局掌握农业灾害情况。二是抢险保卫组。县武装部动员乡镇基干民兵组成防汛抢险突击队或重点险工联防队;公安局负责汛期治安保卫和处理水事纠纷有关案件。三是后勤供应组。县计委负责防汛物资的计划调度;经委协调防汛抗旱用电计划;商业局负责供应抢险用铅丝、圆钉;供销总社储备、供应抢险用草包、毛竹;物资局负责抢险用木桩、圆木(商业局、总社、物资局三单位每年要准备两套物资计划:① 正常防汛物资,货物一定要进到本单位专库保存,随调随用。② 为黄墩湖滞洪作物资准备,只联系好货源,一旦需要可以马上调运)。供电局负责防汛抗旱电力供应;交通局负责防汛抢险车、船调运;民政局负责灾区灾民的生活安排;粮食局负责灾民的粮食调配和帮助灾区农民储运、转移粮食。四是工程维护组。县建委负责城区工程维修和防汛工作;水利局除承担防汛防旱办公室正常工作、防洪抗灾预案外,还负责汛前检查和工程维修。五是医疗救护组。县卫生局负责灾区医疗、防疫和抢险工地救护工作。

各级党、政对防汛工作实行严格的管理和监督。如1953年9月下旬突降大暴雨,雨前县曾多次催促李集区对边界沟进行清障,由于没有行动,致暴雨成灾。为此县政府下文通报批评,并对李集区区长在防汛期间未重视疏沟排水、不执行淮委决议,造成2.57万亩农作物受灾,给予行政记过处分。桃园区把防汛工作让群众自己办理,大雨过后互相扒堵,积水无法排除,1.7万亩农田受淹,县委在大会上点名批评,并令其书面检讨。1963年5月28日降大雨,凌城闸开闸太晚,工作失误,造成凌城、邱集等低洼地区洪水倒灌,受灾面积8万亩。徐州地监委和徐州专署水利局即派员调查,调查后徐州地监委通报全区予以批评。1983年古邳民便河堤多年失修,维修措施不力。7月份降雨上游来水,民便河在半山东决堤,沿岸受灾。在徐州水利会议上多次受到批评,并要求各县引以为戒。

(三)制定防汛抗灾措施

建立机构是组织保障,岗位责任制是制度保障,踏踏实实做好各项准备工作是措施保障。多年来落实防汛抗灾措施的原则是:"汛前有预防措施,汛中有抗灾措施,汛后有补救措施。"

汛前有预防措施是指汛前做好各项准备工作,其主要内容有:

(1)舆论准备。国家、省、市每年春季都作当年的水、旱情预测,据此县每年都提前做好宣传教育工作。"宁可信其有,不可信其无",有灾无灾作有灾准备,大灾小灾作大灾准备。立足抗大灾、抗多灾,向最坏处打算,向最好处努力。防重于抢,有备无患,争取抗灾的主动权。

(2)工程准备。汛前做好水利工程大检查,发现隐患及时抢修。集中人力、限定时间清除河道障碍。在建工程要有渡汛措施。水利部门汛前做好防汛预案,不打无准备之仗。重点险工地段,重要的病涵、病闸,做2~3套防汛预案,确保万无一失。

(3)物资、后勤准备。县防汛防旱指挥部负责人每年汛前都要检查1~2次防汛物资储备情况,物资谁保管、谁发货、谁组织车辆运输,事前都责任到人。通往险工地段的道路汛前检查维修,必要时在险工地段先临时设点储备部分防汛物资。

汛中有抗灾措施。准备工作做得充分,一旦灾害到来就会临危而不乱。但灾害有时也是千变万化的,临时变化的事时有发生。所以抗灾措施多种多样,其中最重要的一条是各级领导要亲临现场。防汛抢险是一项应急任务,不能松,不能等。紧一紧可化险为夷,慢一慢可能形成一场灾难。这时领导深入第一线,能够迅速决策,争取时间;能够充分发动群众,指导抗灾;能够调度各方面的力量,形成合力。抗灾中的技术措施很多,最常用到的是打坝、堵复决口。自古都是"水来土挡",突击打坝主要是集中快速上土,在水流速度大的情况下,往往用草包装土或装砂下抛。土坝最后合龙是关键,堵口的成败在于合龙是否迅速成功。一般合龙都要人工下水打木桩,铅丝固定,然后或抛块石、或下柴草捆、或下木板、或下装土草包,最后再上土加固。

汛后有补救措施。一是及时组织生产自救,对农作物实行改种、补种或其他一些农业技术措施。二是一方有难多方支援,动员无灾地区向灾区对口支持,团结抗灾,渡过难关。三是及时总结经验教训,找出问题根源,重新做规划、搞设计、上项目。往往大灾后反思,能痛下决心,解决多年悬而未决的问题,使水利事业大大前进一步。

四、建国后水、旱灾害和抗灾纪实

1949年　水灾

6、7、8三个月发生3次大水,当时水利条件很差,南北洼地,平地水深3市尺,各河漫溢。县、区、乡三级政府十分重视,动员48462人抗灾,共疏排死头洼地积水983个,计108149.5亩。另有267个死头洼地积水无法排除。共淹没中晚秋庄稼496970亩,占全县耕地面积的三分之一。入冬有断炊户计81682人。县委贯彻落实中央"生产自救,节约渡荒,群众互助,辅以政府必要救济"的方针。实行"以工代赈",救灾与治水相结合。组织群众发展副业,亲友互助,共同渡过建国后第一个灾荒年。

1950年　水灾、雹灾、蝗灾

2月初天降雨雪,连绵数日,化成洪水横流,洼地麦苗淹光。朱集、官山等区水深30~50厘米。邱集区老龙河北岸两处,大面积麦苗被淹。4月初,双沟北黄河滩下冰雹,第二天才融化光。7月中旬全县大水灾,全县动员69301人投入排涝抗灾,扒大、小排水沟530条,抢堵大、小决口138处。共用防汛物资芦苇2500斤,茵草4479斤,秫秸(高粱秸)200斤,大、小木桩1987根,大、小木板84块,蒲包62个,门115合,麦草16458斤。后11月26日至12月17日,连续阴雨21天。据统计,颗粒无收面积714463亩,灾民146540人。后政府拨给救济粮490万斤,白大布4499匹,白布491匹,棉衣30450套,寒衣贷金1.6亿元(旧币,折现币1.6万元),另有其他一些救济物资。

1951年

汛前做了一些准备工作。汛期除牛鼻河决口外,其余未有新的河堤溃决。

1952年　雹灾(三次)、蝗灾、水灾

6月7日下午,狂风暴雨夹降冰雹,张集、古邳、张圩一带受灾严重。冰雹大如鸡蛋,小像豆粒,高粱倒伏,棉叶打光,毁坏房屋1200余间。6月9日龙集、姚集、魏集、邱集、官山5个区、9个乡发生蝗灾,密度为每平方米10只,受灾面积11700亩。8月下旬开始阴雨连绵不断,9月19日又降冰雹,雹粒平地2寸厚,晚玉米、绿豆受害严重。10月7日下午狂风拔树,暴雨如注,夹杂冰雹,大部地区受灾,90%的农作物受损失。房屋多被刮坏。大雨后西、南、北低洼地带积水10~50厘米深。全县受灾面积192076亩,其中重灾148701亩,损失粮食1.12亿斤。

1953年　冻灾、旱灾、涝灾

4月11日夜,气温突然下降至摄氏零下2.5度,水面结冰,寒霜降落,小麦遭受霜冻面积达27万亩。从8月中旬到9月20日近40天未落雨,天旱。姚集区报告6万亩黄豆因旱每亩只收50余斤,绿豆、花生每亩只收20余斤。县9月5日召开抗旱工作会议,指出抗旱压倒一切工作,积极动员群众浇山芋、泼水种菜,"浇一棵是一棵,浇一亩保一亩"。后据8个区不完全统计共浇山芋、萝卜56405亩。9月22日突降大暴雨238毫米,由于县接受逐年受灾教训,汛前疏浚河沟,加固险工险段,与上年相比是雨大灾小。李集区因边界沟未清障受灾,桃园区因汛期缺乏管理受灾,均被县通报批评。

1954年　冻灾、雹灾、蝗灾、大涝灾

4月19日夜,气温突降至摄氏零下3度,露水成冰,麦杆上嫩叶、孕穗皆被冻死,小麦受灾严重。5月29日夜突降冰雹,大如鸡蛋,小如糖块,并有大风暴雨。6月20日有3.4万亩作物遭受蝗灾。从7月1日至30日,连续降雨728毫米,8月9日全县普降大暴雨,日雨量310毫米(是年全省大水,江、淮水并涨)。李集、朱集、邱集、凌城等区平地水深可行船。100余万亩农田被淹,其中30余万亩颗粒无收。倒塌房屋10977间,死8人,伤25人。冲坏涵闸6座、桥梁5座。雨后县立即动员46574人投入抗灾,开沟774条,抢堵决口248处,做土方19.2万立方米。另改种、补种作物有:玉米13.5万亩,荞麦5.2万亩,绿豆9.1万亩,胡萝卜1.3万亩。挽回粮食损失2149万斤。

1955年　蝗灾、旱灾、大涝灾

5月12日,官山、邱集、李集、姚集4区遭受蝗灾,受灾面积10375亩。4至6月,60天无雨,干旱。全县动员30万人抗旱,挑水浇地,带水播种。计挖土井4766眼,修井757眼。带水移苗3456亩,带水补种127325亩。7月至9月多雨,睢城中心雨量站测量共降雨634.1毫米,雨日30天。此间出现两次暴雨。第一次是7月10日至12日降雨123.7毫米,雨后龙集区何庄涵洞、官山区杨巷涵洞、马厂棚涵洞出险成灾,遍地水深1米左右,6000亩农田受淹。第二次是7月31日夜至8月2日降雨278.6毫米,其中8月1日日降雨量145.1毫米,一个早晨即降131.7毫米。河水普遍上涨,超过1954年洪水位。龙河南庙站21.38米,超过上年0.99米,白塘河水位21.36米,也超过上年0.99米。白马河、田河交会处张山站水位21.51米,超过上年0.84米。河堤决口多,如中渭河11处决口。这次降雨计冲坏河堤278处,圩堤178处,路面121处,大、小桥梁112座,涵闸55座。倒塌房屋3945间,死2人,伤17人。伤家畜17头。受灾减产农田69万亩,其中重灾29万亩。因为汛前作了一些抗灾准备工作,所以灾害较上一年轻。当年省支援睢宁县防汛物资,蒲包16721个,麻袋1030个,铅丝191斤,麻33斤,木桩、木板1579根。共支出防汛经费46402元。

1956年　旱灾、涝灾、风灾(三次台风)

春季少雨,三麦受旱。夏季连续阴雨,田内积水多日无法排除,推迟夏种。8月2日遭台风袭击,农田受灾395368亩,倒塌房屋7543间,损坏房屋13800间,死7人,伤34人。伤亡牲畜14头。9月又刮两次台风,倒塌房屋39959间,死9人,伤43人。损失牲畜26头。农田95000亩遭受严重灾害。灾后人缺粮食,牛缺饲料。全县外流3296户,8670人。国家支持牛草款10万元,副业生产款25万元。

1957年　大雪、风灾、涝灾、黄墩湖滞洪

1月3日大雪,平地厚约70厘米。7月6日普降大雨,古邳、双沟、张圩突遭龙卷风袭击,损失严重。仅古邳区涧营乡蛟龙社就倒塌房屋1000余间,死3人,伤80余人。峰山乡拔树倒屋一片残垣断壁。7月15日下午暴风雨,刘楼乡田河两岸,朱集乡苏河、魏楼两庄,睢城西岗头乡均遭暴风雨袭击。7月16日黄墩湖滞洪。

1958年　暴雨

6月28日起连降大暴雨3天,雨急量大,平均降雨量310毫米,在田作物普遍受淹。

1959年　偏旱

7月份降雨明显偏少,7、8月份出现伏旱。气温偏高,从6月下旬至8月下旬气温都在30摄氏度以上,最高达39摄氏度,秋季作物遭受旱灾。全县投入抗旱1447877人次,挖引水沟2016条,灌溉渠766条,挖土井1192眼。充分利用14000眼砖石井、400多眼机井、大小12座水库、11000个汪塘。投入各种提水工具:抽水机76台,1443.5马力;动力水车16部;解放水车548部;手摇水车349部;龙骨水车108部;其他提水工具66844件。计灌溉面积249376亩,其中人工灌溉11542亩,机灌21607亩,自流灌溉216227亩。被灌农作物有水稻78491亩,玉米16288亩,大豆17570亩,山芋86381亩,棉花10477亩,还有其他作物4万余亩。

1960年　旱灾、雹灾、风灾(二次)

上半年雨少,偏旱,110万亩夏种作物播种困难。6月1日下午突然遭受冰雹袭击,部分小麦受灾。6月10日下午,沙集、凌城、魏集3个公社11个大队44个生产队突然遭受龙卷

风侵袭达 20 分钟,刮倒房屋 5464 间,死 1 人,伤 20 人。11 月 12 日下午,李集、黄圩、官山、凌城 4 个公社 15 个大队再次遭暴风雨和冰雹袭击,刮坏房屋 1429 间,死 3 人,伤 45 人,刮跑粮食 3200 斤,刮断树木 838 棵,有 4020 亩玉米、高粱受灾。灾情发生后,县委书记亲自带领有关人员前往受灾较重的沙集、凌城等地慰问,研究以秋补夏措施,号召无灾区支援受灾区修建灾民住房,县拨款 2 万元安排灾区群众生活。

1961 年　冻害、风灾、雹灾、旱灾、涝灾(先旱后涝,多灾之年)

4 月 9 日寒流侵袭,地面温度为摄氏零下 3～4 度,10.3 万亩小麦受冻害。4 月 29 日全县遭受大风袭击,阵风 8～9 级,风时长达 12 小时。刮毁房屋近万间,有 3 万亩在田作物受损失。5 月 9 日西北王集、苏塘、双沟、姚集、张圩等公社遭冰雹袭击达 25 分钟,平地积雹厚 1.5 寸,大如鸡蛋小似白果。麦秆被打断,受灾面积 33900 亩。近千亩大豆、棉花茎被打断。7 月中旬至 9 月上旬基本无雨,伏旱。西部和南部淤土地区旱情重,受旱面积 15 万亩,严重的 3 万亩,黄豆无角,玉米枯黄卷叶。县召开抗旱紧急会议,从庆安水库向南放水,提高河网水位,因水源不足只解除 2 万亩旱灾。9 月 13 日全县普降暴雨,姚集、高集、朱集、桃园一带为大暴雨区,10 个小时降雨 200 毫米以上。超标准降雨,龙河、田河、白马河、潼河、民便河均漫滩行洪。灾情发生后,县委书记带领 49 名干部到受灾现场指挥排涝。全县 5 万余人投入抗灾抢险,堵大、小决口 11 处,排除地面积水约 50 万亩。后受灾仍有 25.8 万亩,其中 3 万亩山芋基本无收。后秋雨连绵,作为群众主粮的山芋霉烂较多。此次支付防汛经费 5000 元,公社自筹 3000 元。用去蒲包 48000 个,麻绳 200 斤,铅丝 2700 斤,补助粮食 5 万斤。

1962 年　冻害、先旱后涝

4 月 6 日夜 8 级大风刮了 20 个小时后,气温下降到摄氏零下 2 度左右,出现霜冻,有 5 万亩小麦生长受严重影响。1～5 月只降雨 60 多毫米,比一般年份约减少 60%。小麦减产,有 1.6 万亩颗粒无收。7 月份以后多雨,秋季阴雨连绵。7 月 8 日降暴雨 120 毫米,最大暴雨强度 45 分钟内降雨 62 毫米。白塘河、田河、白马河水势较大,均有倒灌现象。8 月 31 日 7 时至 10 时凌城公社突降暴雨 180 毫米,全社在田作物受水面积达 34600 亩,倒塌房屋 480 间,粮食受水 12 万斤。伏秋季节阴多阳少气温低,7 月份平均气温 27 摄氏度,比一般年份低 2 摄氏度。当年用防汛物资:蒲包 1.6 万个,竹竿 300 根,麻 2600 公斤。

1963 年　大涝大灾之年

全年降雨 1348.5 毫米(指县城雨量),是建国后降雨最多的年份,雨量集中在 5、7、8、9 四个月。"雨季早,雨期长,暴雨多,范围广"。从 4 月开始阴雨连绵,到 8 月底共 153 天中阴雨 109 天,其中雨日 79 天。气温比正常年份低 3～5 摄氏度。阴雨多日照少,夏涝接秋涝,土壤长时间处于饱和状态,是典型的"恶性内涝"。5 月 28 日 20 点 30 分至 29 日 18 点,全县普降暴雨 250～300 毫米,雨后大面积积水无法排除,成熟的小麦全被淹,普遍水中捞麦。另有 51 万亩春玉米、山芋、棉花等作物泡在水里 3～4 天,多的达 7～8 天,80% 作物改种。5 月 29 日废黄河在古邳洪峰水位达 30.45 米,超设计洪水位 0.85 米。庆安水库北废黄河中泓溢洪闸 40 立方米每秒的溢洪流量太小,为防废黄河险段出险,扒开黄河拦河坝向下游放水,后下游一些县亦很紧张。场上小麦因无阳光晒打,从夏季断断续续打麦到秋季,多数麦粒发芽。7 月份 4 次暴雨,7 月 7 日、9 日、18 日、28 日每次都在 100 毫米左右,改种的作物又多被淹光。5、7、8 三个月有 69 个阴雨天,基本上是三天两雨。每次暴雨都是一片汪洋,田、河不分。据有关雨量点统计,暴雨达 8 次以上的有:西北双沟公社 3 个月降雨 1440.8 毫米,其中 10 次暴雨达 1053.2 毫米。西南部李集公社 3 个月降雨 1381.5 毫米,其中 11 次暴雨达 991 毫米。北部庆安水库 3 个月降雨 932.8 毫米。东南部凌城闸 3 个月降雨 851.7 毫米。东部沙集公社 3 个月降雨 1090.1 毫米。受灾最重的是南、北两处低洼地区。南部官山、黄圩、邱集、凌城四公社沿龙河、潼河两岸有 50 华里长,4 华里宽地区,多次补种,反复受灾,最后中、晚秋全部淹光。北部黄墩湖地区由于运河水顶托,客水又大量下泄,致使古邳、张集(后改名浦棠)两公社 14 个大队 130 个小队约 10 万亩土地普遍积水深度在 1.5 米以上。雨涝期全县共倒塌房屋 74576 间,部分损坏的 75672 间,造成 10511 户、33337 人短时无法居住。大水淹死、倒房打死 46 人,伤 249 人。耕畜死伤 123 头。年农业总产是建国后最低的一年,粮食奇缺,疾病流行,全县一度有 20 万人外流谋生,50 万灾民靠救济统销渡灾荒。当年县委、县人委全力以赴抓防汛抢险和生产救灾工作。凡险工地段县、社均派专人把守,高峰时出勤 15 万人开沟、抢做田间工程。汛期用防汛器材:蒲包 4.3 万个,芦席 3500 条,铅丝 1200 公斤,木棒、竹竿 1300 棵。从 7 月份开始多次补种,淹了种,种了淹,再补种,连续种了五六次。淹了中秋种晚秋,以致种晚晚秋,千方百计弥补损失。灾后,中央和省、地领导对灾区人民十分关怀。国家粮食部赵副部长和省委书记、省长、地委书记、专员多次深入重灾区检查慰问。国家派慰问团来睢宁慰问。镇江地区慰问团对口慰问,支援副食品。夏季征购任务 800 万斤,上级调减为 280 万斤,后又安排统销粮 3685 万斤。保证灾民每天半斤粮,并从上海、浙江等地运来议价粮和代食品。上级先后支持救灾款 212 万元,口粮贷款 27 万元。补助粮 75 万斤。调拨木材 900 立方米,为灾民修建住房 5 万余间。救济棉布 25 万尺,服装 2100 件,棉花 6400 斤。抽 5 个医疗队,深入各公社治疗浮肿病。基本上使 50 万灾民渡过了灾荒。

1964 年　春涝、雹灾、风灾

4 月份降雨 15 天,阴 15 天,无全日晴天。降雨 150 毫米。小麦过水受渍,春播时间推迟。6 月 14 日北部张集、古邳、姚集、魏集等地遭受冰雹灾害,历时 15 分钟,厚度达 14 厘米。受害面积达 2.78 万亩,伤 38 人,伤耕畜 17 头。8 月 16 日至 17 日降暴雨并伴有 8 至 10 级大风,在田作物受损。

1965 年　先旱后涝、大涝灾

3～6 月 120 天中有 98 天不雨,受旱作物达 105.6 万亩,小麦枯黄,春种无法下种。除利用库、河水抗旱外,又挖土井 1890 眼,修汪塘 3965 个。7、8 月份降雨高度集中,雨量高达 1003.5 毫米。7 月 1 日至 3 日两天降雨 400 余毫米。7 月 27 日晚 10 时至 28 日晨 4 时,历时 6 个小时全县普降特大暴雨。最大的刘圩公社 410 毫米,高作 380 毫米,沙集、邱集 270 毫米,其余地区均在 200 毫米左右。8 月 3 日又普降大雨 228 毫米。雨后遍地汪洋,平地积水 0.5～1 米深,局部洼地积水 1.52 米深。白塘河、田河、新龙河、白马河、跃进河都滩面行洪 0.7～1 米,潼河滩面行洪 1.7 米。小滩在河、中渭河、西渭河被洪水吞没。东部和南部地区雨后田内积水无法排除,一般都在 20 个小时后洪水势头减小,田内涝水才开始排出。全县过水面积 139 万亩,成灾面积 98 万亩,颗粒无收 22 万亩。房屋倒塌 3.6 万间,死 18 人,伤 80 人。

1967 年　风雹灾

6 月 14 日夜,朱楼、朱集、李集、高集 4 个公社 17 个大队 142 个生产队遭风雹袭击。风力 8～10 级,雹如栗子、白果,历时 30 分钟左右。砸坏各类作物有:棉花 3444 亩,春玉米 2139 亩,黄豆 2607 亩,高粱 2209 亩,春山芋 823 亩,山芋秧 70 亩,山芋秧火炕 166 床。另有少量的南瓜、谷子、麻等。刮坏房屋 1424 间,刮断树木 1120 棵。风雹中心在朱集的邱胡、袁店、金桥一带。

1970 年　涝灾

8 月 8 日普降大暴雨,日雨量 320 毫米,古邳、张圩、姚集、张集等公社一昼夜降雨 400 毫米以上。雨后遍地积水,全县过水面积 85 万亩。全县动员抢险和挖田间排水沟,共做土方 55500 立方米,补助经费 24500 元,粮煤各补助 3 万斤。由于及时开沟疏导,积水排除较顺。

1971 年　涝灾

雨期早,6 月份集中降雨 413.7 毫米,其中 6 月 21 日全县降 100 毫米以上,局部伴有冰雹和 11 级大风。

1973 年　先涝后旱、雹灾

4 月 30 日全县普降大雨,雨量达 100 多毫米,古邳多达 180 毫米,是历史上少见的桃花汛,北部古邳遍地积水,南部邱集等洼地局部小麦淹死。8 月份多风元雨,持续高温 30 天。全县受旱面积 32.38 万亩,其中水稻 8.63 万亩,旱作物 16.44 万亩,棉花 7.31 万亩。有 4 座水库无水,部分河流、汪塘干涸见底。全县 78935 人投入抗旱,开挖引水沟 1800 多条,挖塘 300 多个。全县 72 盘大锅锥、8 台钻机成井 100 多眼。出动各种机、泵 2939 台套、38437 马力,电机 919 台、12245.8 千瓦,三车六桶 42865 件。县管三座抽水站从 6 月 1 日先后开机,到 10 月 4 日停机。古邳站开机 87 天,运行 14563 台时;新工站开机 101 天,运行 9084 台时;凌城站开机 54 天,运行 2708 台时。抽水总量 7369 万立方米。9 月 20 日庆安公社朱楼、赵埝、燕庄、东楼、新兴、官庄二队、西楼共 7 个大队下冰雹,在田作物受灾。是年因春涝,汛前做了大量准备工作。加固废黄河险段 13 处,完成土方 10.8 万立方米。10 座水库维修了 9 座。维修干河病涵、病闸 84 座,其中整修闸门 83 块,维修启闭机 32 台。

1974 年　大涝灾

从上年 7 月下旬至该年 2 月约 200 日少雨,其中上年 11 月份降雨 0.4 毫米,12 月份无雨。64.3 万亩小麦受旱,枯黄,分蘖少。5 月份以后多次发生涝灾。

5 月 16 日至 17 日,全县降大雨,古邳 110 毫米,王集、刘圩、梁集、邱集降 100 毫米,睢城、凌城均降 123 毫米。

继 7 月 13 日县降雨 233.5 毫米后,7 月 18 日至 20 日黄墩湖地区又降大暴雨,张集 220 毫米,古邳 125 毫米。

从 7 月 18 日至 23 日县东半部雨量大,魏集 225 毫米,梁集 230 毫米,刘圩 220 毫米。中、西渭河两侧酿成水灾,高作公社在高程 23 米以下均积水。全县倒塌房屋 67000 间,死伤 167 人。

8 月 12 日,全县普降大雨,各处告急。刘圩公社从早上到下午降雨 305 毫米,有 40 个生产队室内进水;古邳公社从夜间降雨到早上达 318 毫米,黄河闸未启闸前,闸上废黄河水位达 29.5 米;姚集公社从 11 日下午到 12 日上午 9 点降雨 270 毫米,废黄河水位达 29.63 米,石碑一段出现险情,该公社组织社直机关干部和 200 名民兵抢险;岚山公社至 12 日下午 2 时降雨 160 多毫米,闸河西堤和万庄水库杨庄西决口,水直入土山庄,平地水深将近 1 米,大寺水库水位超过警戒线,几乎决口;高集公社一天降雨 240 毫米,3 个生产队社员搬家,房屋倒塌伤1人,打死耕牛两条,有13个生产队仓库进水;魏集公社张行大队80％房屋倒塌;睢宁县城6小时降雨214毫米,整个城镇泡在水中,机关、学校、工厂、仓库均受积水影响。8月12日上午接徐州地区防指电话通知:距双沟公社西不远的铜山县房村公社吴湾水库已经倒塌,影响双沟公社,要睢宁做好迎战洪水准备。骆马湖水位高达25.47米,几乎破堤向黄墩湖滞洪。8月16日县防汛指挥部召开紧急会议,讨论如何将在积水中的化肥170吨、食盐1200吨、粮食32000斤给抢出来。8月17日县委开会传达地委指示精神,要求5天之内党委要全力以赴抓抢险,领导分工负责,干部带班,民兵巡逻。这次不是睢宁一个县下大雨,而是区域性的,面广量大,灾害严重。这次暴雨后,干河决口78处,冲毁涵闸42座、桥倒9座、坏14座。大沟上涵闸倒9座、坏25座,桥倒26座、坏47座。中沟上涵闸倒7座、坏6座,桥倒43座、坏65座。小沟以下涵闸桥倒、坏381座。雨后积水面积150万亩,重灾70万亩,颗粒无收20余万亩。倒塌民房60670间,死19人,伤98人。死伤牲畜107头,死伤猪羊1084头。倒塌生产队集体仓库2776间,损失粮食120万斤。全县投入抗洪抢险39.97万人,其中县机关干部200多人,社直机关干部1200余人。用去防汛物资:草包2万只,蒲包19万只,铅丝2.5吨,苘麻3吨,木桩2万支。做土方9.45万立方米。8月31日徐州地区派工作组来县庆安、古邳、朱楼、凌城、邱集、张集、刘圩、王集等地检查灾情,9天时间跑了9个公社20多个大队50多个生产队。看后总的印象是:睢宁受灾大,抗灾劲头也大。

8月28日下午,王集、姚集、岚山三公社部分大队下冰雹,大似鸡蛋小似白果,山芋、棉花叶子多被打坏。

1977年　旱灾、风灾、涝灾

从上一年9月至是年3月降雨少,总雨量只有50余毫米,秋、冬、春皆旱。不少麦田无法播种,有的即使种下也缺苗断垄,淤土地区旱情更为严重。7月份降雨量普遍超过400毫米。7月10日魏集公社有十几个大队遭飓风袭击,1800多间房屋倒塌,2万多棵树遭到破坏。7月31日夜降大暴雨,王集公社两个半小时降雨244毫米,岚山公社40分钟降雨165毫米。雨后遍地汪洋,冲坏桥涵20多座。淹没农作物5万多亩,倒塌房屋200多间。岚山6座小水库岌岌可危,由于及时抢救,保住了大坝安全。

1978年　大旱之年

冬旱连春旱,伏旱接秋旱。全年降雨588.4毫米,是建国后降雨最少的年份。从1月1日到8月8日降雨量只有245.3毫米,比正常年份减少六七成。汛期沟塘干涸,河床见底。西北片井水位普遍显著下降,井泵抽水困难。山丘区和黄河沿岸高滩地区人、畜饮水困难,要排队等水,按人口分配水。张圩山区用马车到远处拉饮用水。夏季气温高,从6月下旬温度持续上升,平均气温达摄氏34度,最高达39摄氏度,比一般年份高5摄氏度。农作物受灾严重的306300亩,占在田作物总面积的33.4％。其中晚玉米有2万亩枯黄,花期不育。水稻有66690亩无水枯黄,其中旱死13000亩。山芋有118300亩发棵慢、不长秧。黄豆有73000亩落花瘪角。棉花普遍落花、落蕾、落桃。县积极组织抗旱,古邳、凌城、新工三座抽水站和沙集临时站共抽水1.95亿立方米,68万亩小麦浇灌有80％～90％,其中浇二遍水有40％。城北万亩喷灌片亩亩喷5～7遍水。大旱之年小麦增产。县领导班子除1人在县负责后勤工作外,其余9名领导干部全部分片包干负责抗旱工作。同时抽调县、社两级干部767名深入抗旱第一线,并组织机具维修队下基层,帮助农民解决具体问题。全县先后投入抗旱的劳动力35万人,临时加深引水工程,挖河下河、沟下沟,共做土方81.38万立方米。

临时掘土井4920眼。抗旱中出现好多先进典型。如岚山公社组织1万多名劳动力,出勤5000多副水挑,日夜浇灌,共保在田作物34000亩。魏集公社乔单大队组织750人,8月初用3天时间,突击开挖小沟60条,做土方4500立方米。后出动水挑120副,盆罐400个,保住水稻280亩,山芋1000亩,晚玉米330亩。张圩公社梁山大队部分生产队地处山区,水源奇缺,他们组织80名劳动力,用1辆马车、8辆平车、30副水挑,往返8里到梁山水库运水,保证了人畜用水,保住了在田作物。

1979年　涝灾

春旱保水,凌城、古邳、新工三抽水站抽水向河库补水,使河、沟、库、塘满水。6月份以后转涝。7月15日至16日普降暴雨,10多个小时降雨150毫米以上,朱楼、凌城、王林、沙集、官山等10个公社降雨180～200毫米。雨后沟满河平,河道滩面行洪1米以上,有20余万亩旱作物被水淹没了头。7月份3次暴雨,全县大部分地区降雨量均在380毫米左右,最多的是姚集公社445毫米,其次是苏塘411.7毫米。8月份阴雨连绵。9月12日21时至16日7时,连续70多个小时降雨未断。特别是12日夜、13日白天、15日夜雨量大而集中。全县普遍降雨都在150毫米左右,最多的是凌城公社达178毫米。全县受灾面积92.43万亩,其中重灾22.94万亩,颗粒无收的20.97万亩,后期水稻倒伏,旱作物出芽,补种的3万亩荞麦受灾,5万亩冬绿肥、油菜,雨喷闷种未出苗。刮倒树木3万余棵。冲坏桥、涵525座,冲毁徐洪河下水道175条。倒塌房屋9094间。此年汛期暴露田间工程是薄弱环节,为加快排水降渍速度,先后两次抽调县、社两级干部2490人,动员劳动力34.48万人,突击开展以田间一套沟为重点的土方工程。共挖大、中排水沟49条,新挖田间一套沟15万多条,疏浚断头沟5万多条,清除阻水坝埂1300多处,共做土方300多万立方米。汛期县、社、队三级为抢排积水投入柴油机541台,电动机97台,实行机排。共耗去排水资金96.1万元,其中省拨款34.3万元,地、县筹款33.95万元,其余为群众分担。

1982年　大风(雹)灾、大涝灾

6月17日下午6时至7时,废黄河沿线双沟、苏塘、张圩、姚集、古邳、庆安、魏集等13个公社和张行果园场遭飓风、暴雨、冰雹袭击。风力10级以上。冰雹粒径20毫米,最大60毫米。古邳一时天昏地暗,有的行人撞墙,有的被卷进沟里,有的平车、自行车被卷飘向空中。砖瓦厂房屋、轮窑倒塌。古邳抽水站28间机房有3间屋面被卷走,其余屋面成片被刮破,电机、电器受潮。庆安水库管理所院墙被刮倒30米。受灾严重的有95个大队,683个小队。损坏房屋55104间,其中倒塌3734间。刮倒树木62.6万棵,果树9750棵。高、低压电杆断1273根。广播、电话杆断2400根。损失麦子154万斤。受灾在田作物14.2万亩,其中失收面积1.844万亩。伤亡91人,其中死2人。伤牲畜18头。风雹之后,古邳、魏集、姚集、张行果园等社队交通受阻,供电、通讯中断,烟囱倒塌。工厂停产,商店停业,学校停课。受灾之重实属罕见。灾后全县动员310名干部、9.8万名劳动力投入抗灾工作。抢种、补种、改种各种农作物51479亩。

7月21日20时至22日21时大暴雨。平均降雨量221.5毫米,全县26个公社中有13个超过250毫米。最大降雨量的王林公社277毫米,是建国后日雨量最大的一次(1963年5月28日日雨量197毫米,1974年8月12日日雨量228毫米)。在此次降雨之前7月份已降雨100多毫米,全县形成涝、渍灾害,积水面积达100万亩。作物不单受涝,由于暴雨加飓风(8级以上),玉米、棉花严重倒伏。倒塌房屋10370间,刮倒树木59280棵。冲毁水利

设施 273 处,冲破河堤 141 处。被大水围困村庄 80 个,伤亡 14 人,其中死 1 人。伤大牲畜 103 头。雨后县立即抽调 1500 名干部、动员 25 万劳动力,抢堵、加固险工险段 226 处,清理田间一套沟 70 万亩,拆除坝埂、坝头 6300 条,做土方 27 万立方米。水利部门组织柴油机 20 台、240 马力,电动机 42 台、3765 千瓦,投入抗洪排涝。上百万亩积水排除速度较快,有 8 万亩 12 小时内排完,有 21 万亩 24 小时内排完,其余大部分是 48 小时内排完,积水在 3 至 4 天以上的只有 3 万亩。雨后 2 至 3 天生产恢复正常,补种、改种农作物 5 万亩。徐州地区给予大力支持,先后 6 次拨给抗灾款近 30 万元。县政府对重灾地区也作重点扶植,先后拨款 10 万元,支援化肥 200 吨。

1982 年有历史罕见的风雹灾,有 7 月份大涝和建国后最大的日降雨量。由于徐洪河开挖后,排水出路打开,梯级河网逐步实施。加上当年汛前有准备,汛后抗灾措施得力。排水速度很快,大涝而无大灾。是年农业比上年增长 1 亿多斤,全县农业总产第一次超过了 10 亿斤。

1983 年　涝灾

长年雨量偏少,7 月降雨集中。7 月 18 日至 24 日,全县连降暴雨,累计达 374 毫米,古邳、浦棠达 445 毫米,王集、姚集各降 400 毫米。7 天降雨量超过正常年景的 7 月份降雨量。古邳民便河决堤。有 13 个村庄困于水中,每天由部队乘橡皮船运送生活用品。全县受灾面积 39 万亩,有 5 万亩农作物失收。损失粮食 38.6 万斤。冲毁桥梁 110 座,渡槽 7 座,跌水 34 座,涵洞 43 座,电站 37 座。堤防坏两处 80 米。倒塌房屋 20102 间,刮坏房屋 12840 间。死 2 人,伤 15 人。死伤大牲畜 30 头。大雨过后全县投入抗灾干部 1650 人,劳动力 15.4 万人。抢做险工险段 40 处,清理田间一套沟 62 万亩,拆除坝埂、坝头 154 条,堵闭口门 102 处。投入排涝柴油机 985 台、16846 马力,电动机 156 台、8756 千瓦。补种、改种 2.5 万亩。

1984 年　风雹灾(两次)

5 月 29 日下午 2 时至 5 时,全县自西向东先后遭暴风雨冰雹袭击。有 10.4 万亩小麦倒伏,3.48 万亩小麦断穗落粒。2.45 万亩棉花被砸落叶断头。另有夏棉营养钵、水稻秧苗、山芋秧苗、烟叶苗、薄荷苗等被砸。刮坏树木 11370 棵。倒塌房屋 32 间,风揭草、瓦屋 3167 间。雷电击死 1 人,伤 1 人。王林、刘圩、苏塘、双沟、张圩、睢城、邱集 7 个乡受灾较重。6 月 4 日凌晨 2 点 20 分至 4 点 34 分再次遭暴风雨和冰雹袭击。降雨量 40 毫米左右,最多达 60 毫米。风力 8 至 9 级。2 点 39 分起下大冰雹,其直径最大的有 40 毫米。全县 27 个乡、镇有 25 个下了冰雹,历时最短 5 分钟,最长 20 多分钟,降雹达半尺厚,十几个小时未化完。倒伏小麦 30 多万亩,一般每亩损失 5 成左右。其他在田作物均有较大损失。

1985 年

是较正常的年景,但从 10 月 9 日开始连续阴雨 12 天之多,秋收秋种受严重影响,小麦播种推迟。冬季上河工等工作,都受其影响相应向后推迟。

1986 年　旱灾、涝灾、风雹灾(三次)

春旱、夏旱。从 1 月至 5 月少雨,5 个月仅降雨 80 余毫米,比正常年份同期少降 120 多毫米。5 月初洪泽湖水位比往年同期低 0.5 米,凌城站、沙集站抽水不足。6 月 8 日市水利局通知,为保运河通航,要求关闭民便河船闸,停止放水。县积极发动抗旱、保水蓄水。充分利用古邳、新工、沙集、凌城 4 座抽水站翻水补库、补河。利用所有机电站和柴油机组抽水抗旱。全县有 43 万亩小麦和 15 万亩油菜得到灌溉,并抗旱栽种棉花、玉米 25 万亩,支出抗旱经费达 100 多万元。

7月份旱涝急转,连续降雨23天,降雨总量超过450毫米,在建国后历年7月份降雨中居第三位。7月18日凌晨全县普降暴雨,降雨量超过140毫米。潼河、白马河流域均超标准降雨,造成灾害。当年后期又出现3次较大降雨,都是风、雹、雨同时发生。

1. 7月24日至25日全县暴雨,并受龙卷风和冰雹袭击。北部各乡平均降雨140毫米,其中刘圩乡高达162毫米。7月29日至31日连续三天36摄氏度高温天气,更加重了灾情。雨后全县有47万亩过水受渍,其中重灾21万亩,失收面积3万亩。倒塌民房5492间,损坏民房5700间。死1人,伤2人。死伤大牲畜271头。冲毁涵闸28座,桥42座,刮倒树木3万余棵。刮断高压线4处,通讯线路15处。造成直接经济损失2200多万元。为把涝、渍灾害降到最低限度,县动员干部3000多人,劳动力25万人,抢做土方75万立方米。投入排灌机械300多台套,排除积水35万亩。抢修房屋3000多间。

2. 8月6日凌晨2时30分,梁集、睢城、王林、凌城、邱集等乡遭龙卷风袭击并伴有暴雨和冰雹。倒塌民房1596间。死伤大牲畜310头。刮倒树木73000棵。刮倒高压线6处,通讯线路4处。受灾最重的梁集乡有12个村、88个村民小组受灾,共刮倒民房696间,毁坏民房820间。砸死家禽8730只,砸死砸伤牲畜300余头。刮断树木5223棵。刮倒农作物8930亩。刮断电线杆138棵。

3. 8月10日18时30分,张圩、苏塘、姚集、王集4乡和苏塘果园遭龙卷风、暴雨、冰雹袭击,冰雹直径约1厘米。倒塌民房1420间,毁坏民房2713间。死1人。刮倒电线杆100多根、广播杆90根。刮倒树木5.698万棵,刮掉苹果、梨等鲜果68万斤。损坏砖瓦坯40余万块。受灾农作物38479亩。其中受灾最重的张圩乡10个村、55个组,刮倒刮断树木16000棵,民房倒塌400多间,毁坏1470间,刮断电线杆30多根,农作物受灾23000亩,减产三成左右。

1987年　冻害、偏旱

4月份天气异常,4月1日1时43分降雪,积雪深3厘米。10日出现雷阵雨。15日、16日出现白霜。全年降雨低于平均水平,是偏旱年份。7月份县城降雨178.8毫米,低于正常年7月份降雨量。西北高亢地区和废黄河滩地沿线12个乡、镇7月份降雨只有40毫米。据测定5～20厘米深度土壤湿度只在4%左右,比常年减少一半以上。70万亩在田作物受旱,高亢地区和山区人畜饮水发生困难。

1988年　大旱年、雹灾(二次)

全年降雨量650.8毫米,在建国后最少年降雨量中排列第3位,是年从春到冬全年受旱。一是春旱:从上一年12月至当年2月降雨仅13.2毫米,比正常年少77%。4月份降雨13毫米,比正常年少81%。春季县两次召开抗旱现场会,2月17日是春节,古邳抽水站照常抽水。二是夏旱、伏旱。6～9月降雨比正常年份减少53%,高温少雨,河、库和地下水位急剧下降。6月中旬水稻栽插用水紧张,县局多次派员去省宿迁骆运管理处和皂河闸管理所,要求向睢宁县送水,在邳洪河闸关、启问题上,和宿迁县多有争议。6月份全县电力紧张,正常供电2.2万日负荷,6月中、下旬全县只有5千日负荷。水源少供电紧,给抽水抗旱带来更多矛盾。6月下旬骆马湖、运河断流,"河湖分家",上级要求县关闭民便河船闸,停止向古邳抽水站送水。为此从古邳关庙站抽徐洪河底水,进崔瓦房大沟,经古邳站引水河,供古邳抽水站向黄河中泓送水。7月9日安河下游顾勒河口处群众反映"近来洪泽湖水位陡降1.5米"。凌城站、沙集站虽日夜紧张抽水,此时沙集站无水可抽被迫停机,凌城站只能断断续续抽水,量很小。岚山山地水源紧张,7月初县水利局派员前往陈集、倪营、吉宝等村定

5 眼井位,打岩石井,取水抗旱。至 8 月份,西部山区、高亢地区和废黄河滩地,有 12 个乡、镇 87 个自然村 5 万多人和 4500 多头大牲畜无法饮水。各级政府对抗旱工作十分重视,为解决抗旱用油,市政府 6 次拨给睢宁柴油 930 吨,其中平价 470 吨,中价 320 吨,进口价 140 吨。三是冬旱。11、12 两个月降水 5.9 毫米,越冬作物普遍受旱,部分小麦、油菜停止生长,少数田块出现枯萎死苗现象。

是年还出现两次雹灾。第一次是 6 月 1 日 23 时 40 分,邱集、朱楼、玉林、凌城等乡、镇部分村、组遭受冰雹和龙卷风的袭击。冰雹直径 1～1.3 厘米,持续 10 分钟左右。刮倒房屋 13 间,毁坏 66 间。农作物受灾近 2 万亩。刮倒刮断树木 3100 棵。伤 2 人。第二次是 7 月 12 日下午 4 时 30 分至 5 时,双沟、苏塘、李集三乡、镇先后受冰雹和九级风暴袭击。冰雹粒径 2 厘米。在田作物受灾达 1 万亩,刮断树木 2 万棵,刮倒电线杆 11 根,破坏房屋 320 间,直接损失达 776 万元。

1989 年　偏旱

上半年两次降雨。一次是 4 月 21 日 2 时至 8 时降暴雨,邱集 175 毫米,凌城 151 毫米,王林 150 毫米,沙集 143 毫米,朱集 142 毫米。是一次较大的春汛,因雨前、雨后偏旱,对农作物未造成很大影响。只是春季水利在建工程受到一定损失。另一次是 6 月 4 日至 15 日连续阴雨,其中 6 月 6 日至 8 日雨量大。张圩 165 毫米,古邳 160 毫米,沙集 141.2 毫米,姚集 141 毫米,双沟、王集、岚山、朱集均超过 100 毫米。时值夏收,小麦有霉烂现象,但对水稻栽插有利。下半年干旱,其中 9 月份降雨只有 10 毫米,10 月份降雨 2.6 毫米。不少地方挖深 40 厘米不见潮土,影响小麦播种,旱期播种 90 万亩麦子只出苗一半,西北高亢地区尤为严重。为此,10 月 13 日开启王集引黄涵洞放水,第一次用古邳抽水站提水经黄河中泓向西北高亢地区调水。省水利厅领导及徐州市委、市政府领导多次到县西北部检查抗旱工作。10 月 18 日经市协调,从铜山县房村温庄闸向睢宁废黄河中泓放水。

1990 年　先旱后涝

上半年偏旱,至 6 月份民便河断流,北水十分困难。一般旱作物生长正常,水稻用水紧张。7 月 18 日黄圩、官山降大雨,西南地区旱涝急转。8 月 2 日至 4 日全县降雨,西北雨量大,双沟最高降雨量为 200 毫米。王集、苏塘降雨急,雨水汇流快,王集王西大沟光西闸大水漫顶被冲倒塌。因县内降雨,加之铜山温庄闸放水,废黄河一线受高水威胁数日。双沟东引黄闸水位 32.65 米,组织抢险加固 7 昼夜。峰山橡胶坝水位 31.3 米。王集北泗八路桥水位 30.3 米时桥北端被冲坏。古邳抽水站开机为古邳黄墩湖地区排水。此前一段时间江苏雨区一直在苏南,后雨区北移后,泗洪县大雨,徐洪河受洪泽湖高水顶托,使凌城闸下水位偏高,这是 1976 年徐洪河开挖后水位最高的一年。

1991 年　涝灾、大风灾(二次)

全年降雨量接近多年平均水平,其年内分配是汛期早,阴雨时间长,7 月份以前降雨偏多,8 月份以后降雨偏少。5 月 24 日夜降大雨,雨量是西北大、东南小,最多是双沟降 130 毫米。废黄河沿线雨大,上游铜山提闸泄洪,下游宿迁中泓圈圩束水,古邳、魏集、浦棠等废黄河中泓淹麦近 10 万亩。以后阴雨连绵 52 天,夏收受到影响,小麦霉烂较多。夏季损失秋季补,是年扩种水稻达 47.5 万亩。全县年抽引外水 2.5 亿立方米,是用水较多的一年。因阴雨时间长,为保旱作物生长,县多次召开田间一套沟现场会,内、外三沟,以内三沟为主。6 月 16 日至 17 日全县普降大雨,睢城 120 毫米,双沟 190 毫米。7 月 26 日凌晨西南片黄圩、李集等地陡降暴雨,两个小时降 110～150 毫米,黄圩积水。

防汛抢险突击做了三项工作。第一,抢堵郭楼坝。5 月 24 日夜陡降大雨,高集乡郭楼坝倒塌。该坝处于老田河和姚龙干渠西沟交会处、徐淮公路南侧。按规划此处应该建闸,因经费所限安排不上,只是打坝临时蓄水,超标准降雨,倒坝难免。坝倒后不但损失水源 30 万立方米,更重要的是高集站抽水后无法节制,高集站灌区形不成,直接影响西北 4 乡新扩水稻的栽插。为此县水利局于 5 月 27 日组织重新打坝。县水利系统抽调干部、职工 94 人,招社会民工 90 多人,投入 40 多辆翻斗车,4 台泥浆泵,在麦收大忙季节冒雨运送土方。于 6 月 5 日抢堵合龙,6 月 8 日开始蓄水。计用木桩 80 根,铁丝 300 公斤,草包 4000 余个,做土方 4682 立方米。第二,加固房弯险段。姚集乡房弯是废黄河上有名的险工地段,因多年未加土,又有獾狗洞隐患,因此姚集乡于 7 月 17 日组织 30 个村、上工 4000 人临时加固。用拖拉机、翻斗车 440 多部,平板车 1200 辆,在 4.8 华里上突击加固土方 3.2 万立方米。第三,7 月 25 日新沂县遭受严重水灾,睢宁县支援 8 万个编织袋、2.2 万个草包。夜间装车,并直接送到新沂县灾区。

是年两次遭受大风灾害。

1. 6 月 29 日凌晨 1～4 点,县北部遭受历史上罕见的龙卷风、暴雨、冰雹袭击。3 个多小时全县平均降雨 80 毫米,废黄河沿线姚集、古邳、浦棠、魏集、刘圩等乡降雨 110～150 毫米,黄墩湖地区超过 150 毫米。暴雨加龙卷风,直接经济损失达 2509.42 万元,尤以黄河沿线损失惨重。(1)在田作物受淹 14 万亩,古邳镇旧城湖、炬山村等约 1 万亩地积水 1 米深。姚集 5000 亩桑苗受冰雹袭击严重毁坏。(2)全县倒塌房屋 8631 间(含校舍 513 间),其中姚集乡倒塌 2570 间(含校舍 150 间)。姚集的赵场、高党一线风大雨急,林木被刮倒,压坏房屋 600 余间。(3)全县死亡 2 人,重伤 13 人。(4)死伤家畜 765 头,其中大牲畜 68 头,仅姚集一乡死亡大牲畜 29 头。(5)毁坏桥涵 85 座,其中姚集乡坏 30 座。另魏集乡夏庄闸被大水冲走土方 1 万多立方米。(6)全县刮断树木 14.69 万棵,其中姚集乡 10.5 万棵,该乡赵场、高党等村大小树木一律被折断或被连根拔起。(7)供电线杆被刮倒、刮断 470 根,邮电线杆被刮断 886 根,广播线路损坏 140 公里。灾情发生后,市、县领导到姚集、浦棠等地查看灾情并慰问灾民,当时满地障碍,道路不通,视线不通。

2. 7 月 16 日 15 时,双沟镇遭龙卷风、暴雨袭击,万亩作物倒伏。折断树木 3700 棵,倒塌房屋 50 间,受损 234 间,受伤 4 人。供电中断。

1992 年　春汛、夏旱、冰雹、暴雨

5 月 5 日全县普降大雨,平均降雨 100 毫米左右。县城降 108 毫米,最大降雨在双沟为 179 毫米。6、7 月份高温少雨,形成夏旱。水稻面积是历史上最大的一年,达 47.88 万亩,水源十分紧张。6 月 15 日至 17 日,高集站新灌区因缺水,高集、王集、岚山 3 乡水稻无法及时栽插。6 月 18 日因徐洪河水位下降沙集站抽不到水,凌城站最多只能短时开 8 台机。7 月 9 日泗洪县归仁镇在徐洪河中打土坝,使徐洪河水断流。为解决西北片用水,从姚集乡姚龙干渠退水闸经废黄河南堤下截碱沟,向王集调水,虽改用北水,因古邳站装机少,送水路线长,只能缓解,不能根本解决王集用水。7 月 16 日经市协调,将市管的刘芳集地下涵洞开启 6 孔,经徐洪河向睢宁送水。这样不仅徐洪河、徐沙河有水,解决了高集站的水源,而且将睢城闸、朱东闸提起向新龙河补水。这是徐洪河全线开通后第一次北水南调。7 月 31 日 17 点 30 分,李集、双沟两镇部分村庄遭冰雹、暴雨、龙卷风袭击,毁坏房屋 470 多间,砸伤

5 人,砸坏在田作物 1.47 万亩。8 月 11 日西北片陡降暴雨约 1 个多小时,郭楼坝第二次倒塌,高集西红旗桥被冲坏。8 月 18 日再次打土坝,8 月 22 日合龙,25 日完工。这次调动铲运机、挖掘机等机械,只一个星期便抢堵完成。

1993 年　夏旱、雹灾、暴雨

5 月份之前降雨少,偏旱。因供电紧张,抽水困难,4 月底 5 月初小秧落谷用水亦感紧张。后县协调供电,凌城、沙集、古邳等站加班抽水,有所缓解。5 月 25 日 14 时至 16 时,西部遭冰雹、暴风雨袭击。风力 10 级以上,降雨 40～60 毫米,冰雹粒径大如拳头小似白果。以岚山为中心,双沟、岚山、桃园、李集一线面积大、损失重,为多年罕见。据西部 13 个乡镇场圃统计,小麦倒伏 45 万亩,其中绝收 30 万亩。棉花砸坏 16 万亩。死伤 130 多人,其中死 5 人。损失家禽 10 多万只。毁房 1.26 万间,其中倒塌 4000 多间。刮倒树木 11 万棵。三电线路全部倒伏。岚山乡 17 分钟,冰雹积厚 10 厘米。4 万亩麦颗粒无收。砸坏桑 7000 亩。毁树 2 万余棵。死伤家禽近 4 万只。8 月 4 日 12 时至 5 日 12 时,全县普降大暴雨,降雨量 150 毫米以上。损坏房屋 460 间,倒塌 70 间。死 3 人,伤 2 人。死伤大牲畜 170 头。冲毁鱼塘 5000 亩。损坏通讯线路 9500 米。

1994 年　大旱年、雹灾(二次)

全年降雨仅 606 毫米,是建国后第二个降水最少的年份(只比降雨最少的 1978 年多 17.6 毫米)。全年受旱,尤以夏旱、伏旱最为严重。6 月份降雨 69.2 毫米,比常年 6 月平均降雨量少 40%,气温却比常年同期高 2.5 摄氏度。7 月份降雨 95.7 毫米,比常年 7 月平均降雨量少 62%,气温高达 39 摄氏度,比常年同期高 5 摄氏度。8 月份降雨 66.2 毫米,比常年 8 月平均降雨量少 54%。降雨量大大小于蒸发量。6 月 11 日徐洪河黄河北闸全部提起,闸室水不流动,此时北部无水调度。6 月 14 日正值水稻栽插高峰时节,古邳马帮大沟等引水沟、河全部干涸。在北水枯竭的同时,南水也出现麻烦。洪泽湖水位大幅下降,下游泗洪县七八月份反复在徐洪河中打坝,使凌城站无水可抽。稻田补水、秧苗活棵、旱作物抗旱等极端困难。泗洪县归仁镇在沙庄村西打坝采取突击行动,如 8 月中旬,他们动员每户 4 个鱼鳞袋,装上土送到坝上,补助 2.5 斤粮。17 日夜统一送到,18 日合龙,19 日用木桩加固。省水利厅发觉后令其拆除,然而打坝动作迅速,拆坝缓慢而且很不彻底,每遇洪泽湖水紧张时便严重阻水。在南、北水源枯竭的情况下,8 月下旬在高作乡孙庄和岚山乡北部试打轻型井,并召开现场会,在全县范围内推广。在 7 月底至 8 月底旱情最严重时,全县有 12 个乡、70 个村人畜饮水困难。庆安水库、清水畔水库接近死水位,放养的 600 万尾鱼苗受到严重威胁,特别是清水畔水库,死鱼现象经常发生。全县有 2000 亩鱼塘水干鱼死,有些专业户破产。

夏季遭受两次雹灾。(1)6 月 24 日北部以古邳镇岠山村为中心,遭受冰雹、暴风雨袭击。此后至 7 月 10 日又连续 4 次遭龙卷风袭击,睢城、朱楼、王林、凌城等乡镇均受害。计刮倒树木 15 万棵。砸坏玉米、棉花等 8 万多亩。倒塌房屋 1000 多间,毁坏房屋 4000 多间。砸伤 67 人,其中重伤 11 人。高压输电线路损坏 500 多米。(2)7 月 14 日 15 时,王林乡遭受恶风暴雨和冰雹袭击。风力达 10 级,降雨、冰雹历时 1 个半小时,降雨量 80 毫米。砸毁和倒伏玉米 3000 亩,大豆 1200 亩,棉花 3500 亩。毁树木 5000 余棵。房屋倒塌 156 间。

1995 年　上半年偏旱,7 月三次龙卷风

由于徐沙河沙集船闸打坝施工,徐洪河水无法向内河调度,加之上半年天旱少雨,用水紧张。5 月 6 日开始,从庆安水库干渠向白塘河退水补充徐沙河,通过高集抽水站向西北片供

水。徐沙河船闸日夜抢做工程,并多次请示项目批准单位(省交通厅),终于在6月19日徐沙河船闸施工坝开始拆除,向徐沙河进水,从而抗旱有了可靠水源。7月中旬,睢城、双沟、张圩、桃园、浦棠、魏集、高作、官山、凌城、沙集等乡镇先后两次遭龙卷风和暴雨袭击。沙集等局部雨量超过150毫米。7月16日县城积水严重,北关八一路等处积水30～40厘米,当夜扒开城北公路涵洞,向城北沟临时调度排水。7月25日17时,桃园乡遭龙卷风袭击,有14个村受灾。刮倒树木3万余棵。倒塌房屋350余间。重伤2人,轻伤14人。三线全部中断。

1996年　大涝

全年降雨1326.9毫米,是建国后第二个雨量大的年份(比降雨最多的1963年只少21.6毫米)。汛期工作十分紧张,一是排涝抗灾。二是准备黄墩湖滞洪。三是加固清水畔水库大坝。

1. 夏涝。从6月16日至7月21日,全县9次降大暴雨,并有零星小雨。县城降757.9毫米,35天雨量接近年平均水平。最大是双沟降雨971.7毫米,其中五次超100毫米,最大一次日降191.3毫米,35天雨量超过年平均雨量。9次大暴雨中,除6月24日、7月17日、7月19日、7月21日4次短时降暴雨未超过100毫米外,其余5次均超过100毫米。(1)6月16日晨至17日晨全县大雨,县城120毫米,暴雨中心在西北,苏塘210毫米,双沟191.3毫米。(2)6月18日夜至19日晨全县降大暴雨,县城132毫米,暴雨中心在东南,凌城降雨192毫米。一连二次降雨双沟南部和黄圩、邱集一带积水26.7万亩,其中改种的作物近2万亩。(3)6月28日夜至29日晨全县普降大暴雨,县城149毫米,暴雨中心在西北部,苏塘200毫米,双沟187.5毫米,古邳182.5毫米。西北和黄墩湖地区遍地积水,29日凌晨1点,县水利局召开紧急会议,几名局长冒雨分片下去检查放水和督促提闸。29日夜县水利局抗排队出机到双沟南部临时架机抽水。县委、县政府领导在县防汛指挥部讨论调度排水,至30日凌晨一点,县委副书记贾宏芝又到苏塘乡西侧积水严重地区检查水情。市、县防汛指挥部领导多次到省管沙集抽水站要求闸门提高多向洪泽湖泄水,至6月30日中午沙集站闸门已加放到300立方米每秒。(4)7月3日夜至4日晨全县普降大暴雨,暴雨中心仍在西北,双沟177毫米,古邳148毫米。双沟南部、苏塘西部已一片汪洋。由于雨大加上铜山温庄闸放水、峰山橡皮坝不能节制,造成县内废黄河水位全面升高。姚集王塘段告急,乡直机关组织200余人,抢堵1000多立方米土。张圩乡梁山水库水位47米,7月3日夜溢洪。张圩乡山后锅山、大同一带,由于陡降大雨,径流太急,将山坡土地耕作层大量冲走,张圩山后积水成湖,水深超过1米,积水量40余万立方米,几千亩地绝收。(5)7月15日降暴雨,县城102毫米,南部雨量大,凌城128毫米,李集129毫米。1996年梅雨季节早,时间长,雨量大,属历史上罕见。35天降雨对几十年建立的水利工程体系是一次严峻的考验,当年除周边个别地区减产外,全县农业总产增加,这是有了整套水利工程体系保证后大灾之年夺丰收的典型。由于15年的梯级河网工程发挥了作用,只要将凌城闸、沙集闸、高集闸等调度好,排水速度很快。同时由于徐洪河全面贯通,将黄河以北黄墩湖地区之积水向南调度,多灾的黄墩湖地区得到了缓解。

2. 为黄墩湖地区滞洪作准备工作。滞洪区西部的界线,邳州市历来是依靠邳睢路,而睢宁境内的邳睢路偏低,不能成为界线。为此古邳镇汛期冒雨抢筑民便河至岠山、沿邳睢路东侧一段防洪堤。7月初开工,上工数千人,经过堤边取土、到山上借土、群众早晨上工时带土,终于在7月下旬完成了近20万立方米土方。除了筑堤,对整个黄墩湖地区的物资还进行适当疏散。很多村、组自制了摆渡木筏,准备滞洪时逃走。有的还演习了滞洪时行走路线和对口安置。

3. 加固清水畔水库大坝。7月5日大坝发现纵向裂缝,当天下午姚集乡党委书记袁雅敏即带领民工上坝抢险,加做土方。县水利局、水库管理所加强看管和观测。市水利局派员到现场帮助查找原因。7月18日再次发现裂缝并有所扩展,县安排姚集乡上人工辅以机械,将大坝顶全面上土。后冬季加做戗台,加固大坝。

1997 年　偏旱

全年降雨 903.6 毫米,略高于常年平均雨量(建国后从 1955 年至 1996 年,42 年平均雨量为 895.1 毫米)。但年内分配极不平衡,7 月份降雨 312.2 毫米,大于 7 月份多年平均雨量,其余均偏旱,尤其是在夏种和秋种时旱情严重。是年两头旱中间涝,总体是偏旱时间长。入夏后少雨,县管的凌城、沙集、高集、古邳、袁圩 5 座抽水站昼夜开机补水。6 月中旬后徐洪河水位只有 10 米,沙集站抽不到水,市调度从邳州刘集地下涵洞向睢宁放水补充。6 月 30 日全县普降 30～60 毫米雨,旱情有所缓解。7 月 17 日至 18 日全县普降大暴雨,雨量分布是西部大东部小。县城降 146.2 毫米,最大桃园降雨 250 毫米。潼河两侧农田严重积水,县城区积水。秋旱,9 月份降雨 49.4 毫米,只有常年 9 月平均雨量的一半。10 月份降雨 1.8 毫米,相当于常年 10 月平均雨量的 4%。大部分地区土壤处于干旱或严重干旱状态,小麦播种后出苗不齐。直至 11 月 12 日全县普降小雨 20～25 毫米,才稍有缓解。

第二章　黄墩湖滞洪区

建国后为了结束洪水遍流肆虐泛滥的局面,政府即着手制定治理洪水的水利规划,并有计划有步骤地治理。每一个时期每个阶段,都有一定的防洪标准,遇到超标准洪水,工程抵挡不住,便制定相应对策。或是设法分流,或在无法分流的情况下安排一定区域蓄洪,这就产生了滞洪区。洪水临时滞留,是牺牲局部保全整体,是对超标准洪水实行有计划的、人为安排的临时应急措施。

第一节　黄墩湖滞洪区的由来

黄墩湖地区属于沂沭泗流域,建国初黄墩湖即被安排为临时滞洪区,以后在规划上也有过反复。1949 年导沂时,黄墩湖、骆马湖都为临时滞洪区。1950 年 1 月,在上海召开沂沭治导技术会议,确定以骆马湖、黄墩湖为拦洪水库。1952 年骆马湖皂河控制工程建成后,骆马湖一湖拦洪,黄墩湖作为非常滞洪区。即骆马湖水位超过 22.5 米时,利用黄墩湖滞洪。1957 年淮委编沂沭泗流域规划,确定骆马湖、黄墩湖都为常年蓄水库。1958 年 1 月省水利厅提出"骆马湖一湖蓄水",水利部 1958 年 2 月批复同意。后为提高骆马湖防洪能力,兴建宿迁大控制,黄墩湖为非常洪水的临时滞洪区。1971 年淮委编沂沭泗洪水"东调南下"工程规划,定黄墩湖不再滞洪。1985 年淮委修订治淮规划,认为"东调南下"尚需一定过程,黄墩湖在相当一段时期内还得作为非常滞洪区。

　　黄河与废黄河之间约 7.8 万平方公里为沂沭泗流域,其区域洪水大部分通过新沂河、新沭河入海。上游山东省地面高,下游江苏省地面低,洪水源短流急、峰高量大、来势凶猛。据规划安排,上游来水量约 1.3 万立方米每秒,从骆马湖嶂山闸泄入新沂河至多 7000～8000 立方米每秒,还有 5000 多立方米每秒可蓄在骆马湖内。当来水量继续增大骆马湖容纳不下时,就需要黄墩湖成为中运河的滞洪区。其范围是中运河以西,房亭河(在邳州市境内)以南,邳睢公路以东,废黄河以北,(还有退守宿迁大控制的三角地带)。地处徐州、淮阴(后属新划宿迁市)两市交界,分属邳州、睢宁、宿迁(后属新划宿豫县)三县(市)的 15 个乡镇,面积 350 平方公里,耕地 31 万余亩,人口 20 余万人,总计有资产 10 多亿元。省定邳睢路为西界,北段邳州境内路基高可以成为界线。睢宁一段路基低,在未加高成防洪堤前不能成为界线。睢宁县滞洪总范围应包括浦棠、古邳、姚集、张圩 4 个乡 53 个村,面积 157.7 平方公里。有农户 14392 户,人口 63946 人,耕地面积 12.4629 万亩。其中邳睢路以东浦棠、古邳 2 个乡镇 39 个行政村(自然村 185 个),面积 97.7 平方公里。有农户 1.2 万户,人口 5.2 万人,耕地面积 9.7 万亩。

第二节　　1957 年黄墩湖滞洪

　　1957 年沂沭泗地区发生了大洪水,从 7 月 6 日至 25 日,19 天累计降雨一般都在 500～600 毫米,沂、沭河多次出现洪峰,洪水急流下注,势不可挡。7 月 16 日骆马湖水位达 22.7 米,超过了警戒水位 22.5 米,黄墩湖破堤分洪。据载分洪时口门宽 1400 米,分洪 1700～3000 立方米每秒。洪水汹涌而至,为此睢宁做了大量工作。

一、抢灾

　　7 月 15 日夜县接到省防指通知,县委连夜抽调 200 名干部(因汛情紧张,在通知前已开始动员),在副县长刘庆文带领下,奔赴湖内各村庄动员群众让老、弱、妇、幼先行,并将牲畜、家禽、粮食、物资向废黄河滩上转移,按户对口安置。湖内专留男壮劳动力保护庄台和房屋。当时主要转移对象是洼地无庄台的住户,在接滞洪通知前后,连续 5 昼夜搬出 1129 户,3984 人,以及一批牲畜、粮食、农具和其他一些资财。7 月 16 日下午黄墩湖开始蓄洪,急流滚滚而来,水头所到之处,浊雾四起,尘土飞扬,一片灰黄之气。黄墩湖滞洪后,位于运河东侧的骆马湖水位一度下降,黄墩湖平地水深 2 米左右,遍地行舟。原来满湖青青,遍地玉米、高粱、山芋、黄豆和各种杂粮,一片丰收景象。在一天之内黄墩湖水由浅而深,渐渐漫顶,一望无际的青纱荡然无存。滞洪区的群众一部分转移,一部分滞留在庄台上。原来一片繁忙景象,此时群众面对佳禾洪水,悄无声息。幸得省防总调来木帆船 50 余支,给相互联系和补充必要的生活用品提供了方便。

二、抗灾

　　建国后黄墩湖第一次滞洪,究竟来量多少、淹没面积多大、积水时间多长等,作为一个县事先并不十分明确。县只能在不违反滞洪的总原则下,力所能及地做些工作,将损失减少到最低限度。因滞洪区西部元明显界线,滞洪之初计划搞两道防线。一是二龙山至周桥、崔瓦至五工头为第一道防线;邳睢路、半山至倪党子为第二道防线。两条线长 32 华里,计划做高

1.5 米、顶宽 1.5 米的拦水土坝。由县水利局副局长邱治平负责,组织千余名精壮劳动力,先在二龙山南筑圩坝,苦干一昼夜,因水漫溢前功尽弃。后退守第二道防线(从岠山、半戈山至古邳),先堵民便河的周滩桥孔,再向南筑防洪坝,目的是保古邳西部不受洪水侵犯。后刚干半日,因天降大雨,东部之水又不断向西涌进,时间来不及,群心涣散,坝未筑成,洪水过境。据载 7 月 16 日 16 时骆马湖水位 22.9 米,18 时 22.96 米。黄墩湖滞洪后骆马湖水位一度下降,7 月 21 日骆马湖水位最高达 23.15 米。此时古邳北门财神阁附近水位最高 23.2 米左右。当年睢宁县黄墩湖地区庄台高度大部在 23.5 米左右。在滞洪时县内无有大风暴雨,水面无大浪,且只有客水,没有形成主、客水同时遭遇的局面,所以庄台没有因水冲击而破坏。

三、救灾

当年黄墩湖滞洪时间近半个月,受灾重的共有 29 个农业社,6847 户,28070 人,房屋被泡 8866 间,其中倒塌 516 间,毁坏的 7265 间。秋熟作物 88619 亩全部失收,损失粮食 1070 万斤。灾后县民政部门组织工作组,逐户核实人口,按户定救济粮、款、煤。每人每天按一斤粮、一斤煤供应,全拨给救济款购买。同时还救济衣服,帮助修缮房屋,使灾民安度冬春灾荒。政府安排如此周到,群众普遍反映很好。

第三节　滞洪准备工作

建国近 50 年来,只有 1957 年黄墩湖滞洪。1974 年 8 月中旬降大雨,骆马湖水位最高达 25.47 米,接近滞洪标准而没有滞洪(当时的滞洪水位是超过 25.5 米)。其余年份虽未带洪,但为滞洪做了大量的准备工作。为了有备无患,每年汛前都要做预案、排计划、定措施,甚至搞演习,从思想、组织、工程、物资四个方面充分做好准备工作。

一、思想准备

由于年年讲滞洪,几十年只滞洪一次,人们很容易产生麻痹侥幸思想,因此每年汛前都要进行宣传教育。不宣传就麻痹松劲,宣传多了往往产生副作用,如有些年份农民思想紧张,大田不追肥,农作物不管理,家禽宰杀,市场上的粮食、牛、羊价格大幅度降价等。所以每年宣传滞洪都得适度,既不能打无准备之仗,又不能过分的紧张。在汛前专家预测鲁南、苏北可能有大雨的情况下加大宣传力度,一般年份则"内紧外松"。由于每年宣讲的内容大同小异,几乎成了固定模式。一般都是通过宣传达到三个明确。

（一）明确滞洪标准

根据沂、沭、泗流域河道行洪标准,确定调度原则。建国后滞洪标准由低到高,1957 年滞洪水位 23 米多,现在执行的规划水位为 26 米。其 80 年代后的标准为:(1)骆马湖汛限水位 22.5 米,当骆马湖水位在 23.5 米以下时,中运河服从黄墩湖排涝;超过 23.5 米时,皂河闸下中运河服从排洪。(2)当骆马湖水位达到 24.5 米,且水位还在上涨时,退守宿迁大控制,同时充分做好黄墩湖滞洪准备。(3)当骆马湖水位已达 25.5 米,预报上游来量大,湖水位将要超过 26 米,而新沂河已经走足时,开放黄墩湖滞洪。

（二）明确撤退时限

由于沂蒙山区来水速度快,黄墩湖滞洪时的转移时间只有 24 至 36 个小时。滞洪区撤退只能根据这有限时间去安排。下达撤退命令,通讯报警是关键。历来是准备三套方案:一是邮电系统,利用电话逐级传达、通知;二是广播系统,利用有线广播报警;三是省、市、县、乡四级防汛指挥部设高频无线电话。县防汛指挥部于80年代初先后设15瓦电台1部,超短波无线电话机1部,高频电话机3部,手持对讲机3个。后省统一设高频无线电话,省在骆运管理处(在宿迁城北)设总台,在有关县防汛指挥部和有关乡政府设分机。

（三）明确撤退安置方案

预案中明确行走路线和安置地点。撤退路线尽量就近而且行走方向无干扰。实行对口安置,村对村,组对组,户对户,事先接头互相熟悉。安置地点主要在废黄河滩地,其次有峰山、二龙山和徐洪河东堤。撤退秩序是一保人、二保畜、三保物资。人员是先走老、弱、妇、幼,党、团员骨干和基干民兵压后。

二、组织准备

省成立骆马湖联防指挥部,由淮阴(后为宿迁市)、徐州、连云港三市市委书记和一名省水利厅负责人分别担任正、副指挥。指挥部下设办公室,地点设在省骆运管理处。徐州市相应成立黄墩湖联防指挥部,市委书记任指挥,睢宁、邳州书记任副指挥。县亦相应成立黄墩湖滞洪指挥部,由县委书记任指挥,县直各有关部门一把手负责人和古邳、浦棠两乡党委书记为指挥部成员。实行岗位责任制,例如情报通讯,邮电、广播系统安排人员日夜值班,保证情报通讯畅通。抢险保卫,武装部门组织抢险队,公安系统负责治安保卫,维持秩序。卫生系统在负责医疗抢险的同时,注意防止次生灾害(即灾后瘟疫)发生。古邳、浦棠两乡镇负责撤退安置具体工作。

三、工程准备

50～60年代主要抗洪手段是做庄台,将宅基垫高。后滞洪水位抬高,庄台做得太高已不现实,改做撤退路和避洪楼,由水利局负责规划和安排计划,两乡镇具体组织实施。县黄墩湖滞洪区计划撤退路17条,总长度112公里。其中东西方向两条33公里,南北方向15条79公里。东西方向防洪路起网络衔接作用,南北方向道路直插废黄河北堤,与滩地道路连通。截至1997年完成撤退路6.5条,长度60.3公里,占计划数的54％。已建撤退路中除古浦路东段9公里为柏油路面外,其余均为石子路面,可作简易公路。避洪楼建设主要安排在黄墩湖腹地,处于腹地纵深处计有31个村,8975户,43290口人。按每5户安排一幢避洪楼计算,需建1795幢。至1997年已完成548幢,占计划数的30.5％。避洪楼三底两顶(底三间,二层两间),水泥砌砖墙,钢筋混凝土楼板。顶部高程高于滞洪水位26米。凡是逐年批准兴建的避洪楼,补助经费三分之一,其余三分之二由建房户自己负担,并批给水泥、钢材计划。如1986年一座楼造价9000元,补助3000元。1990年造价12000元,补助4000元。1995年造价15000元,补助5000元。补助部分省、市、县财政按4:4:2配套,即省、市各补40％,县补20％。黄墩湖滞洪口门在运河西堤,民便河口北邳州境内和民便河口南宿迁境内各一处,平时堤中置若干水泥管,滞洪时由部队爆破。此堤一炸开,黄墩湖遍地蓄水无法节制。多年来各地多次要求兴建滞洪进水闸,其作用一是可以节制,二是滞洪前、后可利用徐洪河向洪泽湖泄水,以此可能减少滞洪次数或大大减少滞洪受淹面积。此闸已获批准,1997年冬季开工,可望在一年内完成。滞洪闸位于民便河船闸南370米,12孔,每孔宽 10 米,底板高程 20.5 米,闸顶高程 28 米,设计最大流量 2442 立方米每秒。滞洪区西部界线明确,1996 年汛期筑民便河北邳睢路东堤,顶高 26.5 米。1997 年春接着加高民便河南堤,再利用古邳站引水河东堤(此堤顶高已够 26.5 米)。这样组成封闭堤,古邳镇区有1.28 万人,工业产值 1.6 亿元,这样可以将其隔在滞洪区之外。

四、物资准备

平时大宗物资在汛期尽量不保留在滞洪区内,如粮库收购粮食,边收边转运走。相反滞洪时需用的物资适当集中。转移后的农户不可能完全安排在高地的农民家中,他们不仅要住宿,还要有简单的生活工具和部分粮草,有相当多的户必须临时搭盖工棚。估算需要准备的物资,芦席按每人 2 条,毛竹每人 2 根,麻绳每户 5 斤,塑料布每人 4 平方米,圆钉每人 2两,铅丝每人 4 两,油毛毡每户 1 卷,木桩每人 1 根……此数额很大,如全部依靠国家不可能解决。因有关部门短时间不能有这么多,即使有这么多一时也难以运到,就是事先运到,如不带洪则大批物资积压,经济损失太大。对此历来都是从三个方面分解,分头做准备工作。一是商业、供销、物资等部门根据市场需要适当储备一部分。二是有关职能部门联系好货源,一旦需要临时抢运。三是农户自备自用,因这些物资平时农家大部分都有,或有的可用其他物资代替,或村、组内相互调剂,平时有计划地积累,这是物资准备的主渠道。

第三章　工程管理

兴建水利工程是防灾抗灾的手段,管理好、运用好水利工程,使其充分发挥效益才是目的。所以一手抓建设,一手抓管理,是水利工作的两大重要内容。

第一节　工程管理和运用

80 年代之前水利工程管理多是行政管理,要求是边建边管,不断有管理措施出台。但管理时紧时松,逐渐形成"重建设轻管理"的局面。水利工程越建越多,通过调度运用效益越来越大,特别在 70 年代末期实行经济建设为中心以后,"重建轻管"的局面已远远不能适应经济发展的需要,因而从 80 年代起逐渐发展为依法管理。

一、机构设置和职能演变

50 年代由于水利工程没有上规模、成系统,工程管理只是建了水库管理所,大量的管理工作尚未系统提出。

60 年代刚刚提出管理工作,又因受"文革"冲击而搁置。如 1963 年 4 月县水利局编制了《睢宁县水利工程实施细则》。1964 年 7 月县水利局发布《睢宁县水利工程管理试行草案》。说明当时已经开始考虑水利施工管理和水利工程管理两项工作。水利局有一名副局长分管此项工作。各公社成立堤防、灌区管理委员会(后演变、发展为水利管理站),大队成立堤防管理小组,生产队配护理员。这些工作尚在进行,十年动乱开始,水利工作和其他工作一样,处于瘫痪状态。

70 年代水利工程管理工作正式提到议事日程。发展引水工程后,水利工程效益十分明显,管理工作越来越被重视。"文革"后县水利局设立"工程管理股",局有分管局长和专职股长搞管理工作。1975 年 3 月 1 日睢宁县革命委员会《关于禁止破坏水库、闸坝等工程》发出布告。8 月 13 日睢宁县革委会《关于加强水库、闸坝管理》再次发布通告。一年之内不到六个月时间县级政府两次为水库、闸坝管理发布通告,这是非同寻常的重大举措。1978 年国务院《关于保护水库安全和水产资源的通令》及江苏省革命委员会《关于水利工程设施八项规定》等文件下达后,睢宁县革委会都以文件形式转发到基层党支部。1978 年 9 月 20 日县公安局、多管局、水利局联合发出《关于加强水利工程设施管理规定》的通告,并采用各种形式进行宣传教育,扩大影响。如放电影、搞广播、办专栏,举办各类会议、学习班,专题学习工程管理文件等。

80 年代逐步走向依法管理的轨道。70 年代末全国上下开始兴起经济建设的热潮,1980年农业实行大包干,睢宁县进行早、速度快,水利工程管理来不及制定相关政策,一时失控。有些沟、渠被分成责任田。井上设施被拆,"机搬家、泵改架"。河堤、滩面被毁,"乱耕、乱种、乱取土"现象十分普遍。为制止混乱局面,1981 年 8 月睢宁县人民政府发布《关于加强水利工程管理规定》的通告,水利等部门又制定一些具体政策、规定。破坏水利工程的现象有了收敛。由于工程管理工作面广量大,引起了各级政府的重视。为加大工程管理力度,采用法制手段,实行依法管理,并增设了执法机构。1987 年 12 月睢宁县公安局在水利局设立"睢宁县公安局水上派出所",作为依法管理的保障。1989 年 12 月县编委批准县水利局设立"水政股",水利局增加依法管理职能。1991 年 6 月县编委同意县水利局设立"堤防管理所",为依法保护徐洪河等重点河道的专管机构。1996 年 5 月县编委批准县水利局设立"睢宁县水政监察大队",是常设的水政执法专业队伍。

二、分级管理

根据水利工程规划,建设、管理统一安排。按"谁建设、谁管理、谁受益、谁维修"的原则,对水利工程实行分级管理。

（一）县管两个乡镇以上受益的流域性控制工程

由县批准成立管理所,为全民事业单位,归县水利局直接管辖。人员工资及管理费纳入水费成本。

首先是闸、站节制、供水工程管理。如凌城闸、凌城抽水站成立一个管理所。沙集闸、沙集站成立一个管理所。高集抽水站和高集闸、郭楼闸、青年沟闸、散卓闸、魏洼闸成立一个管理所。睢城闸、白塘河地下涵洞、汤集闸成立一个管理所。还有民便河船闸、小阎河地下涵洞（原与新工抽水站一个单位,后新工站撤销交浦棠乡管理）、古邳抽水站（包括黄河节制闸和古邳站引河闸）、袁圩抽水站（袁圩水库作废后改建站）各成立一个管理所。计八个闸、站管理所。每所专配技术员、工程员。抽水站技术工人按三班配置（至少两班）,备抽水时日夜分班作业。较大的节制闸管理人员配置两班,以应付汛期夜间值班。闸、站均有规章制度,实行岗位责任制。

其次是水库管理。庆安、清水畔两座水库为全民所有,由国家设立管理所,属县水利局直接管辖（其余小型水库、塘坝都是集体所有,由乡或村管理）。水库管理所配备行政管理干部、技术干部和技术工人。水库管理范围主要是水库自身的管理、养护、维修,包括土坝、涵闸、溢洪道等。对于水库灌区的管理、维修,1985 年前水库管理所管到干、支渠闸,1985 年后灌区所有渠系工程全部下放给受益乡,由地方负责使用、管理、维修。水库的作用首先是蓄洪,拦蓄洪水减少洪涝灾害,其次是蓄水结合灌溉。由于库内水位长年高于地平面数米,保证水库安全是头等大事,每个水库管理所均有严格的管理制度。对水库的主要建筑物如大坝、溢洪道、放水涵洞、进水涵洞、启闭设备、护坡等都指定专人管理。建立保卫制度,配备保安人员。在涵闸放水期间规定上、下游一定范围内不得洗澡、捕鱼。区域内不准用炸药炸鱼,凡影响大坝和涵闸安全的爆破一律禁止。两水库始建于 50 年代末期,在 60 年代初期便开始实行正规化的管理。1964 年 7 月 24 日县水利局发布《睢宁县水利工程管理试行草案》,对庆安水库管理做了明确的规定,摘录如下:

（1）库内控制水位 26.5 米,并经常观测库内水位变化。

（2）废黄河拦河坝水位 27.5 米,溢洪闸启闭控制水位按上级指示文件办理。

（3）汛期废黄河行洪期每小时观测一次水位涨落情况,4 至 5 小时向县防汛办公室回报一次。

（4）溢洪闸溢洪,进水闸进水,放水闸放水,应观察上、下游水位差。闸门开启孔数、开启高度及其溢洪、进水、放水时间都应根据上级指示进行。干、支渠节制闸、分水闸闸门要经常检查、维修、养护,保证启闭自如。

（5）水库大坝要经常检查隐患（洞窟、裂缝）,发现问题及时报请上级,以备采取措施。

（6）干、支渠道、渠系建筑物、废黄河堤防、险工地段（姚集、古邳）,管理所应派人经常检查,向县回报。特别是在灌区排灌期间和废黄河行洪期间,对渠道建筑物、废黄河堤防必须勤检查、勤维修,保证无事故、无故障。

（7）灌区灌溉应做好计划用水,不得随意开关节制闸,不得随便破渠放水,必须用水须报请管理所同意有计划取水。

（8）按照灌区渠道范围,由队集体种植护堤浅根固土草木,收益归队所有,但不得翻耕挖土,更不得用作社员自留地。

（9）保护现有灌溉渠道和渠道建筑物,教育群众不要平渠走路,不要破渠用土。灌溉涵闸定人管理,及时维修。

以上诸条在以后多年实践中虽有变动,但大体模式固定,其管理水平逐步提高、逐步完善。

再次是河道堤防管理。与闸、站、库相比,堤防管理是薄弱环节。建国后多次加大管理力度,一建就管,挖好一条河、沟,当年植树植条,保护水土,建护堤房、安排专人看管等。由于战线长,范围广,堤防管理还是达不到应有要求。特别是树木生长期长,待更新收益时地方领导人早已更换,或政策变化,地方或群众争抢,国家应收部分拿不到,不能用于工程维护上。多年来兴办大量的水利工程,挖、压了不少土地,在充分利用方面做了大量工作。据1985 年 3 月查勘统计,全县干、支河 15 条,大沟 95 条,中沟 631 条,小沟 4487 条,合计5228 条,总长度 687.82 公里。总挖压土地面积 27.75 万亩。其中植树、植条、植草等可综合利用的面积 21.171 万亩,利用率 76.3%。1991 年冬最后一期徐洪河开挖,在挖压土地征用以后属于国有。市委托县水利局管理。为此县水利局设堤防管理所,先进行沙集至浦棠一段统一发包,搞经营管理。其中刘圩乡 10.5 公里,沙集乡 7.5 公里,高作乡 1.5 公里,浦棠乡 3.1 公里,魏集乡 8.5 公里(魏工分洪道)。投资绿化经费 130 多万元,栽桑 4150 亩,栽银杏树 3000 余棵,栽桧柏近 13000 棵,栽杞柳 600 余亩,果树 1040 棵……建沙集、刘圩、浦棠 3 个堤防管理站,堤上每公里建一管理房,两堤共建 48 个。1992 年 5 月 25 日县政府发布《徐洪河睢宁段河道绿化工程管理办法》,对徐洪河的绿化布局、经营管理、利益分成、奖励和惩罚等均作明确规定。开始两年比较规矩,管理上了路子。桑苗面积大、长势好,可惜后来蚕茧行情差,农民植桑效益太低,因而徐洪河"国家所有,集体经营,专业承包,利益分成"的政策难以兑现。

县管的水利工程,上级经常拨一定经费给岁修工程项目、水毁工程修复项目,县从水费中安排部分维修经费,对此各管理所均能按时完成。

县管工程各管理所都很重视环境建设,各管理单位占地约 1300 余亩,植树绿化环境布置均较好,站容站貌都很整洁。如凌城节制闸,60 年代初植刺槐树,历时 30 年,于 90 年代初更新。出售木材后,其经费除用于购买树苗外,大部用于凌城抽水站建院墙。院内百余亩土地开展综合经营,有窑场,有种植业和养殖业。沙集抽水站建成后,于 1985 年初进行绿化。请省水利管理单位瓜洲闸(在扬州)的技术人员来帮助设计布局,有树、条,有花圃,有草坪。站北设管理所,两层楼房,管理所北筑高土台,台上顶高处设四角亭,亭、所和站前池在一条轴线上。随即请徐州市书法家王冰石书写站名。沙集抽水站似坐落在花园之中,成为县东一景。高集抽水站建成后,于 1990 年春绿化,布局由局自己设计。该站占地 22 亩,分成 10 个小区,栽树、条、花 50 余个品种,其中木本树、花 34 个品种 1712 棵。请省书法家尉天池书写站名。1990 年 3 月 4 日县四套班子到高集站劳动,植树种花,拉开了绿化高集站的序幕。经过两个月的精心栽培,布局成型。高集抽水站树、花生长良好,环境幽雅,成为县西一景。

(二)乡管本乡内受益的工程

乡管及村、组管理的工程为集体所有制,所成立的管理单位为集体所有制单位。管理人员的报酬:在以生产队为基础的大集体时,每人每年补助工分为 240~300 个工,参加当年集体分配,也有的单位补贴管理人员的工资和口粮。1980 年农业大包干以后则改为补助工资,也有在管理范围内划给承包土地,收入归己。乡管工程的内容大体有如下几项:

(1) 小型闸、涵、站、库,凡两个以上村受益的工程由乡管理,一个村受益的工程归村管理。也有流域性工程,县委托乡管理,听从县防汛指挥部调度。70 年代小型抽水站均按水系建站多是两个村以上受益,因此乡管站较多。80 年代梯级河网形成,建站多小型分散,乡管站大幅度减少。到 90 年代全县乡管抽水站只有 29 座。

(2) 水土保持。睢宁县土质多系泡沙土,河道易坍塌、易淤积,搞好水土保持是使工程长期发挥效益的关键。有的搞混凝土护坡、块石护坡或粘土护坡。两级沟接头级差大,搞块石沟头防护等。这些都是少量的,大量的是实行植物保护。植树、植条、植草,"树、条、草"三层楼。河堤滩面大量植林、桑、果,靠水面近栽柳树等喜湿树种,有"迎水栽柳、背水栽桑"之说。河口、沟口、渠口栽条,腊条、杞柳、金针菜。河坡、沟坡、渠坡植草皮,凡是长年水深超过两米的沟坡、河坡植芦苇。树、条、芦苇有较高的经济价值,又利于水土保持。60~70 年代河堤都有护林管理房,安排专人看管,其所选人员,不但要责任心强,而且还要成分好(出身好)、热爱集体事业。树、条到期一般都能及时更新。80 年代有的仍是专人看管,有的则分到户管理。更新时集体和个人实行利润分成。

（3）井灌管理。井灌配套不但要有机、泵、管，还要有井台、井池、井屋。这几项固定资产交由专人管理、使用。乡水利站配井灌员，村、组配管井员和机手。井灌员、管井员和机手上岗前要进行业务培训，达到"三懂"、"四会"，懂机械性能、懂操作规程、懂机械管理，会操作、会保养、会维修、会排除故障。村民小组（70 年代前叫生产队）是井灌管理最基层单位，管井、用井由村民小组与机手签订承包合同，明确责、权、利。

三、依法管理

水利建设和工程管理相比较而言，是"建设易、管理难"，或者说"创业易、守业难"。毁坏和维护相比，是破坏容易维护困难。多年辛辛苦苦兴建积累下来的水利工程，又多年辛辛苦苦地保养、维修、使用，当形成一股不正之风时，毁于一旦相当容易，时间之快、面积之广、损失之大令人吃惊。建国后全党动员，全民动手，各行各业齐上阵，把水利建设当作头等大事来抓，曾出现过五次建设高潮。而工程管理却出现了两次大的波折，说明虽有很强的水利建设手段，但缺乏强的管理措施相配套。建国后边建设边管理，但时紧时松，效果时好时坏。究其原因是行政管理多为短期行为，不能从根本上解决面广量大的工程管理问题。摸索了多年，终于走上了依法管理的轨道。

1987 年县政府颁发的《睢宁县水利工程管理实施办法》是睢宁县水利工程管理工作的重要依据。1986 年 9 月 9 日江苏省第六届人大常委会第二十一次会议通过了《江苏省水利工程管理条例》。根据《水法》、《江苏省水利工程管理条例》的精神，结合睢宁实际情况，在县水利局对 9 个乡典型调查的基础上，经过反复酝酿，多方征求意见，形成《睢宁县水利工程管理实施办法》初稿（以下简称"实施办法"）。县政府于 1987 年 3 月 11 日常务会议集体进行审查，后睢宁县人大常委会第二十二次会议通过，于 1987 年 4 月 30 日县政府颁布实施。该"实施办法"共有八章二十一条，对"管理机构"、"工程保护"、"工程管理"、"防汛抗旱"、"经营管理"、"奖励和惩罚"等都作了明确的规定。长期有争议的问题都有了清楚的界线，如第三章第六条对水利工程管理范围的规定：

（一）主要河道、堤防的管理范围

河道的青坎、滩地、河槽、堤身和堤防的背水坡脚外的保护地为管理范围。背水坡脚外的保护地具体规定如下：

1. 废黄河大堤为三十米。

2. 徐洪河、新龙河、徐沙河堤为十米。凌城抽水站引水河和送水河的管理范围按新龙河规定的标准执行。沙集抽水站引水河和送水河的管理范围按徐沙河规定的标准执行。

（二）一般河道、堤防及排灌沟渠的管理范围

河道、沟、渠的青坎、河槽、沟槽、渠槽和堤身，以及堤的背水坡脚外保护地为管理范围。背水坡脚外的保护地具体规定如下：

1. 一般河道和庆安干渠、庆安东干渠、庆安西干渠、姚龙干渠、新工干渠为 8 米。古邳、新工抽水站引水河和送水河，按同样标准执行。

2. 大沟、干渠为 5 米。

3. 中沟、支渠为 3 米；小沟、斗渠为 1 米。

（三）中型涵闸、水库、抽水站的管理范围

1. 凌城闸：上下游各 500 米，左右侧各 200 米。

2. 沙集闸：上下游各 500 米,左右侧各 200 米。

3. 庆安水库黄河闸：上下游各 500 米,左右侧至拦河坝两端。

4. 民便河闸：上下游各 300 米,左右侧各 150 米。

5. 民便河船闸：按《江苏省水利工程管理条例》关于中运河管理的规定执行。

6. 睢城闸：上下游各 300 米,左右侧各 150 米。

7. 汤集闸：上下游各 300 米,左右侧各 150 米。

8. 白塘河地下涵：上下游各 300 米,左右侧各 150 米。

9. 张集地下涵：上下游各 300 米,左右侧各 150 米。

10. 张山闸：上下游各 200 米,左右侧各 100 米。

11. 杜集闸：上下游各 200 米,左右侧各 100 米。

12. 龙山闸：上下游各 200 米,左右侧各 100 米。

13. 四里桥闸：上下游各 200 米,左右侧各 100 米。

14. 鲁庙闸：上下游各 200 米,左右侧各 100 米。

15. 朱西闸：上下游各 200 米,左右侧各 80 米。

16. 朱东闸：上下游各 200 米,左右侧各 80 米。

17. 庞庙闸：上下游各 200 米,左右侧各 100 米。

18. 中渭河闸：上下游各 200 米,左右侧各 50 米。

19. 凌城抽水站：上下游各 500 米,右侧至徐宁公路,左侧至临时站送水河。

20. 沙集抽水站：西至通济新桥,东至徐洪河,左右侧各 300 米。

21. 古邳抽水站：北至引河上邳睢公路桥北 50 米,南至送水河的防洪闸下 50 米,左右侧各 100 米。

22. 新工抽水站：上下游各 300 米,右侧 150 米,左侧 100 米。

23. 庆安水库：最高洪水位 29.6 米以下的库区东、西、南坡土坝背水坡脚外的保护地至渗水沟外口小子埝,北坡废黄河埝在库区外围 200 米。

（四）小型涵闸、水库、抽水站和机电井的管理范围

1. 小型涵闸：上下游各 50～100 米,左右侧各 30～50 米。

2. 小（一）型水库：坝顶以下的库区,土坝背水坡脚外 50 米(有截渗沟的至沟口外小子埝)。

3. 小（二）型水库：坝顶高程以下的库区,土坝背水坡脚外 30 米(有截渗沟的至沟口外小子埝)。

4. 小型抽水站：进水池和出水池以外各 50 米,左右侧各 30 米。

5. 机电井：每眼井留 3～5 厘护井地。

接着该章第七条还规定:"水利工程管理范围内属国家所有的土地,由水利工程管理单位进行管理和使用。属集体所有的土地,其所有权和使用权不变。但以上所有从事生产经营的单位和个人,必须服从水利工程管理单位的安全监督,不得进行损害水利工程和设施的任何活动。"

为进一步搞好依法管理,90 年代对水利工程进行了确权发证工作,县水利局和县土地管理局一起,根据国家的有关法律、法规,明确对水利工程用地的所有权、管理权和使用权。这是水利部门依法管理的基础工作,对水利工程的完好和安全运行,对国有资产的完整和增值,对水利行业的保护和发展,均有重大作用。历时几年,县水利局和土地管理局组织人员

现场勘察,查找有关资料,绘制图纸,实地定桩定界。已经汇总定案的有:① 各水利工程管理单位 25 宗地,面积 1349.72 亩。② 全县各水利站 37 宗地,面积 334.89 亩。③ 全县河道 35 条,90 宗地,面积 97604.52 亩。④ 九座水库 9791.09 亩(此工作接近完成,尚有个别项手续不完善,数字没统计全)。

四、运用调度

利用水利工程,进行运用调度,在确保工程安全的前提下,使已有工程发挥最大效益。即使在旱、涝均超标准的情况下,通过调度也可将灾害损失减少到最低限度。

(一) 排水调度

1976 年徐洪河形成前在县内实行区间调度,将县境内徐埗河分期实施,分段利用,向东、向南分流排水。利用徐埗河南侧一些节制闸进行调度运用,除徐沙河沙集闸(指老闸)作为调度总控制外,有中渭河朱庄闸、小滩河睢城闸、白塘河金桥闸、老龙河朱(集)东闸。每闸汛期都有专人看管,其中睢城闸由县设管理所。汛期调度几座闸启落频繁。

1976 年徐洪河开挖后梯级河网逐渐形成,即可以进行跨流域大范围的调度。比较大的排水调度有三个方面:

(1)潼河水系向龙河水系调度。原龙、撞两河排水出路都不好,相互无调度的条件,排水时各自独立。徐洪河开挖扩大了安河标准,解决了龙河的排水出路问题。而潼河下游在泗县,标准仍未提高。此时有条件使潼河之水分流入龙河。分流形成两条路:一是龙山闸分流。在跃进河上、位于官山北的龙山闸,本来是向西南部的引水闸,排涝时闸门关闭,使龙、潼水系排水隔开。后将该闸扩孔,将白马河之水分流入龙河,设计流量 80 立方米每秒,强迫分流最大可达 100 立方米每秒。二是利用徐沙河支线的胡滩涵洞分流。该涵洞位于田河东侧,本来是向西的引水涵洞,排涝时关闭,以确保田河水不向东流。后排涝时闸门开启,将田河上游之水分 39.8 立方米每秒向东入徐沙河。田河入白马河,白马河入潼河,分流田河上游之水就是减少潼河负担。

(2)黄墩湖地区排水通过徐洪河向南调度。废黄河以北是黄墩湖洼地,历史上排水向东入运河。因下游运河水常顶托,黄墩湖地区几乎年年被水淹没,有时长达 7 至 10 天。徐洪河开通后废黄河被切断,向南分流的条件具备。1996 年 6、7 月份大雨,通过沙集大站节制闸向南分流 300 立方米每秒入洪泽湖。高峰时还开启徐沙河沙集船闸向西入徐沙河,然后转从沙集闸流入下游徐洪河。沙集抽水站属省管,黄河北闸属市管,调度时需省、市、县三级协调。

(3)废黄河排水分流。废黄河是一条独立的悬河,从河南经安徽到江苏,长达数百公里,在徐洪河没穿断废黄河前,上、下游均有洪水压力,滩地也经常受灾。庆安水库、袁圩水库建成后,部分洪水可入库,但每到汛期废黄河处于高水位时仍是险象丛生。1991 年徐洪河挖成,废黄河重新规划、治理,实行分段拦截,各找出路。上游铜山来水从白马湖分洪道排走,县境内废黄河排水从魏工分洪道入徐洪河。

(二) 引水调度

1976 年徐洪河未开挖前,南、北水相互没有调度补给。1976 年至 1991 年,因沙集以南徐洪河挖成,可以小范围、少量地调度。一是兴建 10 立方米每秒的沙集站后,兴办高集抽水站,南水调到西北片。二是当南水紧张时,利用庆安水库蓄水,通过庆安水库干渠、白塘河向南部徐沙河、新龙河调水,每年约调 200 万～400 万立方米。此阶段南、北水已在徐沙河碰头,但代价是昂贵的。古邳抽水站高扬程抽水入库,然后高水位放低入河,再从河中抽水入田。虽然可使断水地区有水可抽,以解燃眉之急,但毕竟是两提两落,提高了用水成本。1991年徐洪河全线贯通后,可跨流域调度。一河连通三湖,即洪泽湖、骆马湖、微山湖。流域范围广,水情有好有坏,可以余缺互补。洪泽湖容量大,省管沙集抽水站建成,抽水50立方米每秒,从而缓解徐沙河一线用水。北水向睢宁调水最为有利。如1992年7月中旬,微山湖地区降雨,湖水偏高,而睢宁旱情严重。市将水调到房亭河,然后将市管刘芳集地下涵洞开启6孔向睢宁供水。县将徐沙河水充足后,又开起睢城闸、朱东闸向新龙河补水,开起高集站向西北补水。此时受益面积将达110余万亩。

（三）引水河道的水位控制

60年代前诸河负责排水,只设计排水水位,超标准时便形成短时滩面行洪,最后水落河空。1970年发展引水灌溉后,河道水位便有排水和引水两种水位组合。排、引水位时有矛盾,引水水位要高,排水水位要低,必须有一定的设计标准,使用时适当掌握。如果雨后放水过多则河水下降,造成用水紧张;蓄水过高遇旱涝急转则排水不及,易人为造成涝灾。在诸引水河中,以新龙河、徐沙河的水位掌握最为重要。

（1）新龙河水位。以凌城闸为节制工程,设计引水水位18.5米,平时即按此作为蓄水位。主汛期水位控制为18.0米。6月中、下旬因水稻栽插,是用水高峰季节,河水将迅速下降,常会因缺水而影响水稻栽插。此时如遇干旱季节,6月10日前将凌城站开足使新龙河水位预升到18.8米,超出计划水位30厘米。因凌城灌区小型抽水站多,凌城站如每天开机16小时,所抽水量只够所有小站开起抽8个小时。所以6月中旬即使凌城站全天开足,新龙河水位还是要下降。当凌城闸水位下降至18.0米,送水水位约按二万分之一比降下落,此时距凌城闸30公里的跃进河末尾便无水可拙,县西南部几个乡将无法栽稻。如果事先使水位预升30厘米,则水位下落可延缓3至4天,坚持到6月21日夏至时水稻基本栽完（夏至栽完水稻是最佳时间）。6月中旬新龙河凌城闸水位不能太低,一旦低于18.0米,凌城站即使全天开足,水位也难以回升。只有等到6月底水位渐升,此时只能夏至后栽稻,拖到6月底甚至7月初,水稻产量将受到影响。6月中旬确保水稻栽插用水,关键是两条措施。一是预升水位（指遇旱,遇涝则不能预升）,短时预升30厘米。二是县内调剂用电,供凌城站全天开足。70～80年代每到6月份便安排县化肥厂停产检修,因该厂和凌城站都是用电大户,为保农时季节,错峰用电。汛期凌城闸水位较难掌握,每降大雨凌城闸必须开启排水,而后必须适时落闸。既要把田间水排净,又要使河道按标准蓄水,以备涝后转旱稻田补水。当提闸排水时,闸附近必产生落水曲线,闸上水位大幅度下落,此时很难掌握落闸时间。这时就要参照上游邱集桥、龙山闸的水位,当两处水位接近18.5米时,则凌城闸可落。

（2）徐沙河水位。该河水位控制模式和新龙河基本相同。以沙集节制闸为控制工程,设计蓄水水位19.5米,主汛期控制在19.0米。6月上旬在天旱情况下,水位可视沙集节制闸汛前检修情况预升到19.8米。每年汛期掌握水位必须和中渭河闸、睢城闸、朱东闸相结合。

第二节　管理工作教训

建国后的工程管理工作,成效是显著的,但也有教训,甚至是深刻的教训。有的是管理方面的教训,也有开发经营方面的反复。

一、工程管理两次波折

建国后水利工程管理工作总体上是平稳的,但也出现过反复。个别的、小范围的破坏现象时有发生,对整体的管理工作不构成影响。但有两次是全县性毁坏行为,对水利工程管理构成很大威胁。第一次是在1962年,当时正值三年困难时期,群众生活极苦,口粮严重不足。为缓解灾情,上级提倡搞"十边种植"。在执行中出了偏差,一些基层单位和群众把水利工程当作"十边"耕种,到处扒渠平沟,水利工程遭受一次大破坏。50年代大跃进,水利工作出现过急躁冒进,摊子铺大,确有些沟、渠上、下级不配套。但有些可以使用的工程、还有些稍加整理便可使用的工程,都被当作"十边"耕种,"十边"扩大化,使水利工程严重退化。这一次遭受破坏面积大但时间不长,1963年连续涝灾,迫使人们对水利工程再认识,水利工程的建设和管理又被重视起来。第二次是在1980年农业实行联产承包时,一些地方把水利工程当作责任田来分,河、沟、渠被耕种现象普遍发生。为维护水利工程制定了一些相关政策,但仍有一些地方没有纠正过来,其原因很复杂。50年代农业合作化以后,土地集体经营,一些水利工程在兴建时没有正式征用土地的手续。有的对挖压占用土地补助很少,有的就是硬性的"一平二调"。集体经营土地权属不与群众直接发生关系,哪里需要就在哪里兴建水利工程。1980年农业大包干,分田到户,农民与使用土地直接挂钩,历史上所占用的土地就被提出。有的水利工程多次发展变化,在权属上无法弄清,长时间争论不休。有些集体水利占地少,分责任田时人均土地多;有些集体水利占地多,分责任田时人均土地少。因此一些地方将河堤滩面作责任田分给群众耕种,而后互相攀比,发展蔓延,河堤被普遍种植。后上级有明文规定,由于历史原因已兴办的水利工程,凡连续十年水利工程占用,均视为国有土地。这样处理时就有了根据,但有的已将所分土地打入合同,农业税、各项提留款均已计算在内,因此想完全纠正,困难很大。越是因水利工程拆迁多、占用土地多的地方,矛盾越多。国家政策尽管很明确,当地农民一涉及自身利益,仍会产生抵触情绪。

二、庆安、清水畔两水库开发几次反复

(一)庆安水库管理、开发

庆安水库在60～70年代管理秩序正常,大坝植腊条、植草长势很好,草密且高度均在50厘米以上,最高约1米,偶尔出现牛、羊放牧者,劝阻即止。60年代向水库投放过鱼苗,水库自身野鱼也很多,水库管理所有捕捞组,几十斤重一条鱼甚至百斤以上大鱼经常出现,那时地方群众没有干扰水库管理和渔业捕捞的。1980年水库管理秩序开始混乱。上半年有不听劝阻违法捕鱼者,并有围攻、殴打管理人员的现象,经司法部门批准对闹事者拘留15天并处以罚款。下半年有地方组织破坏养鱼设施造成严重损失,经县检察院批准依法逮捕1名大队支部书记和1名大队长。

1985年初县委提出开发庆安水库,向库周群众宣传,并挑选能人要求个人牵头承包,还组织到外地参观学习。后无人出面承包,县将任务交给县水利局。该水库四周有古邳、姚集、庆安、魏集四个乡,当时问题最多、对水库管理干扰最大的是库北古邳乡戴楼村。所以于2月10日县水利局和古邳乡签订"庆安水库养鱼问题协商意见",水库全民所有,实行库群联营,成立渔业公司负责水库养鱼。当即省、市、县三级均支持投入,放养鱼苗、防逃设备和孵化繁殖设施共投入23万余元。放养后当年尚属平静,事情进展约一年,鱼长势良好,放入

的花、白鲢鱼每个接近 2 市斤。当年的捕鱼大户蠢蠢欲动,在元旦和春节期间似有哄抢之势。县当即派出工作组深入乡、村、组做工作,县长、副县长均直接到古邳做工作,收到明显效果。1986 年元月底前将水库内所有捕捞小船集中到水库北的黄河中泓内。临时禁捕的目的是让鱼继续生长,争取更大效益。2 月 3 日"清水畔水库事件"发生,受其影响刚刚管好的船只被私自拉回库内捕鱼,秩序混乱。后戴楼村支部带头夺水库的管理权,将水库管理所快艇扣押,由村发牌允许船只下库捕捞并收取管理费。时间不长捕鱼户又将矛头对准村支部,村又维持不下去。春夏之际正是鱼的繁殖禁捕期,结果几百只船下库,大小鱼一齐捕。库内鱼越来越少,这一次开发没有成功。

若大的水库长年没有效益,与其他县水库相比差距拉大。因此 1993 年再次引起县委重视,提出庆安水库开发问题。这次开发时间长、矛盾多,按时间划分大体经历三个阶段:

(1)从 1993 年 6 月至 1994 年 5 月为第一阶段。1993 年 6 月县委召集县公安局、多管局、水利局三单位酝酿庆安水库管理和开发方案。7 月 2 日县政府发布《关于加强庆安水库管理的通告》。7 月上旬在召开姚集、庆安、魏集、古邳四乡水库管理协调会的基础上,县成立庆安水库开发领导组、董事会和"庆安水库综合开发公司"。庆安水库管理所所长任公司经理。8 月 16 日县在古邳镇召开水库综合开发动员大会,各有关单位人员计 300 人参加,徐州市多管局、水产局、水利局均派领导人参加,会议期间还在水库西坡放鱼苗、蟹苗。当年由于公安局水上派出所参与管理,秩序尚好,即使元旦、春节亦未产生偷抢鱼事件。

(2)1994 年 5 月开始为第二阶段。春节后在古邳镇的要求下,县委决定将水库开发交古邳镇管理。据此精神于 5 月 28 日在县领导出面协调下,县水利局和古邳镇订立《庆安水库大水面渔业开发管理合同书》,其精神是水利局负责投入(当时已经投入),古邳承包管理,利润分成。此时水库综合开发公司经理由古邳镇派一名副书记担任。在此期间水库开发投入多,有收益,但赤字很大,偷捕鱼现象屡禁不止,直至后来维持不下去。水库开发先后投入已达 100 多万元,1994 年 12 月中旬公司组织捕捞一段时间,最高日产量 1.96 万斤,共捕鱼10 余万斤,收入近 30 万元。开发公司刚有收益之日,正是偷鱼者闹事之时。此间发生冲突案件 20 多起,伤残人员 50 多人次。古邳镇成立的联防队多次被打,多数队员回家。地方上有人提出村捕村管,从中起哄。偷捕者乘混乱之机大捕特捕。不限制网眼规格,大、小鱼一齐捕。每天偷走鲜鱼不低于 5000 斤。由于管理瘫痪,到 1995 年 3 月中旬炸鱼成风。偷鱼者放炸药瓶(或罐装),3 月 10 日夜约响 300 炮,库外地面亦有震感。3 月 11 日晨,卡车进庄明目张胆地把鲜鱼运走。夜间炸鱼,白天库周站满了拾死鱼的人。这时水面管理已空前混乱,不仅经济损失大,而且水库安全受到严重威胁。

(3)从 1995 年 6 月开始为第三阶段。以古邳为主体的水面管理已经瘫痪,开发公司名存实亡。为此县委研究调整区划,将有关村、组划归水库管理,实行库带村体制。4 月 19 日县委召集古邳镇、魏集乡党委书记和县公安局、开发局、民政局、多管局、土地局、水利局等负责人会议,听取水利局汇报后觉得事态严重,当即研究水库管理办法,一致同意庆安水库成立养殖场,实行场带村,将古邳镇戴楼、顾庄两村和魏集乡陈庄划给水库管理。变更体制程序由有关职能部门办理。5 月份多次酝酿,6 月 1 日正式宣布。庆安水库管理所、庆安水库养殖场为副科级单位,一套班子两块牌子。水利局一名副局长兼所长、场长。场带两个村15 个组,人口 3784 人,土地 2121 亩。养殖场成立后制订水库开发规划:除大水面养殖外,将水库 120 亩鱼塘,戴楼 80 亩鱼塘作繁殖基地,进行自繁自养。水库东北角浅滩建 400 亩特种养殖基地,搞名、特、优水产品,并规划在管理所建深加工基地。开发水库西北角作渔业市场。库周和库中心搞若干旅游网点。由于这一次开发多次变化,混乱局面时起时伏,愈演愈烈,造成经济上严重亏损。虽有规划,然而步履维艰。所放银鱼虽长势良好,而捕捞效益甚微。

几次开发一样的发展规律,一样的结局。一开始放养地方基层组织和群众是拍手欢迎的,一年内管理是较平静的,一年后长势好便形成哄抢。最不平静的是戴楼、顾庄两村,两村800余户,捕鱼者约占四分之一,多集中在 4 个村民小组,200 余户 300 余条小鱼船。正常起捕是捕大鱼,留小鱼继续生长,才能良性循环。而地方的小船、小网,多是大小鱼一齐捕,只顾眼前不求长远,矛盾往往由此产生。县、乡、村都曾牵头组织过,去外地参观学习,请进技术人员指导工作,想尽一切办法搞高产量、高效益起捕,捕捞户对此都持反对态度,事情一到激化的程度,又有各种矛盾交织在一起,而不是孤立的抢鱼问题。处理只是暂时平息,没有从根本上多元化地一揽子处理。

（二）清水畔水库事件

清水畔水库建成 27 年水面没有很好利用,1984 年中央下达一号文件,水库资源开发利用被提到议事日程。1984 年 11 月 5 日,以张圩乡蛟龙村村民委员会主任李海林为代表的53 户农民,与清水畔水库管理所签订了承包水库养鱼合同,并经法律公证处予以公证。从1984 年 12 月起先后投放鱼苗 59.35 万尾。库周山水汇库,水质肥宜养殖,鱼长势喜人。1985 年 7、8 月间,蛟龙村两个村民小组组长和部分群众(包括部分原不愿意入股的群众),见水库有利可图,便要求半路入股,并多次上访提出无理要求,且无视上级调处,组织新鱼股,强行向水库中投放鱼苗,殴打承包群众,阻止承包者捕鱼。县、乡两级多次调解,县于1986 年 1 月 17 日还派出工作组,入村做宣传教育工作。但在少数人的操纵下拒不接受调解,1986 年 2 月 3 日操纵者有组织、有预谋地煽动部分群众阻止承包户捕鱼,并围攻、辱骂、殴打在场维持秩序的乡领导和工作人员。当天下午,县公安局负责人带领 14 名工作人员和6 名武警前往清水畔水库维持秩序,也遭到辱骂和殴打。当时共打伤 26 人,抢走手表 2 只,抢走公安大沿帽 3 顶,砸坏面包车和三轮摩托车各 1 辆,砸毁抢走了全部宣传器材,直接经济损失达 3 万多元,酿成"清水畔水库事件"。市、县两级党委、政府对此十分重视,多次向闹事者宣传政策,动员少数人认罪伏法。但他们对抗政府查处,还多次筹集粮款,以上访名义聚众闹事,在社会上造成极坏影响。事件发生后市有关部门来县座谈了解清水畔事件,肯定县对事件的处理是恰当的,对公安干警的高度责任感给予表扬。回到市里汇报后,定"软处理"办法。直到 1987 年 8 月这起"清水畔水库事件"被处理,煽动闹事为首分子李计夫、高淑英二人被逮捕判刑。

从事件发生到事件被处理约一年半时间,肇事者得到了应有的惩罚,挽回了政治影响。但对庆安、清水畔两水库开发而言,不仅造成了很大的经济损失,重要的是损失的时间无法挽回。80 年代全省各大水库都加快开发步伐,而且收到明显效益。临近的铜山县崔贺庄水库,在 1984 年和庆安、清水畔两水库差不多同时进行开发,由于管理力度大、库周秩序好,一跃成为全省的先进典型。而睢宁县两水库开发与其他水库开发的差距拉大,成为全省效益最差的典型。

第八篇
水利投入与水利经济

第一章　水利投入

　　建国后全县做了大量的水利工程,国家和地方都进行了大量投入,农民做了大量的劳动积累工。从 1949 年至 1997 年,全县累计投资额为 2.35575 亿元,年平均投资 480.76 万元。其中上级拨款 1.43174 亿元,县内地方自筹 0.92401 亿元。全县按 100 万人口计算,人均水利投资 235.5 元。全县按 150 万亩耕地计算,亩均水利投资 157.05 元。

第一节　水利投入形式

　　投入形式按资金来源分为两大类,一是上级拨款,二是群众筹集。

一、上级拨款

　　在制定好水利规划的前提下,由下级向上级有关单位写文字报告,编制工程设计。项目经过上级主管单位批准以后施工,工完后验收、决算。按项目大小、性质和经费来源,上级投资又可分为两种类型:

　　(一)基本建设项目

　　简称"基建"项目。有国家基本建设项目,由国家有关单位批准,国家投资;有地方基建项目,多数是省基建项目,由省有关单位批准,省投资(以后有的发展为"基建补助项目",即省投资大部,县自筹部分补足)。工程预算计算标准,可按国家或部颁定额计算,也可按省颁布的定额计算。本县多用江苏省水利厅编制的预算定额计算。基建项目是全额投资,县水利骨干工程大多数是计划批准的基建项目,有的是一个年度完成,有的是分期的跨年度工程。

　　(二)农田水利补助项目

　　按工程总造价,上级只补助一部分,其余由县、乡财政补贴或发动群众自筹。上级补助部分多补助经费,也有拨给实物代替投资,如拨给水泥、木材、钢材等建筑材料或机、泵设备。乡级兴办的小型水利工程多属此种类型。

　　有些专项工程,如岁修工程、防汛急办工程、水毁修复工程等,其资金来源也有基建、农补之分。80 年代以后工程多,资金需求量大,多实行配套资金,即国家补助一部分,其余由省、市、县各级政府按比例配套。

二、群众自筹

　　面广量大的小型水利工程,国家一贯提倡发扬艰苦奋斗、自力更生的精神,以自办为主。群众筹集办法有三种:

　　(一)筹集资金

　　按"谁受益,谁负担"的原则,在受益范围内,按田亩或按人口筹集一定的资金,由乡、村组织施工。由于有些工程偏多,必须一次性做完才能发挥整体效益,但一次性筹集超过农民负担能力,便分户做贷款,来年偿还或分年偿还。

（二）以物或以工抵资

在筹集资金有困难的情况下,有的筹集粮、草折资,有的提供块石、石子等建筑材料折资,也有多出工或利用车辆搞建材运输抵资。

（三）劳动积累工

小型水利每年都有大量的土方工程,多是由群众无偿出力完成。由村、组统一规划,统一放样,统一施工。将任务分到户,按时、保质、保量完成。"水利大干,回家吃饭",小型水利土方是农民必须负担的任务。至于农民每年出工多少,各地区之间不同,年际任务也不相同,农民反映任务重的事时有发生。90年代初国家正式规定"每个农村劳动力每年承担10～20个劳动积累工"。

第二节　投入分析

建国后近50年中,国家对睢宁县的水利投入有三个特点。

一、上级每年投入水利资金的绝对数逐渐增多

建国初期国家财力很困难,投入比较少。1956年以前的8年间,上级投入最多是1950年,55.1万元,最少的是1951年,只有0.2万元。1956年以后每年虽有多有少,趋势是增加。到了90年代年投入多达1000万元。建国后48年中,头10年年平均投资80.42万元,最后10年年平均投资615.95万元,后10年是头10年的7.66倍。

二、上级投资与工程总造价的比例逐年减少

50～60年代干水利工程,建筑物由上级投资,土方按定额补助。还有的是"以工代赈",发给钱、粮补助做土方工程。70年代开始,搞农田水利工程,建筑物上级投资,土方工程不予补助,后来发展成建筑物只补助三大材,即补助水泥、木材、钢材,其余一律不补。就单个工程而言,因建国初期工程少、规模小,虽补助总经费少,但基本都是国家或地方拨款。越向后工程越多,规模越大,加上物资价格增长等因素,虽上级补助经费多,其自筹配套资金也多。如建国后48年中,头10年水利工程总投资914.1万元。其中上级投资804.2万元,上级投资占总造价的87.98%。后10年工程总投资13407.1万元,其中上级投资6159.5万元,上级投资占总造价的45.94%,前后两个10年比较,上级投入比例减少近一半。

三、水利建设高潮时期上级投入相对集中

建国48年来,水利历经三个时期十个阶段,搞过四次水利规划,出现过五次水利建设高潮。每次高潮大办水利,项目多投入也多。如第一次高潮在50年代末,从1956年到1960年连续5年投入较多,最多年份达300多万元,最少年份也有130多万元,而1956年前,每年上级投入只几万元,1960年后连续三年,每年上级只投入几十万元。又如第四次水利高潮是在1977年至1978年,因开挖徐洪河,睢宁水利开始产生飞跃。1978年上级集中投资1138.8万元,是建国后兴建水利工程上级投入最多的年份。再如第五次水利高潮是在1991年至1992年,是开挖沙集以北最后一段徐洪河。1991年度用于拆迁赔偿上级拨款

1742.6万元。

　　1992年度上级投入兴办工程经费970.9万元。由此可见,上级拨给睢宁县水利经费不是按年度直线上升,而是按项目多少,呈曲线形上升。

睢宁县各年水利投资统计表

单位:万元

年份	总投资	国家投资	地方自筹	备注
总计	23557.5	14317.4	9240.1	
1949	2.6	2.6		
1950	55.1	55.1		
1951	5.9	0.2	5.7	
1952	57.9	35.8	22.1	
1953	6.8	3.5	3.3	
1954	1.6	1.6		
1955	8.2	8.2		
1956	333.1	322.8	10.3	
1957	158.5	155.5	3.0	
1958	284.4	218.9	65.5	
1959	309.4	154.2	155.2	
1960	294.9	132.6	162.3	
1961	62.9	30.5	32.4	
1962	33.5	18.5	15.0	
1963	80.6	80.6		
1964	101.9	101.9		
1965	177.7	168.7	9.0	
1966	372.6	239.3	133.3	
1967	160.4	159.4	1.0	
1968	70.6	60.6	10.0	
1969	132.6	109.6	23.0	
1970	98.9	70.3	28.6	
1971	508.0	268.0	240.0	
1972	311.3	280.7	30.6	
1973	310.0	168.0	142.0	
1974	353.0	313.0	40.0	
1975	406.1	372.1	34.0	
1976	315.0	300.9	14.1	
1977	220.3	202.3	18.0	
1978	1171.0	1138.8	32.2	
1979	842.2	785.2	57.0	

续表

年份	总投资	国家投资	地方自筹	备注
1980	418.0	373.0	45.0	
1981	300.3	287.6	12.7	
1982	390.5	290.0	100.5	
1983	411.0	280.0	131.0	
1984	332.8	332.8		
1985	511.4	273.0	238.4	
1986	222.1	222.1		
1987	317.3	140.0	177.3	
1988	334.4	214.0	120.4	
1989	392.6	284.5	108.1	
1990	931.1	401.1	530.1	
1991	1154.5 +1742.6	524.5 +1742.6	630.0	1742.6万元为最后一期徐洪河拆迁赔偿经费
1992	1708.1	970.9	737.2	
1993	883.2	109.0	774.2	
1994	1007.6	164.7	842.9	
1995	1154.5	302.2	852.3	
1996	1739.9	324.9	1415.0	
1997	2358.6	1121.2	1237.4	

第二章　水利经济

　　睢宁县的水利经济包括两个内容,一是为工程管理、维持工程运转进行水费收交工作;二是为增强水利基层单位自身活力而开展综合经营。

第一节　水费收交

　　50～60年代搞的排水工程是国家及各级政府出资兴办的社会性工程,没有收取水费。70年代发展灌溉事业,兴办抽水站、水井等设施,在使用中要用电、用油,因生产成本必须向受益者摊销,从此产生了水费收交工作。

一、概况

（一）1980年之前是"无偿供水"

当时是人民公社的集体经济，一大二公。为了支援农业，农民使用"大锅水"，不讲用水成本核算。农村实行旱改水，农民用水交费的意识非常淡薄。灌溉管理粗放，水资源浪费严重。各抽水站因为是新的水利设施，修理费较少。虽将有限的电费、机械修理费分摊下去，但收费实行不起来，只有县财政贴补，形成"国家出钱，农民种田"的局面。

（二）1980年至1984年，象征性收取水费

由于水稻面积不断扩大，用水量逐年增多，灌溉成本逐年提高，80年代初已正式下达征收水费指标。当时灌水管理不够规范，量水手段和计费办法都没有经验，只简单地按水稻面积计算水费征收指标。这种办法有两个弊端，一是水稻准确面积难以弄清。乡、村在向统计部门上报时水稻面积偏大，到交水费时又以种种原因作借口，压低水稻面积。为此经常扯皮，使水费收交工作不能正常进行。二是先用水，水稻收获粮食部门征购后再谈交水费，往往只能象征性交纳一部分，没有较强的水费促交办法。此时农民对用水必须交费的认识已初步确立，只是交费行动尚不到位。县管理的几座抽水站的电费仍是县财政负担，从县供电局每年应上交县财政的供电附加费中充抵。

（三）1984年第一次改革水费征收办法

全县水费收交工作是从1984年开始走上正轨的。根据国家和省、市政府的有关文件精神，实行"分灌区核算，按方计量，按量收费"，初步打破"喝大锅水"的局面。加强供水管理，增强服务功能，以改进供水服务的办法促进水费征收。其具体措施有：

（1）北水灌区县负责把好供水总口门，其余供水干、支渠闸下放给有关乡村管理。北引骆马湖水，通过古邳、新工抽水站抽水，分别入庆安水库和袁圩水库，然后成为自流灌区。1984年县对灌区管理，管得太多、太死。例如庆安灌区，庆安水库和庆安干渠、干渠闸都是县管，每次放水生怕浪费，放水量小，放水时间长，水量损失大。影响干渠以下的配水，灌区地形较高的地区，群众往往因不能及时用上水而意见纷纷。1984年进行改革，县只管庆安水库放水闸，将干渠、干渠闸等灌区工程全部下放给庆安乡管理（包括使用和维修全部由乡负责），每次放水由庆安乡提出申请，先开水票，后开闸放水，要多少放多少。在水稻栽插时，每次放水量大，用水高度集中，减少了放水时间。缩短了放水时间，就是减少了渠系损失水的时间，节约了水量。因按方收费，农民感到与自身利益有直接关系，转变了用水观念，变不惜水为节约用水。庆安乡水稻面积大，是用水大户，搞好庆安灌区的供水服务，足额收取水费，从而带动了全县的水费收交工作。

（2）南水灌区加强小型抽水站用电量的统计、核实工作。南引洪泽湖水，通过凌城、沙集抽水站抽水入河、入引水大沟，各乡村小型分散建站取水。利用供电部门逐月记载的各站用电量，根据泵型、扬程，用计算公式计算抽水量。所有抽水小站、流动散机全部记录，分别核算。

（3）各级政府加强水费收交力度。根据国家和省、市政府文件精神，1984年县政府将水费收交工作列入议事日程。县政府多次召集专题会议，宣传和布置水费收交工作，提高各级工作人员"水是商品"的思想认识，大大减少了水费收交工作的阻力。县政府还协调县水利局、供电局、物价局、粮食局等部门工作，并每年两次下文明确水费指标。一次是7月份下

文实行半年预收,第二次是 10 月份下文明确全年收费指标。乡、村等基层组织都及时按县规定的指标向下分解。从此水费收交工作走上正轨。

水费收交的形式是多种多样的,归纳起来有三条办法:

① 乡经营管理站代收。将水费统一纳入乡各项提留款,在乡政府统一安排下,分夏、秋两季,由乡经营管理站统一划拨,上交到县水利局。80 年代这种办法较普遍。

② 由乡组织专门人员,分片包干,直接到村、组收取,汇总后上交到县。

③ 对个别后进单位,由政府牵头,水利、供电、粮食部门互相协调。或按乡水费上交数与供水、供电挂钩,交多少钱,供多少水、电。或粮食部门将有关单位粮食收购款,做好手续划拨给水利局作水费,水利局再划拨给供电局作抽水电费。

（四）1993 年第二次改革水费征收办法

农业收成好坏,直接影响水费收交。农业收成好,水费收交顺利;遇有自然灾害,农业减收,一些单位便不愿意上交水费。把损失推给国家,水费大量欠交,影响抽水站的正常运转,影响下一年的农业生产。为此县政府于 1993 年发布《水费改革实施意见》,其主要措施有两条:

（1）将水费收交工作纳入法制化管理轨道。年初由县和乡签定供水合同,实行分月供水计划和分月交纳水费。年初有合同,年底有县政府征收水费文件,必要时可由有关执法部门依法裁决。

（2）在收交手段上,以乡水利站自收为主,多种措施一齐上。根据省、市有关文件精神,提倡乡水利站直接收取。实行乡水利站供水、收费一体化,避免基层对水费层层加码和任意截留、挪用。

二、水费计算标准

水费计算标准分两大项、六个指标。即基本费和生产费两项。基本费包括供水人员工资、管理费和国家供水工程水费;生产费包括抽水电费、机电设备等折旧费、大修理费和一般维修费。县内各灌区六项成本的合计总额就是县级供水总成本,这是拟定年度征收水费方案的主要依据。

全县灌区分为三种类型分别进行成本核算。

1. 一级提水后自流灌区。如北水灌区提水入库、入废黄河属于此类。以古邳等抽水站六项开支为总指标,除以各有关乡年度用水量总和,即得出一方水的收费指标,然后按各乡用水量即可算出乡收费指标。

2. 内河二级或三级小站提水灌区。凌城站、沙集站、高集站灌区均属此类。以县管抽水站六项开支为总指标,除以各小型抽水站抽水总量之和,即得出一方水的收费指标,然后按各乡用水量即可算出乡收费指标。

3. 外河自提灌溉区。如徐洪河以东和黄墩湖地区均属此类。因各小站自提外水,生产费用由有关乡、村自己负担,县只向其征收国家供水工程水费一项指标。

县在编制征收水费方案时,考虑两种因素予以调整。

1. 根据当年农业收成情况和农民承受能力,推敲征收水费方案是否偏高。80 年代后农业产量基本稳定,没有大幅度的变化,但粮食价格不稳定,电价又多次上涨,因此粮价、电价、水费征收标准三者综合考虑。从 1984 年起连续 14 年,每年下文实际征收水费数按亩计算的平均水平只相当于 30～40 斤水稻钱。这样既照顾了农民的承受能力,又能维持简单再生产,使供水工作能正常运行。县政府下文征收数略低于六项指标计算的总成本,实际等于降低了六项指标中的大修折旧费。

2. 对个别高地成本偏高地区适当照顾。一些高亢地区三级提水,费用比一般地区高 50％左右。由于提高农业产量和改良土壤的需要,又必须扩种水稻。为此在编制方案时对局部高地收费标准适当降低。

三、水费收交工作中的几个环节

(一) 加强计量管理

实行"按方计量,按量收费"后,提高了农民的节水意识,也使水费收交与供水服务实现了良性循环,因此计量是供水和收费的关键。北部提水后的自流灌区,利用建筑物量水。古邳站灌区计设 7 个量水点:庆安水库南涵洞、东涵洞、西涵洞、废黄河洪庙涵洞、房弯涵洞、娄埝涵洞和清水畔水库放水闸。每次放水时,用水单位先开水票,凭票放水。放水时开闸、落闸都由供水单位和用水单位双方派人共同记录测流数据。水稻成熟后及时汇总凭票计算水量,并报县水利局制定水费方案。南水灌区是以小型抽水站为计量单位,关键是记录抽水用电量。平时灌溉季节,由乡水利站派员到乡供电站抄录各站用电量,当月考核准确。8 月底 9 月初水稻烤田后由乡水利站及时汇总用电量,计算用水量,并上报县水利局。县水利局的水费征收方案在 9 月底、10 月初出台,县水利局与县物价局会签后,县政府下文的最佳时间在 10 月 10 日左右。因为农民是 11 月份卖粮交费,提前一个月下文,便于乡、村、组、户逐级分解落实。

(二) 水利部门自收水费

水费收交工作经过多年实践,上下形成共识,水利部门自收水费是必由之路。乡水利站是直接收费的基层单位,按照省、市布置,1993 年开始在王林、邱集进行水利站直收水费试点。1994 年开始,视各乡实际情况,条件成熟一个发展一个。先后有凌城、沙集、魏集、浦棠、姚集、龙集、朱集、睢城等 8 个水利站实行自收水费,占全县 21 个有水费任务乡镇的 48％。实践证明自收水费有三条好处:① 水利站直接收取水费减少了许多中间环节,可以一步到位。减少了挤占、截留、挪用等混乱现象。② 避免层层加码。过去县政府下文后,一些地方逐级加码,有的较文件规定指标高出一倍,严重损害了水利部门的形象。水利站自收水费后,文件规定多少收多少,减少了农民的额外负担,很受农民欢迎。③ 水利站既负责供水,又负责收费,从而使农村水利工作建设、管理、经营、服务、收费一体化。以服务促收费,以收费增加服务功能。

(三) 通过签订供水合同将水费收交工作纳入法制化轨道

灌溉管理的发展也有三个阶段:70 年代是无偿供水,80 年代收取水费是有偿供水,90 年代签定供水合同是以法管水。每年春季县和乡签定供水合同有两个作用:一是增加供水和收费工作的透明度。合同中计划分月供水量,以前三年逐月用水量的平均数作为当年分月计划数。使节约用水有了奋斗目标,使分月计算水费有了基础。据此乡、村、组、户逐级订计划、签合同,形成了一整套供水、收费系统。二是增加水费收交工作的力度。"水是商品",水利部门供水是卖方,农民用水是买方。买卖双方年初签订合同,年底结算后政府以文件形式下达,使水费收交工作有法可依,有章可循。

睢宁县 1984～1997 年水费收交和使用情况统计表　　　　单位:万元

年度	批准文号	应收水费	实收水费	征收率	水费使用情况						
					总支出	电费	运行管理费	小修费	上交省市	返回奖金	大修费及其他
1984	睢政发(1984)173 号	128.6	115.8	90%	111.8	68.5	27.5	8.5	3.0	4.3	
1985	(1985)152 号	112.2	107.0	95.4%	111.1	51.2	24.1	27.8		3.0	5.0
1986	(1986)99 号	119.4	116.7	97.7%	103.6	54.6	32.7	10.0	2.0	4.3	
1987	(1987)124 号	128.1	125.6	98%	127.0	54.6	53.0	11.6	2.0	5.8	
1988	(1988)137 号	155.6	149.7	96.2%	136.6	65.0	54.5	10.0		7.1	
1989	(1989)188 号	294.01	273.8	93.1%	212.16	116.33	71.39	16.70	/	7.74	
1990	(1990)49 号	355.24	308.29	86.8%	282.42	167.89	67.33	17.28	/	6.05	23.87
1991	(1991)89 号	326.55	291.74	89.3%	245.80	74.66	86.85	24.91	5.00	6.94	47.54
1992	(1992)64 号	438.06	352.46	80.5%	384.76	170.06	129.14	29.00	10.0	3.71	32.85
1993	(1993)84 号	396.04	245.96	62.1%	357.54	182.20	135.44	13.20	/	4.35	22.35
1994	(1994)74 号	658.72	558.9	84.8%	557.41	296.64	170.21	23.00	45.0	12.41	10.15
1995	(1995)64 号	685.0	729.37	106.5%	622.07	299.14	193.99	25.96	71.0	4.71	27.27
1996	(1996)67 号	748.99	664.99	88.8%	616.75	177.42	294.76	25.0	95.0	23.86	0.714
1997	(1997)84 号	965.53	821.16	85%	778.94	277.8	272.95	40.7	95.0	13.0	79.49
合计		5512.04	4861.47	88.2%	4637.05	2056.04	1612.86	283.65	328.0	107.27	249.23

第二节　综合经营

　　水利综合经营起步较晚,建国后首先是抓水利建设,水利工程规模由小到大,由低到高。其次是抓管理,有了水利工程,才有水利工程管理。再次是综合经营,有了建设工程的专业队伍,有了工程管理单位,才有开展综合经营的基础。

一、发展过程

（一）水利管理单位的"副业"生产是水利综合经营萌芽阶段

　　50～60 年代的水利综合经营,首先是从库、闸管理单位绿化、水土保持开始的。如清水畔水库、庆安水库建成后进行植树造林,栽腊条、杞柳、紫穗槐等。凌城闸建成后于 1964 年栽植近万棵槐、柳、杨等树木。这些都是以美化环境、保持水土、维护工程为主要目的,没有明确的盈利观点。由于当时的管理业务多是季节性的,管理人员有一定的空闲时间,便经营一些小项目,称之为"副业"。如庆安水库组织 30 多人的捕捞队,还有的管理单位开办小商店、油坊、养牛、养羊等。只为职工谋点福利,水管单位仍以工程管理业务为主,综合经营作为"副业"处于萌芽阶段。

（二）70年代末水利综合经营正式启动

党的十一届三中全会以后，工作重点转移到经济建设上，社会主义经济空前活跃，为此国家对水利管理工作提出"安全、效益、综合经营"三大任务。在全国经济发展热潮的推动下，县水利综合经营正式提到议事日程。水利管理单位利用水土资源和机电设备开展综合经营项目，如凌城抽水站办了砖瓦窑场、面坊、油坊、商店等，效益很好，多次受到地区和县表彰。县城水利工程队、机井队搞机械加工、修理，从只搞水利工程发展到面向社会服务。各公社都有水利专业队伍（此时尚未正式命名为水利站），纷纷上山采石，搞混凝土预制品，有的搞水泥砖、水泥瓦、水泥管对外出售。50～60年代水利单位搞经营会被人认为"不务正业"，到了70年代末，人们的思想从僵化状态解放出来，水利建设、管理队伍的服务对象从行业内扩大到行业以外。

（三）1984年以后水利综合经营大发展

1984年全国上下形成"改革、开放"的高潮，水利部提出"两个支柱，一把钥匙"，即水费和综合经营是水利管理单位的两大支柱，实行承包责任制是搞活水利管理的一把钥匙。上级要求各水利部门一手抓水利建设，一手抓水利综合经营。从此水利综合经营被提到重要位置。通过经营增强水利队伍自身活力，扩大服务功能。水利从单纯的为农业服务，扩大向全社会服务。县水利系统从1984年起，发动职工捕捉信息，制定规划，建立经济实体，开办经营项目。经过10多年的努力，水利综合经营具备了一定的规模，形成了自己的特色。据1997年底统计，全县水利系统10个县管工程管理单位，8个驻城事业单位，27个乡镇水利站，在编职工742人。办经济实体90个，从业职工1262人，完成综合经营总收入5266.7万元，利税424.7万元。其显著特色表现在三个方面：

（1）加强政策性收费，搞活水利经济。水费收交工作是1984年走上正轨的，"水是商品"，通过征收水费，灌溉管理工作走上良性循环。除此之外，对全社会实行取水许可制度，按国家规定，收取水资源费；对闸坝、河道多余土方向外出售，收取土资源费；船闸、通航孔收取过闸费。通过政策性收费，使水利行业改变了只投入不产出、一潭死水的局面。

（2）工程管理单位充分利用自身优势，开办项目，实行规模经营。从实际出发，因地制宜求发展。管理单位利用劳力资源（一些职工只有季节性业务）、水土资源和机电设备等优势，发展种、养、加项目。经过10多年不断积累，滚动发展，成效显著。如高集抽水站几名职工，1995年自筹11万元，建鸡舍21间，笼养蛋鸡4000只，年产商品蛋15万斤，收入50多万元，盈利7万元。除上交站里承包款4万元外，参加养鸡的6名职工，每人分配4800元。沙集抽水站1995年良种猪繁育初具规模，年存栏良种母猪46头，仔猪200多头，仔猪供不应求。袁圩抽水站在管理范围内有土地50多亩，因施工造成地面都是生土，他们发动职工，开发种植常规作物，并试种高产高效作物。民便河船闸地处新沂、邳州、宿迁三市交界，多年来致力于整顿环境秩序，实行过闸收费。自1994年开始，船闸效益逐年提高，1997年在编职工21人昼夜值班，日收入达4000～5000元，年收入达80余万元，实现了自给有余。水库水土资源丰富，有很大潜力，因面积大管理困难，历史上开发项目出现过反复。经过多年治理，清水畔水库开发秩序比较安定，1997年产商品鱼8万斤，渔业收入12万元。

（3）水利施工队伍按照"立足水利求生存，跳出行业求发展"的发展思路，在完成行业内水利建设任务的同时，充分利用多年来形成的人才、技术、设备等优势，积极参与市场竞争，外出承包工程。

工人们正在维修水利设备

县水利局建筑安装公司是具有二级资质的施工单位,多年来水利建安公司和水利工程处在外承包的工程有:

① 1987 年宁波栋社机场沙桩工程和水泥路工程。

② 1988 年至 1990 年唐山市冀东油田油气处理厂土建工程和唐山铁路桥涵工程。

③ 1991 年至 1994 年新疆吐哈油田基础设施工程。

④ 1993 年湖北宜昌当阳发电厂厂房工程和京九铁路河南潢川段土方、桥梁工程。

⑤ 1988 年和 1994 年徐州部队营房和民用楼房工程。

⑥ 1992 年至 1993 年安徽泗县和苏州市吴县机械化挖河工程。

县水利局机井队先后在苏南、上海、安徽、陕西等地和徐州市承包打深井。乡水利站建筑队伍除了跟随县水利建安公司外出做工程外,还有单独组织的外出施工工程。如邱集、高作水利站在北京、河北等地承包房屋工程。

二、水利站综合经营

县水利系统按综合经营类型分为三大块:一是 10 个工程管理单位,二是住县城的几个事业单位,三是 27 个乡镇水利站。三种类型以水利站一块经营效益较好。如 1997 年乡水利站的经营产值占全水利系统的 60%,利税占 80%。沙集、凌城、黄圩、朱集、睢城、邱集等水利站,年产值都在 200 万~400 万元,利润 20 万~55 万元。

凌城镇水利站办公楼

全县水利站在编职工 129 人,另有退休职工 23 人,其他临时工 200 人。年工资总额 195 万元,纳入乡财政补贴的只有 31.3 万元,其余全靠单位搞综合经营解决。1997 年 27 个乡镇水利站拥有综合经营资产总值 1972 万元,其中固定资产净值为 923 万元,流动资金 1049 万元。已有办公房面积 4748 平方米,仓库面积 4257 平方米,预制场地面积 23558 平方米。通讯设施有线电话 29 部,移动电话 9 部。汽车 13 辆。施工机械 105 台套,其中主要机械有制管机 11 台,U 型渠预制机 8 台,拌和机 15 台,推土机 2 台,泥浆泵 65 台。水利综合经营促进了水利站的建设,有 15 个水利站建起了办公楼,如沙集、凌城、睢城、刘圩、魏集、浦棠、古邳、姚集、王集、苏塘、双沟、岚山、黄圩、张圩等,环境绿化、美化,站容站貌比较好。

水利站的综合经营项目品种繁多,其中效益突出的有三种类型:

1. 把水利站作为基地,重点搞水泥预制品。

浦棠乡水利管理服务站

水利站都位于集镇上,利用地理位置的优势,有的搞小工厂、小作坊,有的开商店、饭店等,但效益最好的是搞水泥预制构件出售。各水利站都设有预制场地,除了搞水利工程预制外,主要是加工民用楼板、下水道涵管等。例如浦棠水利站,1995 年有 14 名职工投资入股,每人 3000 元,共集资 4.2 万元,水利站又集体投资 6 万元,办起了机械化加工楼板。因地处睢宁、邳州、宿豫交界,楼板生产数量多、销路广。

浦棠乡水利站工人正在制作预制楼板

2. 组织强有力的专业队,承揽重点水利工程。

年年做工程锻炼了一批施工队伍,各水利站都有自己的施工队。如王林水利站利用徐

高作镇水利站工人正在制作 U 形防渗渠

洪河施工之机成立了泥浆泵施工队,不但完成了本乡徐洪河土方施工任务,节省了人力、财力,而且后来还为县举办的徐洪河清淤、沙集船闸引河清淤、沙集抽水站清淤等工程做出了贡献。王林水利站还注意培养建筑施工队伍,能独立砌建块石,能浇筑混凝土,能打井柱桩。1996 年单独承建了徐宁公路高楼桥建设工程,孔径 20 米,井柱墩,桥面为工字梁,荷载为汽20 设计,挂 100 校核。通过几次施工,王林水利站壮大了经济实力,工资福利有了保障,职工户户都装上了程控电话,初步实现了行业脱贫。

　　3. 利用施工队伍的技术、机械优势,走出去做工程。

　　有三分之一的水利站组建两套施工队伍,一套在本乡做水利工程,一套到外地承包工程。既能完成乡内的水利建设任务,又外出搞创收。如邱集水利站有单独一套外出施工队伍,除用自身建筑工人外,还吸收建筑部门和社会闲散的技术工人,到北京、唐山承建楼房、厂房等工程,站长对内、外工程统一领导,两面兼顾,经济工作搞得很活。

三、水利物资供应站

　　水利物资供应站的前身是水利局仓库,建国后每年的水利工程都是季节性的,工程完成后一些物资、工具都集中到仓库堆放,第二年工程施工使用时再从仓库取出。这是计划经济时的水利物资管理方式,只是保管物资不搞经营。80 年代为了适应改革开放的新形势,于1984 年正式将水利局仓库改为"物资供应站",当年有职工 9 人,到 1997 年有职工 15 人。

　　物资站担负两项任务,一是服务性的工作。面对县内水利工程建设,供应水泥、木材、钢材等建筑材料,供应机、泵、管等机电、井灌提水设备,供应水利上专用的一些特殊材料。据统计物资站单供应机电排灌设备,每年都在 200 台套以上。这些供应物资有的是计划内的,有的是计划外的。二是企业经营。按照放开、搞活的原则,走向市场,面向社会搞物资销售。

1984年物资站建立以后,除了在水利行业内搞好服务外,在经营上做了大量工作,收到很好效果。

　　首先,经常利用广播、电视做广告,运用多种促销手段,把经营搞活。1984年物资站成立时,流动资金24万元。经过滚动发展,到1997年有流动资金120余万元,净增流动资金近100万元,另外新增固定资产182.2万元,两项合计13年净增资产280余万元。年营业额最高时达1100万元,旺季时月营业额100余万元。对外主营项目是出售钢材,13年共出售钢材2万余吨。其次,在市场上树立了信誉。保证质量、价格合理。特别是钢材质量,是全县公认的信得过的正品钢材。再次,由于销售数量、材料质量、服务态度一直在全省同行业中处于领先地位,被江苏省水利物资主管部门吸收为省物资网络理事会中心组成员。上、下水利物资系统形成了网络。可以组织充分的货源,保证市场供应。现在物资站有两块基地,除站本部以外,1993年在县水利局的帮助下,在城东西渭河处兴建一座简易码头,占地30多亩。地理位置紧靠高作八里钢铁市场,码头门前设有50吨电子磅,在八里购钢铁,到码头过磅称重。物资站的经营和钢铁市场已经联系起来。由水利仓库转变职能成为物资供应站,十多年来经营效益好,物资站单位和负责人多次受县表彰,成为县水利系统发展水利经营的闪光点。

第九篇

水利机构

　　睢宁从建县开始直到建国前,没有水利专门机构的文字记载,只有黄河河防管理机构的设置。清康熙十七年 0678 年)邳、睢两县在黄河两岸设邳北厅和睢南厅。邳北厅设通判一员、守备一员。厅下设董家塘汛和五工头汛。各汛设州判一员,千总一员,协防一员,每二里设一堡,每堡都驻有民夫和守兵。睢南厅设同知一员,睢宁县丞一人,把总一人,协防二人。厅下设王家塘汛,戴家楼汛。两汛各设主簿一员,协防二员。到嘉庆廿年(1815 年)戴家楼汛又增加协防一员。这是专管黄河疏浚和防汛的。

　　民国年间,初期的睢宁县局势混乱,盗贼蜂起,境内社会治安无法维持。后来抗战爆发,日军占领睢宁城。抗战胜利,县政府于民国 35 年(1946 年)秋重返县城。一直到建国后,县政府内才设建设科,具体负责全县水利工作。

第一章　水　利　局

第一节　机构沿革

一、从"建设科"到"水利局"

　　睢宁县城于 1948 年 11 月 20 日获得解放。1949 年 1 月 23 日宣布成立"睢宁县政府",内设财政、建设等 7 个科,水利由建设科负责,科长刘玉奎,副科长 3 人,科员 3 人,技术员 1 人,会计 1 人。

　　1953 年 5 月,县设农林科,水利由农林科管。1954 年,改农林科为农林水利科。科长王茂芬。1955 年 3 月,县政府更名为"睢宁县人民委员会"。11 月 24 日县人委通知:成立水利科,科长暂缺,由副科长戴洪鼎主持工作。1956 年水利科改为水利局,局内设秘书、财务、工程计划、工程管理 4 个股,编制 31 人。1958 年 5 月县人委任命朱廷鹤为局长。1959 年 7 月朱调离,邱治平任局长。1965 年王晋任局长。

二、"文革"期间的水利局

　　"文革"期间水利局领导干部一律靠边站。1967 年 3 月 7 日睢宁县被军管,驻睢中国人民解放军奉命成立"中国人民解放军睢宁县人民武装部生产办公室"(以下简称生产办公室),水利局先后变为生产办公室的稻改指挥部、生产指挥组的工程科,后期具体业务由王晋抓(王聿富作副手),但工作不够正常。

三、成立水电局又改为水利局

　　1972 年 1 月 25 日,县革命委员会宣布成立"睢宁县革命委员会水电局",胡干卿、丁玉德、仲建华先后为主要负责人。内设政工、工程、井灌、机电 4 组,编制 85 人,其中行政编制 35 人,事业编制 50 人。

　　1977 年 12 月 6 日,县革委会下文撤销水电局改为水利局,局长仲建华。原设的组改为

睢宁县水利局平面示意图

1996年

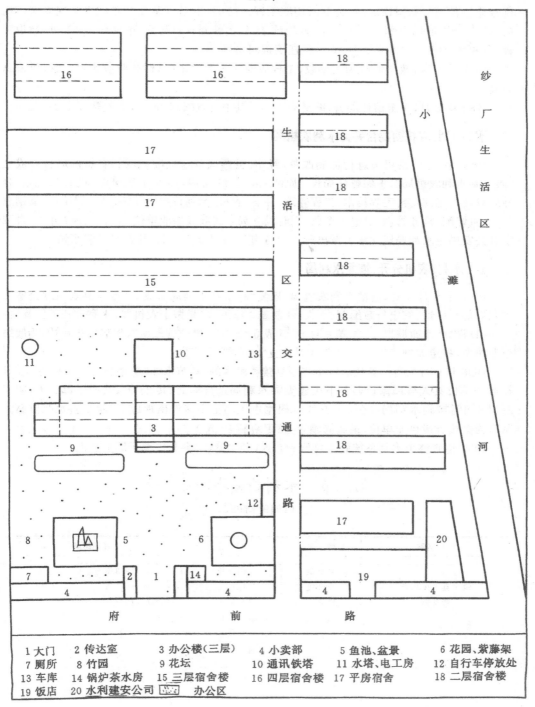

1 大门　　2 传达室　　3 办公楼（三层）　　4 小卖部　　　5 鱼池、盆景　　6 花园、紫藤架
7 厕所　　8 竹园　　9 花坛　　10 通讯铁塔　　11 水塔、电工房　　12 自行车停放处
13 车库　　14 锅炉茶水房　　15 三层宿舍楼　　16 四层宿舍楼　　17 平房宿舍　　18 二层宿舍楼
19 饭店　　20 水利建安公司　　办公区

股。1978 年 7 月水利局办公地点从县大院迁至县西关小滩河西侧,单独建办公楼。1978 年
7 月王维甫任局长。8 月 23 日根据省水利局指示在治淮工程团建制的基础上组建"睢宁县
半机械化工程团",承担徐洪河、废黄河切滩工程。12 月 29 日县革委会正式下文成立这一
机构,局长王维甫兼任团长,一套班子,两块牌子。局内编制有所调整,除原有 4 个股外,增
设工管、财务 2 个股。1980 年 3 月,刘一民任工程团团长。

1981 年 6 月,政工股改为人秘股,工程股改为工程技术股,财务股改为财会股,增设总
务股。

1982 年 5 月,丁玉德任局长,编制为 65 人,其中行政编制 28 人,事业费开支 37 人。

四、水利、农机两局合并为水利农机局

1984 年 3 月,县机关进行体制改革,经市、县两级政府批准,水利、农机两局合并成立
"睢宁县水利农机局",王保乾任局长。原两局共有 11 个股,15 个下属单位,职工 574 人。
合并后只设人秘、财会、工程技术、工程管理、井灌、农机、水利技术指导站,共 6 股 1 站,撤销
总务、农机修配、机务管理、机电 4 个股,同时设立局下属股级事业单位 17 个。1987 年 12
月睢宁县公安局在水利局成立水上派出所。1988 年 4 月设立审计股、综合经营管理站。

五、水利、农机分开,恢复水利局

1989 年 1 月 3 日,撤销水利农机局,恢复"睢宁县水利局",成立"睢宁县农机办公室"。
水利局仍在原址,核定行政编制 30 人,建制基本未变,只是搬走农机股,水利局长王保乾。
12 月 29 日设立"水政股"。1991 年 6 月 14 日成立"睢宁县堤防管理所",属局下属机构,为
股级事业单位,核定编制 4 人。1994 年 4 月成立"水费管理所"。

1996 年 2 月 13 日,县政府宣布将原县建委隶属的"县节水办"整建制划归水利局。16
日在监交单位县人事局派员监督下由建委向水利局进行移交,共 28 人,其中干部 2 人,职工
26 人,同时搬到水利局办公。5 月 8 日根据中央、省、市文件精神成立"睢宁县水政监察大
队",为全民股级事业单位,隶属局领导,核定编制 10 人。

1997 年底整个水利系统职工总数 618 人,其中管理、事业技术干部 168 人。

第二节　水利局领导成员更迭

(1949~1997)

机构名称	姓名	职务	任职时间
睢宁县人民政府 建设科 1949.1~1953.5	刘玉奎	科　长	1949.1~1953.5
	仝理民	副科长	1949.1~1952.6
	陈光永	副科长	1952.6~1954.10
	戴洪鼎	副科长	1952.6~1953.5

机构名称	姓名	职务	任职时间
睢宁县农林科、 农林水利科、 水利科、水利局 1953.5～1967.6	王茂芬	科　长	1953.5～1955.11
	朱保坤	副科长	1953.11～1954.11
	戴洪鼎	副科长	1953.5～1959.10
		副局长	1963.10～1967.12（"文革"停职）
	朱廷鹤	局　长	1958.5～1959.7
	邱治平	副科长	1956.4～1959.10
		局　长	1959.10～1965.12
	王　晋	局　长	1966.1～1972（"文革"停职）
	王行泰	副局长	1959.10～1963.8
	杨文秀	副局长	1959.10～1965.12
	夏献坤	副局长	1960
	许文成	副局长	1963.8～1965.10
	吕骏	副局长	1965.1～1966.5（"文革"停职）
	高本新	副局长	1965.9～1967.1（"文革"停职）
睢宁县革命委员会 水电局 1972.1～1978.1	胡干卿	主要负责人	
	丁玉德	主要负责人	
	仲建华	主要负责人	
	魏维贤	负责人之一	
	薛庆祥	负责人之一	1972年初～1972年底
	王树林	负责人之一	1973年初～1975.5
	任士凡	负责人之一	
	吴允成	负责人之一	
	汪玉璞	负责人之一	
	袁学振	负责人之一	
睢宁县水利局 1978.1～1984.3	仲建华	局　长	1975.5～1978.7
	魏维贤	副局长	1975.5～1979.8
	王树林	副局长	1975.5～1978.6
	薛庆祥	副局长	1975.5～1978.2
	任士凡	副局长	1975.11～1984.4
	汪玉璞	副局长	1975.5～1985年初
	吕　骏	副局长	1978.1～1982
	王维甫	局　长	1978.7～1982.5
	李广因	副局长	1978.12～1982
	丁玉德	局　长	1982.5～1984.3
	孙佩侠	副局长	1978.12～1984.3
	王行泰	副局长	1979.2～1984.3
	沙　辉	副局长	1981.4～1984.3
	王保乾	副局长	1982.2～1984.3
	李玉清	副局长	1982.11～1984.3

机构名称	姓名	职务	任职时间
睢宁县水利农机局 1984.3～1989.1	王保乾	局　长	1984.3～1989.1
	刘爱波	副局长	1984.3～1985.3
	李玉清	副局长	1984.3～1988.12
	王德奎	副局长	1984.5～1989.1
	郑盛安	副局长	1985.4～1989.1
	刘向东	副局长	1986.1～1989.1
	刘保忠	副局长	1988.6～1989.1
睢宁县水利局 1989.1～1997.12	王保乾	局　长	1989.1～1997.4
	刘向东	副局长	1989.1～1997.4
	王德奎	副局长	1989.1～1989.2
	刘保忠	副局长	1989.1～1997.4
	孔庆峰	副局长	1989.3～1995.11
	黄　辉	副局长	1989.3～1997.4
	陈庆仪	副局长	1992.1～1995.11 1997.4～
	武献云	副局长	1994.12～
	陈　忠	副局长	1995.5～1995.12
	吕立化	副局长	1995.12～1996.8
	刘培义	副局长,党委副书记	1995.11～
	李树仁	副局长	1995.11～
	刘清明	局　长	1997.4～
	金继华	工会主席	1990～1992.12
	杨以玲	工会主席	1992.12～1994.12
	吕庆安	工会主席	1994.12～

睢宁县水利局 1997 年底局级领导干部

姓　名	正　职	副　职
刘清明	局长、党委副书记	
汤荣业	党委书记	
刘培义		副局长、党委副书记
李树仁		副局长
武献云		副局长
陈庆仪		副局长（正局级）
周鹏强	纪检书记	
吕庆安	工会主席	

水利局 1997 年底各股正、副职名单

单　位	股　长	副 股 长
人秘股	陈　兵	相秉成（正股级）
工程技术股		宋文、鲍本忠、宋端贤、王运甫
工程管理股	吕振家	郭井传
财会股	徐清波	李云
水政股	梁化林	马爱华
审计股		刘保环
后勤股		张伯彩、侯立星
堤防管理所		王敦建
水上派出所	周杰（所长） 史元启（指导员）	鲁荣刚（副所长）
水政监察大队	杨　军	王政法
水费管理所	彭云山	王行恩
水利综合经膏管理站	杨硕芝	魏奎华、刘伟东
节水办	施云龙	郝振球、杜达、陈杰
水利技术指导站		李桂科、陈振亚、张其宝、杨树林、戚邦清、王玉宵、王敦平

曾在水利局各股、室从事主要业务工作人员

股室名称	人　员　姓　名			
人秘股 （包括政工秘书）	马　毅(1955~1958) 王行敏(1962~1970) 张东英(1972~1982) 李达明(1981~1982)	赵维新(1957~1961) 张玉庆(1964~1966) 吕宏达(　~　) 金继华(1984~1990)	凌文志(1957~1961) 陈相廷(1964~1971) 倪其寿(1977~1983) 王敦建(1985~1987)	沈伯连(1958~1961) 刘一瑞(1972~1974) 胡满昌(1978~1984) 吕庆安(1990~1994)
工程股	陈先明(1951~1963) 杜宝贵(1956~1962) 王德奎(1982~1985)	谢玉白(1956~1977) 王保乾(1972~1981) 柳波平(1956~1971)	赵士学(1956~1963) 王文友(1973~1975) 黄　辉(1984~1989)	杨文秀(1956~1959) 张广振(1980~1992)
工程管理股	孙远程(1977~1980)	沈桂宏(1977~1982)	朱其宇(1978~1981)	孔庆丰(1986~1989)
财务股	张绍业(1960~1971) 朱贤涛(1979~1983) 万太熹(1957~1978)	黄广夫(1964~1971) 张玉福(1981~1982) 周夫泽(1953~1973)	夏正宽(1964~1978) 王行恩(1983~1989) 陈允贤(1972~1979)	夏广贞(1978~1982) 郭井傅(1979~1983) 吴新兰(1989~　)
后勤股	王　泉(1980~1984)			
机电股	刘保杰(1976~1986)	戚远飞(1977~1987)		
井灌股	樊家寿(1972~1974)	滕丙奎(1976~1986)	彭云山(　)	
农机股	吕玉铎(1957~1960) （农机公司）	锹学洲(1984~1985)	孙伯宏(1985~1989)	刘　涛(1986~1989)
综合经营股	司　昭(1986~1987)			
水政股	彭云山(　)			
其他	周维学(1949~1951) 彭玉光(1956~1957)	姜宗品(1950~1956) 陈兴道(1956~1957)	汤才选(1953~1956) 余学英(防汛办)	周本义(1956~1957)

说明：所查资料不全，后请有关人员回忆，名单可能仍有疏漏。

1997 年水利局工作人员

姓　名	科　室	职　务	性别	民族	参加工作时间	入党年月	学历	专业技术职务	业务特长	籍　贯
刘清明	水利局	局长、党委副书记	男	汉	1970.5	1976.2	大专	经济师		睢宁姚集
汤荣业	水利局	党委书记	男	汉	1963	1965	中专	政工师	政工	睢宁邱集
刘培义	水利局	副书记副局长	男	汉	1969	1970	大专	工程师政工师		睢宁桃园
李树仁	水利局	副局长	男	汉	1972	1974	大专	政工师		睢宁庆安
武献云	水利局	副局长	男	汉	1975	1979	大学	工程师	机电排灌	睢宁官山
陈庆仪	水利局	副局长（正局级）	男	汉	1975.9	1983.7	大学	工程师		睢宁张圩
周鹏强	水利局	纪检书记	男	汉	1971	1980	大学	讲师	政教	睢宁苏塘
吕庆安	水利局	工会主席	男	汉	1965	1966	高中	政工师		睢宁官山
王保乾	水利局	主任科员	男	汉	1961.9	1980	中专	高工	农田水利	睢宁高作
刘向东	水利局	副主任科员	男	汉	1960.7	1961	中专	工程师		睢宁沙集
刘保忠	水利局	副主任科员	男	汉	1963	1965	高中	工程师		睢宁沙集
黄　辉	水利局	副主任科员	男	汉	1964	1985	中专	高工	农田水利	江阴
陈　兵	人秘股	股长	男	汉	1976.10	1979.7	大专	政工师	政工	睢宁高作
相秉成	人秘股	副股长（正股级）	女	汉	1964	1980	中专	馆员		镇江
郭井传	工管股	副股长	男	汉	1961	1967	高中	经济师		睢宁古邳
王敦建	水政股	副股长	男	汉	1970	1985	大学	工程师		睢宁睢城
张伯彩	后勤股	副股长	男	汉	1965	1987	初中	助会师		睢宁张圩
王行恩	水费所	副股长	男	汉	1964	1985	初中	会计师		睢宁魏集
梁化林	工管股	股长	男	汉	1987	1993	大学	助工	机电排灌	睢宁朱楼
张新昌	工程股	局长助理	男	汉	1987	1994	大学	工程师	农田水利	睢宁桃园
宋　文	工程股	副股长	男	汉	1989	1994	大学	工程师	农田水利	睢宁苏塘
王行华	审计股		男	汉	1958	1973	中专	技术员		睢宁魏集
杨　义	人秘股		男	汉	1961	1965	中专	技术员		睢宁高作
宋端贤	指导站	副站长	男	汉	1969.7	1995.10	中专	高工	井灌	睢宁古邳
李桂科	指导站	副站长	男	汉	1970.8		大学	高工	工程	睢宁姚集
徐清波	指导站	副站长	男	汉	1968		中专	会计师	财会	睢宁凌城
吕振家	指导站	副站长	男	汉	1961.9	1982.5	中专	高工	工管	睢宁古邳
朱友芹	指导站		女	汉	1968.12	1982.11	大学	高工	工程	睢宁邱集
陈振亚	指导站	副站长	男	汉	1968.12	1986.12	大学	高工	工程	睢宁庆安
刘建东	指导站		男	汉	1958.8		中专			睢宁龙集
鲍本忠	指导站	副站长	男	汉	1970.8	1979	大学	高工	机电	睢宁庆安
郑　雪	指导站		女	汉	1982.6	1996.12	大专	馆员		睢宁
余家君	指导站		男	汉	1988.7		大专	助工		
张翠签	指导站		女	汉	1978.1	1973.10	大学	高工	工程	睢宁

姓 名	科室	职 务	性别	民族	参加工作时间	入党年月	学历	专业技术职务	业务特长	籍 贯
刘保环	指导站	副站长	男	汉	1964.8	1990.10	高中	会计师	财会	睢宁
张其宝	指导站	副站长	男	汉	1970.8	1987.4	大学	高工	工程	如皋
王运甫	指导站	副站长	男	汉	1970.8	1988.11	大学	高工	工程	睢宁沙集
杨树林	指导站	副站长	男	汉	1959.12	1966.4	中专	政工师	政工	睢宁
戚邦清	指导站	副站长	男	汉	1959	1968.4	初中	政工师	政工	睢宁
侯立星	指导站	副站长	男	汉	1969.5	1973.1	高中			睢宁
王玉肖	指导站	副站长	男	汉	1969.5	1966.6	初中	助会师		睢宁
李 云	指导站	副站长	男	汉	1989.8	1994	大专	助会师	财会	睢宁
潘 永	指导站		男	汉	1991.8		大专	技术员	机电	睢宁
徐士明	指导站		男	汉	1970.8		大学	工程师		睢宁
余 磊	指导站		男	汉	1991.7		中师			睢宁
庄 凯	指导站		男	汉	1987.8		大专	技术员		睢宁
徐怀芝	指导站		男	汉	1979.3		大专	工程师		睢宁
王敦平	指导站	副站长	男	汉	1979.3		大专	工程师	工程	睢宁
魏奎华	指导站	副站长	男	汉	1961.8		高中	助会师		睢宁
李连胜	指导站		男	汉	1963		初中	助会师		睢宁
卢建华	指导站		女	汉	1977		高中	技术员		睢宁
马艾华	指导站	机关工会主席	女	汉	1980.9	1992.12	大专	政工师		涟水
薛加元	指导站		男	汉	1972.1	1981.7	高中	助会师		睢宁
杨硕芝	经管站	副站长	男	汉	1974	1976.9	高中	助工		睢宁
王明甫	指导站		男	汉	1995		大专			睢宁
杨 军	水政股	水政股长兼水政监察大队常务副大队长	男	汉	1985	1988	大专	助会师		睢宁
王政法	监察大队	副大队长	男	汉	1974.10	1977.12	高中			睢宁
徐俊伟	指导站		男	汉	1996.9		大学			睢宁
李 霄	指导站		男	汉	1996.9		大学			睢宁
李加楼	指导站		男	汉	1996.9		大学			睢宁
刘伟东	经管站	副站长	男	汉	1990.1		大专	会计师		睢宁

除上述人员外,尚有职工和借调人员:

姚贤辉 刘 杰 唐 军 崔 烂 潘 锋 吴苏磊 汤 锐 王万才 朱维明
耿庆民 庆 康 鲁荣刚 刘 云 杨 杰 魏 刚 彭国栋 张维刚 邵其洲
盛云飞 王士端 朱维成 庄尚文 孙家良 夏旭华 吕玉宏 纪德虎 李 浩
周 飞 赵 云 沙 景 李永才 许克玉 刘启民 王芝芳 王吉青 路有林
仝道明 陈 联 赵方龄 李祥会 余希红 赵亚德 卢瑞生 郑之超 戈振超
王险峰 刘 志

(名单可能不全)

第三节　中共睢宁县水利局委员会

中共睢宁县水利局委员会的建设,从建国后到 1997 年底变化较多。1955 年 11 月成立水利科,1956 年改为水利局,党员很少。1965 年 1 月农林局、水利局、多管局、种子站 4 个单位成立一个党支部,吕骏任党支部书记。

文革期间党组织停止活动。

1972 年 1 月,睢宁县革委会水电局成立。1973 年 5 月 21 日,中共睢宁县革委会生产指挥组党的核心小组决定改选水电局党支部,支部书记由生产指挥组副组长刘步义担任。

1975 年 8 月 18 日,中共睢宁县委决定成立"中共睢宁县革委会水电局总支委员会",总支书记仲建华,下辖 10 个党支部,129 名党员。

1978 年 1 月 1 日,县革委会决定撤销水电局,成立水利局。11 月 5 日,中共睢宁县委批准成立中共睢宁县水利局委员会,王维甫任党委书记。1982 年 7 月丁玉德任党委书记。

1984 年 4 月,县机关进行机构改革,水利、农机两局合并成立"睢宁县水利农机局",同时撤销"中共睢宁县水利局委员会",成立"中共睢宁县水利农机局总支委员会",王保乾为总支书记。

1989 年 1 月,撤销水利农机局,分别成立水利局和农机办公室。4 月 12 日,中共睢宁县委组织部决定成立"中共睢宁县水利局总支委员会"。10 月 13 日中共睢宁县委决定将水利局总支改为党委,王保乾任党委书记。1990 年 10 月 16 日县委组织部介绍朱守斌任水利局党委纪委书记。

1992 年 12 月 21 日,中共睢宁县委组织部介绍汤荣业任中共睢宁县水利局委员会书记。1994 年 12 月 18 日,县委组织部介绍周鹏强任水利局党委纪委书记。

1997 年 4 月因人员变动,个别党委成员调整,局长刘清明任党委副书记。

1997 年 12 月 31 日,中共睢宁县水利局委员会下辖 1 个总支、17 个支部,党员 317 人,其中正式党员 309 人,预备党员 8 人。

中共基层组织情况登记表　　　　截至 1997 年 12 月 31 日

党支部名称	单位职工总数	党员总数	女党员数	党员平均年龄	支委人数	支委平均年龄	党支部书记			备注
							姓名	年龄	文化	
水利局机关支部	96	81	7	48	7	40	陈兵	38	大专	
水利局物资站	21	9		48	3	47	刘广吉	55	初中	
水利工程处支部	159	32	3	44	5	46	吴以军	39	高中	
机井队	90	17	2	45	5	48	徐美平	44	中专	
凌城抽水站	46	20		42	3	40	杨洪高	33	大专	
沙集抽水站	35	9		52	3	48	卢飞云	47	大专	
袁圩抽水站	16	5		49	1	39	金海	39	高中	
新工抽水站	17	5		53	1	56	周道坤	56	高中	
古邳抽水站	31	9		46	3	41	胡昌栋	40	高中	

党支部名称	单位职工总数	党员总数	女党员数	党员平均年龄	支委人数	支委平均年龄	党支部书记			备注
							姓名	年龄	文化	
高集抽水站	22	11		50	3	46	吴　恒	47	初中	
民便河船闸	17	7		49	1	52	贾宏金	52	高中	
睢城闸	29	14		48	3	45	戈树堂	44	初中	
节水办	31	10	2	44	3	46	施云龙	40	大专	
清水畔水库	9	4		55	1	31	戴　彬	31	高中	
白塘湖养殖厂机关	39	12		45	3	45	程修元	49	大专	
戴楼村党支部	1400	36	2	59	3	50	张本龙	46	初中	
顾庄村党支部	1650	36	3	58	5	49	顾德州	41	高中	

第四节　工会组织

工会是中共领导下的工人群众组织,是工人和党联系的桥梁和纽带。睢宁县水利局工会是 1986 年 5 月在县总工会和水利局党委领导下产生的。

按照工会章程,睢宁县水利局工会到 1997 年底已进行四次换届选举。

首届工会委员会是在 1986 年 5 月 10 日经过县总工会和局党委批准,通过全局职工充分酝酿选举产生的,主席由副局长刘向东兼,相秉成为专职副主席兼机关工会主席。

第二届于 1990 年 2 月 13 日换届选举,金继华为主席,相秉成为副主席。

第三届于 1993 年 8 月 14 日换届选举,杨以玲为主席,马艾华为副主席。

第四届于 1994 年 12 月 18 日换届选举,吕庆安为主席,马艾华为副主席。

第五节　局下属单位

一、水利工程处

水利工程处是 1997 年 2 月 28 日经睢宁县编制委员会批准由县水利局工程一队、二队及机电排灌站三个单位合并组成的,核定编制 142 人,为全民股级事业单位,隶属于县水利局。

这三个单位的具体变化是:

1. 工程一队的前身是“睢宁县水利建筑工程队”。1965 年 8 月 3 日,水利局根据县委“三五”规划精神,为彻底搞好农田基本建设,经县人委批准成立的,共有石工、木工、铁工、钢筋工,包括领导干部和技术员共 31 人,专门负责全县桥、涵建筑任务。工人来自农村,属于亦工亦农,每月由工程队发给每人基本工资 27～30 元,按 40％交队记工分,参加农业分配。施工期间根据工作成绩和思想表现评定奖金,约占基本工资 6％。口粮一律自带,由施工单位按同工种定量补足。1971 年以后,这些临时工陆续转为正式工。队长陈先明,副队长陈湘廷、黄广夫。“文革”期间曾并入县赵山水泥厂。1989 年 5 月更名为“睢宁县水利局工程一队”。

2. 工程二队的前身是"睢宁县水利局汽车队"。1979 年"睢宁县嶂山切岭工程团"移交几部汽车给水利局,经县编委同意成立,属股级事业单位。承担全县农田水利建设运输任务。党支部书记马景荣,队长金继华。1989 年 5 月经县编委同意更名为"睢宁县水利局第二工程队"。

3. 机电排灌站。1961 年 8 月,朱楼圩电灌站建成,9 月 1 日县委劳资部配领导干部1 人,机电工 2 人。随后张集黄墩湖地区蔡桥、花庄、陈平楼三座机电站相继建成。1963 年10 月 3 日睢宁县编委和徐州专署编委批准建立"睢宁县机电排灌站",配 5 名工人,负责全县抗旱排涝任务。站长为水利局副局长戴洪鼎(兼)。70 年代初期发展 57 人,更名为抽水队。1970 年 3 月根据县革委会指示精神并入农机修造厂。1975 年 11 月按照省政府指示,县革委会决定将原并入官山采石厂的农田水利建设工程队和并入农机修造厂的抽水队的人员和财产全部收回,成立"睢宁县抗旱排涝队",承担全县抗旱排涝和农田基本建设任务,党支部书记兼队长赵永康,副队长陈先明。此时工程队和抗旱排涝队合并办公,一个单位,两块牌子。1984 年县机关机构改革,又单独成立"机电排灌站",党支部书记胡满昌,站长戚邦清。

这三个单位经过多年的发展变化和徐洪河上沿线大型建筑的实践锻炼,造就出一大批设计人才和建筑工人队伍,增添了不少的大型建筑工具,都具有各自的实体。但每个单位要独立作业都感不足,不管人员和工具,互相都有求援之心。况且,这种编制是在计划经济下产生的。到 90 年代市场经济不断发展变化,不管是哪一个单位在县内和到外地施工,都暴露出很多问题。因此,水利局从实际需要出发,报请县编委同意,将工程一、二队、机电排灌站三个单位合并,成立"睢宁县水利工程处",主任吴以军,副主任周飞、熊运中,编制 142 人,其中正副职领导干部 3 人,工程师 1 人,助理工程师 4 人,技术员 3 人,助理会计师 1 人。

大型建筑施工工具有:40 打桩机 1 台,26 吨平板车 1 台,0.6 方挖掘机 1 台,0.3 方小型挖掘推土两用机 2 台,2 立方装载机 1 台,16 吨吊车 1 台,10 吨自卸车 1 台,15 吨轧路机 2台,140 马力湿地推土机 1 台,80 马力铲运机 15 台,75 马力推土机 3 台,泥浆泵 36 台,75 千瓦至 120 千瓦发电机 17 台,打夯机 3 台,翻斗车 15 台,混凝土拌和机 7 台(传送带一套)。

工程处领导成员更迭表

机构名称	成立时间	姓名	任职	时间
睢宁县水利建筑工程队	1965.8	陈先明	队长	1965～1970
		陈湘廷	副队长	1965～1970
		黄广夫	副队长	1965～1970
抗旱排涝队	1975.11	赵永康	党支部书记,队长	1975.11～1985
		陈先明	副队长 队　长	1975～1979.8 1979～1985
		朱丙久	副队长	1979.8～1985
		孙永茂	副队长	
		芦子英	党支部副书记	
		阎长岭		1979.8～1985
		孔庆丰	副队长	1983.12～1986

机构名称	成立时间	姓名	任职	时间
工程队	1984.4	李桂科	队长	1984.4～1986.1
		杨树林	党支部书记，队长	1986.4～1990.11
		张其宝	副队长	1986.4～1987.12
		张新永	副队长	1986.4～1989.3
		武献云	副队长	
		王运甫	副队长	1989.1
第一工程队	1989.5	杨硕芝	副队长（主持工作）	1990.11
		董丙政	副队长	1990.11～1995.4
		袁宜品	副队长	1990.11～1997.2
		吕玉宏	副队长	1991.5
		吴以军	副队长，队长	1992.5～1995.2 1995.2～1997.2
		戈树堂	党支部书记	1995～
		宋文	副队长	1993.7～1995.2
机电排灌站 到抽水队 机电排灌站	1963.11 1970 1984.4	戴洪鼎	（兼）站长	1963.11
		胡满昌	党支部书记	1984.5～1987.2
		戚邦清	站长	1984.5～1986.5
汽车队	1979.8	马景荣	党支部书记	1979.8～1984
		金继华	队长	1979.8～1982.10
		李达明	队长	1982.10～1984
		徐伯银	党支部书记	1984.4～1985
		魏贤昌	副队长	1984.8
		王敦建	主持工作	1985～1986
		侯立星	党支部副书记	1986.1
		戚邦清	党支部书记	1986.5
第二工程队	1989.5	张新永	副队长	1989.3～1995.4
		刘启民	副队长	1989.7～1992.4
		王敦平	副队长	1990.10～1996.4
		丁德明	副队长（主持工作）	1992.5～1997.2
		刘雅顺	副队长	1992.4
		邱绍厅	副队长	1994.4～
		徐美平	队长	1995.4
第二工程队	1989.5	王敦平	党支部书记	1996.4～1997.3
		胡居春	党支部副书记	1996.4～1997.3
工程处	1997.2	吴以军	主任	1997.3～
		周飞	副主任	1997.3～
		熊运中	副主任	1997.3～

二、机井队

1965年9月2日水利局根据中共睢宁县委"三五"规划精神，为更好地发展井灌事业，建设旱涝保收、稳产、高产农田，向县人委报告，要求建立小型整井、建井工程队，人员从农村吸收15名，年龄25岁至35岁，性南属亦工亦农，每月工资24元，口粮自带，10月6日县人委以睢办字572号文同意水利局9月2日报告中所提出的要求，1966年9月9日水利局正式宣布睢宁县水利局机井队成立，设在睢城西关周村，水利局科员张玉庆任队长，并配孙永茂、王保乾、柳波平、王诗明、郁文泰等管理人员。

1966年底该队有打井机具26套，柴油机19台。

"文革"后期，机井队并入县小五金厂，后又从小五金厂调回部分人员组建机井队。

1976年5月机井队拥有150型小跃进钻机25台，6英寸泵冲井机20台，压风机2台，车床3台，刨床、钻床、电锯各1台。年底共有58名干部和工人。

1984年县机关机构改革，县编委给机井队编制100人。

机井队领导成员更迭表

姓　名	职　务	任职时间	姓　名	职　务	任职时间
张玉庆	队　长	1966～1969	孙远程	队　长	1984～1985
孙永茂	组　长	1969	彭云山	副队长	
戴国贞	副组长		李桂科	副队长	
李德臣	组　长	1970	司　昭	队　长	1985～1986
孙永茂	副组长		刘昌华	副队长	
董守备	党支部书记	1974～1975	徐士明	副队长	
韩殿章	党支部书记	1975.8～1978	胡满昌	党支部书记	1987.12～1990.11
戚远飞	副　职		吕庆安	副队长	
武维斌	副　职		杨勺芝	副队长	
张玉庆	党支部书记 队　长	1978～1981	魏贤昌	副队长	
唐维荣	副　职		杨树林	党支部书记 队　长	
李达明	主持工作	1981	陈　杰	副队长 队　长	1990.11～1992.5 1992.5～1997
金继华	队　长	1982.4～1984.3	徐美平	党支部书记	1996.3～
陈丙宜	副队长		王行栋	队　长	1997.12
郑安帮	短期主持工作				

三、物资供应站

物资供应站的前身是水利局物资仓库，建国后每年水利工程都是季节性的，工程完成后工地上节余的物资和工具都集中放到仓库保管，第二年施工时再从仓库取出。管理人员只有主任、保管员、会计 3 人。这是计划经济时代的水利物资管理方式,只保管不经营。80 年代为了适应经济改革新形势,1984 年正式将水利局仓库改为"物资供应站",当年有职工 9 人,到 1997 年职工有 19 人。

物资供应站领导成员更选表

姓 名	职 务	任职时间	姓 名	职 务	任职时间
戴尔迎	主 任		马保贵	副站长	1991.5～
朱丙久	主 任		刘昌华	副站长	1993.5～1994.4
金继华	主 任		刘启民	副站长	1995.4～1995.10
刘广吉	站 长	1984～	吴光裕	副站长	1995.5～
戴尚桂	副站长	1984～	李 忠	副站长	

四、库、闸、站领导人更迭

(一)庆安水库

1959 年 5 月庆安水库建成,经县人委批准成立"庆安水库管理所",属副局级,事业单位,编制为 42 人。当时行政管理属于县人民委员会,具体业务归属县水利局。夏云是第一任所长(曾任县检察院副检察长),80 年代中期降为股级,行政和业务都由水利局管理。1994 年 3 月经中共睢宁县委常委会确定:"庆安水库管理所"仍为副局级机构。

庆安水库领导成员更选表

姓 名	职 务	任职时间	姓 名	职 务	任职时间
夏 云	所长	1959.5～1961.2	尹明亮	党支部书记	1987.12～1989.3
李厚才	所长	1961.2～1966	王维则	党支部书记	1989.3～1993.8
高方芝	主持工作		张景山	所长	1993.8～1995.9
薛德绍	所长	1966～1969	金 海	副所长	1993.11～1995.10
梁邦荣	副所长		涂朝华	副所长	1994.7～1995.10
董献文	副所长		周 林	副所长	1994.7～1995.10
张明奎	党支部书记	1971～1974	耿庆民	副所长	1994.7～1995.10
张用善	党支部书记	1972～1976	陈 忠	所长	1995.5～1995.12
马政文	党支部副书记	1972.1	张本龙	副所长	1995.10～1997.12
胡政江	所长	1976.11～1980.4	程修元	副所长	1995.10～1997.12
程保玲	党支部书记	1980.1～1980.10	吕立化	所长	1995.12～1996.8
翟 杰	所长	1980.10～1981.6	张景山	所长	1996.8～1997.12
沈西敏	党支部书记	1981.6～1987.12	陈正永	副所长	1997.3～1997.12

(二)凌城抽水站(包括凌城闸)

凌城抽水站位于睢宁县城东南凌城镇皇庙村,是和凌城阁相配套的工程,始建于1970年12月。

凌城抽水站领导成员更迭表

姓　名	职　务	任职时间	姓　名	职　务	任职时间
夏献坤	所　长		姜振英	副站长	
蒋家德	主持工作		徐遵荣	副站长	
杨国清	主持工作		王玉宵	副站长 主持工作	1986.11～1988.4
张广振	主持工作			站　长	1988.4～1993.5
以上四人主要负责凌城闸			张本龙	副站长 主持工作	1993.5～1995.10
阎宗胜	组　长		李继祥	副站长	1994.5～1997.3
程保玲	党支部书记 组　长	1973.7～1978.12	涂朝华	副站长	1992.1～1994.5
王成之	党支部副书记 副组长	1973.7～1979.8	卢飞云 (兼)	站　长	1995.5～1997.3
翁立仁	党支部书记	1978.12～1982.4	金　海 (兼)	副站长	1995.10～1997.3
孙远程	站　长	1982.4～1984.4	王彦东	副站长	1995.10～1997.3
鲍本忠	副站长 站　长	1982.4～1984.11 1984.11～1986.12	杨洪高	副站长 主持工作	1997.3～
孔庆丰	副站长	1982.4～1983.11	郭广富	副站长	1997.3～
张士诚	副站长				

(三)古邳扬水站

姓　名	职　务	任职时间	姓　名	职　务	任职时间
张明奎	党支部书记	1975.9～1978	周道坤	副站长	1987.12～1989.3
程保玲	站　长	1978.12～1979.8	王敦报	副站长	1988.8～1997.12
沈西敏	副站长 站　长	1978.12～1979.8 1979.8～1981.6	张本龙	党支部副书记 (主持工作)	1990.7～1993.5
王成之	党支部书记	1981.6～1983.5	刘一华	党支部书记,站长	1993.5～1997
张洪说	站　长	1983.5～1985.4	胡昌栋	站　长	1997.3～
沈西敏	党支部书记	1985.4～1990.7	沈西圣	副站长	1997.3～

（四）新工扬水站

姓　名	职　务	任职时间	姓　名	职　务	任职时间
薛德绍	党支部书记	1974~1980	周道坤	副站长（主持工作）	1989.3~1997.3
张洪说	站　长	1981.3~1983.5	杨彦文	副站长	1997.3~
袁修堂	站　长	1983.5~1989.3			

（五）清水畔水库

姓　名	职　务	任职时间	姓　名	职　务	任职时间
张玉彩			吴忠良	所　长	1979~1986
刘桂云			薛家元	所　长	1986.12~1991
杜宝贵			胡昌栋	所　长	1993~1997.3
仝太仁	党支部书记	1974~1975	沈西敏	党支部书记	1991~1996
邱怀敏	党支部书记	1975~1979	戴彬	党支部副书记	1997.3~

（六）高集抽水站

姓　名	职　务	任职时间	姓　名	职　务	任职时间
刘一华	党支部书记	1990.7~1993.5	戴洪飞	副站长	
余成友	副站长	1991.4~	吴恒	副站长（主持工作）	1993.5~

（七）睢城闸

姓　名	职　务	任职时间	姓　名	职　务	任职时间
崔德荣	党支部书记		徐士明	副所长	1993~1994
邱绍义			杨彦文	副所长（主持工作）	1994.4~1997.3
孙永茂			戈树堂	所　长	1997.3~
杨硕芝	所　长	1987.12~1988.11	尹明亮	党支部副书记	1993.5~1996.4
戈树芝	党支部书记	1988.12~1990.6	李振岭	副站长	1996.3~1997.5
杨军	副所长	1989.3~1990.12	刘一华	党支部书记	1997.3~
戴洪飞	党支部副书记（主持工作）	1990.7~	涂朝华	副所长	1997.3

（八）民使河船闸

姓 名	职 务	任职时间	姓 名	职 务	任职时间
陈向坤	党支部书记	1974	朱其宇	党支部书记	1981.8～1986
周维礼	所 长		尹明亮	党支部书记	1986～1987
陆学典	所 长		戈树芝	党支部书记	
宋其英	党支部副书记 党支部书记	1974～1977.12 1981.8	贾洪金	党支部书记	1987.12～
臧印祥					

（九）袁圩抽水站（前身是袁圩水库）

姓 名	职 务	任职时间	姓 名	职 务	任职时间
司马科	党支部书记		卢飞云	站长（兼）	1995.5～1997.3
陈尔迎	党支部书记		金 海	副站长站长	1995.5～1997.3 1997.3～
贾宏金	党支部副书记 （主持工作）	1978.12～1987.12	魏 强	副站长	1995.5～1997.3
戈树芝	党支部书记	1987～1988.12	姜宗民	副站长	1995.3～1997.3
惠兆才	副所长	1988～1989.3	戴继明	党支部副书记	1996.3～1997.3
袁修堂	党支部书记	1989.3～1996.3	高维成	副站长	1997.3～
吴光裕	站长	1993.11～1995.3	王彦东	副站长	1997.3～

（十）沙集抽水站

姓 名	职 务	任职时间	姓 名	职 务	任职时间
刘保中	党支部书记	1984	卢飞云	党支部书记站长	1993.11～1997.12
王永德	副站长		马相久	副站长	1993.11～
魏礼斌	副站长		王波涌	副站长	1995～
王维则	党支部书记	1986～1988.3	王彦东	副站长	1995.5～1997.12
惠兆才	副部长	1989.3～1995.10	赵 永	副站长	1995.10～1997.12
尹明亮	党支部书记	1988～1989.3	江 虹	副部长	
张士成	党支部副书记 （主持工作）	1989.3～1993.11			

第六节　乡级水利站

一、临时水利机构

建国初期睢宁人民既要远征治淮、导沂,又要疏通本县内的几条干河。县级水利工作有专门机构、专职人员负责,但各区、乡没有固定的专门机构。当时只有广招社会上有志之士,愿做水利工作,并有一定文化知识的中青年来充当临时干部,进行短期业务培训。工作期间待遇由工程经费中解决,工作结束仍回农村参加农业生产。1957年农业合作化以后,县人委下文要求一个高级农业合作社配一名分管水利干部,待遇同副职干部一样记工分,参加社员分配。人民公社化以后,基本上一个高级社变为一个大队,基层水利工作仍由大队统一管理。

50年代末、60年代初,在中共睢宁县委、县人委统一领导下,集中全县水利骨干,在朱楼圩建设高标准河网化。70年代建设城北刘场10万亩丰产方。这些较大典型试点为各公社培养了大批水利人才。以后各公社将他们组织起来,建立一个临时水利机构,由一名公社副主任担任领导,有的公社称"水利指挥部"或"水利大队部",高亢地区需要打井的,称"井灌办公室"等等。总之,他们的专业是搞农田水利建设,长年有水利工作可做,夏天搞防汛,秋天搞规划,冬天搞土方,春天搞建筑。

二、组建各公社水利常设机构,统一定名为"水利站"

1981年6月,徐州行政公署同意市水利局意见:以现有水利人员为基础,建立公社水利站,取消原有的水利指挥部等临时机构名称。它是公社的一个直属事业管理机构,业务上受县水利局领导,行政管理由公社领导。人员组成一般固定4人,以现有从农水事业费中发工资的水利工程员、机电管理员、井灌员、会计员为基础组成。水利站设站长1人,由公社分管水利的副主任担任,并从以上4员中选一名任副站长。睢宁县人民政府于1981年7月6日将此精神通知各公社,要求尽快把公社水利站建立起来。到1982年底,全县各公社水利站组建完成。

三、水利站的性质和业务范围

1987年11月,江苏省编委和省水利厅下发《关于核定乡级水利管理服务机构人员编制》的206号文,省水利厅又会同省人事局、劳动局下发《关于乡级水利管理服务人员的录用等有关问题》的23号文件。1988年7月,睢宁县人民政府根据江苏省四部门两个文件精神向各乡镇人民政府和县直有关单位下发93号文件,进一步明确乡级水利站统称为"睢宁县水利农机局××水利管理服务站",简称"水管站",性质为全民事业单位,是县水利部门派出机构,属股级单位,在县水利农机局和乡镇人民政府领导下,具体负责本乡镇范围内农村水利建设和管理工作。人员录用按省23号文件规定,由人事局、劳动局、水利农机局根据省逐年下达的劳动指标、干部指标,首先从1985年底在册和现仍在岗位的乡水利员(工程员、机电排灌员、井灌员)和会计员中选拔录用,睢宁县水利农机局按以上录用条件,配合劳动、人事部门,分六批对27个乡镇水利站人员完成录用工作。录用属于干部性质的27人,属于合同制工人的103人。

乡级水管站人员情况登记表　　截至 1997 年 12 月 31 日

乡镇名	站长、副站长							四大员			
	姓名	性别	学历	职务	参加工作时间	技术职务	历史上曾任站负责人	工程员	机电员	井灌员	会计员
朱集乡	王共才	男	高中	站长	1978.12	助工	朱绍义		宋德果	王维胜	魏维品
沙集镇	王良洲	男	高中	站长	1979.8	助工	王宜让	王宜证	沙兴谋	余一品	丁德华
王林乡	魏本志	男	高中	站长	1976.9	工程师	倪训举	朱友珍	胡正德	薛培杰	姜斌
李集镇	王殿奎	男	高中	站长	1965.3	工程师	李成红	单兆松	袁保哲	周维生	岳明
朱楼乡	乔宏江	男	高中	站长	1976		赵宜才、戈树堂、王英章	李宗信		马刚	武静
高作镇	仝朗太	男	初中	站长	1961	助工	仝太丰、宋体忠	张青岩	彭光圣	薛培基	滕丙亚
睢城乡	韩修路	男	高中	站长	1974.8	工程师	林学成、曹吉友、戈树堂	毛礼民	刘延明	王信民	朱端崇
官山乡	王英章	男	初中	站长	1977		洪玉环、张道成	李祥本	张道成	刘一芹	张之文
魏集乡	丁宗隆	男	高中	站长	1976.5	工程师	姜宗民	凌云		田祥信	张荣康
梁集乡	陈绵举	男	高中	站长	1975	助工	王行斌、马修义、梁斌、袁辉	王行斌	梁传邦	沈久海	仲崇文
黄圩乡	刘宏前	男	高中	站长	1975.3	工程师	许开忠、许良富、单兆龙	许春前	许光文	张青银	王行路
张圩乡	钦祥金	男	高中	站长	1977	助工	冯兴柱、张保全、唐成飞、胡正华	王维坡 胡居柱	陈令军	张士敏	宋德华
古邳镇	周道余	男	初中	站长	1975	工程师	吕振家、沈士琪、任培香、魏兴民	任培香	王金凡	宋端超	杜吉敏
浦棠乡	陈祥光	男	高中	站长	1980.9	助工	陈俊友、刘超、陈绵举	梁维宏	仝德民		曹殿明
岚山乡	王正龙	男	高中	站长	1972.2	助工	金继华、李洪业	沈德圣	殷井良	李艳军	马立春
凌城镇	阎光跃	男	高中	站长	1976	助工	杜长春、秦业、梁斌	秦业	刘保林	孙建业	秦之元
庆安乡	王丙瑞	男	高中	站长	1977.8	工程师	张惠清、王秀章		唐献宏		王丙浩
苏塘乡	乔泽良	男	高中	站长	1970.3	助工	徐玉伟、张宝权、周保富	许道友	张道	马兆林	朱辉
姚集乡	王平	男	初中	站长	1978.9		王维坡、王敦玲、胡正华	王敦玲	黄继超	沈玉柏	王春富
王集镇	唐成飞	男	高中	站长	1977.11	助工	魏秀俊	杨道民	王保绪	魏思瑞	王永
邱集乡	朱守印	男	高中	站长	1975.3	助工	朱友道		徐尊跃	任树德	魏其华
城关	胡居春	男		副站长			刘昌武、曹吉友、戈树堂	曹吉友			王本成
刘圩乡	魏本东	男	初中	站长	1978	助工	袁雅松、郭新民、袁辉		史新德	郝维文	罗运才
桃园乡	胡正华	男	初中	站长	1964.2	技术员	杨德选、魏维品	杨德选		宋之新	张计玲
双沟镇	魏秀俊	男	高中	站长	1982.8	工程师	张景山、周道余、吴计贵、白彦良	吴书林	朱怀义	吴计贵	陈召景
龙集乡	周本礼	男	高中	站长	1970.3	助工	姜维栋	姜跃	金永康	程安同	崔平
高集乡	朱友富	男	初中	副站长	1985		邢印华、刘雅顺		朱良杰	郭其礼	朱辉

第二章 兴办工程、防汛抗旱临时指挥机构

第一节 水利临时施工机构领导成员名单

历年来,为加强对水利施工的领导,县委、县政府多次成立由有关部门、单位负责人参加的临时指挥机构。下面将查阅到的资料予以记载。

年 份	机构名称	指挥(总队长)	政委	副指挥
1950	导沂总队部	刘昭诚	刘永章	
1953	高良涧施工总队	刘庆文	刘浩然	
1957.9.22	睢宁县水利工程总队	林雅萍	刘庆文	夏 云
1960.11	睢宁县水利建设工程指挥部	刘步义	刘庆文	王维甫
1960.11	睢宁县嶂山切岭施工总队	朱廷鹤		杨文秀
1960.11	古邳扬水站施工办事处	夏 云		刘俊业
1960.11	睢宁县京杭大运河施工总队	刘浩然		
1962.11	睢宁县水利施工指挥部	刘步义	周庭章	贾石华
1964.11	睢宁县民便河施工办事处	夏 云		戴洪鼎
1965.4	惟宁县安河施工总队部	刘步义		
1965.11	睢宁县龙河施工团	朱化南	刘步义 夏云(副)	葛 明
1966.2	睢宁县安河施工总队	朱化南	史介魁 夏云(副)	姚梦久 戴洪鼎 邹 刚
1972.4	睢宁县嶂山切岭工程团	王继良 袁学振 王维甫		李广田
1980.7	睢宁县围垦指挥部	徐广庆		姚海述 王行泰 沙 辉
1982.11	睢宁县农田基本建设指挥部	周开诚	徐广庆 李昌盛(副) 王维甫(副)	丁玉德
1989.11	徐沙河上段疏浚工程指挥部	胡康亚		胡居臣 王保乾 姜继民
1991.8	睢宁县徐洪河续建 工程指挥部	王大庆	徐毅英(女) 王瑞芹(副) 周端明(副) 王炳章(副)	申桂书 郑之高 王保乾 姜继民 王聿之 盛洪元 张志然 高维甫 李祥云 宗乐元
1996	睢宁县中低产田 改造领导组	王德奎		戴 斌
1996.11	睢宁县今冬明春 重点工程施工指挥部	王德奎		刘清明 王保乾 戚少华

第二节　有关年份防汛抗旱机构成员名单

年　份	指　挥	副　指　挥
1951	彭瑞人	刘玉奎
1952	彭瑞人	夏　云　王茂芬　刘玉奎
1953	赵兴汉	刘玉奎
1957	刘步义	戴洪鼎
1958	林雅萍	刘庆文（政委）
1960	刘步义	
1974	王克年	朱沁源　刘步义　史介魁　丁玉德
1979	沙玉琴	徐广庆　王维甫
1980	徐广庆	周开诚　王维甫
1982	沙玉琴	周开诚　王维甫　丁玉德
1983	曹邦伦	王炳章　丁玉德
1984	郑声荣	徐家学　徐　平
1985	魏本忠	徐　平　王炳章
1987	郑声荣	李光芹
1991	申桂书	李光芹　郑之高　王瑞芹　张　威　王保乾
1993	韩振美	王德奎　倪成泰　王瑞芹　张　威　王保乾
1996	仲　琨	王德奎　张　威　蔡　森　陈　凡　王保乾
1997	王德奎	戴　斌　郭文科　刘清明　朱元海

滞洪指挥部领导成员名单

年　份	指　挥	副　指　挥
1980	高茂森	徐广庆　孙昌武　刘步义　苗诗乐　赵景玉
1991	徐毅英	申桂书　郑之高　王瑞芹　张　威
1993	吕永信	郑之高　王瑞芹　张　威　王保乾　侯立亚　卢敬业　胡昌柱

说明：此指挥部不是年年成立。

第三章　人　　物

第一节　治水模范

建国后,县政府刚刚成立几个月,苏北人民行政公署提出整沭导沂,根治水患,睢宁县动员 2 万民工前往沭阳城。当时的睢宁还没有医好多年战争创伤,正处在饥寒交迫之中,但 2 万多民工在县委、县政府的领导下,还是如期到达,在投入治水战斗中,充分显示了睢宁的英雄儿女一不怕苦、二不怕累、三不怕严寒冰雪和酷暑炎热,敢于拼搏,敢于斗争,能打硬仗的革命精神,如沙集乡的鲁桂良,在导沂的整个过程中,每天保持完成 8 立方米工作量,号称"鲁八方",受到苏北导沂指挥部的表彰,1957 年被邀请去北京参观,并受到华东军政委员会、水利部等各级多次表彰。除"鲁八方"外,还有刘盛恩、妇女李士英、钱兰芝等也都是建国初期治水积极分子。从 50 年代后期高标准河网化建设直到 70 年代梯级河网化工程建设都涌现出不少的劳动模范人物,现就较为突出的写出四例。

治水英雄"鲁八方"

"鲁八方"原名鲁桂良,为沙集镇四丁村夹河村村民,建国前由于本人出身贫困家庭,经常逃荒要饭流浪他乡。建国后,自己感觉到在政治上、思想上、经济上都得到翻身,所以对各项工作都能积极带头完成,特别在治水方面表现尤为突出。

1950 年春在大运河筑堤工程中,鲁桂良自开塘、自取土、起早贪黑第一个创造了日工效 8 立方米的优异成绩。同年冬在六塘河工程中,他领导 108 人的突击队,以 18 天的时间完成 45 天的任务,因而人家不叫他鲁桂良,而叫他"鲁八方",从此,"鲁八方"的名字也就响彻整个六塘河工地了。

1951 年春季在导沂工程中,在运距远的情况下,他创造了两人合力自挖、自推,每天仍保持 8 方以上。在他的影响下,全工程出现过数千个工效 8 方的个人。1953 年在高良涧、三河闸工程中,在 600 米运距的情况下,日工效仍保持在 3～6 方。1956 年在安河工程中,1957 年在中渭河工程中均打破了 8 方纪录。1957 年他在潼河工程中由于自己苦干、巧干,影响带动了全小队战胜稀泥流沙、砂礓等困难,以 13 天时间完成 30 天的任务,使沙集大队 1300 名民工提前 8 天完成任务。

1958 年春,在中运河西堤退建工程中,他领导全小队采用单队、单塘、单车,一标、五大、四快等方法。一标,即每天均要完成上级交给任务指标;五大即铣头大、车头大、步子大、声势大、成绩大;四快即挖得快、装得快、推得快、回来更快。全小队以 29 天时间完成 74 天的任务。在他带动下,沙集大队出现了 18 个先进小队,均提高工效一倍以上,使全大队提前 26 天完成任务。由于鲁桂良同志积极响应党的号召,勤于钻研,团结群众,屡创奇迹,他曾先后荣获睢宁县政府、苏北导沂整沭工程处、徐州专区治淮指挥部、苏北导沂整沭工程委员会、华东军政委员会、水利部等部门颁发的奖状、喜报 14 份,奖旗 20 面,奖章 3 枚,荣获其他物资、名誉奖励不下百次,1957年被邀请去北京参观,并被选为睢宁县人民委员会委员,沙集公社管理委员会委员,他的光荣事迹流传于广大农村,深受广大群众称颂。

水利战线穆桂英——桑佩华

桑佩华,女,系古邳镇黄河村村民,大跃进年代时为23岁,中共正式党员。由于她出生在一个贫苦农民家庭,父亲早亡,跟随义父生活。在旧社会受人歧视,又被家庭约束,生活苦若黄连。解放后,政治上得到翻身,思想上得到解放,特别是结婚后,从一个封建的被人歧视的家庭,跳到一个和睦的温暖家庭,全家6口人有3个共产党员,1个共青团员,这是她在平常工作中,干劲足,心情舒畅,思想进步的一个重要因素。

在大跃进的1958年冬,在县委、县人委的统一领导下,全县范围内开展规模宏大的以河网化为中心的水利建设高潮。运动开始,桑佩华就报名参加妇女班,在全县统一大放土方卫星时,她们班创造了最好成绩,为全县广大妇女树立了榜样。

桑佩华在整个水利建设过程中不但自己带头积极苦干,而且领导作风也很深入,他们班11人,都是青年妇女,从未发生过口角,大家都亲如姊妹,她深夜常给人家盖衣服,发现有的同志病了,她去问寒问暖,帮助解决病人困难,有的同志嫌自己工具不好用,她就把自己的好工具让人用。领导交给的任务从未提出过困难,就是碰到困难也都是和全班同志一起研究解决,当上级号召高标准、高速度、高工效实现河网化时,不但自己敢于吃苦大干,而且敢于大胆革新,和大家一道研究改制使用人力滑车,每人可节省10多个劳动力。因此,全班日工效保持在10方以上,大大带动了全队民工,全队掀起学佩华、赶佩华、超佩华的高工效竞赛运动,她所在的班因而成为古邳工地的一面红旗。

由于该同志敢想、敢干,克服困难,超额完成任务,因而在大跃进时光荣地加入了中国共产党,并被评为全县一等模范,荣获先进红旗一面和光荣匾等奖品。

独手英雄徐兰英

徐兰英是一个25岁(1959年)的青年妇女,出身于一个贫苦农民家庭,原为沙集公社沙集生产队村民,曾任沙集公社管理委员会委员,沙集生产队队长。

她8岁的那一年,日本侵略者丢下炸弹,夺去了她的左手。在旧社会,她这个独手残疾人受尽了歧视和压迫。身体健壮的人尚且难得温饱,她这残疾的农家女儿,就更是过着饥寒交迫的生活,对旧社会的恨,激起了她对新生活的爱。国家开展规模巨大的建设,农村热火朝天的生产,激起了她的雄心壮志。1958年徐埝运河开工时,她就首先报名要求参加,领导上考虑她左手残疾,家里还有小孩子,就劝她留在后方生产。但是,她说:国家建设这样忙,大家都在干,我怎么能在家闲着,闲着总觉得心里不好受。经她一再申请领导也就同意了。到工地后,一只手拿锨使不出劲,推车撑不住把。但是,她还是咬紧牙关,克服了困难,拿锨时右手握柄,用左胳膊压住。推手推车时,将车襻往头上一套,右手握住一边,左胳膊顶住另一边。虽然干活比别人吃力,但工效却比别人高,成为当时工地上的一面红旗。

1959年京杭大运河开工,她又参加了,并且担任班长,一班8个人,担负2986立方米土的任务。结果比预定工期提前完成,平均超过定额93%。她在班里处处以身作则,时刻关心群众,全班团结得像一个人一样。初来时班里有人想家,不安心工作,她一面耐心地进行教育,一面用自己的实际行动来影响大家,她有一个8岁的孩子,从来没离开她,她爱人写信要她回去看看孩子,她没有回去。不久,她爱人又亲自来到工地,说孩子很想念她,希望她请几天假回去一次,可是她回答说:"现在任务很紧,我是一个班长,回去了班里没人负责,还是完工以后再回去,你在家好好劳动并照顾好孩子吧。"她的话不仅说服了爱人,并且也影响了全班民工。她们表示:要安心劳动,不完成任务决不回家。

劳动中她也处处带头,坡浅时她单推单上,坡陡时她单手使不上劲,就给人拉车子,一个人管 8 辆车子,来回都是小跑,累得满头大汗也不叫苦,她还向领导建议开展高工效比武竞赛,她领导的 7 个人,由于成绩突出,夺得了红旗。

生活上她也处处关心大家,一有空闲,就为民工们洗衣服,补鞋袜,民工们反映:徐兰英,思想红,干劲大,团结群众好,是我们学习的好榜样。

不怕死的"铁闺女"

贾雪玲,女,睢宁县姚集乡人,在 1977 年 11 月 17 日徐洪河第二期七咀至徐沙河的工地上,大家都在挥锹拿锨你争我抢地拼命干活时,她趁着工休机会向工地送茶水,忽然发现一台爬坡器钢丝绳被绞乱,便奋不顾身,拽住飞快下滑的钢丝绳,被轧断三个手指,血流如注,但还坚持将钢丝绳理好,避免了一起严重工伤事故的发生。在受伤住院治疗期间,她又提前跑回工地,不顾干部群众劝阻,坚持参加劳动,被群众称为一不怕苦,二不怕死的"铁闺女"。

第二节　省、市、县三级政府表彰的先进集体和先进个人

睢宁县水利事业的发展与建设,是在县委、县政府和上级业务主管部门的正确领导下,经过全体水利战线上广大职工和科技人员共同努力而取得的。特别是 80 年代初到 90 年代末,睢宁水利发展进入高峰期,每年都有新的突破,省、市、县三级政府曾多次给以表彰。

具体可分:学术论文奖、工作实绩奖。

一、学术论文奖

王保乾撰写:(1)"睢宁县关于盐碱土改良的情况汇报"在 1978 年 6 月水利部等国家有关单位举办的"南水北调"初审会议来睢宁查看时介绍并印发。(2)"睢宁县梯级河网规划介绍"在 1981 年 12 月省水利厅在淮阴召开的学术讨论会上介绍并印发。(3)"细石屑代替黄砂的应用"刊登在 1983 年 1 月江苏省水利科学研究所编写的《江苏省水利科学技术成果选编》中,获得江苏省水利厅水利科技成果三等奖,并获得了奖状。(4)"坚持不懈,大干水利,农田基本建设再创新成绩"在 1986 年 9 月在盐城召开的全省水利会议上介绍并印发。

王保乾、王德奎共同撰写的"睢宁县水利规划论述"刊登在 1982 年中国水利学会等办的《黄淮海平原农业发展学术讨论会论文选》第三卷上。

潘齐德、王保乾共同撰写的"徐州地区平原坡地梯级河网规划探讨"刊登在 1982 年 5 月江苏省科学技术学会主编的《江苏省徐淮地区农业发展学术讨论会资料选编》。

王保乾、周立云、宋端贤、李祥会共同撰写的"低压全塑管优化灌溉工程的研究与应用"一文通过市专家组鉴定,1991 年获得县政府科技进步二等奖,被县政府列为十年国民经济发展项目。"八五"期间已在 10 个乡镇推广应用。由于效益显著,该项目分别获得省水利科

技推广一等奖,市组织实施一等奖,农业科技推广二等奖,徐州市 1994～1995 年度自然科学优秀学术论文三等奖。

黄辉、汪玉璞、彭云山、宋端贤共同撰写的"睢宁县土地利用调查"获睢宁县人民政府1991 年 12 月科技进步二等奖。

黄辉:(1)配合省农科院赵守仁共同撰写的"黄淮海平原中低产田地区综合治理与农业开发"获国家农业部 1993 年科技进步特等奖。(2)配合市局四位同志共同撰写的"徐州市农水装配式建筑物"获江苏省水利厅 1994 年科技推广一等奖。(3)配合省厅工管处储训共同撰写"泵站气蚀调研与气蚀试验研究"获江苏省水利厅 1994 年科技进步二等奖。

张致球撰写"睢宁县农业区划"获省农业区划委员会 1986 年科技成果二等奖。"睢宁县土地详查工作"获省农业区划委员会 1989 年科技成果一等奖,1992 年获省土管局科技成果一等奖,国家土管局科技进步二等奖,1993 年获省土管局科技进步一等奖,国家土管局科技进步三等奖。

宋端贤 1985 年主编的《睢宁县黄河故道地区自然资源图集》获江苏省农业区划和农业自然资源调查成果二等奖,睢宁县人民政府科技进步二等奖。在连云港召开的全国农业区划工作会议上交流推广。此后参与指导编制了江苏省和徐州市黄河故道地区自然资源调查和开发规划,获省农业区划成果三等奖。撰写"节水型灌溉"一文获徐州市科技兴农协调组1995 年 9 月农业科技推广二等奖。

刘保杰配合市局四人撰写的"泵站改造技术的推广与应用"获得江苏省水利厅 1993 年11 月科技推广二等奖。

宋端贤:(1)配合市局四人共同撰写的"徐州市节水灌溉工程技术应用与推广"获省水利厅 1993 年 11 月水利推广一等奖。(2)"淮北地区节水灌溉工程应用研究"获江苏省政府1996 年 7 月农业科技成果转化三等奖。

宋冠川、宋端贤共同撰写的"节水型灌溉技术"获徐州市科技兴农协调组 1994 年 4 月组织实施一等奖。

张新昌、宋端贤共同撰写的"浅论新形势下农田水利建设与发展对策"获徐州市 1994～1995 年度自然科学优秀论文三等奖。

张新昌配合市局四人共同撰写的"12 英寸、14 英寸、20 英寸潜水泵的推广应用"获江苏省水利厅 1994 年科技推广二等奖。

郝振球:(1)研制发明的"卫生节能家用煤球炉"、"蜂窝煤球"被国家专利局分别于 1990年 3 月授予"实用新型"专利,专利号 89211445.2,1991 年 3 月 6 日授予"外观设计"专利,专利号:90300018.0。(2)撰写的论文"农村水压式沼气池出料问题的改革"、"沼气池拱顶粉刷技术"、"用沼气发酵液作添加剂喂养肥猪的试验"分别刊登在国家级刊物《中国沼气》1985年第 2 期、1986 年第 3 期、1988 年第 4 期上。"农村家用沼气池进料口怎样灭蛆"刊登在《沼气动态科技杂志》1987 年第 9 期上。化肥厂节水等 3 篇文章也刊登国家级刊物上,并有 4篇有关沼气方面的论文刊登在江苏省省级刊物上。

二、工作实绩奖

(一)省级表彰奖励

1. 先进集体

水利局在 1986、1987、1988、1989 年连续 4 年在全省农田水利检查评比中,获得一、二、三等奖,受到省厅表彰,奖给锦旗一面,工程经费 33 万元,市水利局奖给 2 万元,计 35 万元。

凌城抽水站、李集镇水管站 1987 年被评为全省水利系统管理先进单位,受到省水利厅的表彰。

沙集抽水站获得全省 1988 年水利系统优秀设计二等奖,奖给奖金 300 元。

2. 先进个人

宋芝荣 1985 年获全省农机化统计工作先进个人称号,受到省农机局表彰。

黄圩乡农机服务管理站唐家顺,1985 年获省农机局财会工作先进个人称号,受到省农机局表彰。

徐清波,睢宁县水利农机局财务股长,1987 年被评为全省水利系统财务工作先进工作者,受到省水利厅表彰,并获得荣誉证书和奖金 200 元。

马修义,睢宁县梁集乡水利管理站站长,1987 年被评为全省先进个人,受到省厅表彰。

王保乾,睢宁县水利局局长,在 1989 年水利建设事业中,作出显著成绩,被评为江苏省水利系统先进工作(生产)者,受到省水利厅表彰并获得荣誉证书。在 1991 年抗击特大洪涝灾害中,成绩突出,被评为江苏省 1991 年抗洪救灾先进个人,受到省委、省政府的表彰,并获得奖状。

郝振球,睢宁县节水办副主任,节能技术研究中心主任,1989 年在全省节能推广中被江苏省农林厅评为先进工作者,奖给奖牌一块,奖金 300 元。

魏奎华,睢宁县水利局综合经营股副股长,在省水利厅 1995 年度新闻宣传报道工作中被评为全省新闻宣传报道先进个人,受到省水利厅表彰。

武献云,睢宁县水利局副局长,在 1995 年水政水资源管理工作中做出显著成绩,被评为江苏省水利系统先进工作(生产)者,受到省水利厅表彰并获得荣誉证书。

(二)市级表彰奖励

1. 中共徐州市委、市政府表彰的先进单位、先进个人

1991 年在徐洪河续建二期工程中受表彰的先进个人有:王保乾、刘保忠、侯立星、彭云山、卢瑞生、戴尚桂、王聿芝、孔庆丰、刘一民、王敦平、张兆义、徐怀芝、金继华、陈杰、陈振亚、董丙政、武献云、杨硕芝、刘广吉、许善涛、张中礼、吴以军。

1996 年在市、县一级公路建设中县水利局、水利工程处被评为先进集体,各获锦旗一面,奖金 5000 元。王保乾、刘保忠、黄辉、王运甫、张新永、吴以军 6 人被评为先进个人,每人分别获得荣誉证书和奖金 500 元。

1997 年高集抽水站被评为文明单位,物资站刘广吉被评为优秀共产党员。

2. 受徐州市水利局表彰的各类先进单位和先进(生产)个人

1984 年在表彰基层水管站财会工作中,凌城镇水管站被评为第二名,李集镇水管站为第三名。

1987 年在财会工作中睢城乡水管站被评为先进集体。局财务股长徐清波、工程队丁德明二人被评为先进个人。

1988 年在水利系统财务工作中,睢城乡水管站被评为先进集体,局财务股长徐清波被评为先进个人,并出席省先进个人代表大会。被评为先进个人的还有:工程队丁德明、王林

乡水管站魏其华、王集乡水管站王春富。

1991年双沟镇水管站被评为全市"十佳"水利管理服务站,魏集乡水管站丁宗隆同志被评为"十佳"优秀水利员。

1993年魏奎华被评为新闻报道优秀通讯员,受到表彰。

1994年度在全市水利经济工作先进单位和先进个人评比中,睢宁县有以下单位和个人受到市局表彰:

　　"十佳"单位:王林乡水管站

　　"十佳"水利管理单位:庆安水库管理所

　　"十强"单位:睢宁县水利工程建筑安装公司

　　水利经济工作标兵:沙集抽水站站长卢飞云

　　先进单位:岚山、张圩、邱集、双沟、庆安5个乡镇水管站,

　　　　　　　水利局物资供应站,沙集抽水站,高集抽水站

　　先进个人:贾洪金　宋　文　王甫杰　王良洲　仝朗太　陈祥光　张本龙

　　　　　　　魏秀俊　阎光跃　魏奎华　彭云山

1995年度在高标准农田水利样板乡建设评比中,王保乾、黄辉、张新昌、宋端贤4位同志受到表彰。

1996年8月30日徐州市水利局表彰的"八五"期间"科技兴水"先进单位和先进个人有:

　　睢宁县水利局工程股、睢城乡水利管理站为先进单位

　　张新昌、宋端贤、王殿奎为先进个人

1997年11月30日,在水稻控制灌溉技术推广中,睢宁县水利局被评为先进单位,张新昌、李祥会被评为先进个人,奖金各300元。

（三）县级表彰奖励

1985年度

机井队党支部被县委表彰为先进党支部。相秉成、刘一民为优秀党员。

凌城抽水站、机井队、庆安水库管理所、农机研究所、沙集抽水站5单位被县政府表彰为先进集体,22人为先进工作者。

1986年度

凌城翻水站党支部被县委评为先进党支部。

王保乾被县委给予记功奖励。

刘一民、鲍本忠被评为优秀党员。

县委、县政府表彰的先进集体是:县农机公司、机井队、物资供应站、沙集抽水站、庆安水库管理所。

34人被评为先进工作者。

1987年度

先进集体:农机监理所。

王保乾被县委、县政府给予记功奖励。

杨树林被评为优秀党员,评出先进工作者32名。

1990年度

先进集体是:物资站、古邳抽水站、民便河船闸管理所以及睢城乡、李集镇、双沟镇 3 个水管站。

王保乾被县委、县政府给予晋级奖励。

刘一民被县委、县政府给予记大功奖励。

评出先进个人 33 名。

1991 年度

县委表彰的先进基层党组织:水利局党委、水利局机关党支部。

县委表彰的优秀党员:刘一民、刘保环、王维则。

县委、县政府表彰的文明单位:水利局、物资站、庆安水库管理所、龙集乡水管站;先进集体:水利局工程一队、李集镇、王集镇、浦棠乡、魏集乡 4 个乡镇水管站。

徐洪河续建二期工程先进集体:水利局机械化施工队。

升级奖励:物资站刘广吉。

县委、县政府给予记大功的:王保乾、孔庆丰;给予记功的:彭云山。

评出先进个人 64 人。

1992 年度

在全县开展"杯、旗、兵"竞赛评比奖励中,县委、县政府给王保乾记大功,葛树堂被评为优秀党员标兵。

1993 年度

文明单位:工程队、物资供应站、王林乡水管站、龙集乡水管站。

水利局机关党支部被评为先进基层党组织,吕庆安、戈树芝为优秀共产党员。

先进集体:工程队以及王林、凌城、浦棠 3 个乡镇水管站。

彭云山获得记大功奖励,杨树林获得记功奖励。

卢飞云为档案工作者先进个人。

魏奎华获睢宁报社新闻报道三等奖。

评出先进个人 48 人。

1997 年度

先进党支部:凌城抽水站党支部。

优秀党员:刘清明、杨洪高 吴 恒 吕振家。

先进乡镇水利基层单位党支部:岚山乡农水站党支部、龙集乡水管站党支部、魏集乡农水电党支部。

乡镇水管站优秀党员:王良洲、魏本志、朱守印、陈祥光、王共才、王英章、胡正华、王正龙、乔洪江。

文明单位:张圩乡水管站、朱集乡水管站、浦棠乡水管站、睢城乡水管站、姚集乡水管站、庆安乡水管站、王林乡水管站、魏集乡水管站、物资供应站。

文明单位标兵:邱集乡水管站。

第三节 主要技术骨干和工程技术人员

对于睢宁水利事业的发展,科技人员功不可没。自 50 年代初到 90 年代末,所建的闸、坝、库、站、桥、涵，从无到有，从大到小，从土到洋，从人工操作到机械化、电器化，每一个细小部位，都是科技人员精心设计和施工的。如 50 年代建的中型平原水库庆安水库和 60 年代初建成的排水 800 立方米每秒的 25 孔凌城大闸都是县水利局技术员邓伯华等配合徐州专区水利局的工程师共同设计完成的。70 年代至 80 年代兴建的凌城抽水站、沙集抽水站、高集抽水站、古邳抽水站，徐洪河、徐宁路、徐淮路上所建的生产桥、交通桥以及民便河、沙集两座船闸等重大工程，都有科技人员辛勤劳动流下的汗水。中共睢宁县委、县政府及水利局本身，历来都很重视科技人才的培养和教育，鼓励他们到实践中去，验证所学的理论，丰富实践知识。

1949 年县政府刚成立，设建设科，当时安排马海成负责技术工作。1952 年又增配技术科副科长陈光永，后成立农林水利科直到改为水利局，水利技术员先后有晏绍祥、王登迎、葛孟华、汪玉璞等。从 50 年代中期到 70 年代、80 年代由上级业务部门和华东水利学院、扬州水校、徐州水校等大中专院校陆续分来了不少技术干部，其中有技术 10 级邓伯华、杨国清，11 级到 13 级的有王凤梧、宣士兴、王聿付、王文友、张博华，另外还有封炳鑫、张广振、杨汉昌、王保乾、黄辉、李玉忠、胡光贞等 20 多位同志，他们都是睢宁县水利建设事业的技术骨干，不少比较好的技术干部未能在水利局评定技术职称，由于种种原因，调入他乡或县直其他单位。

在中共十一届三中全会以后，全国上下开始尊重知识、尊重人才。从 1980 年开始对技术干部评定技术职称。水利局宣士兴第一个在 1980 年 11 月 2 日经徐州行政公署批准晋升为工程师。汪玉璞、玉凤梧、刘保杰等 21 位同志经县革委会批准晋升为助理工程师。以后经省、市、县三级职改领导组评定，到 1997 年底，全县水利系统职工总人数 618 人，其中管理专业技术人员 168 人，有专业技术职称的 149 人（女 13 人），其中高级工程师 22 人，工程师 39 人，助理工程师 9 人，技术员 20 人；政工师 13 人，助理政工师 2 人；经济师 4 人，助理经济师 3 人，经济员 2 人；会计师 4 人，助理会计师 14 人，会计员 13 人。另有其他科技干部 6 人。

现将高级技术职称人员有关情况简要附录于后，中级职称人员见附表。

王凤梧　男，江苏淮安市人，中专学历，1950 年 8 月毕业于江苏省扬州中学土木工程专业，1950 年至 1953 年在苏北导沂工程处和淮阴县治淮指挥部工作，为 11 级技术员，1953 年至 1958 年在徐州治淮指挥部工作，1958 年调至睢宁县水利局至 1989 年退休。擅长于土方测量工作，1980 年 11 月 3 日经县革委会批准晋升为助理工程师，后又晋升为工程师，1990 年 7 月经徐州市工程系列高级职务评委会评审晋升为高级工程师。

汪玉璞　男，江苏沭阳县人，中共党员，大专学历，1962 年 2 月毕业于江苏水利学院机电专业。1950 年 10 月至 1952 年 8 月在苏北导沂工程训练班学习、工作，1952 年 8 月至 1960 年 9 月调至睢宁县水利局做技术员，1960 年 9 月至 1962 年 6 月调到江苏水利学院机电系学习，9 月毕业后仍回睢宁县水利局从事小型农田水利、建筑物工程设计施工、机电排灌、防汛等专业工作，与其他四位同志合写的"睢宁县土地利用调查"一文获睢宁县政府 1991 年科技进步二等奖，1990 年 7 月经徐州市工程系列高级职务评委会评审晋升为高级工程师。

张广振　男,江苏睢宁县黄圩乡人,中共党员,中专学历,1956年8月毕业于水利部淮远淮河水利学校水工建筑专业。1956年8月至1957年底在省水利厅设计院工作,1958年初调回睢宁县水利局从事工程设计、施工工作,到1992年退休,1980年11月3日,经县革委会批准晋升为助理工程师,后又晋升为工程师,1990年7月经徐州市工程系列高级职务评委会评审晋升为高级工程师。

张致球　男,江苏省睢宁县浦棠乡人,中专学历,1955年5月毕业于南京地质学校大地测量专业,1959年5月至1970年在国家测绘总局第十一地形测量大队工作,1970年至1976年在陕西省测绘局工作,1976年调回睢宁县水利局从事测量和土地资源普查工作,曾编写过"睢宁县农业区划"和"睢宁县土地详查工作"等论文,获江苏省农业区划委员会和国家土管局科技推广一等奖和科技进步三等奖。1983年至1989年任睢宁县政协第二届委员会委员,1990年至1997年任睢宁县第二届人大常委会常委。1990年7月经徐州市工程系列高级职务评委会评审晋升为高级工程师。

刘保杰　男,江苏睢宁县凌城镇人,中共党员,大学学历,1966年8月毕业于南京农机学院电气化专业,同年分配到河北省邯郸市农电局工作,1974年5月调到睢宁县水利局,专长于机电设计、安装、施工,曾撰写或与别的同志合写"水泵叶片和叶轮室抗蚀材料探讨"、"泵站改造技术的推广与应用"等论文,获省水利厅科技推广二等奖,优秀论文三等奖。1990年7月经徐州市工程系列高级职务评委会评审晋升为高级工程师。

王保乾　男,江苏睢宁县高作镇人,中共党员,中专学历,1961年9月从徐州水利学校毕业,分配到睢宁县水利局工作,先后做过土方测量、打井、建筑物工程设计、施工等工作。1973年后主要搞农田水利和梯级河网化工程规划、施工及计划管理。特别对梯级河网规划作过多次技术论证,撰写过"睢宁县梯级河网规划介绍"、"睢宁县水利规划论述"、"徐州地区平原坡地梯级河网规划探讨"、"细石屑代替黄砂的应用"等10多篇论文,分别刊登在国家和省级科技刊物上,并分别获得省、市、县一、二、三等科技进步奖和推广奖。从1981年3月起历任睢宁县人民代表大会第八届、第九届、第十届、第十一届、第十二届人民代表。1990年7月经徐州市工程系列高级职务评审委员会批准,破格晋升为高级工程师。

孔庆峰　男,江苏省睢宁县李集镇人,中共党员,大学学历,1969年8月毕业于江苏省农学院农田水利系机电排灌专业,后分配到睢宁县水利局工作,专长机泵安装、工程管理和工程施工等工作。1993年12月31日经江苏省水利工程技术高级职务任职资格评定委员会评审晋升为高级工程师。

黄辉　男,江苏省江阴县人,中共党员,中专学历,1966年自扬州水校毕业分配到睢宁县水利局工作,技术比较全面,如小型农田水利、土方测量、工程设计、施工、规划、预算等,曾撰写或与别的同志合写"黄淮海平原中低产田地区综合治理与农业开发"、"徐州市农水装配式建筑物"等多篇论文,分别获国家农业部特等奖及江苏省水利科技推广一等奖。1993 年 12 月 31 日经江苏省水利工程技术高级职务任职资格评委会评审晋升为高级工程师。

张其宝 男,江苏省如皋县人,中共党员,大学学历,1969 年 7 月毕业于华东水利学院农水专业,分配到睢宁县水利局工作,从事设计、施工、外地承包工程等工作,1993 年 12 月 31 日经江苏省水利工程技术高级职务任职资格评委会评审晋升为高级工程师。

陈振亚 男,江苏省睢宁县庆安乡人,中共党员,大学学历,1968 年 12 月毕业于华东水利学院海洋工程水文专业,分配到水电部十三局工作,1972 年 3 月调回睢宁县中学任教,1975 年 8 月调到睢宁县水利局,虽然学的专业不对口,但自学精神强,到水利局后一直从事工程结构设计、施工等工作。1993 年 12 月 31 日经江苏省水利工程技术高级职务任职资格评委会评审晋升为高级工程师。

朱友芹 女,江苏省睢宁县邱集乡人,中共党员,大学学历,1968 年 12 月毕业于华东水利学院农田水利专业,分配到宿迁县水利局工作。1975 年调回睢宁县水利局从事工程设计、施工等工作,曾任县政协委员。1993 年 12 月 31 日

经江苏省水利工程技术高级职务任职资格评委会评审晋升为高级工程师。

王运甫 男,江苏省睢宁县沙集镇人,中共党员,大学学历,1969 年 8 月毕业于江苏农学院机电排灌专业,分配到睢宁县水利局,多年来从事小型农田水利规划、设计、施工。1993 年 12 月 31 日经江苏省水利工程技术高级职务任职资格评定委员会评审晋升为高级工程师。

李桂科 男,江苏省睢宁县姚集乡人,大学学历,1965 年 9 月、1970 年 9 月先后两次在华东水利学院学习,毕业后分配到睢宁县水利局从事工程设计、施工、外出承包工程等工作。1993 年 12 月 31 日经江苏省水利工程技术高级职务任职资格评委会评审晋升为高级工程师。

鲍本忠 男,江苏省睢宁县庆安乡人,中共党员,大学学历,1970 年 7 月毕业于南京农学院农机分院农机系农田水利专业,分配到睢宁县水利局,多年来从事机电设计、施工、管理,长于机电维修和排除故障。1993 年 12 月 31 日经江苏省水利工程技术高级职务任职资格评定委员会评审晋升为高级工程师。

郝振球 男,江苏省睢宁县古邳镇人,大专学历,1978 年毕业于中国农业大学(函授)大专班建筑工程专业。从 1966 年节水办划归县水利局后开始从事水利建设工作。在多年工作中能够苦心钻研,积极努力,专长于建筑、节能、环境保护等,在

1990年,1991年两次获国家"卫生节能家用煤球炉"、"蜂窝煤球"专利权,撰写过12篇论文,有7篇登在国家级、5篇登在省级学术刊物上,1989年在全省节能推广中被江苏省农林厅评为先进工作者,受到省厅表彰。从1976年以来先后受市委、市政府7次表彰,县委、县政府的多次奖励。1995年7月经江苏省建筑工程系列高级职务任职资格评定委员会评审晋升为高级工程师。

宋端贤　男,江苏省睢宁县古邳镇人,中共党员,中专学历,1969年7月毕业于南京地质学校测绘专业,分配到江苏省地质水文大队工作。1981年调至睢宁县水利局,多年来从事井灌、水资源观测等工作,曾撰写或与别人合写《睢宁县黄河故道地区自然资源图集》、"徐州市节水灌溉工程技术应用与推广"、"节水型灌溉技术"等著作或多篇技术论文,分别在全国农业区划会上交流推广并获得省农业区划成果一等奖、省水利科技推广一等奖等。从1990年至1997年先后任睢宁县政协第九届、第十届委员会常务委员,徐州市第十一届人大代表。1995年8月,经江苏省水利工程技术高级职务任职资格评定委员会评审晋升为高级工程师。

张翠銮　女,江苏省睢宁县浦棠乡人,中共党员,大学学历,1978年1月毕业于江苏农学院机电排灌专业,分配到睢宁县水利局,多年来从事工程管理、机电排灌设计、维修、施工等工作。1997年3月经江苏省水利工程技术高级职务任职资格评定委员会评审晋升为高级工程师。

吕振家　男,江苏省睢宁县古邳镇人,

中共党员,大专学历,1961年9月自徐州水校毕业分配到睢宁县水利局,工作期间同时学习北京水利水电学院课程,接受函授补习,工作多年来主要从事小型农田水利、工程管理、防汛工作。1997年9月经江苏省水利工程技术高级职务任职资格评定委员会评审晋升为高级工程师。

徐士明　男,江苏省睢宁县庆安乡人,大学学历,1970年7月华东水利学院水文系专业毕业,分配到睢宁县水利局,曾参与工程施工、管理和物探寻找地下水资源等工作。1997年10月经江苏省水利工程技术高级职务任职资格评定委员会评审晋升为高级工程师。

王德奎　男,江苏省睢宁县岚山乡人,中共党员,大学学历,1975年毕业于江苏农学院机电排灌专业,分配到睢宁县水利局,从事水利工程的规划、设计、施工等工作。经江苏省水利工程技术高级职务任职资格评委会评审晋升为高级工程师。

武献云　男,江苏省睢宁县官山乡人,中共党员,大学学历。1980年2月毕业于江苏农学院机电排灌专业,分配到睢宁县水利局从事工程规划、设计、施工等工作,经江苏省水利工程技术高级职务任职资格评定委员会评审晋升为高级工程师。

程修源　男,江苏省睢宁县张圩乡人,中共党员,大学学历,1977年前在华东水利学院读农田水利专业,毕业后分配到睢宁县水利局工作,1980年调庆安水库至今,工作多年来主要从事农田水利和工程管理,后经江苏省人事厅高级职务任职资格评定委员会评审晋升为高级工程师。

中级职称人员表

单　位	姓　名	性别	文化程度	职　称	批准年月	单　位	姓　名	性别	文化程度	职　称	批准年月
水利局	刘清明	男	大专	经济师		物资站	刘启民	男	初中	经济师	94.1
水利局	汤荣业	男	中专	政工师		物资站	刘广吉	男	初中	工程师	
水利局	吕庆安	男	高中	政工师		工程处	董丙政	男	中专	工程师	
水利局	陈兵	男	大专	政工师		工程处	夏同超	男	高中	会计师	93.8
水利局	刘保忠	男	高中	工程师	90	工程处	张新永	男	中专	工程师	
水利局	郭井传	男	高中	经济师		工程处	熊运忠	男	大学	工程师	
水利局	相秉成	女	中专	馆员	90	工程处	邱绍厅	男	大专	工程师	90.12
水利局	王敦健	男	大学	工程师		工程处	刘雅顺	男	高中	工程师	90.12
水利局	王行恩	男	大学	会计师		工程处	杜祜生	男	高中	工程师	90.12
水利局	梁化林	男	大学	工程师		工程处	朱洪先	男	大专	工程师	90
水利局	张新昌	男	大学	工程师		工程处	朱述义	男		工程师	
水利局	宋文	男	大学	工程师		机井队	李祥会	男	大专	工程师	90.12
						机井队	周立云	男	大专	工程师	96.3
水利局	刘培义	男	中专	政工师		机井队	余希红	女	大专	工程师	97.2
水利局	李树仁	男	大专	政工师		机井队	朱永	男	大专	工程师	
水利局	刘向东	男	大专	馆员	90	古邳抽水站	胡昌栋	男	高中	工程师	
水利局	陈庆仪	男	大学	工程师		古邳抽水站	沈西敏	男	高中	政工师	
技术指导站	刘保环	男	高中	会计师		堤防管理所	贾洪金	男	高中	政工师	
技术指导站	徐清波	男	中专	会计师		睢城闸	刘一华	男	高中	政工师	
技术指导站	郑雪	女	大专	馆员			张洪说	男	中专	政工师	93.5
技术指导站	余家君	男	大专	工程师		民便河船闸	全道安	男	高中	政工师	96
技术指导站	徐怀芝	男	大专	工程师		庆安水库	周林	男	高中	经济师	92
技术指导站	王敦平	男	大专	工程师		袁圩抽水站	袁修堂	男	高中	政工师	93
技术指导站	杨硕芝	男		政工师		节水办	施云龙	男	大专	工程师	94
工　会	马艾华	女	大专	政工师		玉林水管站	魏本志	男	高中	工程师	91
李集水管站	王殿奎	男	高中	工程师	91	姚集水管站	王敦玲	男	高中	工程师	91
	袁宝哲	男	高中	工程师	91	睢城水管站	韩修路	男	高中	工程师	91

单　位	姓　名	性别	文化程度	职　称	批准年月	单　位	姓　名	性别	文化程度	职　称	批准年月
庆安水管站	王丙瑞	男	高中	工程师	91	城关水管站	曹吉友	男	高中	工程师	91
双沟水管站	魏秀俊	男	高中	工程师	91	魏集水管站	丁宗龙	男	高中	工程师	91
王集水管站	唐成飞	男	高中	工程师	91	黄圩水管站	刘洪前	男	高中	工程师	91
朱集水管站	王共才	男	高中	工程师	91	双沟水管站	乔泽银	男	高中	工程师	91
	王维圣	男	中师	工程师	91	沙集水管站	王宜让	男	高中	工程师	91

（因文件查找不全,可能有的同志被疏漏）

　　有些长期从事技术工作的人员,由于各种原因未能评上较高的技术职称,但在业务上肯于学习,求知欲强,在实践中练就一身过硬的本领,为睢宁水利事业做出了一定的贡献。如张兆义,初小文化,在测量业务上,肯于钻研,善于学习,无论是外业测量还是内业计算都很熟练,成为河道土方测量的技术骨干。还有张格旭、苗兴尧、陈绵信、赵方呤、朱维民、张忠、李大文、刁成宽等人,虽未有较高的技术职称,但都业务熟练,能够独立工作,长期艰苦奋斗在第一线,成为默默奉献者。另有朱子英、乔文斌、李伯恒、唐献宏、刘志等长期做文字、统计、图表工作,为水利工作积累了大量的技术资料。再如负责吊装的李士益,小学毕业,原是采购员,70年代初改学吊装,虽然文化程度有限,但对吊装理论书籍肯钻研,从实践中摸索,向他人学习,对睢宁县的桥梁、闸、站等工程吊装和工程维修做出了特殊贡献。

附　　录

一、工程事故

　　建国以来,在水利建设和工程管理中有三次较大失误,虽未造成人员伤亡,但经济上造成损失,影响较大。三次事故中,其中一次是水利工程管理失误,另两次是工程建设中出现的事故。

　　第一次是 1963 年 5 月 28 日至 29 日,全县普降大雨,汛期提前,没有作好抗汛准备。凌城节制闸因启闭机待修,加上管理不当,闸门迟迟提不起来,致使受灾面积达 8 万亩,造成不应有损失。后徐州地委派员调查,在全地区通报批评。

　　第二次是 1963 年 9 月 15 日夜,庆安灌区一闸地下涵洞倒塌,设计和施工都有问题。经江苏省水利厅、徐州地区水利局现场检查后,上级同意在原地重新修建一闸地下涵洞。

　　第三次是 1980 年 5 月 13 日,庆安水库西放水涵洞倒塌,主要是施工质量问题。经徐州地区水利局派员现场查看,后批准在原址稍西移重建放水涵洞,重建后工程结构有很大修改。

　　以上三次事故在全县造成不良影响,为使后人不再重蹈覆辙,现将处理事故有关文件全录于后,不再另外详述。此外,1967 年县水利局工程队修建睢(宁)李(集)公路老龙河桥,第一次修建双曲拱桥,由于质量问题,全部倒塌。因处于“文革”非常时期(各级组织瘫痪,组织领导不健全,技术人员不到位),此处不作专题记述。

1. 凌城节制闸一次管理失误

关于凌城闸开闸失误的情况调查

　　1963 年 6 月 14 日,徐州地委派监委郑中民、徐州专署水利局范本豫二同志配合睢宁县委督委胡居德和睢宁县水利局王行敏两位同志,对 5 月 28 日大雨睢宁县凌城闸开闸失误情况进行调查,并向地委和中共睢宁县委写了专题报告。

　　(1) 5 月 28 日下午 7 时到 29 日下午 6 时,睢宁普降暴雨,雨前因无准备,仅半开四道闸门。该闸机工夭××赴徐州采购机器配件。闸上无人开机,造成开闸失误,致使新龙河在 6 时开始漫滩(提前 3 小时半),10 时 30 分即出现最高水位 19.40 米。由于水位陡涨,新龙河北岸自王楼起到棋杆止,12 处排涝缺口提前向北倒灌,以致邱集、凌城两个公社受灾面积达 8 万亩。

　　(2) 28 日晚下雨时,闸管所内只有张××1 人。当晚 1 时前后县局值班人员两次电话询问闸门开启情况并告之上游大雨。第一次电话中张××汇报,雨量、水位情况不详,闸已开 4 孔,这时未引起该员注意,仍继续在家睡觉。第二次电话已到夜间 12 时之后,张仍在所内,闸上无人看守。直到凌晨 3 时以后,水文站临时工小郭来叫才到闸上。这时闸上水位已涨到 16.59 米,仍认为没有问题,随后看到水涨得很快,张想法往皇庙大队和附近生产队找人开机。但两次找人均未能将机器发动,直到天亮前后水文站周雨亭向县局汇报后,县水利局邱局长和工人夭××才闻讯赶来。同时刘副县长通知凌城公社叫协同开闸,公社即派党委委员杨崇宗等四位同志带领公社技工董××赶赴现场,10 时以后才开始启闸,闸上水位已达 19.40 米,闸下水位已达 18.40 米。

(3) 这次事故的发生,首先是自下而上有麻痹思想,雨前县局只作一般布置,未有认真检查。

2. 庆安灌区一闸地下涵洞倒塌

文件之一

睢宁县水利局

关于庆安灌区一闸地下涵洞倒塌事故初步检查报告

睢水工(63)字第 73 号

专署水利局:

我县庆安灌区一闸地下涵洞系今春兴建的,投资补助农田水利工程,负担渠西、金武、汤元三个生产大队万余亩农田积水排涝任务。自 1963 年 2 月 16 日动工至 6 月 18 日结束,实际完成 16000 工日,土方 13874 立方米,石方 238 立方米,混凝土 250 立方米。支出投资补助经费 54118 元。建筑结构底板分五块,全长 45.6 米,洞身为混凝土工程。胸墙和上下游护坡护底系浆砌块石。工程从地下穿过邳睢公路和庆安灌区干渠,经上下游引河排水入于白塘河。在施工后期和工程竣工以后,根据庆安水库水文科研站的记载,连续经过 7 次大雨、暴雨、大暴雨和特大暴雨的考验(这 7 次暴雨的时间和降雨量分别为:5 月 22 日 96.9 毫米,5 月 28 日 187 毫米,7 月 7 日 45.2 毫米,7 月 9 日 75.3 毫米,7 月 19 日 96.6 毫米,7 月 28 日 49.4 毫米,8 月 16 日 67.4 毫米),上下游引河最高水位时超过洞孔 1 米左右。上下游最高水位差为 0.5 米,充分发挥了排涝效益。整个涵洞自 6 月 18 日竣工以来没有发现裂缝塌陷和变形等不正常现象。在放水灌溉时突于 9 月 15 日夜干渠在一闸涵洞南侧下游翼墙处决口,宽达 18 米,渠道水大量冲出。渠道中心南至一闸底板,北至 110 米处,刷去大量泥沙,总计约 3000 立方米。一闸地下涵洞干渠东堤底部 14.0 米长,洞身全部倒塌。干渠中心底部洞身长 8 米,向北倾斜。自干渠西堤脚(亦即邳睢公路路基底脚)处洞身断裂(盖板尚未塌下),整个涵洞仅剩下西头邳睢公路底部 23.05 米,洞身及上游护坡胸墙等部件完整。下游翼墙北边向外倾斜。南部靠近洞身处冲倒 2 米左右。下游胸墙亦向北边倾斜。底板和下游护底均淤盖在泥沙下面,情况不详。庆安灌区干渠第一节制闸原由庆安水库管理所派工人看管,自去年精兵简政以来水库工人精简回家,一闸房屋借给当地群众魏××暂住,代管闸门启阅。9 月 15 日半夜,魏××听到闸下水响误认为天降大雨,后来天近微明,发现干渠东堤决口,即徒步前往庆安水库管理所报告。管理所杜保挂听到报告后立即通知放水闸关间,并随同魏××前往一闸实地察看,并于 16 日上午 8 时电告本局。本局当即派员前往协同水库管理所调查事故产生原因,处理干渠退水,并于 16 日下午电告你局范本豫同志,18 日本局杨文秀副局长,技干邓伯华、宣士兴、封炳心会同你局陈文涛同志前往实地查勘,但因淤泥未能清除,建筑结构未经解剖,对于事故形成的原因未能做出结论。

在事故发生以后,本局曾组织有关人员多次座谈,损失是重大的,教训是惨痛的,一致认为一闸地下涵洞除进一步弄清事故产生原因,切实接受教训,给予责任人必要的纪律处分

外,对于善后问题提出三点意见:

(一) 请专区局再次派员协同本局解剖工程,彻底查明事故产生原因,做出切实的结论。

(二) 为了挽救损失,不影响明年灌区排涝灌溉,请批准动用庆安治碱工程结余经费 4 万元现在着手修整,或列为今冬农田水利工程岁修项目编造技术设计,经费预算,重新整修一闸地下涵洞,以利发挥效益,及时投入生产。

(三) 总干渠在一闸上下有约 2000 米左右系粉砂壤土,团粒结构极差。1962 年春季 8 级以上大风渠堤被风刮吹消低 0.56 米,3 米以下也未取着粘土。这次穿渠涵洞下游倒塌事故,现在该段渠已塌陷不堪,为此要求在整修该闸时对该段渠堤一并考虑安排块石护坡,或三合土封面,一劳永逸。

文件之二

江苏省水利厅
关于查清庆安灌区一闸地涵倒塌原因的函
水农办(63)字第 61 号

徐州专区水利局:

你局徐水工(63)字第 160 号函和睢宁县水利局唯水工(63)字第 73、74 号报告抄件均悉。查睢宁庆安灌区一闸地涵系他县负责施工,完工后亦由县管理使用,检查报告中对该洞倒费事故原因说成是渠堤土质不良溃堤影响而致。是否如此,请认真检查,从中接受教训,避免今后重犯错误。希通知睢宁县水利局就该闸在施工过程中对工程质量、标准和完成放水后使用中发生的问题与处理方法及管理使用等各方面详细情况据实上报。并将该洞整修计划报你局,核转我厅,研究处理。

江苏省水利厅
1963 年 10 月 17 日

抄:睢宁县人委、睢宁县水利局

文件之三

省、专对一闸地涵鉴定意见
1963 年 11 月 19 日

(一) 工程概况(略)

(二) 施工经过

(1) 本工程于 1963 年 2 月 10 日开工,开挖闸塘历时 19 天,于 3 月 2 日开始浇混凝土底板,2 日完成西首第一块,接着浇第二块,于 4 日完成。13～15 日完成第三至第五块底板浇筑。4 月 2 日开始浇边墩,至 10 日全部完成;4 月 23～27 日安装洞顶盖板。4 月 28 日开始还土。5 月 2 日还土至洞顶高度。还土基本完成,速度较快,质量较差。

(2) 浇筑混凝土底板时,闸塘地下水位高,渗水量大,地基发生涌土流砂,立模有困难。第三、第五块底板立模采用圆木对撑在底板内,因而有 5 根 5 厘米直径困木浇埋在内没有拿出,影响底板强度,减少有效厚度。

（3）第二块底板是接着第一块底板浇的。仅隔2小时便拆模板支撑,模板随即变形,发觉后再立支撑,但混凝土浆已初凝,影响强度质量。

（4）闸塘开挖小,排水处理不善,地基流砂涌土现象较严重,一边刮水清淤,一边浇捣混凝土。混凝土强度难有保证,地基土壤受到扰动,对基础安全影响较大。

（5）5月21日根据省、专审核意见和省厅吴工程师、专区孙工程师去工地研究决定,进行底板加厚补强,西边一、二块底板混凝土打去5厘米,边墩打去15厘米,钢筋Φ12,间距25厘米,并加贴角。东边三、四、五块底板因高程浇成低于前两块,故加厚20厘米,不加钢筋,4月18日专区来电指示:底板全部按省厅审核意见补强,须全部放置钢筋,因该指示未转达到工地,未能执行。

（6）5月6日因下游灌区需要干渠放水灌溉,洞身上水位高程24米,洞下无水,洞顶盖板有漏水情况未作处理。

（7）5月17日发现底板伸缩缝冒混水,涌砂,最严重的在东边3、4、5块底板间靠南边涌出砂土堆高达0.5～0.6米。发现后曾用砂浆勾缝补救,但无效。最后用木框填砂盖在缝上,底板加厚时将木框固定在混凝土内,木框高出底板约25厘米,效果如何,未曾检查。

（8）5月28日大雨,涵洞放水排涝,洞上、下游水位差达0.8～1.0米,下游护坡、护坦工程未做。放水时未采取措施,以致下游严重冲刷,消力塘混凝土底板下淘空0.2～0.7米,伸入消力塘底板长达4米。消力塘横向已裂断,翼墙底板下也被淘空约0.3米。6月5日排涝后消力塘下淘空部分用沙土补塞。同时将断裂混凝土凿开补浇新的混凝土,翼墙底板下用混凝土补塞。

（9）6月11日全部工程基本完成以后,继续做水上部分的块石护坡,翼墙和公路加高,并做路面等工程,至8月9日施工人员全部撤走。

（三）倒塌情况

（1）本工程6月11日基本完成,5月6日干渠放水灌溉。5月28日涵洞放水排涝,一直使用到9月15日,当日水利局杨局长等同志曾路过涵洞,当时干渠仍在放水,水位约24米,涵洞无水,未曾发现有情况,至当时深夜住在一闸的卖茶小贩发现有较大的水流声,但未检查了解原因。至天明,涵洞东堤已倒开,口宽约20余米,南岸翼墙缺口约3米左右,干渠大量水流向东南的排水河。天明后通知庆安水库管理所,约9时左右关闭庆安水库放水涵洞,待干渠水放完后,发现涵洞已倒塌。

（2）倒塌情况:根据11月18日清淤（未全部清除）后实地检查。

① 第三、四、五节洞身直墙向南倾倒,墙底离洞底约1.5米,墙与底板已断开,盖板倒塌在洞内。

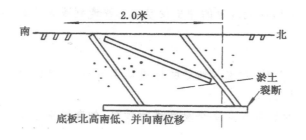

②　西第一、二节洞身损坏较轻,第一节洞口尚完好,第二节向南倾斜,高差约0.2米,直墙和底板有无裂损情况,因淤土未彻底清理,尚待检查。

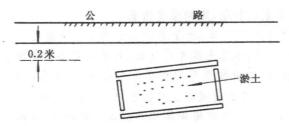

③　北翼墙、南翼墙略向后倾斜,北翼墙向前倾斜约30。。

④　洞身及下游引河全部淤高约2.5～3米,干渠(北)冲刷深约2米,长约200米,排水渠淤高1.5～2米,长约1.5公里。

（四）倒塌过程分析

（1）地基土质不好(流砂)。流砂压缩性高,承载量小,容易发生管涌流失。施工时闸塘处理排水不善,地基受到扰动,土壤受到破坏,又发生管涌,大量砂土从伸缩缝涌出,洞身底板已有淘空现象,引起洞身不均匀、下沉和倾斜。

（2）洞身没有防渗止水设备,下游洞口无防渗止水又无防渗倒滤的铺盖层,防渗长度太短。在干渠满水时期,水压力高达5米(即5吨/平方米),一方面纵底板伸缩缝溢出,一方面渗流沿洞身底板向下游洞口溢出,仅有15米左右的渗径,使土壤严重冲刷淘空,加速了洞身倾斜。

（3）洞身底板严重地被淘空倾倒,使土堤错开分裂,冲开缺口,整个工程倒塌。

（4）洞身是底板、直墙和盖板三部分构搭的,无刚度,强度低,不适应于流砂地基。直墙支承在底板上,连接处强度不大。施工质量不好。承担不了变形位移。当洞身不均匀沉陷倾斜时,干渠有满水重压,侧墙在高水压力作用下,首先破坏倾倒。

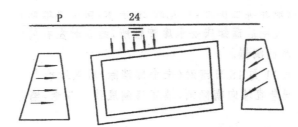

（5）当破堤冲开缺口时,大流量的冲击使整个工程遭到毁灭性的倒塌。

（五）存在问题

设计方面:

（1）没有钻探试验资料,对流砂地基的性质认识不足,没有设计资料作依据,没有提出对施工的标准质量和要求。

（2）建筑物设计,对地基稳定安全没有进行计算,如套用重力式翼墙断面,地基反力达12吨/平方米,地基稳定与否未考虑。

（3）这种结构形式不适应于流砂地基,没有刚度,强度低,不安全,设计时未进行详细验算。

（4）无防渗止水设备,考虑不周。

施工方面:

（1）对流砂施工地基认识不足,基础处理不好,闸塘开挖偏小,排水处理不良,没有降低地下水位,浇筑混凝土时地基土壤扰动,质量无保证。

（2）地基发生管涌,土壤流失淘空,处理不认真,未上报请示。

（3）对设计图不够认真,未经设计人研究同意就取消了底板止水铜片。

（4）质量要求不高,还土不密实,一边戽水清淤,一边浇混凝土,将五根支撑圆木浇入底板内影响底板混凝土强度,不按规定拆模,以致模板变形,影响混凝土强度。

基建程序方面:

（1）未经正式批准先行开工,边施工,边送审设计。

（2）对上级审核意见不认真执行,如底板加厚补强问题,未全部按审核意见做,也未审复。

（3）水利厅审核意见不及时,2月份送审批,4月5日专区才下达审批意见及批准文件。

（4）省厅及专区技术指导帮助不够,对设计中存在的重要技术问题都没有指出。

处理意见:

（1）为发挥庆安灌区效益,该工程必须修建,并适应稻改任务,需在明年春季完成。

（2）根据损坏情况仅第一、第二两节洞身尚可利用,以下三节需另行设计。建议采用钢筋混凝土结构,在原地与第一、第二两节衔接,已损坏的洞身底板如倾斜不太大,可以作为新洞身的填层。

（3）止水接缝及倒滤层等须妥善处理。

（4）抓紧时间编制设计文件并将预算报上级审批。

参加检查人员:省水利厅　许业传

专署水利局　潘勤生

1963年11月19日

3. 庆安水库西涵洞倒塌

文件之一

睢宁县水利局

关于庆安水库西干渠放水涵洞倒塌的检查报告

睢革水(80)字第 24 号

徐州专署水利局、江苏省水利厅:

庆安西干渠及其该渠放水涵洞工程系今春兴办的农田水利补助工程,主要目的是改建庆安灌区,解决原庆安灌区西半部的排水、灌水问题。去年夏季开始查看、规划,11月份上报工程设计,今年2月上旬地区行政公署水利局正式予以批准。放水涵洞2孔,每孔2.5米,2至4月份施工,5月上旬完成。计完成土方3.0万立方米,石方771立方米,混凝土285立方米,使用经费7.3万元。5月12日放水试渠至晚7时左右放水结束,关闭闸门,13日3时30分发觉南孔倒塌。北孔约6时多也倒塌,除胸墙前一部分侧墙和末端翼墙外,其余边、中墩全部倒塌,13日4时,水利局接到工程倒塌报告,当即有2名局长和一些后勤人员赶到工地,随后所有局负责人随同县委一些主要负责同志奔到现场,会同姚集公社党委,组织1000余人抢堵水库缺口,经过近10个小时紧张工作基本脱险,地区水利局接到报告后派潘科长等四位同志于13日上午及时赶到现场,共同研究工程抢险方案。这次县委十分重视,专门开会研究险坝加固措施,商讨下一步工作方案。现在事情已发生3天,险坝已经加固,睢邳路便道已重新筑成。

工程倒塌后,本局即组织有关领导干部和技术人员座谈讨论,根据倒塌后的现象检查分析,一致认为该工程倒塌原因是多方面的,其主要原因有如下几个方面:

(一)基础土质问题:起初勘察设计比较粗糙,涵洞地址选在粘土上,又处在黄河滩上,设计按沙质土计算,误认为这样偏于安全。同时结合邳睢路兴建,可以节省一座公路桥,土塘开挖后只表面一层粘土仅0.4米厚,以下均为流砂。这种沙土比我们以前遇到的流砂严重得多。团粒结构极差,透水性很强,晒干后可以随风刮走,造成渠底淤积。遇到这种特殊情况后,没有足够认识,当时想改成对流砂比较适应的结构形式,但受到经费限制,想迁移地址又需要增加一座公路桥,结果没有改变原设计方案,按地区审批意见,为增加抗渗能力将上游10米长翼墙加高,同时下游有二堡小水库可以反回调节水位。考虑这些有利因素,存在侥幸心理,没有做到万无一失。

(二)工程质量问题:施工管理人员和技术人员没有把好质量关,石工技术不高,偷工减料,灌浆不实,空隙较多,但是为了抢时间争速度没有对石工采取严厉的措施。该工程系补贴性质,民工因生活问题来往轮换,流动很大,结果造成还土质量较差,空箱翼墙内填土本来未夯实,加上浆砌块石漏水,挡土墙不能防渗,水从侧向流走将土淘空,工程倒塌。

(三)水泥质量问题:本县生产的水泥质量差,标号不稳定,也是造成事故的原因之一。施工人员忽视了水泥质量问题,虽然本局无试验设备,最好事先到外地做一做试验。这次涵洞倒塌,石头与石头之间比较松动,有些砂浆用手可以捏碎,分明是水泥标号偏低,假如事先进行试验就可以避免。

(四)关于领导问题:局领导对涵洞重视不够,检查督促不严,思想麻痹,工作不力,缺乏细致的调查研究的工作作风。特别是对施工班子配备不强,没有局长坐镇指挥,以致造成设计粗糙,工程质量没有把好关,造成不应有的损失。

改造庆安灌区,建立庆安西干渠,是经过多年酝酿的。庆安西干渠的规模已经形成,姚集、庆安两个公社已经付出了一冬一春的代价。现在该公社积极要求重建。本局经反复研究认为放水涵洞应立即予以修建。因为下半年有徐洪河任务,工程更多。目前该涵洞工地班子未撤,施工有基础,新涵洞的结构形式可在去年建的东干渠放水涵洞的基础上,稍加修整,用井柱基础,这样不需很多设计时间。打算加强施工领导组织,充实力量,重新调整技工,当前已形成上下游两道坝子,将新涵洞向上移一个位置,抽水后只要挖少量的土方即可施工。

睢宁县水利局
1986年5月16日

文件之二

徐州行政公署水利局

关于庆安水库西涵洞倒塌事故的通报

徐署水（80）字第 258 号

各县水利局：

睢宁县庆安水库西涵洞是 1980 年度农水补助工程项目，于 1979 年 11 月下旬开工到 1980 年 5 月 8 日完工，未经正式验收即于 12 日放水。13 日凌晨发生严重倒塌事故，导致整个涵洞全部报废。干渠两岸沙土被冲倒塌陷两三米，冲垮生产桥三座，除损失大量物资劳动力以外，还损失国家投资 6 万元。5 月 13 日 3 时县里接到涵洞倒塌告急电话，随即动员人力、车辆由负责同志带领赶赴现场抢险。上午 8 时地区水利局接到电话后随即组织四同志赶赴现场查勘，并协助抢险工作至下午 3 时倒塌口门基本合龙，夜 1 时全部封闭断流。

我局工作组根据多次调查了解认为：庆安水库西涵洞倒塌事故是严重的，经济上受损失，生产上受影响，在当地干群中也造成不良影响。据分析主要是有关领导同志指导思想上要求过急，没有严格按照经济规律和施工程序办事。该项工程系国家补助地方自办的农田水利项目。在资金短缺，规划、设计等准备工作不充分的情况下，急忙开工，施工中领导不力，质量标准不严，竣工后未经正式验收，加上回填土方不实，放水过急过猛，以致失去控制造成洞身全部倒塌。经调查访问认为，县水利局主要领导同志要求过急，指导思想不严肃，工作不够细致，应负有领导责任。其次在设计、审批施工方面、工程技术上要求不严格，造成质量不高，也有一定责任。对此，有关领导同志和主管施工的技术干部及有关同志已作了深刻检查，认真吸取教训，并采取有效措施防止今后类似事故发生。现将这一事故的情况通报各县，请你们引以为戒，从中吸取教训，并要求在今后施工中切实注意以下几点：

（一）联系实际，认真检查一下近年来水利建设施工方面的经验教训。

（二）必须严格执行水利建设程序。

（三）要认真把好质量关，建立健全安全检查、完工验收责任制。

1980 年 10 月 19 日

抄报：江苏省水利厅

二、边界水利纠纷（选录纠纷协议材料 20 份）

建国前水利工程设施差，每当汛期洪水横流，县内、县外水利纠纷层出不穷。建国后实行统一规划，水患逐步得到治理，县内部水利纠纷（指乡村之间纠纷）迅速减少。与邻县、邻省纠纷，因行政区划限制，统一规划困难较大，解决水利纠纷费时较长。此处专载建国后睢宁县与邻省、邻县之水利纠纷，这些纠纷在 90 年代前虽大部分解决，但为了客观地记载历史原貌，按时间顺序选录有代表性的水利纠纷协议书（或曰"会商纪要"、"合同书"等）20 份。

1. 边界水利纠纷范围及内容

与周边相邻地区局部水利纠纷出现次数较多,归纳起来可分为三大类:即省际间的纠纷、地区间的纠纷和县际间的纠纷。以省际间的纠纷最多。

(1)县南部与安徽省泗县接界,西部与安徽省灵璧县交界。主要是在安河根治之前,由于总的排水出路不好,内部干、支河不能迅速形成完整系统,双方水利进展速度不一致,这是出现纠纷的总根源。

南部与泗县纠纷表现在两处:一是东段两县以老龙河为界,50年代治理老龙河,双方有分歧。二是西段同属潼河(安徽称墓河)流域,泗县在下游,睢宁在中间,灵璧县在上游。下游标准低,上游标准不断提高,睢宁在中间长期受"上压下顶"之苦。此两处纠纷建国后虽未形成双方群众直接对抗,但由于统一规划机会太少,水利进展速度缓慢,该流域经常遭受水、旱灾害。

西部与灵璧县交界长达70.5公里,边界矛盾发生次数最多,有时矛盾激化,双方群众严重对立,气氛十分紧张。西北部双沟、苏塘等地属濉唐河水系,睢宁在上游,灵璧在下游。西南部李集、桃园等地属潼河水系,灵璧在上游,睢宁在下游。两县在两段互为上、下游。在下游者经常以打坝等形式束水,均以上游扩大流域面积为藉口,经常是"上扒下堵",长期争执不下。根本原因是对濉唐河、潼河治理的标准有分歧。就具体小流域而言,纠纷非常多。例如:

① 睢宁李集与灵璧高楼之间,在高楼境内洪灵沟以东,李集的戴李沟、利民沟等时常发生纠纷。

② 睢宁桃园与灵璧高楼之间,经常因潼郡支沟排水发生纠纷。后来开挖了老龙潭大沟(即边界的友谊大沟),矛盾减少。

③ 睢宁岚山与灵璧九顶之间,主要因为闸河排水出路和闸河以西小块地区排水出路问题发生纠纷。岚山南胡集村之东有一条东西赵庄分水线,分水线南排水入洪泥沟。闸河西、土山南之水排入项土沟。规定虽很明确,但执行中往往出现麻烦。岚山西北部之吉宝湖地区向西部境外排水一直不顺。

④ 睢宁双沟与灵璧九顶之间,因小柴河、新源河、运料河排水,常有争执。

(2)睢宁东部与宿迁接壤,睢宁属徐州地区,宿迁县属淮阴地区,经常形成地区之间的水利纠纷。

南段睢宁凌城与宿迁埠子之间局部地区排水纠纷。1956年6月虽有协议,后由于宿迁筑船行干渠堵死凌城排水出路再次形成纠纷。1973年3月省水电局派梅众明来处理:在凌埠路北由宿迁给睢宁解决排水出路,凌埠路南两县排水各自独立。以后便相安无事。

中段在50年代睢宁高作区与宿迁耿车区,常有排水矛盾(现在属于刘圩乡),1956年7月协商后基本解决。

北段黄墩湖地区在小阎河治理上,睢宁与宿迁常有分歧,下游出路狭小,古邳、浦棠常受水灾。1980年初宿迁在小阎河中筑坝堵水,当时矛盾比较激化。

(3)睢宁北部与邳县接壤,两县同属徐州地区,是县际之间的水利纠纷。主要矛盾在两处:一是睢宁古邳与邳县土山的花河;二是民便河上游,睢宁张圩山后排水出路问题。因同属一个地区,虽有矛盾,相对处理难度较小。

2. 边界水利纠纷特点

建国后虽然出现很多水利纠纷,但是在中共各级组织和各级政府领导下,实行统一规划分期治理,水利纠纷得到很好的抑制。通过兴办水利工程,矛盾逐渐消失,所有纠纷只是暂时的。回顾在处理水利纠纷过程中,归纳起来有4个特点:

(1)建国后水利纠纷总的趋势是由多到少,由大到小。50年代水利纠纷多,而且有时很尖锐。例如1957年6月,睢宁李集区与灵璧县高楼区因洪灵沟以东排水问题发生械斗。李集建闸,高楼便发动千余人,携带枪支数十支,扒闸,拔电杆,抢电话机,并鸣枪200余响,绑架群众6人,打伤4人。60年代国家批准安河、潼河和一系列边界工程治理,南部、西部水利纠纷趋向缓和。70、80年代引水工程大发展,相对排水标准大大提高,水利纠纷大为减少。50年代双方对等协商,成功者少,而且反复较大。双方坐在一起往往气氛紧张,经常是上一级出面处理。70年代后双方对等坐在一起协商成功率高,经常出现50年代不愿开挖的工程,70年代后转变态度,积极要求兴办。

(2)各级政府都非常注重处理水利纠纷。一些地区发生水利纠纷影响地方安定,影响人民生产、生活,各级政府都高度重视纠纷排解工作,仅举四例:

① 1953年11月中旬,华东局水利部副部长钱正英来睢宁视察工作。在岚山区向灵璧县建设科长交代,要修好洪灵沟东堤。洪灵沟东堤是保证李集地区安全的关键性工程。

② 1955年7月至8月,省里为了解决边界水利纠纷积极向淮委反映情况。7月30日江苏省苏北防汛防旱指挥部指挥陈克天向淮委汇报睢宁解决洪灵沟水利纠纷一案。7月31日苏北防汛防旱指挥部指挥陈克天向淮委报告,为解决岚山区和九顶区闸河水利纠纷,请求提前考虑整治闸河方案,以彻底消除纠纷。8月18日省防汛防旱总指挥部向淮委反映,安徽泗县潘山大桥束水,阻碍龙河泄水,要求改建或扩建。

③ 1959年因苏皖两省边界纠纷紧张,8月5日国务院副秘书长赵宋攻和水电部办公厅主任杨文汉专程来徐州解决。就睢宁边界水利纠纷双方达成了协议。

④ 1964年4月,为贯彻1963年8月苏、皖两省于徐州会商的边界水利纠纷有关决议,中共睢宁县委第一书记李川和副县长刘步义分别在西片和西南片公社党委书记会议上传达贯彻。副县长林雅萍专门召开公社党委书记会议贯彻。当年先后四次检查边界工程行动情况。

(3)为解决水利纠纷,各级政府不断制定相关政策,并严格执行。如60年代国家和华东局都规定在边界十公里内,不经双方协议,不准兴办水利工程。此规定执行时间较长,收到很大效果。1963年冬睢宁县凌城、官山、李集、桃园、双沟、王集等地区除涝工程,均未经双方协商,单方面在边界10公里以内擅自施工。为此向省水利厅作出书面检查报告。为彻底解决水利纠纷,有时还适当调整行政区划界线。如1955年10月苏皖两省经过协商,将灵璧县九顶区的陈集乡和土山、谢庄两个自然村划归睢宁县。

(4)各级政府都注重对边界工程的投入。改善边界水利条件,对边界矛盾焦点地区加大投入,兴办水利工程,使矛盾逐步减少,以致消失。

水利纠纷协议材料之一

灵璧县高楼区
睢宁县李集区 水利纠纷解决协议合同书

（一）洪灵沟，按附近堤高，将堤身低洼处与缺口修复，并教育群众尽力保堤，万一在大水漫堤，或在无人扒的情况下决口，高楼要尽力抢修。但李集区决不能将圩田向东流水的沟口堵死。如有人破坏洪灵沟东堤，造成缺口由高楼区负责及时堵死。否则李集区可将向东流水沟口堵起，高楼区不得干涉。

（二）高、李交界的南北大圩，圩沟要畅通（由李集区负责），并在一定地址留向东流水沟五条。但每处沟口要和堤身一般宽深，以不阻水流为原则，完全解决洪灵沟以东所有水患。但这五条沟的任何地方修建桥或涵闸、涵洞，须经双方协议确定。

（三）在圩的西边洪灵沟东边范围内，可尽力在适合的条件下开挖小沟（不超过一公尺半），通向五条向东流水沟内，但李集区不得干涉。

（四）利民沟上小石桥立即拆掉，将石头全部搬到河堤外，秋收后再作改建圆孔桥，但要根据河宽不阻水的原则。

（五）潼河进水口尽管进水，但出水口一定要打土，在一般水的情况下，保证不决口，如出水时即时堵起。

（六）时间：自7月1日起，洪灵沟圩堤沟口、潼河出水口和石桥一定按以上规定研究施工。7月6日双方派有关人员到利民沟桥上集中，开始验收此合同执行情况。

（七）此合同自订立起有效，如有一方不执行，不但要负一定责任，同时赔偿一定损失。

灵璧县代表：李化固　崔玉凤

刘　华　戴文生

睢宁县代表：秦达连　戴洪鼎

秦立均　刘步义

1955 年 6 月 29 日

于灵璧高楼订

水利纠纷协议材料之二

灵璧县九顶区
睢宁县双沟区 水利问题协议书

灵璧县九顶区与睢宁县双沟区之接壤地方（即双沟区刘元、马庄两乡与九顶区学栋、宁庄两乡相接处）地势低洼，汛期积水。由于过去双方在开渠导水方面，意见不调，致屡遭灾害，甚至酿成群众性纠纷，因此严重影响了农业生产。现为了消除这久存之水利问题，达到发展农业生产之目的，今双方在互相谅解的基础上，本着上下游兼顾的原则，均一致认为必须导通上述地区之新源河、小柴河，及该地区内之全部沟渠。因此，特就今后之施工原则、工程任务以及遵守信用等方面达成如下协议：

（一）新源河下段自运料河处起（即学栋乡吴庄村门前）向上 1500 公尺开导，工程由九顶区负责。其工程标准为：河深 2 公尺，底宽 6 公尺，滩面 5 公尺，堤压 7～10 公尺，堤高 1.5～2 公尺，堤顶宽 2 公尺（左、右堤同）。该河上游工程全面由双沟区负责，标准与下游同。

（二）小柴河（在吴庄家西）属九顶区之工程，由九顶区负责。属双沟区之工程由双沟区负责。其工程标准由九顶区按实际情况确定。

（三）双沟区赵楼村的地面水，得由双（沟）灵（璧）公路的路渠向下排泄，下游不得截阻。

（四）在双沟区刘元乡单桥、朱营两村南湖开一东西沟，将该地区地面水由孟圩村南导入新源河。其工程标准为：沟深 1.5 公尺，口宽 2.5 公尺，底宽 1 公尺，南堤高 1.2 公尺，北堤高 6 公尺。

（五）双沟区焦营村，南湖之东西沟，应筑一南堤，堤高 1.2 公尺。

（六）以上工程应于 1955 年 7 月 7 日完成，不得逾期。

（七）嗣后如有违反本协议者（包括干部和群众），违反一方应负因此而引起的一切后果的全部责任。

（八）本协议自签字之日起生效。

灵璧县人民政府代表　宋砚溪

灵璧县九顶区代表　杨步明

睢宁县人民政府代表　栗国祥

睢宁县双沟区代表　刘子云

吕玉铎

1955 年 6 月 30 日

水利纠纷协议材料之三

灵璧县高楼区
睢宁县李集区　协商决议纪律书

（一）洪灵沟东堤在不决口与无人扒的情况下，万一大水漫堤东流，坚决不准李集区堵塞五条流水沟，保证排除洪灵沟东两个半乡积水。但亦不准有意识放障碍物阻水东流，如不执行决议，由李集区、乡负责。

（二）高楼区、乡对洪灵沟组织群众严加看管，防止决口和个别坏人操纵扒堤，如东堤决口或被群众破坏，高楼区、乡要立即组织群众抢堵。如不及时堵好，李集区群众可将五条向东流水沟堵塞，而高楼区群众不得加以任何干涉，亦不准扒圩堤。如不执行决议，造成不良后果，应由高楼区、乡负责。

（三）洪灵沟堤低洼处和决口处，一定要和附近高堤身及时复齐。

（四）李集圩田沟内有不通畅处，李集区、乡负责搞通。

以上所订纪律，经双方同意，如有一方不执行造成事故，应由主动一方负责。

高楼区	崔玉凤	张文民	袁凤启
	李化固	邓　霞	胡昌仁
李集区	王前才	朱炳久	王树树
	王心聪	葛　俊	庄维义
	王瑞田		

1955 年 7 月 11 日

水利纠纷协议材料之四

灵璧县高楼区
睢宁县桃园区 水利问题协议合同书

　　灵璧县高楼区与睢宁县桃园区系接壤地方即桃园区卓圩乡和高楼区潼郡乡相接处,尚有潼郡乡支沟,汛期排洪因意见失调,时有群众性纠纷,因此严重影响农业生产,现为了消除这久存之水利问题,达到发展农业生产的目的,曾于本年 7 月 10 日经双方县首长同区有关人员,为解决此一问题基础上,本着上、下游兼顾的原则,一致认为必须加修潼郡支沟东堤,及潼郡支沟以东圩田畦田开竣问题,因此,特在今后施工原则、工程标准、防汛时间保堤、护堤的责任划分以及遵守信用等方面达成如下协议以利双方执行。

　　(一)潼郡支沟决议

　　(1)潼郡支沟治修工程标准:自潼郡三关庙入潼河止,全工段东堤顶宽一公尺,顶高一公尺三寸,坡度一比二,修理东堤全由河内取土,老堤一律不予搬堤,加堤是从老堤外身加宽、加高,合乎协定工程标准,此工段由桃园区负责。

　　(2)自三关庙向北潼郡支沟东堤横沟三岔路上确保东堤安全,保证像 1954 年水位不予溃决,由高楼区负责整修。

　　(3)汛期护堤责任的划分:以潼郡三关店至入潼河口在汛期由桃园区防汛,除遵照原工程标准外,水涨堤高,确保堤的安全,在防汛期间民工组织、工棚搭盖器材准备由桃园区负责,为了确保东堤安全,在汛前河水满所修堤土泥全由东堤外脚使土,高楼区不得干涉。自潼郡三关庙横沟三岔路口止,潼郡支沟防汛整修护堤由高楼区负责,确保堤的安全,如因系人破堤缺口溃决,高楼区负责抢修堵好,桃园区不得将缺口堵塞。如不抢修而桃园区要把圩田缺口水道进行堵塞,高楼区不得干涉或因洪水漫堤抢修及时,桃园区不得堵塞缺口。

　　(4)开工时间和堤身青苗处理原则

　　① 开工时间为 7 月 20 日进行施工,21 日完竣。

　　② 堤身青苗田高楼区动员沿堤群众拔除,而桃园区民工要尽一切力量爱护堤两侧青苗,不致遭踩来影响增加生产。

　　③ 潼郡支沟自加修堤防后,为确保堤身安全,不准耕种庄稼,应由高楼区动员沿堤群众说服教育达到此一目的。

　　(二)桃园区潼郡支沟以东田间问题的决议

　　潼郡支沟东圩田,桃园区仍需筑圩堤,第一段从潼郡起至小卓南东西沟止,连圩田头上计留水口 4 道;第二段从崔庄东头起至宋庄北湖止,计留 3 道水口,如因系人破坏堤身,或缺口溃决,高楼区应即抢修,如不抢修亦要把圩田的缺口堵塞,如高楼区及时抢修,而桃园区不得堵塞圩田缺口。

（三）附则

（1）此合同自签定日有效，今后如有不尽事宜，取得双方同意后方可修正。如一方不得撕毁合同。

（2）此合同计一式四份，交睢、灵两县备查，区各执一份，遵照执行。

（3）合同签定后，如有违反本协议者（包括干部和群众），违反一方应负责引起后果的全部责任。

（4）今后有关筑圩、疏浚水道开口等需经双方同意方准施工。

（5）圩田共计 7 处水道，其中崔庄家东、朱庄家后新开缺口标准沟口三公尺宽，深一公尺五寸。保证排水。北水大，平地有积水，如圩田挡水，圩堤可铲除与平地同，每边可加宽五公尺。

（6）从小卓庄南小桥起至卓圩河上小沟，开宽为三公尺，深度为一公尺五寸，底宽为一公尺五寸。

（7）圩田以外可适当由高楼区开挖出小沟，桃园区不得干涉，如超过一公尺宽需取得双方同意施工。

（8）新开沟口两边原有留的沟口，崔庄后沟子铲除沟中障碍照北头沟形由高楼区负责，朱庄后疏浚由桃园区负责。

刘　华　崔玉凤　李化固　吕廷选　刘步义　李信舒

1955 年 7 月 18 日

水利纠纷协议材料之五

江苏省徐州专区铜山、睢宁
安徽省宿县专区灵璧、宿县　四县边界水利纠纷协议书

睢、灵、铜、宿四县边界水利纠纷，过去双方均获协议，由于未能很好执行，以致有的纠纷在今年汛期曾发生械斗等事情，亟待解决。10 月 11 日经淮委召集双方省、专、县、区代表来蚌协商，历时 3 日，本着上、下兼顾，团结互让的基本原则，各处纠纷已获解决，并订立本协议书，双方保证共同遵守，其情况如下：

（一）划清流域分界线

双方同意淮委流域规划所划分的废黄河水系、安河水系和濉河水系的流域分界线。

（1）以废黄河南堤为界，自吴楼东北起，经杨洼包括堤北约 3.5 平方公里，小店庄、洪庄、李庄、小张庄，包括堤北约 2.5 平方公里，双沟镇、马庄至胥湾止划分，北属废黄河水系，南属濉河水系。

（2）以废闸河为界，自孙庄西起，经长埝、柴湖西、陈集、寨山、土山、大刘山、东郭庄至张场止划分。西属濉河水系，东属安河水系。

（3）安河流域规划时，应将闸河以东灵璧县所属安河面积统一安排。

（4）双方均应按照流域分界的水系排水，不得紊乱水系。

（二）各处水利纠纷的协商结果

（1）铜山县房村区、睢宁县双沟区与灵璧古城区申家口子纠纷

① 铜山、睢宁两县保证分界线以北的水不向南流,灵璧县负责将废黄河南所有堤缺口全部扒开。

② 根据濉唐河治理工程计划,本地区运料河、黄泥沟及申家沟决定1956年施工。本纠纷应获彻底解决。

(2) 睢宁县张圩区与灵璧县九顶区柴家湖纠纷

① 本地区排水属安河水系,在安河未治理以前,海郑公路双方不得扒筑。公路桥涵灵璧不能堵塞,双洋河闸睢宁县所抛块石应予清理,保证畅流。

② 为了彻底解决纠纷,建议灵璧县将九顶区柴湖乡划归睢宁县。

(3) 睢宁县岚山区与灵璧县九顶区废闸河纠纷

① 本地区排水以废闸河为界东属安河水系,西属濉河水系。在安河未治理前,睢宁县不再挖沟引水或将原有沟泣伸长扩大。灵璧县不得筑坝堵水,任其自然地形流水,双方并同意均按1955年7月12日所签订的协议执行。

② 为了彻底解决纠纷,建议灵璧县将九顶区陈集乡及耀山乡的土山和谢庄两自然村划归睢宁。

(4) 睢宁县桃园区与灵璧县高楼区潼郡支沟纠纷

① 本地区排水属安河水系,在安河未治理前,双方同意按1955年7月18日所签订的协议执行。

② 建议调整行政区界,灵璧县高楼区位洼、老龙潭、八张庄、小王店、黑鲍、小李庄、陈庄7个自然村划归睢宁。睢宁县桃园区新庄、崔家、卓圩、陈庄、大姚5个自然村划归灵璧县,彻底解决纠纷。

(5) 睢宁县李集区灵璧县高楼区洪灵沟以东边界排水纠纷

① 本地区排水属安河水系,在安河未治理以前,灵璧县必须确保洪灵沟东堤,睢宁县保证排除灵璧县洪灵沟以东两个半乡的水畅流,双方同意按1955年7月11日所签订的协议执行。

② 安河流域治理时,废闸河以东,潼河以南,洪灵沟以西,老濉河以北地区,流域规划部门应按水系向安河排水,并做好沟渠布置。

(6) 睢宁县双沟区与灵璧县九顶区草沟、小柴沟纠纷

① 双方同意按1955年6月30日所签订的协议执行。

② 根据濉唐河工程治理计划,本地区运料河申家沟1956年施工后,本纠纷可彻底解决。

(7) 铜山县与宿县水利纠纷(略)

(三) 为了就地消灭和减轻水患,增加农业生产,各县可以做沟洫畦田工程。但在流域规划内的工程未整治前,对下游有影响的沟渠排水工程,上游必须征得下游同意,然后举办。一般的沟洫畦田只准拦蓄,不得排泄,并不得借筑圩而阻水。

(四) 未实现流域规划的地区,在不致扩大下游灾情的情况下,上游可考虑做些较大的工程,但须征得下游同意并将计划报请淮委审批后方能施工。

(五) 1955年汛期中曾发生械斗的纠纷,应予处理,各县、区、乡均应就自我批评和严格检查自己做起,从思想上认识纠纷的危害性和制止发生纠纷的必要性,然后予以适当之处理,以资教育干部群众。

（六）今后绝对禁止因水利纠纷而发生械斗行为，否则双方均应对负责之人员加以处分，对主动械斗者更加重处理。如因一方不遵守协议致农业生产有损失时，应即追查责任加以处理。

（七）为了在汛期中，更好地领导群众，团结群众，防止坏分子从中造谣破坏，双方同意专区及有关县在汛期成立联防机构。

（八）本协议的基本建设，双方保证向纠纷地区群众贯彻，做到家喻户晓。

江苏省人民委员会代表 熊梯云

徐州专区 代表 吴振亚

铜山县人民委员会代表 袁封甸

董 尧

睢宁县岚山区 代表 李宗舜

睢宁县李集区 代表 王前才

安徽省人民委员会代表 祝明夫

宿县专区 代表 祝明夫

灵璧县人民委员会代表 刘 华

宋砚溪

睢宁县人民委员会代表 王茂芬

灵璧县古城区 代表 张福民

灵璧县九顶区 代表 赵其厚

灵璧县高楼区 代表 崔玉凤

宿县人民委员会 代表 林云岐

徐家金

治淮委员会 代表 陈力生

张延祚

马俊民

邹青松

王家炎

1955 年 10 月 13 日

水利纠纷协议材料之六

协 议 书

为了解决双方多年来存在的水利纠纷，兹特约在埠子区戚圩乡人民委员会通过正式会议协商，双方取得一致意见，并签订此协议书，交双方县、区、乡各保存一份，由到会诸同志保证贯彻执行，不得有任何犹豫，所有协议具体意见分述如下：

（一）十里店西头百余公尺处，南北沟西边由睢宁负责，打土坝一道，标准要和公路一平，顶宽 3 公尺，土坝管理由睢宁负责，在一般情况下，保证坝西的雨水不向东流，特殊情况例外。

（二）由蔡锡枚宅北向东南已堵死出水沟应扒开，但在蔡锡枚宅北弯曲大甚处需适当取直，使水畅流，沟底开挖3公尺，挖深1.5公尺（包括原有沟宽、深度），由蔡锡枚宅西向南至蔡宅圩沟已堵死出水道应扒开，底宽开3公尺，挖深1.5公尺，需两面建堤，既利排水又达到保证农田不受淹。十里店东未修之公路，由宿迁负责适当加高，并保证北水不向路南流，使西水送入东沙河。

（三）由蔡宅圩向芦圩原有排水沟，因狭窄需适当整治（具体标准由睢宁根据上游来量负责设计），但应两面建堤，不管在任何情况下要确保两堤不溃决，遥河上尾两个窝口虽由宿迁暂时堵死，必须根据上游来量做好足够放水准备工程。

（四）芦圩已打围田必须保持，另在不影响三边乡排水原则上尚可扩大，要留出足够出水道路，围田内所有三边乡土地应由三边乡教育群众做到保证统一施工，不准再有任何阻挠，其他处围田如有不通的地方由有关乡协同在双方友爱精神下适当处理。

（五）原计划建成戚咀涵洞已决定移建逍遥口，所有凌沙河以东雨水仍应通过逍遥涵洞排入龙河。根据交谈以计划涵洞流量偏低应由睢宁考虑增加，查龙河目前整治标准，系按三年一遇疏浚，如超过三年一遇雨量，龙河水很可能发生倒灌，真正遇到此种情况，逍遥口涵洞应立即关闭。遥河上尾已打土坝，则由宿迁负责迅速拆除，使北部所有雨水全部由遥河排入新安河。下游区、乡不得有任何干涉。

（六）北由凌、洋公路起，南至徐洼止之凌沙河东堤，应由睢宁负责加固，并保证不决口。

（七）所有土方工程均确定于6月16日开工，属于睢宁范围内工程由睢宁负责施工，属于宿迁范围的工程均保证于7月5日前完成。逍遥涵洞兴建工程应于7月10日前完成，以便排泄雨水，工程结束后由双方区、乡负责验收。

参加协议人：睢宁县代表　贾石华

梁　鹏　戴洪鼎　程心道

区代表　王敦宗　房友阶　陈会侠

乡代表　陆成美　孙德金

宿迁县代表　侍馨林　蔡仰周

区代表　汪克斌　徐景太　陈训扬

乡代表　唐家友　边子平

1956年6月5日

水利纠纷协议材料之七

协　议　书

为了解决两县历年来排水纠纷问题，特于7月5日约聚于睢宁县高作区刘圩乡人民委员会首先通过介绍情况，其次双方会同实地勘察，在自愿两利原则下，提出如下治理意见：

（一）东北由王元庄起至仝行原有之排水沟，经双方研究为减轻下游负担，东由扬庚圩西北角小松林起，西至睢宁圩田北沟，新开口宽3公尺、深度1公尺2公寸，挖北沟筑南堤，使东水流入中渭河,如因圩田沟浅而成灾,由睢宁负责。

（二）小松林向西南至仝行一小段雨水亦由睢宁圩田排入中渭河,原圩沟如果浅应由睢宁负责开宽加深,保证不阻水。

（三）臧庄北东西小沟由睢宁负责开挖,芦苇地前后一段由宿迁县负责疏通,并打南堤,保证北水不南犯。

（四）欧庙后沙河起向西南至吴庄东圩田缺口止,原有一道排水沟上游,由吕庄向东北三华里路长已开好新沟排除该段雨水,吕庄沟西南之雨水因地势较高,无法东排,经研究需往阎庄排入中渭河,但阎庄前约400公尺一段不通畅,经研究决定由睢宁负责,开宽1.5公尺,挖深7公寸,以使宿迁地区雨水顺利排泄。吴庄东原有圩田缺口应留足够上游排水需要,如因此造成涝灾应由睢宁负责。

（五）西由仝集南边起东至黄庄后接圩田头一段,宿迁县同意全部打圩田,缺口要留与吴庄东缺口同,所有宿迁土地由宿迁负责,教育群众统一施工,不得有任何阻止。

（六）新开沟与圩田等工程均确定于7月7日开工,并保证于16日完成,如遇大雨阻止,顺序推迟。

（七）上述六项系经双方代表研究决定,并且保证坚决执行,不得有任何犹豫。所有双方有关地区群众思想问题,由双方党委负责说服教育,达到加强团结。

宿迁县代表　　蔡仰周

耿车区代表　　王业守

朱海乡代表　　吴永生

睢宁县代表　　谢玉白

高作区代表　　孙传英

刘圩乡代表　　张松林

1956年7月5日

水利纠纷协议材料之八

睢宁县
　　　水利纠纷协议书
泗　县

睢宁县与泗县因墓河拦河打坝和潼河南天门涵洞、龙河、白马河之间排涝,流入泗县境内等纠纷问题,由蚌埠专署和徐州专署派代表协同泗县、睢宁县代表在宿县共同研究解决,经泗县、睢宁两县代表介绍后,由徐州、蚌埠专署代表提议,睢宁、泗县代表同意,其协议如下:

（一）墓河拦河打坝问题:由泗县负责立即拆除,如因汛期水大,不能拆除彻底,汛后要彻底完全清除,并保证今后不再拦河打坝。

（二）潼河南岸南天门修建涵洞问题:责成睢宁立即修好,以免施工期间出险。如已竣工,此新建涵洞未经考验,由睢宁负责防护,使不出险为原则,如以后由该处决口或倒灌造成损失应由睢宁县负责。

（三）龙河与白马河之间内涝问题,由睢宁县、泗县共同负责勘测设计,如该处之内涝引入龙河或白马河,具体地点待实地查看决定。

以上协议经双方代表共同研究决定,现立此协议书正本六本,附本六本,交双方共同遵守执行。

徐州专署代表　位　侗

蚌埠专署代表　宋祥光

睢宁县代表　　赵士学

泗县代表　　　程万桂

1956 年 7 月 17 日

水利纠纷协议材料之九

江苏省徐州专区睢宁县
　　　　　　　　　水利纠纷协议书
安徽省蚌埠专区灵璧县

睢、灵两县水利纠纷过去双方均获协议,由于未能很好执行,纠纷又起。经双方专、县、区、乡代表于本年 7 月 15 日至 20 日来徐协商,在 1955 年 10 月 12 日,铜、睢、灵、宿四县边界纠纷协议的基础上,本上下兼顾,团结互让的原则,各处纠纷已获解决,并达成如下协议:

(一)睢宁县岚山区与灵璧县九顶区闸河以西纠纷

(1)该地区按淮委流域规划系属安河水系,由白马河排出。在安河水系未治理前,暂以杨山以北的水,由杨山截死,不让南流,挖沟入闸河。

(2)杨山以南,土山以北的水,按流域规划不属灘河水系,同时项土沟疏浚的集水面积亦不包括此地区,但为了解决暂时的纠纷,该部分的水分为两股排出,一股排入项土沟,原入项土沟的沟原状不动,一股由离土山村汪北 20 公尺处开挖一东西沟入闸河,其沟标准:上游不大于汪北接口处断面,下游不大于闸河。

(3)土山以南、闸河以西这一地区的水,由灵璧负责排入项土沟,按五年一遇雨型的标准,3 平方公里的面积计算断面,但其断面不得大于项土沟,在圩堤处口门宽与项土沟两堤顶口宽相同(其沟堤距亦相同)。所开的沟东起谢庄向西,南沿自然洼地接入项土沟,其工程以圩为界,西属灵璧做,东属睢宁做。

(二)睢宁县胡集乡与灵璧县吴庙乡水利纠纷

(1)该地区属安河水系,在安河水系未治理前,暂以后赵庄向东至白马支沟向西至闸河大刘山以东松林高岭地带为南北分水界。北水睢宁保证不让南流。界南水灵璧负责排出(关于分水界线的工程,从胡集至高楼的路起,自赵庄向东挖沟筑南堤通入白马支沟,路以西高地不做工程,个别洼地需填之与高地平)。

(2)闸河险段以上述分水线为界,以北由睢宁负责,以南由灵璧县负责,闸河若在分水界南决口,灵璧准予睢宁在腊元西洼地与大刘山南扒圩泄洪。闸河若在分水界北决口,睢宁负责在分水界线上不动一锹土向南放水,灵璧圩堤亦不扒,但已开排内水的缺口亦不堵塞。

(3)分水界以南圩堤以北地区,西北部 0.85 平方公里的水按五年一遇雨型标准设计断面向西南流作为开缺口或修涵洞的标准,其断面如附表所示。其余 2.08 平方公里的水,亦按上述同样标准和设计断面在耿庄东南圩堤上开缺流入洪泥沟,其断面见附表。若以上地区做了工程在协议雨型下在耿庄南仍积水排不出时,积水由睢宁挖沟,沟挖通再排不出由睢宁破圩放水。

（三）睢宁县桃园、陈集乡与灵璧县高楼乡纠纷

（1）南北朱以东,向东西去的沟,睢宁保证于此协议限期内仍按淮委原协议标准开挖。

（2）崔庄以东圩堤南头灵璧将圩堤移至南北朱以西的南北沟西边,让北水由此沟向西南切开大路与卓圩流入卓圩支沟,路东的沟,以现有断面不动,沟堤以该沟北头东堤的断面为标准,在路上开缺原路西沟的断面与路东沟同。

南北朱西的南北沟的北沟头保证畅通。

（3）沿路东的现有路沟,睢宁不得堵死,仍保持原有断面,让其分流该沟的来水。

（4）汤庄门前大路被切断的横沟,灵璧负责填平。

（四）本协议自签字后生效,除分发双方有关单位执行外,并报淮委及苏皖二省核备。

双方在协商后,应抓紧时间,指定专人负责,严格执行协议所要做的各项工程,由所在县负责施工,不得迟于 7 月 30 日按标准完成,否则以不遵守协议论,如遇下雨等特殊情况例外。

两县纠纷工程完成后,由县、区、乡合同互相检查验收,若有不合协议时翻工。

（五）双方在未动工前,要向群众进行教育,并深入细致地将此协议贯彻到群众中去,使群众真正认识到协议精神,嗣后不再闹事。

（六）此协议有未尽事项者,应经双方协商后解决之。

徐州专区代表　金鼎元　蚌埠专区代表　卜贻怀
　　　　　　　王正斌　　　　　　　刘清岭
睢宁县代表　李宗舜　灵璧县代表　刘　华
李集区代表　王前才　　　　　　　胡昌德
陈集乡代表　袁凤祥　冯庙区代表　张绍典
王集区代表　朱殿良　吴庙乡代表　张联芝
胡集乡代表　王树林　　　　　　　徐崇林
岚山乡代表　李金萍　高楼乡代表　年凤尧
　　　　　　　　　　九顶区代表　陈广松
　　　　　　　　　　梁集乡代表　邱全安
1957 年 7 月 21 日

附:各沟断面表

地　点	集水面积 /km²	径流量 /(m³·s⁻¹)	河底比降	计划河底 N=0.025	水深 宽/m	侧　坡
谢庄西南入项土沟之小沟	3.0	3.12	1/5000	2.00	1.50	1∶2
耿庄入洪泥沟小沟	2.08	2.26	1/5000	2.00	1.20	1∶15
大刘山南小沟	0.85	1.1	1/5000	2.00	1.10	1∶15

水利纠纷协议材料之十

关于徐睢宿运河睢宁和灵璧水利问题会商纪录

睢宁开挖徐睢宿运河在双沟以东穿越灵璧县毛庄邵埝以南地段问题,现经双方专、县代表于12月4日到实地查勘后,本着团结互让精神,在徐经3天会商于12月7日结束,兹将会商意见记录如下:

(一)灵璧代表要求睢宁现在施工的火神庙以北、灵璧一段停下来。在双沟东灵璧境内一段未取得一致意见时,睢宁不得施工。

(二)睢宁代表要求仍走毛庄以南戚庄以北线路,但由于灵璧代表要求改走邵埝以北,徐淮公路以南,睢宁代表同意灵璧代表意见,同时灵璧亦表示火神庙地段仍可走原线。

(三)新开河线由睢灵两县迅速组织测量力量,灵璧派员参加。在12月12号前完成定线放样及施工。在12号如不能动工,火神庙灵璧境内工段睢宁应立即停工。

(四)挖压灵璧青苗、土地。为了友爱团结,由灵璧教育群众自行处理,不作赔偿。但火神庙以北地段河北仍有土地,为了不影响生产由睢宁购置渡船一只交给火神庙群众以便生产来往。

(五)徐、睢、宿运河两岸堤防标准相同,右岸睢宁入灵璧境的所有河道沟口,睢宁应做到河成、堤就,河口、沟口一律堵死。

蚌埠专区代表　钱亦山　王诚金

灵璧县代表　王乃庄　吴耀亚

徐州专区代表　梁公甫　吴振亚

睢宁县代表　林雅萍　邱治平

1958年12月7日

水利纠纷协议材料之十一

江苏省睢宁县
安徽省泗县 水利纠纷协议书

缘由:江苏省睢宁县在龙河找沟下边修建拦河闸,在宋庄东头打坝抬高水位运料致泗县赤山人民公社农作物遭受部分影响并因右岸溢洪冲塌堤防20余公尺。为使汛期顺利行洪排涝,现由江苏省、安徽省、徐州专署、蚌埠专署和睢宁、泗县各派代表在徐州地委招待所对上述纠纷和今后用水等有关问题达成协议如下:

(一)找沟闸(现建在皇庙)建成后,常年蓄水位最高不超过17.5公尺,如有干旱特殊情况须要抬高水位时,由睢宁县通知泗县经双方协议后,方可抬高水位。

(二)为使汛期顺利行洪排涝,睢宁县在宋庄东头已打的拦河坝,双方同意在6月15日拆除,如在6月15日前降雨水大,由睢宁县立即拆除,以便顺利排涝。

(三)因打坝被冲堤防,汛前由睢宁负责填补修好,达到原来标准质量。为防止新补堤防塌坍,在堤脚给以块石护砌。

（四）找沟闸建成后，该闸水量由两县共同使用，任何一方不得干涉。

（五）因运料拆掉的找沟北头大桥当中一孔，当时为便利收种由睢宁搭木板以能拉犁拖为宜，其余桥面待拦河坝拆除后即予修好，达到原来标准。但睢宁运料船来时将木板拿掉，船过后再予修好。

江苏省代表　　许上禅

安徽省代表　　周士朗

徐州专署代表　金鼎元

蚌埠专署代表　邵曙光

睢宁县代表　　刘庆文

泗县代表　　　程万桂

1959 年 5 月 31 日

水利纠纷协议材料之十二

邳睢两县水利纠纷协议书

去冬今春河网化运动中，邳县境内房亭河以南，新开一条南北方向徐洪运河，按专区规划，睢宁亦应同时开工，但由于民力限制，睢宁县境内尚未开挖，使徐洪运河目前不可能发挥作用，反而将原有排水系统打乱，这样造成两地群众产生纠纷，相互坚持不下，现经两县及有关乡各派代表，现场实地查看，达成如下协议：

（一）新河未有挖成，仍保持原有排水系统，睢宁可以在邳县已挖成的新河南头打坝（坝的标准不得大于原有两县交界圩埝），阻止北水由新河出口处南流。但睢宁必须同时负担沿徐洪河西岸筑围埝工程一段（南至两县交界圩，北至花河口），其标准埝顶宽 1 公尺，底宽 2 公尺，高度 1 公尺，在 7 月 10 日前完成。

（二）花河、干河、混泥沟等重要排水沟，均被徐洪运河割断，应一律恢复，发挥作用，统由邳县负责按原有河道标准疏通，时间 7 月 10 日前完成。

（三）睢宁县境内薛井处老花河河床内有路基一道，有碍行水由睢宁县负责，7 月 5 日前拆除至原河底高度，以利花河排水畅通。

（四）以上所安排各项工程，双方均应动员群众说明工程所做意图，避免群众不满而发生意外。

以上各点如有未尽事直须补充或修改，须应双方商讨确定，任何一方均不得以任何借口而违背上列协议。

睢宁县代表：邱治平　杨文秀　徐　路　李培芳

邳县代表：杨广间　李　雷

专区代表：孙　健

1959 年 7 月 3 日

水利纠纷协议材料之十三

安徽省灵璧县与江苏省睢宁县边境水利纠纷协议书

　　睢宁与灵璧两县边境水利纠纷,在 1959 年 7 月两省关于解决边界地区水利纠纷协议的基础上,两县达成以下具体协议:

　　(一)睢宁县李集、桃园公社与灵璧县高楼公社水利纠纷

　　(1)睢宁在潼河上所筑的坝全部拆除。

　　(2)按原协议规定睢宁在洪灵沟以东,潼河以南边界所堵的沟口和所堵的老支沟口全部扒开。灵璧新挖的支沟,全部分段堵死。

　　(3)洪灵沟以西,老滩在河以北,潼河以南,废闸河以西地区属潼河流域范围,目前维持现状,1960 年 5 月底归潼河水系排出,该地区的沟渠布置由中央和两省规划小组统一规划,双方相互联系,按潼河水系已治理的标准,做好沟渠工程,于今冬明春完成。

　　(4)大刘山以南,老滩在河以北,应按前淮委规划以废闸河东堤为分水界线。灵璧保证分水界以西水不东流,废闸河以东至潼河接头处灵璧开挖高尤运河部分,维持现状。

　　(5)潼河以北,白马支沟以南地区双方所堵的沟口,各自全部扒开。

　　(二)睢宁县王集公社和灵璧高楼公社松岭高地分水界及高楼圩坝地区水利纠纷仍按 1957 年 8 月 1 日协议执行。

　　(三)土山以南滩安河分水界线以西地区仍按 1957 年 8 月 1 日协议执行。

　　(四)闸河以西的水利纠纷按 1959 年 7 月两省达成协议执行。灵璧在项土沟新建的涵闸排除。

　　(五)睢宁县王集公社同灵璧县学栋公社水利纠纷

　　(1)睢宁同意孟家沟上段改道入北山渠沟,但北山渠沟的断面按孟家沟和原北山渠沟的断面相应加大。睢宁境分水界线以东的水保证不得西流。

　　(2)灵璧在新、北山渠沟所建涵闸全部拆除。

　　(六)睢宁县双沟公社同灵璧县学栋公社水利纠纷

　　(1)灵璧县在边境所建的涵洞,除高圩南一座涵闸改为桥,如孔径小则补充原沟的断面开挖引水道,其他边境涵洞全部拆除。

　　(2)睢宁县双沟公社在 1957 年 8 月 1 日协议后所挖的各条新沟分段堵死。灵璧县筑圩堤所堵死的老沟河应予扒开(圩堤上、下均有沟的)。

　　(3)睢宁新开挖徐圩运河堵死沟河,全部按原沟河断面扒开,保持水系。在各条沟河的东边将徐圩运河筑坝堵死,保证水不乱流。

　　(4)废黄河南堤缺口,除谢圩子一处按原协议规定的面积,可向堤南排水外(若超过规定范围,由睢宁筑堤封闭),其他向南流水的缺口,睢宁须一律堵死,保证堤北水不南流。

　　(七)本协议双方同意,切实贯彻执行。双方应做工程在 1959 年 8 月 10 日前各自完成,并会同派员相互检查执行情况。

灵璧县代表　王庆隆

睢宁县代表　刘庆文

1959 年 7 月 28 日

水利纠纷协议材料之十四

苏皖两省边界水利问题补充协议

时间:1963年8月20日于徐州

参加者:华东局农办王建生局长,安徽省水利厅陈力生厅长,宿县专区工业部方忠国部长,江苏省水利厅黄以干厅长,徐州专区汤海南专员。

会议在华东局农办王建生局长主持下,讨论如下协议:

(一)确定几项原则,经讨论双方同意:

(1)所有废黄河南北堤过水缺口均应按过去协议堵复(包括两省境内口子),各自由所在县施工。堵复标准因各过水缺口地形不同,坝顶高度定为3~5米或5米以上,由各县拟定,报上级批准,为保证质量尚未施工的坝子要层土层夯,已打好的坝子要加固,坝顶高度一般超过附近地平面1.5米,或与原地面平(或与堤同高),可根据实际情况而定,要保证废黄河滩地水不越出堤外向南流或北流。

(2)两省边界地区所有河口、沟口均不准拦河打坝。1963年新堵的应立即扒开,清除坝埂,恢复原有河道过水断面,保证流水畅通。

(3)两省边界地区应认真执行中央指示,在省界两侧各10公里以内兴修新的水利工程必须经过上级(中央)批准,如有违犯应受纪律处分。

(二)几项具体问题,经过讨论双方同意:

(1)灵璧与睢宁县

1)运料河两堤问题,睢宁、灵璧两县都可以筑堤,其标准相同,但不得超过入申家沟堤的标准。

2)项土沟、洪泥沟的清淤问题。如果这两条沟在边界附近的一般淤积形成两头大、中间小应由灵璧县疏浚,使上下游断面一致(是否需要清淤由两省查勘,洪灵沟地区规划小组去查勘后决定)。

3)洪灵沟以西、闸河以东、濉河以北、潼河以南地区排水应由安河水系排水。这地区沟洫布置由两省今年10月份成立规划小组共同规划布置,在没有规划布置及施工好之前,这地区应保持1959年协议后的情况,将现有洪灵沟东堤堵复。

4)洪灵沟以东,灵璧今年扩大的5条沟目前维持现状,今后由洪灵沟以西地区规划小组统一规划。

(2)睢宁与泗县、灵璧,睢宁县在濉河以北入濉河的7道沟均封闭,排水改入潼河。这7条沟北头如不通潼河,可以挖通入潼河。在未挖通入潼河之前暂不封闭入濉河口门。其中2条不通潼河的沟应予今冬明春挖通,排水入潼河,封闭入濉河口门。

1)沟洫处理问题

① 1959年历次协议规定应处理的边界沟,按协议规定执行,由双方县派员会同检查该堵的堵,该扒的扒。

② 1959年协议后未经协商的排水沟应按5%分段堵死,即每100公尺堵5公尺,第一道在边界开始。

③ 田头沟保留问题。双方认为在1959年协议以后所新挖的田头小沟,口宽不大于1公尺,深度不大于0.5公尺,间距不小于300公尺的排水时其流向与排水沟大体垂直者称为

田头沟,田头沟可以保留,但须经双方县社会同查勘,符合上述标准,并报上级备案。

2)边界桥涵处理问题:凡符合下列情形之一者都应拆除或扩建。

① 过去协议规定的应拆的桥涵。

② 1959 年以后未经协商新建的阻水桥涵。

③ 严重的阻水桥涵。

为了照顾附近群众生产的需要,应拆的阻水桥涵,可经双方协商同意重建或扩建。但新建或扩建的桥,其过水断面不得小于河床过水断面的 80%,桥底不得高于河底。如系扩建的旧桥涵,应限期完成。

睢宁应做工程有:

① 1959 年协议后在可怜庄北废黄河南堤兴建引黄灌溉闸 1 座,如未封闭应封闭。

② 废黄河南堤决口按上述第一部分第一条执行。

③ 双沟以南在 1957 年后的新挖的 44 条排水沟,按 1959 年协议规定应逐条分段堵死,堵复标准可参照上述第三部分第二条执行,1959 年协议后所新挖沟一般均应平毁,符合田头沟的可按田头沟处理。

④ 倪贯营北分水线按地形选自然分水岭分水,为防止闸河水西流,应在分水岭上筑月堤堵闭。其高度、宽度与闸河西堤相适应,保证东水不西流。

⑤ 倪贯营南分水线,在庙门前边东西大沟石桥处筑土坝堵死。土坝顶宽 5 公尺,高程与两岸道路相平,保证东水不西流。

⑥ 鸡宝山附近所新挖排水沟应分段堵死(每 100 米堵 5 米),乔尾巴沟扩大和伸延部分应恢复原状。

⑦ 土山门前分水线(即土山坝),坝身矮小部分应按 1959 年协议恢复原状,保证北水不南流。

⑧ 赵庄门前分水线,堤身低矮处,系赵庄(及松林高度约 200~300 米)及南北两条被扒的沟口,应按 1959 年协议堵复至原标准,并保证北水不南流。

⑨ 赵庄分水线以南耿庄地区,1959 年协议后新挖的排水沟应分段平毁,每 100 米堵 5 米,老沟扩宽部分应分段堵复扩宽部分,沟的位置与数量由两县会同查勘执行。

⑩ 老龙潭地区,老龙潭东北已堵死的南北圩沟的坝子应拆除,坝下已填平一段应按原沟标准开通,保证排水畅通,南北朱北面的东西沟应在沟的中间地点筑坝堵死,使向南水分流,东入陈潼支沟,西入徐李大路沟,堵坝标准,顶宽 2 米,顶高与两边堤顶平,边坡 1:2。

⑪ 利民支沟堵坝应立即拆除。

⑫ 封锁沟、高李公路、北沟两条如果是老沟应按 1959 年协议扒开。

⑬ 关于睢宁境内边界 10 座桥按阻水桥处理。任庙门前沟 3 座,分别在散卓村西头、散卓村门前和散卓村东头。利民沟 2 座,即黑鲍门前及三寸李北湖各 1 座,沙李公路上 1 座,吴场门前沟吴场门前 1 座,大李公路上 3 座。分别在王店庄东头,赵庄东头和李集北拐。

灵璧应做的工程有:

① 运料河坝如未拆除应彻底拆除,保证排水畅通。

② 东圆庄无名沟西支沟上不准堵坝保证排水畅通。

③ 在吴庄西七里高支上及新源河下游吴庄南的 2 座桥按阻水边境桥处理。

④ 高圩门前桥孔不在沟的正中心,应将桥上下游的沟疏通,使水流顺直通畅。

⑤ 奥姬圆以东,东园沟上一座倒塌老桥阻水应清除可建新桥。

⑥ 新三渠沟山楼庄前1座桥及老三渠沟3孔桥下的1座桥阻水,按阻水桥处理。

⑦ 老渠沟上的3孔桥边孔淤塞应清淤。

⑧ 孟家沟改道入新三渠沟在山楼庄东南有一段面不足,应按1959年协议疏通上下一致。

⑨ 项土沟上在中谷子东及南谷子东的2座桥如阻水应按阻水桥处理。

⑩ 赵庄分水线南面闸、徐沟与洪泥沟交界处在洪泥沟南口原堵坝基部分应清除,恢复原断面,保证排水畅通。

⑪ 闸徐沟应分四段堵死。地点是:(甲)胡集到高楼大路交叉处附近。(乙)红泥沟与闸徐沟交叉处东堤。(丙)胡集到桃园的大路交叉处。闸徐沟东端新挖通的小沟,填平一段长20米,其中(甲)、(丙)堵死标准是顶宽6米,高度与大路相平,其总长为50米保证不过水。

⑫ 高尤运河与闸河相交处的闸河东堤应加固到原堤标准。堤内平毁一段,沟槽与地面平,其总长为50米,保证不过水。

⑬ 老龙潭西北高桃大路上的缺口应堵复,其标准与路面平,保证路水不南流。

⑭ 灵璧高楼区在1959年协议后新挖的8条沟按新沟处理,该堵的堵,该保留的保留,扩大的老支沟应恢复至原标准。

(3)泗县与睢宁县

① 根据淮委濉安流域规划,老濉河北岸地区应属潼河水系排出。在濉河境内,潼濉河之间通入老濉河的7条沟,按第(二)部分规定处理。这7条沟是:前巷至后圩、王店到小孟家、山西会馆到大周家、李集到周王庄西、水张庄到张集西、陈桥南到张集东、蒋庄到许庙。

② 7条沟封闭标准:除做足现有濉河北堤断面相同外,还应从堤内外脚向外平毁一段河槽,做到与地面平,其总长是:1962年冬和1963年春新挖的两条沟即第一条中二、四两沟平毁70米;其余五条平毁50米。

外滩平毁部分为20米,其余做在堤内,如果现有河床在外滩不足20米时,按外滩实有长度平毁,其少部分移至堤内补足,总长符合上述一、二条之规定,筑堤的标准应层碱夯实,严密封问另加10%超高,并保证质量。

③ 关于老龙河南堤睢宁县王瓦房开挖三处缺口和一处拆堤由睢宁负责恢复原堤防标准,并层土层碱,加固加实。

又补充:

睢宁在睢河以北的七道沟均封闭排水改入潼河,这七条沟如不通潼河可以挖入潼河,在未挖入通潼河之前暂不封闭入濉河口门。其中两条不通潼河的沟,须于今冬明春挖通排入潼河,封闭入濉河口门。

遵照上述协议规定,今冬将黄圩大沟开通后,使张集、许庙东头,西头三条入濉河沟口封闭,使水分别由宋山大沟、黄圩大沟入潼河以解决边界水利矛盾。

水利纠纷协议材料之十五

徐州专区水利局并江苏省水利厅

关于 1963 年 8 月 20 日于徐州苏皖两省边界水利问题补充协议,我们所以没有签字作如下说明:

本月 8 日两省水利问题补充协议文稿是由安徽省水电厅同志执笔的,文稿内容有些仅是单方面意见或者前后原则和具体问题相互矛盾。文稿拟出后未经双方审议也未和我们商榷。当安徽省水电厅陈力生厅长因公急须离徐,便自己签字后将文稿移交下我省黄以干厅长和汤专员,认为补充协议文稿未加很好审议,内容和实际协议有出入。除认真贯彻坚决执行外,具体工程有如下几点说明:

(一)关于濉安河流域分界线的执行问题

补充协议几项具体问题

睢宁与泗县:

(1)睢宁县在濉河以北入濉河的 7 道沟均封闭排水改入潼河。查这 7 条沟都是原有排水历史老沟,有时大、小。孟圩子 2 条是 1962 年冬在原有老沟基础上略加扩大疏浚,按濉安河流域分界的划分这 7 条沟约有 20.6 平方公里,应当排入潼河。但老泗睢公路以东,潼河以南睢宁约有 11 平方公里面积按濉安河流域分界线应向濉河排水,由于泗县圈圩,筑坝堵死,张家沟多年水都是流入潼河的,上游睢宁 20.6 平方公里不该入濉河而入濉,现改入潼河,下游睢宁 11 平方公里该入濉河入潼了,亦应当改流入濉河,在补充协议中未作交代。

(2)按濉在安河流域分界线,废黄河以南,孙庄西、长埝以西水属濉河,以东水属安河,但孙庄西约 5 平方公里面积属濉河水系,现流入安河,我们意见仍应纳入濉河水系,以执行濉安河流域分界线。

睢宁与灵璧

(1)李集地区:根据黄厅长面示解决意见是今春所挖新沟及原有老沟和该堵未堵的沟,暂时维持现状,由两省规划小组统一规划处理,这样我们是没有意见的,但是具体文字协议中要睢宁处理 10 座桥,并要睢宁扒开封锁沟和高李路北沟,这是单方面提出的意见,没有经过协商即拟成补充协议文稿。同时灵璧今春新挖的 8 条沟和改建桥,是否会同将来规划有矛盾。因此,我们仍同意黄厅长意见灵璧新挖 3 条和 8 条该堵未堵的老沟及 7 条入濉河沟和边界桥均不动,待 10 月份两省规划小组对该地区提新的规划以及统一处理,该堵的堵,该拆的拆,该扩的扩,该建的建。

(2)双沟南的 44 条沟。1959 年的协议只提出分段堵死,这次协议要按 5% 平毁。我们考虑没有这样的必要,群众也不会同意。这样办的同时,这块地区田间沟洫也没有紊乱水系,我们意见可按李集地区沟洫同样处理或由规划小组统一规划处理。

(3)灵璧新挖的闸徐沟原协议是分四段堵死的,文字中只说堵死三段,最东头下口没有说筑堤封闭。我们意见在最东头仍要筑堤封闭,堤顶高出平地面 1 米,顶宽 6 米。

(4)混泥沟今春灵璧扩大,下游改道入潼郡支沟没有提出处理,应按协议后沟洫统一处理,或将混泥沟上下疏浚一致。

(5)徐李公路向卓圩去的沟被这次堵死,土坝应拆除。

(6)对这次违反协议率众械斗,造成伤人事件应追查处理,以维护协议的严肃性,以戒今后。

（二）对苏皖两省边界排涝主要河道,潼河、安河要求两省提前统一安排规划处理,以逐步消除矛盾,有利生产。

以上几条都是经过口头协商同意,但在补充协议文稿中被删改也未作交代,所以经过反复讨论研究经双方口头协商一致意见被一方擅自删改,所以我们没有签字。

林雅萍

邱治平

1963 年 12 月 24 日

水利纠纷协议材料之十六

<h3 align="center">关于黄墩湖小阎河工程宿睢边界工程协议书</h3>

（一）小阎河疏浚工程上游在桩号 13＋400 至 13＋800 一段内新开河线约 400 米穿过宿迁县境,该线河段定线标准上以睢宁境内已挖河中心线为标准,为照顾宿迁黄墩公社地少人多,下从河中心线循斩庄西侧为准,拉一直线,开挖过斩庄南出东西向小阎河向东南做成喇叭口以畅水流。

（二）在斩庄北穿过宿迁境内二段河线两侧建堤按十年一遇排涝标准开挖。马浅（15＋200）以上河线按已开工的河线维持现状不变,做足标准。河的两侧各有插花地由两县相互以同等数量田亩进行调整。今后对堤防岁修、绿化、养护等由两县各自负责。

（三）对上述该段河线挖压土地、青苗赔偿按中央国务院关于土地征用办法规定执行。土地赔偿费按常年产量以二年产值赔偿,挖压废青苗每亩赔偿□□元（原文如此——编者注）,双方实际丈量后按亩折价。关于赔偿费用在睢宁县小阎河疏浚工程经费中开支（土地挖压、青苗补偿按核定施工预算标准支付）。

（四）关于民便河口门,汛前由宿迁、睢宁两县共同商量暂时堵闭,待秋后请徐州专区水利局主持两县统一规划,建闸控制,防止高水倒灌。

（五）小阎河工程完成的同时对阎集机排站自排涵洞口门积土应由睢宁清除,民工工棚在竣工后应将堤防恢复原状。

（六）阎集机排站试车打水,不得打入小阎河工段内,增加排水负担。

（七）关于施工导流问题。除宿迁、睢宁两县应抓紧完成黄墩小河、小阎河疏浚工程外,在施工期间如发生排汛,两县自行解决,不得影响麦田排水确保夏熟丰收。

（八）双方应教育基层干部、群众加强团结,密切合作,互谅、互让,共同治水,为尽快摆脱黄墩湖旱、涝灾害而努力。

（九）斩庄小阎河以北,东堤以东黄墩三圩以西三角地区约 1000 亩土地,其中斩庄、许庄生产队土地 200 余亩在民便河口封闭,宋庄以西的水不东流的前提下,睢宁境约 200 亩土地水无出路,由宿迁县积极安排解决。

（十）小阎河工段穿过宿迁境内,因线路未协商确定致民工到工后停工。停工期间所需生活补助费由施工单位调查落实后按级上报研究处理。

省水利厅代表　韦嗣贤

淮阴专署水利局代表　刘进明

徐州专署水利局代表　邢学仁

宿迁县水利局长　丁文德

睢宁县水利局长　杨文秀

1964 年 3 月 27 日于睢宁县张集公社

水利纠纷协议材料之十七

关于解决邳睢两县
白山湖洼地水利边界问题的处理报告

邳睢两县白山湖洼地原排水系统是由民便河下泄入运。但因长期失修,加之山水冲击淤塞,低水难以排除,现在为了对该地区(即白山围田以西,武楼东西、洞营以北,民便河以南,石闸以东)保麦起见,根据上下兼顾,团结治水,有利生产的精神,于 4 月 19 日至 20 日由专署水利局邢学仁同志主持,经两县县社两级双方协商制订如下处理意见:

(一) 在民便河未治水之前该地区部分积水借入民便河河堤北 10 公尺,占城公社境内东、西排水沟经甘山桥下入老民便河。

(二) 由于占城排水沟小,泄水量有限制,大面积积水仍需新挖小沟向南入老民便河下泄。

(三) 借入占城排水沟上段水路不通需要做一小排水沟。排水沟位置在老民便河北堤以南 10 公尺开挖(即老民便河河床),沟的标准:口面 4 公尺,深度 1 公尺,坡度 1:5,滩面 2公尺。全部工程由睢宁县负责组织力量开挖。

(四) 为了减轻占城排水沟以北地区小麦受灾,因此必须加筑占城排水沟北堤子埝长度1000 公尺左右,全部工程由邳县组织力量施工。

(五) 两县工程开工时间订于 4 月 23 日开始动工,争取 4 月底完成。

(六) 原来民便河北堤已扒的 12 道决口,东西头 11 道全部堵复,恢复原来河堤标准(此工程谁扒谁堵),保留东口决口 1 道,标准与新扒小沟同。

(七) 为了避免今后产生新的矛盾,今后工程变动不经双方两县同意,任何一方不得随便扒沟、破堤或打坝,否则造成损失由违反者一方负责。

(八) 为了防止山水冲击,白山围田以西打南堤一道,工程由睢宁县负责,施工时间由睢宁县自行安排。

(九) 双方一致要求专署水利局将民便河工程列入 1964 年施工计划之内,统一安排,及早施工。

以上协议双方共同遵守执行,上述协议当否请上级指示。

邳县水利局　赵建彬

邳县占城公社党委　程一峰　杜　鹏

睢宁县水利局　邱治平

睢宁县张圩公社党委　张玉彩

1964 年 4 月 20 日

水利纠纷协议材料之十八

安徽省灵璧县与江苏省睢宁县
潼河干支流边界水利问题协议书

灵璧县与睢宁县潼河干支流边界水利问题,在中央和两省各级党委的重视下,两省统一规划、设计,并经中央水利部批准施工。但目前还存在一些问题。在两省、两专署派员主持下于7月11日至7月21日会同两县负责同志,经过现场查勘,并讨论研究,双方在伟大的毛泽东思想的指引下,突出政治,坚持政治挂帅,本着团结治水,互谅互让的精神,两县已达成协议,其具体条文如下:

(一)赵庄分水线所有缺口,在睢宁县的土地上的,由睢宁县堵闭。在灵璧县土地上的,由灵璧县堵闭,均必须在1966年7月25日以前,全部堵闭。并保证北水不南流,南水不北流。

(二)洪泥沟开挖工程,双方保证在1966年8月10日以前按计划完成,睢宁境内由双方统一放样,睢宁负责施工。粮、款补助按计划比例由灵璧拨给睢宁。

(三)为了与散卓支沟河道断面相适应,散卓支沟两座桥梁扩建工程由睢宁于8月15日以前完成。任庙家后桥梁扩建1孔。散卓门前的桥梁将斜坡铲除底高与中墩同,如不能拆除则加1孔。

(四)灵璧县高楼公社在老龙潭沟以东的约500亩地的排水出路,仍由老沟排出,排水标准与睢宁县桃园公社同。

(五)老龙潭大沟(即友谊沟)在两公社协议基础上补充四条意见:第一,双方均应加强管理,保证畅通,每年检查一次,按原来施工分工工段,双方负责清理,保持原设计标准;第二,东堤可以防汛,复堤到原来标准;第三,西堤开口,在不扩大流域面积,可以根据灵璧县规划自行安排中沟开挖。如挖压桃园公社土地,应进行协商,灵璧开口规划文件抄送睢宁县,以便做好相应工作;第四,友谊沟以西的桃园公社土地排水,可以纳入灵璧县的排水系统,会同挖沟。

(六)灵璧潼河上,在丁庄东建桥一座,桥的过水断面与河道设计标准同,以控制潼河扩大的断面及滩面,1966年8月15日以前最少要完成两岸桥墩及上下游块石护坡,将来河道扩大标准时,桥梁相应扩大。丁庄向下至省界不留口门。潼河上游灵璧境内所有桥梁,仍按三年河道、五年建桥设计施工,凡是河道扩大的,按丁庄建桥图样办法处理。

(七)潼河睢宁部分,两县交界处河床断面不足部分应于1966年8月10日前由睢宁做足标准。

(八)潼河上灵璧境内3个跌水,按河道设计标准做。灵璧于1966年8月底以前争取完成1个,如有困难可以先做护坡。

(九)大李沟、利民沟、灵璧未施工和正在施工部分,可按设计挖足标准,大李沟睢宁部分和利民沟、沙李沟上、下游断面,按已开挖断面维持现状。

(十)根据1964年元月江苏、安徽两省委"关于苏皖边界水利问题的处理意见",以及两专员同年6月28日检查记录第二条规定"边界圩必须全部、彻底平毁,圩堤土方平入圩沟",1964年睢宁已平毁一部分,未彻底平毁部分,凡没有种上庄稼的,睢宁应于1966年8月10日以前继续平毁,已种上庄稼的当季庄稼收获后继续平毁,最迟不得超过1966年底。徐庄、黑鲍庄的边界圩可以保留作为护庄圩,保留长度以村庄两端房屋外各50米为准。前庵、吴场、王海在距边界圩150米以内,也可以按徐庄、黑鲍同样办法保留,否则平毁。

(十一)徐场到潼河新垫高的路,睢宁须于1966年8月10日以前将新垫的土平毁,不形圩,不阻水。

(十二)利民沟至老濉河灵璧县东西沟的排水问题,其中利民沟至沙李沟之间以任庄到小扬家的路西沿路按三年一遇标准开挖中沟,接入沙李沟;沙李沟至老濉河之间以丁庄至老濉河的南北路西沿路按三年一遇标准开挖中沟,接入大李沟,南北向中沟以东的排水可以开挖条田工程于8月10日前完成。两条中沟间排水互不串通。中沟遇到村庄可以绕过村庄开挖。

(十三)王海门前沟,在七里井东北秃头柳林为起点,在大李沟上距两省施工交界处(废边界圩)西100米处为终点,两点连成直线挖沟,截入大李沟。睢宁南北向沟按排水面积三年一遇标准开挖,均于8月10日前完成。

(十四)吴场沟在距废边界圩西350米处为起点,至沙李支沟沟口两河三堤为终点,两点连成直线开挖中沟,截入沙李沟,原吴场沟口堵闭。堵闭段以下的老沟,在已平毁的边界圩以东100米处开挖南北向沟将改道以东的局部地区排水截入沙李沟。睢宁南北向沟按排水面积三年一遇标准开挖,均于8月10日前完成。

(十五)利民沟上黑鲍旧桥,睢宁须将桥口内两边孔斜坡的土全部清除,两侧桥台加做翼墙,保持桥口过水面积与河道过水面积相适应,于8月15日完成。利民沟上在黑鲍门前滩面不足,睢宁应做足,目前有农作物,双方同意在1966年9月15日前完成退堤任务,其余滩面有房屋,可先行拆迁,使滩面做足。

(十六)潼河至利民沟之间排水问题:在潼河丁庄东沿老沟形开挖中沟,在利民沟省界附近灵璧土地内引入利民沟,中沟以西的水截入利民沟,中沟以东布置条田工程,中沟的东西水不串通,于8月10日前完成。

(十七)利民支沟原向利民沟排水,规划设计中划入沙李沟,双方同意利民沟南面在任庄至徐场高李公路以北一块三角地带,由于地势低洼可以改入利民沟。第一,公路以南的水入沙李沟;第二,在小李庄以西开挖一条南北向的斜沟,引入利民沟;第三,小李庄以东,徐场以西的排水,仍由老利民沟口排出;第四,为了防止倒灌,入利民沟的两个沟口,均应筑堤,今后两县均可在沟门建涵,于8月10日前完成。

(十八)两县自潼河至濉河之间边界上下各1公里范围内,可以做条、台、田,具体做法条台田长度不超过200米。在上游灵璧境内挖东西条田沟,一定要有南北沟截入干沟。在下游睢宁境内,挖南北条田沟,一定要有东西沟截入干沟,凡中沟之间,不要互相串通。

(十九)睢宁王海支沟至吴场沟之间距废边界圩100米处南北向沟同意不做,上游灵璧境内应有南北向沟截入吴场沟及王海支沟,上下游均按条台田工程处理。

(二十)潼河及利民沟、沙李沟、大李沟、散卓支沟、洪泥沟等五条沟上所有阻水土埝、土堆、芦苇、树木、旧桥梁等应在1966年8月10日以前清除完毕,今后不得在河床内种植芦苇、树木及阻水土坝、土埝。

(二十一)灵璧县祝场涵洞与沟于8月15日完成。

(二十二)洪灵沟、洪灵支沟、胜利沟入老濉河的沟口堵死于8月10日以前完成,保证濉河水不倒灌。

（二十三）8月10日由两县共同初步验收土方工程，大李、沙李、利民三条沟，以及潼河上游灵璧部分，双方准备好竣工纵横断面图，互相抽查，8月15日双方验收散卓、任庙、黑鲍、丁庄等4座桥梁和祝场涵洞。干支流所有工程全部竣工后，在1966年底再行全面验收。

（二十四）双方应加强管理及岁修养护，栽条栽草，防止水土流失，利民、沙李、大李、散卓、洪泥等沟，应保持畅通，上、下游加强水土保持，沟口处要与外河沟底衔接，下游应拆除沿沟河的一切阻水障碍，每年冬季互相检查一次，根据淤塞各自进行岁修，恢复到原设计标准。如工程量过大，必要时可编造计划，报上级批准。

江苏省水利厅　陈志定

安徽省水电厅　蔡敬苟

宿县专署　张凤城

徐州专署　汤海南

灵璧县　陈乃盛

睢宁县　朱沁源

1966年7月21日

水利纠纷协议材料之十九

关于西沙河疏浚工程宿睢边界几个问题的协议

为大办农业，加速建设大寨县，进一步落实毛主席三项重要指示，西沙河续建工程省计委已以苏革计（1975）324号通知下达项目。由于本期河道疏浚部分有12公里长度在宿、睢边界上，本着团结治水，共同协商精神，对宿睢交界河段的有关问题两县协议如下：

（一）睢宁县沙集公社有16平方公里面积向西沙河排水，原来经11条沟排入。宿迁县考虑应防止西部高水流入西沙河和西沙河高水时倒灌。根据省局负责同志在去年冬季指出的西岸建堤封闭的精神，本期工程计划河道开挖时结合修筑西堤，堤顶高度高出本期疏浚后的河道断面遇二十年一遇的排涝水位2.0公尺，顶宽结合弃土拟定为4～8公尺，西堤建成后建议睢宁县沙集公社向西沙河排水的11条沟调并成2～3条中沟，建涵闸控制，否则失去建堤封闭意义和作用。涵闸标准和管理运用请省局决定，经费器材请省局直接下达给睢宁县。

睢宁方面认为：沙集公社地面高程在23米左右，特别是沙集北部地区高程接近24米，而西沙河最上游地面也是24.9米，根据历年考验，无有河水倒灌的情况，所以不需要做涵洞控制。同时沙集公社内部工程已经定局，11条中沟合并打乱了原来布局。根据省引江河工程初步打算，明春先干徐沙河，明年冬天从沙集向南挖，本省引江工程完成后，徐沙河和凌城河的东堤是很大的屏障，可以保证西水不向东流，为此，睢宁方面要求11条中沟保留，每沟头做防护工程。沙集公社东南部局部地面低于21米以前有倒灌情况，可做涵洞1座，加以控制（即凌北大沟东头入西沙河处）。

（二）睢宁县提出杨集以南的大寺庙附近，沙集公社有200多亩耕地在西沙河东岸，为便利生产需建1座生产桥。宿迁县认为这是合理的要求，请省局在核批西沙河续建工程设计和预算时，列入项目，标准按生产桥设计。

（三）土地挖压赔偿问题,本期河道疏浚工程计划是在老河床开挖的,以减少挖毁农田,至于筑堤系两面出土。根据省局核批标准需要压毁的一些农田、林木、芦苇地,其中睢宁部分在施工前放样时由宿迁县派员会同睢宁县沙集公社实地丈量落实面积数量、赔偿价格,按省局批准标准执行。

宿迁县革命委员会水电局

睢宁县革命委员会水电局

1975 年 11 月 28 日于睢宁

水利纠纷协议材料之二十

江苏省睢宁县和安徽省灵璧县
关于新源河流域面积协商纪要

淮委农水处会同江苏省睢宁县水利农机局和安徽省灵璧县水利局于 1986 年 11 月 10 日在蚌埠就新源河流域面积等问题进行了协商,纪要如下：

（一）关于新源河省界以上流域面积,睢宁县睢水农(86)40 号文附件中提供为 40.3 平方公里,灵璧县灵水字(86)第 17 号文提供为 24.7 平方公里。经淮委农水处会同两县有关同志在图上实际量算并协商,新源河以南 3.24 平方公里的来水面积应排入灵璧。睢宁边界的柴沟、徐圩运河北双沟乡以西 2.2 平方公里的流域面积应扣除 3.24 平方公里和 2.2 平方公里,新源河省界以上总的流域面积应为 34.86 平方公里,最后商定为 34.9 平方公里。

（二）省界以下河道有关参数选用

三年一遇排水模采用 0.7 秒立米/平方公里。河道治理采用水深 2.6 米,边坡 1∶2.5,糙率 0.025,河底比降 0.000143。

省界三年一遇水位,两县水利局同意采用 25.51 米,河底高程 22.91 米,河底宽为 7.3 米。

（三）睢宁境内河道按三年一遇标准应分段治理(徐圩运河以上,新源河双灵公路桥以上省界处以上)流域面积已划定,不要串流。

参加协商的同志有：

睢宁县水利农机局副局长　王德奎

工程师　张广振

灵璧县水利局副局长　刘家生

设计室副主任　李玉宏

淮委农水处副处长　杨孝信

工程师　陈会民

技　干　肖陆玉

1986 年 11 月 27 日

后 记

　　《睢宁县水利志》的编纂工作历经三个阶段。第一阶段酝酿编写水利志。1985 年 3 月，县水利局派张洪说、卢飞云去丰、沛二县参观编写水利志。回局后于 5 月底，局召开有关老干部参加的县水利志座谈会。此时只是酝酿，以后便搁置下来。第二阶段是搜集、采访资料，集中水利志素材。1988 年夏张洪说参加国家水利部举办的史志研究班，回局后即初步排列水利志的篇、章、节、目，水利局组织人员集体讨论定好框架，并把水利志下限时间定在 1987 年，由长期做水利工作的原水利局副局长王行泰为顾问，由张洪说主笔，有王凤梧、张志球、宋端贤、韩修路、王敦报等有关人员分篇查找、编写单项材料。历时 4 年，采访座谈历史发展过程，搜集口碑资料，摘抄文书档案和技术档案，并到国家黄委（设在河南郑州）、国家第二档案馆（设在南京）、省水利厅、市水利局等地查找有关睢宁水利的历史文件。当时编写人员中缺少水利技术骨干，材料虽按篇章堆集很多，却无法准确地、系统地整理。由于 90 年代初连续开挖徐洪河，一些主要技术人员忙于兴办水利工程，致使水利志没有及时定稿，便又搁置下来。此阶段虽未正式成稿，但所积累的素材是大量的、宝贵的。第三阶段完成《睢宁县水利志》初稿。1997 年 4 月，王保乾、黄辉二人退出水利局领导班子后，有充足时间参与水利志编写工作。1997 年 12 月 9 日省水利厅下文《关于进一步加强水利志编纂工作的通知》，要求"要像对待工程建设那样，把修志工作纳入市县水利局的'九五'水利计划"，"力争在 1998 年内完成送审稿"。为此，局长刘清明安排，再次组织编写水利志，成立水利志编纂领导小组，刘清明任组长，武献云任副组长，陈庆仪、张新昌为小组成员，并由王保乾、黄辉、张洪说、李祥会四人组成专业写作班子，还给有关技术人员安排专题书写任务。1997 年底完成了约 10.5 万字的《睢宁县水利大事记》初稿，其余各篇分工编写。志书包含的内容在第二阶段编写的基础上推后 10 年，即时间下限定在 1997 年底。从 1998 年初动笔，历时 15 个月完成初稿，计 13 篇，49.7 万字。从 1985 年 3 月起，1999 年 3 月底止，三个阶段，中断两次，共历时 14 年。

　　初稿完成后，于 1999 年夏季，送交市史志办、县史志办和市水利局，请予审稿。徐州市水利局局长祖振华非常关心、大力支持，并于 8 月 9 日组织市局新老局长、技术专家等 20 多人集体讨论，提出宝贵的修改意见。9 月 3 日有市志办主任黄景坤、市水利局原副局长马骏骥等参加，县志办副主任钦祥云主持，在县水利局召开了初稿评审会议。在对《睢宁县水利志》初稿充分肯定的同时，提出了系统的修正意见。会后编纂人员经过 3 个月的紧张工作，完成了修改任务。修改稿共 45.265 万字，除开头的概述、大事记和后面附录外，全书共分为九篇，其中第一篇是概括性的记述，其余诸篇是按水利业务属性分类，各篇相互之间既有连续性，又有独立性。每篇内容既按时间顺序写发展经过，又展开记事本末。全志纵可观睢宁水利发展全过程，横可看各项水利事业的面貌，是一部睢宁水利资料的总汇，供今人使用，给后人以启迪。为使各篇形成独立的资料，对引用的同一事例，除尽量改变记述文字的角度外，叙述略有重复。

　　修改稿完成后再次送审。1999 年 12 月 6 日徐州市人民政府地方志办公室，以徐志办

(1999)8号文批复：本书送审稿"符合新编志书的基本要求"，同意印行。

《睢宁县水利志》得以出版，与修志人员的辛勤工作是分不开的。分工编写人员，经过多方查阅素材，反复推敲，然后按篇、章分成若干阶段，每阶段都是夜以继日，一气呵成。黄辉长期从事技术工作，1998年参与编志。由于长期积劳成疾，黄辉承担编写的5项内容，只写完2项，便与世长辞。张洪说系年已70的老人，长期体弱多病。水利志三个阶段的编写工作，他始终参加。其中第二阶段所形成的文字材料之多、内容之广泛、字迹之工整，都是值得称誉的。除了修志专业人员外，水利局的有关人员都做了大量的工作。局长刘清明十分关心、支持水利志编写工作，亲自安排编写人员和批拨必要的经费。副局长武献云，分管水利志工作，经常过问编写进度，做了很多协调工作。还有张新昌、宋文、相秉成、卢建华、陈振亚、徐怀之、戈振超、刘志、魏奎华、徐清波、李云、吕振家、梁化林、张翠銮、余家军、陈兵、郑雪、杨军等，都为水利志的编写，或执笔，或查阅、提供资料，或为编写工作提供方便。还有长期在水利战线工作的刘广吉、戴尚桂、杨勺芝、张兆义等也十分关心水利志的编写工作，曾经提过很好的建议。各乡水利站都为写志提供相关的工程资料，做过具体工作。长期从事水利工作的老领导周开诚、王维甫、孙干、邢印楼、戴洪鼎、王行泰、陈先明等对水利志编写工作都非常关心，从1985年座谈会开始，至《睢宁县水利志》编写完成，他们提供了很多史实资料和线索。《睢宁县水利志》的编写出版，是县水利系统全体职工努力奋斗的结果，是集体智慧的结晶。

《睢宁县水利志》的编纂工作是在省水利厅、市水利局和市志办、县志办的统一部署和指导下进行的。县档案局、统计局、气象局等单位为本书提供了很多档案材料。市志办科长许经亚、县志办乔文斌为编写水利志多次给予专业指导和审稿。著名摄影家陆裕祥为照片拍摄、组合，做了大量工作。市水利局的新老领导和水利专业人员都十分关心睢宁编写水利志，如范本豫、管霖、马骏骥、金中华、宋冠川、滕雅元、许明德、周广田、郭永久、罗云启、胥保业等等。在此，谨向为本书编纂给予大力支持的有关单位和付出辛勤劳动的各位同志表示衷心的感谢。

为了保证资料的准确性和可靠性，我们做了大量的调查、考证工作。本书的每个篇章都是多次删改，几易其稿。由于我们水平所限，疏漏之处在所难免，敬请各界人士赐教指正。

编　者

2000年元旦

责任编辑 黎 强 何 戈

责任校对 崔永春

图书在版编目(CIP)数据

睢宁县水利志/睢宁县水务局编. —徐州:中国矿业大学
出版社,2022.2

　ISBN 7-81070-194-0

　Ⅰ.睢…　Ⅱ.睢…　Ⅲ.水利史-江苏-睢宁县

Ⅳ.TV-092

　中国版本图书馆 CIP 数据核字(2000)第 31665 号

中国矿业大学出版社出版发行

(江苏徐州　邮政编码 221008)

出版人　解京选

徐州新华印刷厂印刷　新华书店经销

开本 787×1092　1/16　插页 10　印张　23.75　字数 624 千字

2000 年 7 月第 1 版　2000 年 7 月第 1 次印刷

印数 1~1050 册　定价 98.00 元